P9-DOB-905

L'HOMME INQUIET

Henning Mankell

L'HOMME INQUIET

roman

TRADUIT DU SUÉDOIS
PAR ANNA GIBSON

ÉDITIONS DU SEUIL
25, bd Romain-Rolland, Paris XIVe

Ce livre est édité par Anne Freyer-Mauthner

Titre original : *Den orolige mannen*
Éditeur original : Leopard Förlag, Stockholm

ISBN original : 978-91-7343-265-8

Cette traduction est publiée en accord avec
l'agence littéraire Leonhardt & Høier, Copenhague

ISBN 978-2-02-101878-3

www.seuil.com

Un être humain laisse toujours des traces.
Nul ne peut davantage vivre sans son ombre…

On oublie ce dont on veut se souvenir
et on se souvient de ce qu'on préférerait oublier…

Textes peints à la bombe sur des façades à New York

Prologue

L'histoire débute par un accès de rage.

Un grand silence matinal régnait dans l'immeuble du gouvernement juste avant cet éclat – provoqué par un rapport remis la veille au soir et que le Premier ministre lisait à présent dans son bureau.

C'était le début du printemps 1983, à Stockholm ; une brume poisseuse plombait la ville et les arbres n'avaient pas encore commencé à bourgeonner. À Rosenbad, siège de l'exécutif, on parlait souvent de la pluie et du beau temps, comme sur n'importe quel lieu de travail, et pour s'informer des prévisions on consultait Åke Leander. Celui-ci officiait dans le saint des saints en qualité de gardien et, de l'avis général, c'était un as de la météo.

Quelques années plus tôt, il s'était vu octroyer un titre plus ronflant, peut-être « agent d'accueil et d'information », ou autre chose dans le même esprit. Pour sa part, il s'intitulait toujours gardien et n'avait ni désir ni besoin d'une nouvelle étiquette.

Åke Leander avait toujours été là, dans la proximité immédiate des Premiers ministres et directeurs de cabinet successifs. Consciencieux et discret, il faisait pour ainsi dire partie des meubles. En plaisantant quelqu'un avait suggéré qu'à sa mort il soit canonisé et devienne le saint patron des services du gouvernement ; ainsi son aimable fantôme continuerait-il de veiller sur leurs efforts communs pour diriger ce pays qui avait nom Suède.

Ses vastes connaissances météorologiques tenaient à une passion qui occupait tous ses loisirs. Célibataire, Åke Leander habitait un petit appartement à Kungsholmen d'où il communiquait avec ses innombrables amis, qui formaient ensemble un réseau mondial de radioamateurs enthousiastes. Il avait depuis longtemps mémorisé tous les codes et abréviations en vigueur dans le jargon. Par exemple, QRT signifiait « cessez la transmission » ; AURORA désignait une modulation déformée par les aurores boréales dans les liaisons à grande distance. Chaque soir ou presque, il coiffait son casque et envoyait son QRZ : « Vous êtes appelé par… » suivi de son nom. Une légende remontant à un passé lointain voulait que le Premier ministre de l'époque ait eu besoin de connaître, pour on ne sait quelle raison, l'état de la météo au mois d'octobre et de novembre sur Pitcairn Island – cette île du Pacifique où les marins du *Bounty* s'étaient mutinés contre le capitaine Bligh avant de mettre le feu au navire et de rester là pour toujours. Åke Leander avait pu communiquer l'information au Premier ministre dès le lendemain. Et il n'avait posé aucune question. C'était, on l'a dit, un homme excessivement discret.

Pour ce qui est des contacts à l'international, personne ne peut se mesurer à Åke, y compris au ministère des Affaires étrangères. Voilà ce qu'on chuchotait, avec une pointe de malignité, lorsqu'il passait de son pas lent dans les couloirs.

Mais, en l'occurrence, pas même Åke Leander n'aurait pu prévoir la tempête qui allait d'un instant à l'autre déchirer le silence du cabinet ministériel.

Après avoir tourné la dernière page, le Premier ministre se leva et s'approcha d'une fenêtre. Des mouettes tourbillonnaient dehors dans le ciel gris.

Il s'agissait des sous-marins. Ces maudits sous-marins qui, à l'automne 1982, moins d'un an plus tôt, se seraient infiltrés dans les eaux territoriales suédoises au moment même où étaient proclamés les résultats des élections législatives. La droite s'étant retrouvée en minorité après avoir perdu un certain nombre de sièges, le président du Parlement avait chargé Olof Palme de former un nouveau cabinet. Celui-ci avait aussitôt nommé une commission chargée d'enquêter sur ces sous-marins qu'on n'avait jamais pu contraindre à faire surface. Et voilà que ladite commission, présidée par Sven Andersson, avait remis son rapport. Olof Palme venait de le lire. Il n'y entendait rien. Les conclusions de ses auteurs étaient totalement incompréhensibles. Et cela le mit hors de lui.

Il faut noter que ce n'était pas la première fois qu'Olof Palme s'énervait contre Sven Andersson. À vrai dire, son antipathie remontait à loin, plus précisément à un jour de juin 1963, juste avant la Saint-Jean, lorsqu'un homme bien mis, cinquante-sept ans, cheveux gris et costume impeccable, avait été arrêté sur le pont de Riksbron, en plein centre de Stockholm. L'opération avait été menée de façon si fluide qu'aucun passant ne s'aperçut de rien. Cet homme s'appelait Stig Wennerström, il était colonel de l'armée de l'air et, à compter de cet instant sur le pont, officiellement inculpé d'espionnage aggravé pour le compte de l'Union soviétique.

Le Premier ministre de l'époque, Tage Erlander, revenait au pays après une semaine dans le village de vacances de Riva del Sole, création de la coopérative suédoise Reso sur la côte toscane, en Italie. Assailli par les journalistes à sa descente d'avion, il fut pris totalement au dépourvu ; il ne savait rien au sujet de cette arrestation ni même d'un colonel suspect nommé Wennerström. Il était possible que ce nom eût été mentionné une ou deux fois par son ministre de la Défense, lors des rapports oraux informels que celui-ci lui délivrait régulièrement en tête à tête. Mais rien d'important, rien de mémorable. Il faut dire qu'à cette époque, les soupçons d'espionnage prosoviétique flottaient en permanence à la surface des eaux troubles de ce marécage que l'on nommait la guerre froide. La réaction de Tage Erlander à sa descente de l'avion laissa donc beaucoup à désirer. Lui qui avait occupé la fonction de Premier ministre de façon ininterrompue pendant près de dix-sept ans fit ce jour-là figure d'imbécile, incapable de répondre aux questions dans la mesure où aucun membre du gouvernement, à commencer par son ministre de la Défense, Sven Andersson, n'avait pris la peine de l'informer de quoi que ce soit. La dernière partie du voyage, une petite demi-heure de vol entre Copenhague et Stockholm, aurait pourtant suffi à le préparer à affronter la meute. Mais personne n'avait eu l'idée de venir l'accueillir à Kastrup et de l'avertir dans l'avion.

Au cours des jours suivants, Erlander faillit démissionner de son poste de Premier ministre et de chef du parti social-démocrate. Jamais encore il n'avait été à ce point déçu par ses collègues de l'exécutif. Et Olof Palme, qui passait déjà à cette époque pour être son successeur désigné, partageait sa colère contre cette nonchalance sans pareille qui avait permis la déconfiture erlandérienne. *Olof Palme veille sur son maître comme un molosse enragé*, disait-on dans les cercles proches du pouvoir. Personne n'aurait eu l'idée de démentir cette comparaison.

Olof Palme ne put jamais pardonner à Sven Andersson l'humiliation infligée à Erlander.

Plus tard, beaucoup s'interrogèrent sur la raison pour laquelle il l'avait néanmoins toujours inclus dans ses cabinets successifs. Cette raison n'était pourtant pas difficile à comprendre. S'il avait pu, il l'aurait évincé ; mais c'était impossible. Sven Andersson était un homme très influent dans les sections locales. Et, de plus, fils d'ouvrier. Palme, lui, était lié à la vieille noblesse balte, comptait plusieurs officiers dans sa famille – lui-même était d'ailleurs officier de réserve – et incarnait, autant par sa personne que par ses origines, la classe supérieure fortunée. Il n'avait pas le moindre enracinement dans la base. Olof Palme était un transfuge. Sans doute sincère dans ses convictions, il n'en restait pas moins une sorte de pèlerin politique en éternelle visite chez les sociaux-démocrates.

Åke Leander, qui passait devant le bureau du chef du gouvernement avec, à la main, un mémo rageur sur le thème des fonctionnaires qui oubliaient de fermer les portes derrière eux en partant le soir, entendit l'orage éclater à travers la cloison. Il s'immobilisa, puis reprit sa progression comme si de rien n'était.

Olof Palme était tourné vers Sven Andersson, qui courbait l'échine sur le canapé gris du coin salon. Palme était écarlate, on voyait ses bras agités de ces curieux soubresauts qui signalaient, chez lui, les accès de fureur et il aboyait plus qu'il ne parlait.

– Ce rapport n'avance pas la moindre preuve ! C'est un tissu d'affirmations sans fondement et de sous-entendus équivoques proférés par des officiers de marine qui n'ont pas un gramme de loyauté dans le corps et qui se paient la tête de ce gouvernement. C'est une enquête mort-née, qui n'aboutit à aucune conclusion claire, qui nous conduit au contraire tout droit dans le pire des marigots politiques.

Deux ans plus tôt, dans la nuit du 28 octobre 1981, un sous-marin soviétique U 137 s'était échoué sur un haut-fond du détroit de Gåsefjärden, au cœur de l'archipel de Karlskrona. Or non seulement ce détroit faisait partie intégrante de la mer territoriale suédoise, mais c'était aussi une zone de sécurité militaire. Le commandant du sous-marin, Anatoli Michaïlovitch Gouchtchine, affirma avoir dévié de sa route en raison d'une défaillance du compas gyroscopique. Les officiers de marine suédois et les pêcheurs étaient, eux, de l'avis que seul un capitaine très ivre avait pu réussir le tour de force de s'enfoncer si profondément parmi les innombrables écueils de l'archipel avant de s'échouer.

Le 6 novembre, le sous-marin fut remorqué jusqu'à la limite de la zone interdite puis conduit sous escorte suédoise jusqu'à la haute mer, où il disparut. Cette fois-là, il ne faisait donc aucun doute qu'il s'agissait bien d'un bâtiment soviétique. Mais savoir si l'intrusion était délibérée ou l'effet de l'intempérance du capitaine – le débat ne fut jamais tranché. Dans la mesure où les Russes s'accrochaient à leur version d'un instrument de navigation défectueux, on crut comprendre que la seconde hypothèse était la bonne. Aucune marine de guerre qui se respecte n'avouerait de son plein gré qu'un de ses officiers était ivre à la manœuvre.

Deux ans plus tôt, il y avait donc eu des preuves. Mais où étaient-elles cette fois ?

Ce que l'ancien ministre trouva à dire pour sa défense personnelle et celle de l'enquête, personne ne le sait. Lui-même ne prit aucune note, ni pendant ni après l'entretien ; et Palme, qui devait être assassiné en 1986, n'en conserva pas davantage la moindre trace écrite.

Åke Leander ne commenta jamais, oralement ou par écrit, l'éclat de voix surpris dans le bureau du chef de l'exécutif. Début 1989, il prit sa retraite et se retira, de fait, dans son appartement auprès de ses amis des ondes, non sans avoir été chaleureusement remercié par le Premier ministre en exercice. Après sa mort discrète survenue dix ans plus tard, à l'automne 1999, personne n'eut l'impression que son fantôme était revenu hanter le siège du gouvernement à Rosenbad.

Tout avait pourtant commencé là. L'histoire sur les dessous de la politique, le voyage en eaux troubles, où vérité et mensonge changeaient de place et où il ne serait bientôt plus possible d'atteindre la moindre clarté.

Première partie

Immersion dans le marécage

1

L'année de ses cinquante-cinq ans, Kurt Wallander réalisa à sa propre surprise un rêve qu'il portait en lui depuis une éternité. Plus exactement depuis son divorce d'avec Mona, qui remontait à près de quinze ans maintenant. Ce rêve était de quitter l'appartement de Mariagatan, où les souvenirs douloureux étaient incrustés dans les murs, et de partir s'installer à la campagne. Chaque fois qu'il rentrait chez lui après une journée de travail plus ou moins désespérante, il se rappelait qu'il avait autrefois vécu là en famille. Il lui semblait que les meubles eux-mêmes le regardaient avec un air désolé et accusateur.

Il ne se faisait pas à l'idée qu'il continuerait à vivre là jusqu'au jour où il serait tellement vieux qu'il ne pourrait plus se débrouiller seul. Il n'avait même pas atteint la soixantaine, mais le souvenir de la vieillesse solitaire de son père le hantait. S'il avait une certitude, c'était qu'il ne voulait pas reproduire le modèle. Il lui suffisait d'apercevoir son reflet dans la glace en se rasant le matin pour constater qu'il ressemblait de plus en plus au vieux alors que, dans sa jeunesse, il avait eu plutôt les traits de sa mère. L'âge venant, son père paraissait peu à peu prendre possession de lui, tel un coureur qui serait resté longtemps embusqué dans le peloton de queue et qui, à l'approche de la ligne d'arrivée, passait à l'attaque.

L'image du monde qu'avait Wallander était assez simple. Il ne voulait pas être un solitaire aigri, ne voulait ni vieillir seul en recevant la visite de sa fille et de temps à autre, peut-être, celle d'un ancien collègue qui se serait soudain souvenu qu'il était encore en vie. Il n'entretenait aucun espoir édifiant comme quoi Autre Chose l'attendait après la traversée du fleuve noir. Il n'y avait rien là-bas que la nuit d'où il avait émergé à sa naissance. Jusqu'à ses cinquante ans, il avait entretenu une peur confuse de la mort, et du fait de devoir *rester mort si longtemps*, pour reprendre la formule qui résumait le mieux, pour lui, son sentiment. Il avait vu trop de cadavres au cours de sa vie et rien sur leurs visages muets ne suggérait qu'un Ciel eût recueilli leur âme. Comme tant d'autres policiers, il avait assisté à toutes les variantes imaginables de la mort. Juste après son cinquantième anniversaire – célébré au commissariat par l'achat d'un gâteau et par un fade discours de la chef de police de l'époque, Lisa Holgersson, qui s'était contentée d'aligner un chapelet de platitudes – il avait commencé à évoquer dans un carnet, acquis pour l'occasion, tous les morts qui avaient un jour ou l'autre croisé son chemin. Une activité macabre, dont lui-même ne comprenait pas du tout pourquoi elle l'attirait tant. Parvenu à son dixième suicidé – un toxicomane d'une quarantaine d'années affligé de tous les problèmes qui puissent exister –, il laissa tomber. Le type, qui s'appelait Welin, s'était pendu dans le grenier de son squat. Il s'était arrangé pour se rompre les vertèbres cervicales et éviter ainsi d'être étranglé à petit feu. Le légiste avait par la suite confié à Wallander que le stratagème avait réussi, et qu'il était mort sur le coup ; ainsi cet homme avait réussi à être pour lui-même un bourreau compétent. Après cela, Wallander avait abandonné les suicidés et consacré stupidement quelques heures à essayer de se rappeler plutôt les jeunes morts, y compris les enfants, qu'il avait vus au long de sa carrière. Mais il y renonça vite, c'était trop désagréable. Dans la foulée, il eut honte et brûla son carnet, comme s'il s'était laissé aller à un penchant pervers, un penchant défendu. Au fond, se dit-il, il était quelqu'un de foncièrement jovial. Il devait juste s'autoriser à cultiver un peu plus cet aspect de lui-même.

Mais la mort l'avait toujours accompagné. Il lui était aussi arrivé de tuer. Par deux fois. Dans les deux cas, l'enquête interne avait conclu à la légitime défense.

Ces deux êtres humains dont il avait causé la mort, c'était sa croix, tout à fait personnelle, qu'il portait en lui. S'il ne riait pas souvent, il le devait à ces expériences subies malgré lui.

Un beau jour, cependant, il prit une décision cruciale. Il s'était rendu à Löderup pour discuter avec un agriculteur victime d'une agression, non loin de la maison où vivait autrefois son père. En revenant vers Ystad, il aperçut le panneau d'une agence immobilière signalant une maison à vendre au bout d'un chemin gravillonné. La décision surgit de nulle part. Il freina, fit demi-tour et emprunta le chemin. Le corps de ferme à colombages devait à l'origine former un quadrilatère tronqué, mais l'une des ailes avait disparu, peut-être suite à un incendie. Il en fit le tour. C'était une belle journée au début de l'automne. Il se rappellerait le vol d'oiseaux migrateurs qui était passé en ligne droite, plein sud, juste au-dessus de sa tête. A priori seul le toit avait besoin d'être refait. La vue qu'on avait depuis la maison était éblouissante. On devinait la mer au loin, peut-être même distinguait-il la forme d'un ferry arrivant de Pologne, en route vers Ystad. Cet après-midi-là, au mois de septembre 2003, il entama en quelques instants une histoire d'amour avec la maison solitaire.

Il remonta dans sa voiture et se rendit tout droit chez l'agent immobilier à Ystad. Le prix n'était pas si élevé qu'il ne puisse prendre un crédit dont il aurait les moyens de rembourser les traites. Dès le lendemain, il était de retour sur les lieux en compagnie de l'agent, un jeune homme qui s'exprimait d'une voix forcée et donnait l'impression d'être complètement ailleurs. La maison, expliqua-t-il à Wallander, appartenait à un jeune couple originaire de Stockholm qui avait choisi de s'installer en Scanie; mais ils ne l'avaient même pas encore meublée qu'ils décidaient de se séparer. En parcourant les pièces vides, Wallander sentit qu'il n'y avait rien de caché dans ces murs-là qui fût de nature à l'effrayer. Et le plus important de tout, qui ressortait très clairement des explications de l'agent: il allait pouvoir emménager tout de suite. Le toit tiendrait le coup quelques années encore, avec un peu de chance. La seule urgence était de repeindre certaines pièces et de remplacer la baignoire; voire d'acheter une gazinière neuve. Mais la chaudière avait quinze ans d'âge, la plomberie et l'électricité à peine davantage. Ça irait.

Avant de repartir, Wallander demanda s'il y avait d'autres candidats. En effet, oui, répondit l'agent en prenant un air soucieux comme s'il souhaitait à titre personnel que Wallander emporte le morceau tout en laissant entendre qu'il devait se décider sur-le-champ. Mais Wallander n'avait aucune intention d'acheter le cochon dans un sac, pour reprendre une vieille expression paysanne. Il parla à un collègue dont le frère travaillait dans le bâtiment, et réussit à convaincre ce dernier de venir voir la maison dès le lendemain. Le frère ne trouva pas d'autre défaut que ceux qu'il avait déjà repérés. Dans la foulée il se rendit chez son banquier, qui déclara qu'on voulait bien lui accorder le prêt qui lui permettrait d'acheter la maison. Pendant toutes ces années passées à Ystad, Wallander avait mis de l'argent de côté, de façon distraite mais régulière. Il s'avérait à présent que cette somme constituerait un apport personnel suffisant.

Ce soir-là, dans sa cuisine, il s'attela à une estimation budgétaire détaillée. Il ressentait confusément la situation comme solennelle. Vers minuit, sa décision était prise: il allait l'acheter, cette maison qui portait le nom spectaculaire de Svarthöjden[1]. Il était tard mais il appela quand même

1. Mot à mot: «la hauteur noire». *(Toutes les notes sont de la traductrice.)*

Linda, sa fille, qui habitait à Ystad, dans une zone résidentielle récente près de la sortie vers Malmö. Elle ne dormait pas encore.

– Viens, dit Wallander. J'ai des nouvelles.

– En pleine nuit ?

– Je sais que tu ne travailles pas demain.

Il avait été extrêmement surpris, quelques années plus tôt, quand Linda lui avait révélé sur la plage de Mossby Strand qu'elle avait l'intention de suivre ses traces et d'entrer dans la police. Il n'avait pas mis longtemps à s'apercevoir que cette décision de sa fille le rendait heureux. D'une manière confuse, elle lui semblait donner un sens nouveau à toutes ces années de labeur. Ses études terminées, Linda avait été affectée au commissariat d'Ystad. Les premiers mois, elle avait habité chez lui, dans l'appartement de Mariagatan. Ça ne s'était pas très bien passé. Il était comme un vieux chien, perclus d'habitudes, et il avait d'autre part un peu de mal à la considérer comme une adulte. Leur relation avait été sauvée par le gong, quand elle s'était enfin déniché son propre appartement.

Cette nuit-là, il lui fit part de ses intentions. Le lendemain, elle l'accompagna jusqu'à la maison et déclara sur-le-champ qu'il devait l'acheter, cette maison-là et aucune autre, au bout de ce chemin, sur cette hauteur, avec ce paysage qu'on voyait, de là-haut, ondoyer jusqu'à la mer.

– Le fantôme de grand-père viendra s'y installer à coup sûr, dit-elle. Mais ce n'est pas la peine d'avoir peur. Il sera comme une présence protectrice.

Ce fut un grand moment, un moment heureux dans la vie de Wallander, que celui où il signa l'acte de vente et se retrouva dans la foulée debout sur le trottoir, un énorme trousseau de clés à la main. Il emménagea le 1er novembre après avoir repeint deux pièces – mais renoncé à remplacer la gazinière. Il quitta Mariagatan sans l'ombre d'un regret et convaincu d'avoir fait le bon choix. Le jour où il prit possession de sa nouvelle maison, il soufflait un beau vent de tempête du sud-est.

Dès ce premier soir, la tempête provoqua une coupure de courant générale. En un instant il fut plongé dans un noir d'encre. Les poutres craquaient et gémissaient sous les assauts du vent, et soudain il s'aperçut aussi qu'à un certain endroit la pluie gouttait dans la maison. Mais il ne regrettait rien. C'était là et pas ailleurs qu'il devait vivre.

La cour comportait un chenil. Petit, Wallander avait toujours rêvé d'avoir un chien. À treize ans, alors qu'il avait renoncé à tout espoir, ses parents s'étaient enfin décidés à lui en offrir un. Une, plutôt. Et il avait aimé cette chienne plus que tout au monde. Plus tard dans la vie, il s'était fait la réflexion que Saga – sa chienne – lui avait appris ce qu'était l'amour. Saga n'avait que trois ans lorsqu'elle fut écrasée par un poids lourd. Le choc et le chagrin qu'il en conçut n'avaient aucun équivalent dans tout ce qu'il avait pu connaître jusque-là de l'existence. Plus de quarante ans après les faits, il pouvait encore se rappeler chacune des émotions chaotiques qui l'avaient habité alors. *La mort frappe*. Au sens propre, il voyait un poing d'une puissance effroyable s'abattant sans la moindre pitié.

Deux semaines après avoir emménagé dans sa nouvelle maison, il s'acheta un chiot. Un labrador noir. Pas de race pure, mais le propriétaire le décrivit malgré tout comme un chien de tout premier calibre. Wallander avait décidé à l'avance qu'il s'appellerait Jussi, en hommage à l'immense ténor suédois Jussi Björling, qui était l'un de ses héros.

Début décembre, il invita ses collègues du commissariat à pendre la crémaillère. Ce soir-là il y eut encore une panne de courant, mais entre-temps il avait constitué un stock de bougies et de vieilles lampes à pétrole héritées de son père. L'électricité revint au bout d'une heure à peine. Au final, ce fut une soirée que Wallander décida de garder en mémoire. Non, il n'était pas trop vieux pour oser changer de vie. Oui, il avait encore des amis, pas seulement des collègues qui auraient fait le déplacement mus par un douteux sens du devoir.

Tard dans la nuit, après le départ de ses derniers invités, il sortit se promener avec Jussi. Il avait emporté une torche électrique pour ne pas trébucher dans le noir, car il était loin d'être sobre et de nombreux fossés particulièrement traîtres entouraient les champs qui, l'été venu, s'illumineraient du jaune des colzas. Il lâcha Jussi, qui disparut illico dans la nuit. Le ciel était froid et limpide, le vent ne soufflait plus. Les lumières d'un navire scintillaient, minuscules, sur l'horizon. Et me voilà, pensa-t-il. J'ai osé partir. J'ai même un chien à moi. Reste une question. *Qu'est-ce que je fais maintenant ?*

Jussi se matérialisa soudain devant lui telle une ombre silencieuse émergeant de l'obscurité. Mais il n'avait pas de réponse à fournir à la question de Wallander.

Près de quatre ans plus tard, début 2007, il revécut en rêve cet instant où il avait adressé sa question à la nuit immense, après la fête donnée dans sa nouvelle maison. Elle est toujours d'actualité, pensa-t-il au réveil. Quatre années se sont écoulées depuis, et je ne sais toujours pas où je vais.

C'était un mardi, quelques jours après l'Épiphanie. Au cours de la nuit, une tempête de neige avait traversé le sud de la Scanie avant de s'éloigner au-dessus de la Baltique. L'accès de la maison était bloqué par la neige. Peu après six heures, il était à pied d'œuvre en train de déblayer sa cour, pendant que Jussi reniflait fiévreusement des traces de lièvre sur le talus bordant le champ mitoyen enseveli sous la blancheur. Wallander allait commencer la journée par une visite chez le médecin qui surveillait son diabète. Quand le diagnostic avait été posé, dix ans plus tôt, on lui avait recommandé dans un premier temps de modifier ses habitudes alimentaires, de bouger davantage et de ne pas oublier ses médicaments. Mais depuis quelques années, il devait aussi s'administrer des injections quotidiennes d'insuline. Après la visite chez le médecin, il reprendrait l'enquête qui le mobilisait entièrement depuis début décembre. Un couple de personnes âgées, un armurier et sa femme, avait été agressé par des cambrioleurs qui les avaient brutalisés sauvagement avant de repartir avec une grande quantité d'armes. Le mari était à l'hôpital, plongé dans un coma artificiel, entre la vie et la mort. La femme, elle, était consciente. Mais elle avait le crâne fracturé et avait perdu l'usage d'un œil. Wallander, qui avait été parmi les premiers sur les lieux – une belle maison avec un grand jardin, à une dizaine de kilomètres au nord d'Ystad –, avait été choqué par la violence inouïe qu'on avait fait subir au vieux couple. Ils avaient été battus jusqu'à perdre conscience, puis ficelés à l'aide d'une corde et laissés pour morts.

Le mari, qui s'appelait Olof Hansson, gérait son activité depuis son domicile. C'était une affaire familiale qu'il avait héritée de son père. Avec sa femme, Hanna, ils avaient acquis une belle collection de revolvers et de pistolets, dont plusieurs pièces uniques. Les cambrioleurs s'étaient montrés très organisés. En compagnie du procureur Erik Petrén, Wallander et les autres enquêteurs du groupe avaient visionné les images prises par les caméras de surveillance. Ils avaient dénombré cinq individus, tous masqués. L'une des caméras avait saisi l'instant où une trique s'abattait sur la nuque d'Olof Hansson ; un gémissement étouffé avait parcouru l'assistance.

Cela avait rappelé à Wallander le cas d'un autre couple de vieux, assassinés à Lenarp près de vingt ans auparavant. Dans son calendrier personnel, cette enquête-là demeurait l'une des plus dures qu'il ait eu à mener pendant toutes ces années à Ystad. Deux demandeurs d'asile étaient passés à l'attaque après avoir vu le vieil agriculteur retirer une forte somme d'argent dans une agence bancaire. Il avait l'impression de revoir la même scène ; une horreur qui se répétait. L'histoire ancienne venait se mêler à l'affaire en cours ; c'était la même violence bestiale, une brutalité qui l'effrayait toujours autant, maintenant comme alors.

Cela faisait plus d'un mois qu'ils s'efforçaient de retrouver les agresseurs. Les premières semaines, ils n'avaient pas eu la moindre piste fiable. Aux yeux de Wallander, la parfaite organisation de ce crime constituait toutefois une piste en soi. Ces individus figuraient très vraisemblablement déjà dans leurs fichiers. Il s'était rendu un soir à Hässleholm pour rencontrer un certain Rune Berglund dans un endroit discret, non loin du stade municipal. Berglund avait un passé de cambrioleur et avait également été condamné deux fois pour violences aggravées. Puis un beau jour, à la surprise générale, il avait eu une révélation religieuse et mis fin à sa carrière de délinquant. Bien que n'étant plus actif dans le milieu, il conservait un vaste réseau de contacts. Wallander avait eu vent de ses compétences d'informateur grâce à un collègue de la brigade criminelle de Malmö. Depuis, il faisait parfois appel à lui quand il avait besoin d'un renseignement précis. Le prix était toujours le même, deux billets de cent pour la quête. Berglund, il le savait, travaillait de sept à seize heures dans une usine de pneus et consacrait le reste de son temps à l'église évangélique qui lui avait permis de rencontrer Jésus. Ou peut-être, pensait Wallander, était-ce le contraire ? Jésus qui avait rencontré Rune Berglund ? En tout cas, il ne doutait pas un instant que ses deux cents couronnes iraient aux bonnes œuvres.

Berglund ne se montra guère surpris quand Wallander lui parla de l'affaire ; le spectaculaire vol d'armes avait été amplement couvert par les médias. L'ancien cambrioleur y voyait un travail de commande pour un donneur d'ordre étranger. Olof Hansson possédait un système d'alarme sophistiqué, mais ce n'était rien comparé à ce qu'on trouvait sur le continent[1]. Pour des gens aguerris, la villa de

1. En suédois, « le continent » désigne communément toute partie de l'Europe située au sud de la Suède.

Hansson pouvait donc apparaître comme une cible relativement facile. Berglund promit de le contacter si jamais il apprenait quelque chose. Et de fait, le 23 décembre, il lui téléphona pour l'informer qu'il pouvait bien s'agir d'une équipe mixte composée de Suédois et de Polonais loués pour l'occasion.

Olof Hansson mourut le lendemain. L'affaire passa alors du statut de vol avec violence à celui de meurtre. L'essentiel du travail d'enquête avait été confié à deux femmes : Ann-Louise Edenman, qui venait de Lund, et Kristina Magnusson, qui avait fait le même parcours que Wallander, de Malmö à Ystad. Sans qu'il y ait eu la moindre décision officielle en ce sens, c'était Wallander qui les cornaquait, de la même manière qu'à ses débuts à Ystad lui-même avait eu pour mentor le très expérimenté commissaire Rydberg – jusqu'au jour où celui-ci avait finalement été emporté par un cancer. Wallander avait toujours regretté Rydberg. Il y avait eu de longues périodes où il pensait à lui presque chaque jour. Il lui arrivait encore parfois d'aller déposer une fleur sur sa tombe, quand il était aux prises avec une enquête particulièrement difficile. Il restait planté là devant la pierre nue à s'interroger sur ce que Rydberg aurait fait à sa place. À présent, face à Edenman et à Magnusson, il se demandait si un jour elles s'interrogeraient sur ce que Wallander aurait fait à leur place dans la même situation.

Il n'en savait rien. Au fond, il ne tenait sans doute pas à le savoir.

Puis, le 12 janvier, la vie de Wallander bascula. D'abord, il y eut une percée dans l'enquête. Kristina Magnusson déboula dans son bureau où il épluchait tristement quelques rapports envoyés par la brigade criminelle de Stockholm à propos de différents vols d'armes. Rien qu'à la tête de Kristina, il comprit qu'il y avait du nouveau. Il avait l'impression de se voir ; il lui arrivait encore de s'engouffrer ainsi sans crier gare dans les bureaux des collègues.

– Hanna Hansson s'est mise à parler !
– Et que dit-elle ?
– Qu'elle a reconnu au moins deux des agresseurs.
– Ils étaient pourtant masqués.
– Elle dit que leurs voix lui étaient familières. Ces deux hommes étaient déjà venus chez eux pour affaire.
– Sans masque, cette fois ?
Kristina Magnusson acquiesça.
– On pourrait donc les retrouver sur les enregistrements des caméras de surveillance ?
– Ce n'est pas impossible.
– Tu es certaine qu'elle ne se trompe pas ?
– Elle me fait l'effet d'avoir toute sa tête. Et elle est sûre de son fait.
– Sait-elle que son mari est mort ?
– Non. Ses deux filles se relaient à son chevet, mais les médecins leur ont demandé de ne rien lui dire pour l'instant.
– Ça ne sert à rien, dit Wallander. Si elle est aussi lucide que tu le dis, elle sait déjà. Elle le voit dans leurs yeux.
– Tu crois donc qu'on peut lui avouer la vérité ?
Wallander se leva.
– Je crois juste qu'elle sait ce qu'il en est. Depuis combien d'années étaient-ils mariés ? Quarante-sept ? Bien. Alors on rassemble tous les collègues disponibles et on commence à visionner les images.
Il était déjà dans le couloir, dans le sillage de Kristina Magnusson – qu'il aimait bien, en secret, regarder de dos –, quand le téléphone sonna sur son bureau. Il hésita, revint sur ses pas ; c'était Linda. Elle était de repos après avoir travaillé la nuit de la Saint-Sylvestre, qui avait été spécialement agitée à Ystad, avec son lot de bagarres familiales et de violences.
– Tu as un moment ?
– Non. Nous allons peut-être réussir à identifier certains auteurs du vol d'armes.

– Il faut qu'on se voie.

Elle parlait d'une voix tendue. Il s'inquiéta aussitôt, comme chaque fois qu'il croyait qu'il lui était arrivé quelque chose.

– C'est grave ?

– Pas du tout.

– On peut se voir à treize heures, si tu veux.

– Mossby Strand ?

Wallander crut qu'elle plaisantait.

– Tu veux que j'apporte mon maillot de bain ?

– Non, sérieusement. Mossby Strand. Sans maillot.

– Qu'est-ce qu'on va faire là-bas ? Par ce froid ?

– Treize heures. J'y serai. Tu as intérêt à y être aussi.

Elle raccrocha avant qu'il ait pu poser d'autres questions. Il resta planté là, le combiné à la main, à se demander ce qu'elle lui voulait. Puis il se rendit dans la salle de réunion qui abritait leur meilleur poste télé et passa deux heures à regarder les séquences filmées par les caméras de surveillance d'Olof Hansson. Vers midi et demi, il en restait à peu près la moitié à visionner ; Wallander se leva en disant qu'ils pourraient reprendre à quatorze heures. Martinsson – celui de ses collègues avec lequel il avait travaillé le plus longtemps – en resta comme deux ronds de flan.

– Tu veux arrêter ? En plein boulot ? Tu n'as jamais respecté la pause déjeuner, que je sache…

– Je ne vais pas déjeuner. J'ai rendez-vous.

Il sortit précipitamment en pensant qu'il avait été trop sec. Plus qu'un collègue, Martinsson était un ami. Quand Wallander avait donné sa fête de pendaison de crémaillère à Löderup, c'était tout naturellement Martinsson qui avait prononcé le discours – un discours qui s'adressait à la fois à lui, à son chien et à sa maison. Nous sommes comme un vieux couple, pensa-t-il en quittant le commissariat. Un vieux couple méritant qui se chamaille, histoire de rester en forme.

Il alla récupérer sa voiture, la nouvelle Peugeot qu'il avait depuis quatre ans, et prit la route. Combien de fois ai-je déjà couvert ce trajet ? Combien de fois encore ? En attendant que le feu passe au vert, il se rappela une histoire que son père lui avait racontée autrefois, à propos d'un cousin qu'il n'avait pour sa part jamais rencontré. Le cousin était capitaine de ferry dans l'archipel de Stockholm. Une courte traversée entre deux îles, pas plus de cinq minutes de quai à quai, d'année en année, toujours le même trajet. Un jour, il avait pété un câble. En cette fin d'après-midi du mois d'octobre, le ferry était rempli de voitures et, soudain, le cousin avait mis le cap vers la haute mer. Il savait disposer d'assez de carburant pour atteindre l'un ou l'autre pays balte. Voilà ce qu'il raconta par la suite, après avoir été finalement neutralisé par les automobilistes en colère et par les gardes-côtes, qui avaient réussi à intervenir et à remettre le ferry sur le droit chemin. Mais à part cela, rien. Il n'avait jamais fourni d'explication à son geste.

Wallander pensa qu'il le comprenait confusément.

Des nuages dispersés couraient dans le ciel au-dessus de la route où il roulait vers l'ouest, le long de la mer. Par la vitre latérale, il vit qu'un front orageux menaçait à l'horizon. Le matin même à la radio, on avait annoncé un risque de chute de neige en soirée. Peu avant la sortie vers Marvinsholm, il fut dépassé par un motard. Celui-ci agita la main et Wallander pensa pour la millième fois à l'une des choses qu'il redoutait le plus : que Linda puisse avoir un jour un accident de moto. Lorsqu'il l'avait vue arriver pour la première fois sur sa Harley-Davidson flambant neuve aux chromes étincelants, il avait été complètement pris de court. Sa première réaction, une fois qu'elle eut ôté son casque, fut de lui demander si elle avait perdu la boule.

– Tu ne connais pas tous mes rêves, avait-elle répondu avec un grand sourire heureux. D'ailleurs moi non plus, je ne connais pas les tiens.

– Les motos n'en font pas partie.

– Dommage. On aurait pu partir ensemble.

Il avait été jusqu'à la supplier de l'autoriser à lui acheter une voiture et lui payer l'essence, à condition qu'elle se sépare de la moto. Peine perdue. D'ailleurs, il l'avait su d'entrée de jeu. Elle avait hérité de son entêtement, il pourrait essayer tous les stratagèmes, jamais il ne la ferait renoncer à sa Harley.

En s'engageant sur l'aire de stationnement de Mossby Strand, déserte et abandonnée sous la bourrasque, il l'aperçut aussitôt, cheveux au vent, casque sous le bras, au sommet d'une dune. Il coupa le moteur et resta assis à la regarder – sa fille dans sa combinaison de cuir sombre, avec les bottes sur mesure qu'elle s'était fait coudre dans une fabrique de Californie et qui lui avaient coûté presque un mois de salaire. Autrefois, pensa-t-il, c'était une petite fille qui s'asseyait sur mes genoux et moi, j'étais son héros. Maintenant elle a trente-six ans, elle est dans la police comme moi, elle a un cerveau qui va vite et un grand sourire. Que demander de plus ?

Il dut lutter contre le vent et le sable pour la rejoindre en haut de la dune. Elle lui sourit.

– Il s'est passé un truc ici. Tu t'en souviens ?

– Tu m'as annoncé que tu entrais à l'école de police. C'était ici.

– Essaie encore.

– Le canot ? Les deux hommes échoués ? Il y a tellement longtemps que je ne me souviens plus de l'année. Ces événements se déroulaient dans un autre monde, si on peut dire.

– Raconte.

– Ce n'est tout de même pas pour ça que tu m'as fait venir ?

– Raconte quand même !

Wallander désigna la mer d'un geste.

– Les pays qui étaient de l'autre côté… Nous ne savions pas grand-chose d'eux, à l'époque. Je crois que nous nous efforcions surtout de faire semblant qu'ils n'existaient pas. Les États baltes, nos voisins les plus proches, de l'autre côté

– nous étions séparés d'eux, et eux de nous. Un jour, un canot pneumatique s'est échoué ici même. L'enquête m'a conduit à Riga, en Lettonie. J'ai fait une visite derrière ce rideau de fer qui n'existe plus. Le monde était différent alors. Ni pire, ni meilleur, mais très différent.

– Je suis enceinte. Je vais avoir un enfant.

Wallander en eut le souffle coupé. Il ne comprit pas tout d'abord ce qu'elle venait de lui dire. Puis il baissa les yeux vers le ventre dissimulé sous le cuir noir. Elle éclata de rire.

– Ça ne se voit pas encore, je n'en suis qu'au deuxième mois.

Par la suite, Wallander se rappellerait chaque détail de cette rencontre, où Linda lui avait fait sa grande révélation. Ils descendirent jusqu'au rivage, courbés face au vent. Elle lui dit tout ce qu'il voulait savoir. Quand il revint au commissariat, en retard d'une heure, il avait presque oublié l'enquête dont il avait la charge.

Juste avant qu'il ne recommence à neiger, vers dix-sept heures, ils réussirent à isoler l'image de deux hommes qui avaient sans doute participé au cambriolage et au meurtre. Wallander résuma le sentiment général : ils avaient accompli un grand pas.

Alors que la réunion se terminait et que chacun rassemblait ses dossiers et ses documents, Wallander éprouva la tentation presque irrésistible de leur raconter quelle grande joie venait de le frapper à l'improviste.

Bien sûr, il ne dit rien.

Ce n'était tout simplement pas dans sa nature. En aucune circonstance il n'aurait laissé ses collègues l'approcher de si près.

2

Le 30 août 2007, peu après quatorze heures, Linda donna naissance à une fille. Un accouchement sans complications, et ponctuel par-dessus le marché, au jour indiqué par sa sage-femme de la maternité d'Ystad. Wallander, qui avait eu la prévoyance de prendre quelques jours de congé, essayait pendant ce temps d'obtenir l'équivalent d'un seau de ciment pour réparer des fissures dans le mur sous l'auvent. Il ne réussissait pas très bien, mais au moins il avait les mains occupées à quelque chose. Quand le téléphone sonna, il alla répondre, et quand il s'entendit dire qu'il pouvait désormais s'intituler grand-père, il fondit en larmes. Submergé par l'émotion, il fut quelques instants totalement sans défense.

Ce n'était pas Linda qui l'appelait, mais le père du bébé. Ne voulant pas se montrer vulnérable devant lui, Wallander se dépêcha de le remercier de l'avoir prévenu, le pria de saluer Linda de sa part et raccrocha aussitôt.

Ensuite il fit une longue promenade avec Jussi. La chaleur de la fin d'été s'attardait sur la Scanie. L'orage avait sévi au cours de la nuit et à présent l'air était frais et léger, après la pluie. Enfin il put s'avouer qu'il s'interrogeait depuis longtemps sur le fait que Linda n'avait jamais, de toutes ces années, exprimé le désir d'avoir un enfant. Elle avait trente-sept ans révolus – un âge beaucoup trop avancé pour devenir mère, d'après la façon de voir de Wallander. Mona était bien plus jeune quand elle avait eu Linda. Il avait suivi, de loin et discrètement, croyait-il, les liaisons successives de sa fille ; certains de ses hommes lui plaisaient plus que d'autres. Il avait été persuadé qu'elle tenait enfin le bon, jusqu'au moment où leur histoire s'était terminée, quasiment du jour au lendemain, et elle ne lui avait jamais expliqué pourquoi. Wallander et Linda avaient beau être proches, il y avait des sujets qu'ils n'abordaient jamais ensemble, même dans la plus grande intimité. Ce tabou invisible englobait la question des bébés.

Ce jour-là, à Mossby Strand, sur la plage balayée par le vent, elle lui avait parlé pour la première fois de l'homme avec qui elle allait avoir un enfant. Pour Wallander, la nouvelle de son existence arriva comme une surprise. Il avait cru qu'elle vivait à ce moment-là sans liaison stable. Mais il s'était trompé, et ce qu'elle lui raconta le surprit.

Linda avait rencontré Hans von Enke à Copenhague, lors d'un dîner de fiançailles chez des amis communs. Il était originaire de Stockholm, mais vivait depuis deux ans dans la capitale danoise, où il travaillait pour une compagnie financière qui s'occupait avant tout de *hedge funds*. Linda l'avait trouvé arrogant au cours de ce dîner ; il l'exaspérait, en gros, et elle lui avait rétorqué d'un ton assez agressif qu'elle, simple agent de police, gagnait un salaire minable et n'avait pas la moindre idée de ce qu'était un *hedge fund*. Elle n'était même pas sûre de savoir épeler le mot. À la fin du dîner, ils étaient partis ensemble pour une longue promenade dans la nuit, et à la fin de la promenade ils avaient décidé de se revoir. Hans avait deux ans de moins qu'elle, et pas d'enfants de son côté. Dès le début de leur relation il avait été entendu, de manière tacite mais parfaitement claire, qu'ils allaient essayer d'en avoir un.

Deux jours après la grande annonce, Linda arriva chez son père pour lui présenter son homme. Hans von Enke était un type grand, maigre, les cheveux clairsemés, les yeux bleu clair, le regard aigu. Face à lui, Wallander se sentit tout de suite perdre contenance. Sa façon de parler ne lui était pas familière et il se demandait, mal à l'aise, ce qui avait bien pu pousser

Linda à le choisir pour compagnon. Quand elle avait mentionné son salaire, qui était trois fois celui de Wallander, sans compter le bonus annuel qui pouvait atteindre un million de couronnes, Wallander avait pensé sombrement qu'il ne fallait pas chercher plus loin : elle avait été attirée par l'argent. Cette idée l'avait mis dans un tel état de colère qu'à leur entrevue suivante, il lui avait carrément posé la question. La scène se passait dans un café du centre d'Ystad. Linda, folle de rage, lui avait balancé sa brioche au visage. Il l'avait rattrapée sur le trottoir et s'était excusé platement. Non, lui avait-elle expliqué ensuite, ce n'était pas l'argent. C'était un grand, un authentique amour, tel qu'elle n'en avait jamais connu auparavant

Wallander résolut alors d'essayer de considérer son futur gendre avec plus de chaleur. Avec l'aide d'Internet et du conseiller bancaire de l'agence d'Ystad qui gérait ses économies, il se renseigna sur l'entreprise où travaillait Hans. Il apprit ce qu'était un *hedge fund* – et aussi un certain nombre d'autres notions qui formaient la base de l'activité d'une compagnie financière moderne. Quand Hans von Enke le convia à venir à Copenhague visiter les luxueux locaux de l'entreprise situés tout près de Rundetårn[1], Wallander accepta. Après la visite, Hans l'invita à déjeuner ; et quand Wallander reprit la route d'Ystad, il était débarrassé du sentiment d'infériorité qui avait rendu leur première rencontre si pénible pour lui. Il appela Linda de la voiture, pour lui dire qu'il commençait à apprécier l'homme qu'elle avait choisi.

– Il a un défaut, répondit Linda. Il a trop peu de cheveux. Mais le reste est bien.

– Je me réjouis à l'idée de lui montrer un jour mon bureau à moi.

– C'est fait. Il est venu au commissariat la semaine dernière. On ne te l'a pas dit ?

1. Littéralement « la tour ronde », célèbre monument du XVIIe siècle dans le centre de Copenhague.

Personne, bien sûr, n'avait informé Wallander de quoi que ce soit. Ce soir-là, de retour chez lui, il s'attabla dans la cuisine et calcula, crayon en main, le revenu annuel de Hans von Enke. Le résultat le laissa pantois et fit resurgir son malaise diffus. Après toutes ses années de service, lui, Wallander, gagnait à peine quarante mille couronnes par mois. Et il considérait cela comme un salaire élevé. Enfin, ce n'était pas lui qui allait se marier. Que l'argent fasse ou non le bonheur de Linda, ce n'était pas son affaire.

Au mois de mars, Linda et Hans emménagèrent près de Rydsgård, dans une grande villa entièrement payée par Hans. Celui-ci commença à faire la navette quotidienne entre Rydsgård et Copenhague, pendant que Linda travaillait au commissariat comme d'habitude. Quand ils furent à peu près installés, elle rendit visite à son père et lui proposa de venir dîner chez eux le samedi suivant. Les parents de Hans seraient en visite, et souhaitaient rencontrer le père de Linda.

– J'en ai parlé à Mona, dit-elle.

– Elle va venir ?

– Non.

– Pourquoi ?

– Je crois qu'elle est malade.

– Qu'est-ce qu'elle a ?

Elle le regarda longuement avant de répondre.

– L'alcool. Je crois qu'elle boit plus que jamais.

– Je ne le savais pas.

– Il y a beaucoup de choses que tu ne sais pas.

Wallander accepta bien entendu l'invitation à rencontrer les parents de Hans. Le père, Håkan von Enke, était un ancien capitaine de frégate, qui avait commandé aussi bien des sous-marins que divers bâtiments de surface, et qui avait eu pour spécialité la lutte anti-sous-marine. Linda croyait savoir, sans certitude, qu'il avait à une époque fait partie de l'état-major interarmées. La mère de Hans se prénommait

Louise et avait exercé jusqu'à sa retraite le métier de professeur de langues. Hans était fils unique.

– Je n'ai pas l'habitude de fréquenter les aristocrates, dit Wallander à Linda au téléphone.

– Ils sont plutôt normaux, en fait. Je crois que vous aurez beaucoup de sujets de conversation.

– Lesquels ?

– On verra bien. Ne sois pas si négatif.

– Je ne suis pas négatif. Je me pose des questions, c'est tout.

– On dîne à dix-huit heures. Sois ponctuel. Et n'amène pas Jussi, il ferait désordre.

– Jussi est un chien très obéissant. Quel âge ont-ils, les parents ?

– Håkan va avoir soixante-quinze ans, Louise est un peu plus jeune. Jussi n'obéit jamais ; tu es bien placé pour le savoir. Heureusement que tu as un peu mieux réussi mon éducation que la sienne.

Elle raccrocha sans lui laisser le temps de répondre. Il s'énerva un peu tout seul : elle s'arrangeait toujours pour avoir le dernier mot. Puis il se raisonna, et se pencha une fois de plus sur ses dossiers.

Une pluie fine d'une douceur inhabituelle pour la saison tombait sur la Scanie le samedi où Wallander prit sa voiture pour rencontrer les parents de Hans von Enke. Il était à son bureau depuis le petit matin, occupé à revoir pour la énième fois les éléments de l'enquête sur le meurtre de l'armurier. Ils croyaient avoir identifié les agresseurs, mais les preuves manquaient. Je ne cherche pas une clé, pensa-t-il. Je cherche le lointain cliquetis d'un trousseau. À quinze heures, il avait à peine parcouru la moitié du dossier. Il rentra chez lui, dormit deux heures, puis entreprit de s'habiller. Linda avait dit qu'il trouverait peut-être les parents de Hans un peu formalistes à son goût, mais c'était justement pour ça qu'elle lui conseillait de mettre son plus beau costume.

– Je n'ai que celui que je mets pour les enterrements, avait grogné Wallander. Bon, je ne suis peut-être pas obligé de mettre une cravate blanche…

– Tu n'es même pas obligé de venir si ça doit te mettre dans des états pareils.

– Je plaisantais.

– Laisse tomber. Tu as au moins trois cravates bleues, tu n'as qu'à en choisir une.

Quand, vers minuit, Wallander monta dans le taxi qui devait le ramener à Löderup, il pensa que la soirée avait été bien plus agréable qu'il n'aurait pu l'imaginer. Le vieux capitaine de frégate et son épouse s'étaient révélés être de bons interlocuteurs. Wallander était toujours sur ses gardes avec les inconnus, persuadé, même s'ils le cachaient plus ou moins bien, qu'ils le méprisaient parce qu'il était policier. Mais il n'avait pas perçu cette condescendance chez les époux von Enke. Au contraire, lui semblait-il, ils avaient porté un intérêt sincère à son travail. En plus, Håkan von Enke avait formulé certaines opinions que Wallander était enclin à partager, à la fois quant à l'organisation de la police et quant à ses échecs dans certaines affaires criminelles bien connues. Il eut de son côté l'occasion de l'interroger sur le monde des sous-marins et sur la marine suédoise en général, et il obtint en retour des réponses bien informées et divertissantes. Louise von Enke, elle, ne disait presque rien. Elle se contentait surtout d'écouter la conversation, un joli sourire aux lèvres.

Après avoir appelé le taxi, Linda le raccompagna jusqu'au portail. Pendant qu'ils traversaient la cour, elle lui prit le bras et inclina la tête contre son épaule. Elle ne faisait ça que quand elle était contente de lui.

– Je me suis bien comporté alors ?

– Mais oui. Tu vois bien que tu y arrives, quand tu veux.

– À quoi ?

– À bien te comporter. Et même à poser des questions intelligentes sur des sujets qui ne concernent pas la police.

– Ils m'ont bien plu, tous les deux. Mais je n'ai pas eu l'impression d'apprendre grand-chose sur elle.

– Louise ? Elle est comme ça. Elle ne parle pas beaucoup. Mais elle écoute mieux que nous tous réunis.

– Moi, elle m'a fait l'effet d'être un peu secrète.

Ils avaient franchi le portail et attendaient le taxi au bord de la route, abrités sous un arbre car une pluie fine continuait de tomber.

– Pour ce qui est d'être secret, dit Linda, je ne connais personne qui le soit autant que toi. Pendant des années, j'ai cru que tu cachais quelque chose. Maintenant je crois que, parmi tous les gens secrets, seuls quelques-uns sont dans ce cas.

– Et je n'en fais pas partie ?

– Je ne le pense pas. Je me trompe ?

– Non, sans doute. Mais peut-être a-t-on parfois des secrets qu'on ignore ?

Une lumière de phares se découpa au même moment dans l'obscurité. C'était un de ces engins aux allures de minibus qui devenaient de plus en plus populaires parmi les compagnies de taxis.

– Je déteste ces bus, marmonna Wallander.

– Ne t'énerve pas. Je te rapporterai ta voiture demain.

– D'accord, je serai au commissariat à partir de dix heures. Bon, vas-y maintenant, retourne les voir et essaie de savoir ce qu'ils ont pensé de moi. Je veux ton rapport demain.

Elle arriva au commissariat peu avant onze heures.

– Bien, dit-elle en entrant dans son bureau, sans frapper, comme toujours.

– Quoi, « bien » ?

– Tu leur as plu aussi. Håkan a eu une drôle d'expression. Il a dit : « Ton père est un excellent acquêt pour la famille. »

– Je ne sais même pas ce que ça veut dire.

Elle laissa les clés de la voiture sur la table. Elle était pressée, car Hans et elle avaient prévu une excursion avec les futurs parents von Enke. Wallander jeta un regard au ciel, de l'autre côté de la fenêtre. Les nuages semblaient vouloir se dissiper.

– Vous allez vous marier ? demanda-t-il avant qu'elle ait eu le temps de disparaître.

– Ils nous poussent à le faire. Je te serais reconnaissante de ne pas t'y mettre aussi. On verra bien si on arrive à s'entendre.

– Mais vous allez avoir un enfant…

– Pour ça, on s'entend bien. Savoir si on va vivre ensemble le reste de notre vie, c'est une autre paire de manches.

Elle était partie. Wallander écouta l'écho rapide de ses bottes dans le couloir. Je ne connais pas ma fille, pensa-t-il. Autrefois je croyais que oui. Mais je vois bien qu'elle m'est de plus en plus étrangère.

Il alla à la fenêtre et contempla le vieux château d'eau, les pigeons, les arbres, le ciel bleu entre les nuages clairsemés. Soudain, il fut submergé par une inquiétude profonde ; une désolation qui se répandait autour de sa personne. Ou peut-être n'existait-elle qu'à l'intérieur de lui ? Comme s'il n'était plus, tout entier, qu'un sablier où le sable finissait de s'écouler en silence. Il observa les pigeons et les arbres jusqu'à ce que l'inquiétude le lâche. Puis il se rassit et continua de parcourir les rapports entassés sur son bureau.

Sept mois plus tard, à la mi-octobre, Wallander et ses collègues finirent par aller voir le procureur et lui demander de délivrer un mandat d'amener à l'encontre de quatre suspects. Parmi eux, deux étaient des citoyens polonais, identifiés grâce à la caméra de vidéosurveillance ; d'autre part, la police avait réuni un faisceau de preuves contre deux hommes de Göteborg liés à un réseau criminel dirigé par des immigrés originaires d'ex-Yougoslavie. Une fois de plus, Wallander repensa au terrible double meurtre de Lenarp commis vingt ans plus tôt. La révélation que les coupables étaient des étrangers avait conduit à l'époque à plusieurs crimes racistes, parmi lesquels des attaques contre des camps de réfugiés et le meurtre d'une personne complètement innocente. Ç'avait été une période épouvantable.

Au fil de cette enquête-ci, qui avait été longue, laborieuse, parfois désespérante, Wallander avait peu à peu pris la mesure de la compétence de ses deux plus proches collaboratrices. Son respect pour elles avait augmenté en proportion et il lui semblait avoir retrouvé un peu de l'énergie perdue au cours des dernières années. Kristina Magnusson en particulier l'impressionnait, par sa clairvoyance et son opiniâtreté. Cela ne l'empêchait pas de continuer à la lorgner secrètement dans les couloirs du commissariat.

Hanna Hansson était sortie de l'hôpital au cours de l'été. Wallander avait parlé à l'une de ses filles, qui dirigeait un haras près de Hörby.

– Elle va rester borgne, avait-elle dit. Et les médecins ne savent pas vraiment soulager ses douleurs dorsales. Mais le pire est ailleurs.

Silence.

– Dans la mort de son mari ? hasarda Wallander.

– Ça, c'est tellement évident qu'on n'a pas besoin de le dire. Je parle des dommages cachés.

Wallander ne comprenait pas où elle voulait en venir.

– La peur, dit-elle. Elle a peur des autres maintenant. Peur de sortir, peur de dormir, peur de rester seule. Comment guérit-on de ça ? Comment quelqu'un pourra-t-il jamais être puni pour ça ?

– Un bon procureur peut convaincre les juges de l'existence de circonstances aggravantes.

La fille secoua la tête. Elle doutait et, au fond de lui, Wallander doutait aussi. Les tribunaux suédois le consternaient souvent par leur frilosité à qualifier la gravité d'un crime.

– Retrouvez-les et arrêtez-les, avait-elle dit en quittant le bureau de Wallander. Il faut qu'ils paient.

Wallander conduisit lui-même les premiers interrogatoires avec les deux Polonais. Ils étaient jeunes, à peine plus de vingt ans. Pleins de morgue, ils lui avaient fait savoir par interprète interposé qu'ils n'avaient rien à voir avec le vol d'armes, qu'ils n'étaient même pas en Suède au moment des faits et qu'ils n'avaient pas l'intention de répondre à ses questions. Wallander, qui avait envie de leur distribuer des baffes, garda un calme glacial. Petit à petit, il réussit à entamer les défenses de l'un, qui, un jour de novembre, commença soudain à passer aux aveux. Après, tout alla très vite. Lors d'une descente dans un appartement de Staffanstorp, la police découvrit plus de la moitié des armes volées. Quatre autres furent retrouvées dans un logement de la banlieue de Stockholm. Quand s'ouvrit le procès, en décembre, il n'en manquait plus que trois. Ce jour-là, Wallander rassembla ses troupes dans l'une des salles de réunion du commissariat et leur offrit le café et la brioche. Son intention était de prononcer quelques paroles de félicitations, mais il perdit ses moyens et la conversation tourna finalement autour des négociations salariales en cours et de leur mécontentement commun concernant les dernières dispositions en date de la direction centrale, toujours aussi arbitraire et capricieuse dans son choix des priorités.

Wallander fêta Noël avec Linda et Hans. Il considérait sa petite-fille, qui n'avait toujours pas de prénom, avec émerveillement et une joie silencieuse. Linda affirmait qu'elle lui ressemblait, elle avait ses yeux ; mais Wallander, malgré ses efforts, ne voyait rien de tel.

– Il faudrait lui donner un nom, à cette petite, dit-il alors qu'ils partageaient une bouteille de vin le 24 au soir.

– Patience.

– Nous croyons que son nom va se présenter de lui-même, expliqua Hans.

– Pourquoi est-ce que je m'appelle Linda ?

– Ça vient de moi, répondit Wallander. Mona voulait te donner un autre nom, je ne me souviens plus lequel. Mais pour moi, tu as été une Linda d'entrée de jeu. Ton grand-père, lui, voulait que tu t'appelles Vénus.

– Quoi ?!

– Il n'était pas toujours dans son état normal, comme tu le sais. Pourquoi ? Ton nom ne te plaît pas ?

– Si, c'est un bon nom. Et ne t'inquiète pas. Si nous nous marions, je n'en changerai pas. Je ne serai jamais une Linda von Enke.

– Je devrais peut-être prendre le nom de Wallander, dit Hans. Mais je crois que mes parents ne seraient pas d'accord.

Entre Noël et le Nouvel An, Wallander se consacra à trier la paperasse accumulée au cours de l'année. Une habitude qu'il avait prise autrefois, manière de faire place à l'année à venir. Début janvier, on connaîtrait le verdict dans l'affaire du vol d'armes. Wallander avait parlé au procureur, qui avait demandé la peine maximale prévue par la loi pour chacun des prévenus. Les avocats de la défense n'avaient pas eu grand-chose pour contre-attaquer. Il avait donc une chance raisonnable de pouvoir soutenir le regard de la fille de Hanna Hansson si jamais il la croisait à l'avenir.

Ce pronostic fut confirmé. Les juges se montrèrent sévères. Les deux Polonais, reconnus coupables de violences aggravées ayant entraîné la mort, furent condamnés à huit ans de réclusion. Wallander était convaincu que l'appel n'aboutirait pas à une réduction significative de leur peine.

Le soir du verdict, Wallander décida de rester chez lui et de voir un film. Il s'était offert une antenne parabolique, qui lui donnait accès à de nombreuses chaînes de cinéma. En quittant le commissariat, il emporta son arme de service dans l'idée de la nettoyer. Il avait pris du retard dans ses exercices de tir ; il faudrait s'y remettre début février au plus tard. Son bureau n'était pas encore parfaitement net, mais en même temps aucune enquête pressante ne monopolisait son attention. C'est le moment ou jamais, pensa-t-il. Ce soir, je peux regarder un film, demain il sera peut-être trop tard.

Une fois rentré à Löderup, et après qu'il eut fait un tour avec Jussi, l'agitation intérieure prit cependant le dessus. Il lui arrivait parfois d'être submergé par un sentiment d'abandon, dans sa maison solitaire au milieu des champs. Comme une épave, pouvait-il penser. Je suis échoué ici, dans la terre grasse. En général, son agitation ne durait qu'un temps. Mais ce soir-là, elle persista. Il s'assit à la table de la cuisine, déplia un vieux journal et entreprit de nettoyer son arme. Quand ce fut fait, il n'était que vingt heures. D'où lui vint l'impulsion ? Il n'en avait aucune idée, mais sa décision était prise. Il se changea, reprit sa voiture et retourna à Ystad. En hiver, la ville était presque déserte, surtout les soirs de semaine. Il y avait au grand maximum deux ou trois bars et restaurants ouverts. Laissant la voiture, il se rendit dans un restaurant sur la place centrale. Les clients étaient peu nombreux. Il choisit une table dans un angle, commanda une entrée et une bouteille de vin. Mais d'abord, il avala un apéritif. Puis un deuxième. Avaler, c'était le mot juste – il versait l'alcool dans son organisme dans l'espoir de mettre une sourdine à l'inquiétude. Quand le plat arriva et que le serveur remplit son verre de vin, il était déjà ivre.

– Il n'y a personne, commenta Wallander. Où sont-ils tous passés ?

– En tout cas, ils ne sont pas ici. Bon appétit.

Wallander se contenta de picorer le contenu de son assiette. En revanche, il vida la bouteille de vin en moins d'une demi-heure. Il dénicha son portable et regarda tous les numéros qui étaient en mémoire. Il avait envie de parler à quelqu'un, mais qui ? Puis il rangea le téléphone en pensant qu'il n'avait pas envie de faire savoir aux gens qu'il était soûl comme une barrique. La bouteille était vide, et il avait déjà largement son compte. Mais quand le serveur vint lui dire qu'ils allaient bientôt fermer, il commanda malgré tout un café et un cognac. En se levant, il faillit perdre l'équilibre. Le serveur l'observait d'un air las.

– Taxi, dit Wallander.

Le serveur partit téléphoner – un appareil mural, fixé à côté du comptoir. Wallander tanguait sur place. Le serveur raccrocha et hocha la tête dans sa direction.

Wallander se retrouva sur le trottoir dans un vent glacial. Le taxi arriva, il monta à l'arrière. Il s'était presque endormi quand la voiture freina devant sa porte. Il laissa ses vêtements en vrac sur le sol et s'endormit à peine couché.

Une demi-heure plus tard, un homme se présenta au commissariat. Choqué et en colère, il demanda à parler à un policier de garde. Par coïncidence, celui-ci se trouva être Martinsson.

L'homme raconta qu'il travaillait comme serveur dans un restaurant de la ville. Et il posa sur la table un sac en plastique, qui se révéla contenir une arme en tout point semblable à celle que portait Martinsson.

Le serveur put aussi donner le nom du client, dans la mesure où Wallander était devenu avec les années un personnage connu dans la ville.

Martinsson enregistra la main courante. Après le départ de son visiteur, il resta un long moment assis, songeur.

Comment Wallander avait-il pu oublier son arme de service au restaurant ? Et pourquoi l'avait-il emportée ?

Il regarda sa montre. Minuit passé de quelques minutes. Il aurait dû l'appeler, mais y renonça.

Ça attendrait le lendemain. La suite prévisible des événements ne lui inspirait que du malaise.

3

Quand Wallander arriva au commissariat le lendemain, un message de Martinsson l'attendait à la réception. Il jura en silence ; il avait la gueule de bois et envie de vomir. Si Martinsson voulait lui parler de suite, ça ne pouvait signifier qu'une chose : il s'était passé un truc grave. Si seulement ç'avait pu attendre quelques jours ou même quelques heures… À l'instant, il n'avait qu'une envie, fermer la porte de son bureau, décrocher le téléphone et continuer à dormir, les pieds sur la table. Il ôta sa veste, vida une bouteille d'eau minérale entamée qui traînait puis se rendit tout droit chez Martinsson, qui occupait le bureau qui avait été autrefois le sien.

Il frappa et entra. En voyant la tête de son collègue, il comprit que c'était grave en effet. Wallander était capable d'interpréter en toutes circonstances les états d'âme de Martinsson, ce qui était important vu que celui-ci oscillait sans cesse entre une énergie presque euphorique et un abattement morose.

Il s'assit dans le fauteuil des visiteurs.

– Qu'est-ce qui se passe ?

– Tu veux me dire que tu ne le sais pas ?

– Non. Pourquoi, je devrais ?

Martinsson ne répondit pas. Il dévisageait Wallander, qui sentait sa nausée s'aggraver de seconde en seconde.

– Je ne vais pas jouer aux devinettes. De quoi veux-tu me parler ?

– Tu n'en as vraiment aucune idée ?

– Non.

– C'est inquiétant, dit Martinsson en ouvrant un tiroir.

Il en sortit l'arme de service de Wallander et la posa sur la table.

– Tu comprends maintenant ?

Une sensation d'effroi glacé s'empara de Wallander et réussit presque à lui faire oublier la gueule de bois et la nausée. Il se rappelait qu'il avait nettoyé son arme la veille au soir. Mais ensuite ? Il fouillait désespérément sa mémoire. De la table de sa cuisine, voilà qu'elle était passée sur le bureau de Martinsson. Ce qui s'était produit entre-temps, comment elle avait pu se promener ainsi d'un endroit à l'autre, il n'en avait pas la moindre idée. Il n'avait aucune explication à offrir, pas l'ombre d'un prétexte.

– Tu es allé au restaurant hier soir, reprit Martinsson. Pourquoi as-tu emporté ton arme ?

Wallander secouait la tête, incrédule. Il ne se souvenait de rien. L'aurait-il glissée dans sa poche avant de prendre la voiture ? Ç'avait beau paraître absurde, il ne voyait pas d'autre explication.

– Je ne sais pas. J'ai un trou noir. Raconte-moi.

– Le serveur du restaurant est arrivé ici vers minuit. Très choqué. Il venait de la trouver sur la banquette où tu avais été assis.

De vagues éclats de souvenir traversaient le crâne douloureux de Wallander. Peut-être avait-il sorti l'arme de sa poche en prenant son téléphone ? Mais comment avait-il pu l'oublier ensuite ?

– Je ne sais pas du tout ce qui s'est passé. Mais j'ai dû probablement l'empocher en partant de chez moi.

Martinsson se leva et se dirigea vers la porte.

– Tu veux un café ?

Il fit non de la tête. Martinsson disparut dans le couloir. Wallander saisit prudemment son arme et constata qu'elle était chargée. C'était le pompon. Il suait à grosses gouttes. L'idée de se tirer une balle dans la tête lui vint un instant. Il pointa le canon vers la fenêtre. Puis il la reposa. Martinsson revint. Wallander le regarda dans les yeux.

– Tu peux m'aider ?

– Pas cette fois. Le serveur t'a reconnu. C'est impossible. Tu vas aller tout droit chez le chef.

– Tu lui as déjà parlé ?

– Ç'aurait été une faute de ne pas le faire.

Wallander n'avait rien à ajouter. Ils restèrent assis quelques instants en silence. Il cherchait frénétiquement une issue tout en étant le premier à savoir qu'il n'y en avait pas.

– Que va-t-il se passer ? demanda-t-il enfin.

– J'ai cherché dans le règlement interne. Il y aura forcément une enquête. Le risque, à part ça, c'est que le serveur – au fait, je ne sais pas si tu le sais, mais il s'appelle Ture Saage – ait l'idée de communiquer l'information aux journaux. Il y a sûrement un peu d'argent à se faire. Des policiers ivres morts qui font n'importe quoi, je pense que c'est assez vendeur, comme sujet.

– Tu lui as dit de se taire, j'espère ?

– Compte sur moi. Je l'ai même menacé de poursuites pour divulgation d'éléments relatifs à une enquête de police. Malheureusement, je crois qu'il a bien vu le bluff.

– Je pourrais peut-être aller lui parler…

Martinsson se pencha par-dessus la table. Wallander vit sa fatigue et son abattement, et cela l'attrista.

– Depuis combien d'années est-ce qu'on travaille ensemble ? Vingt ? Plus ? Au début, c'était toi qui me remettais à ma place. Tu m'engueulais, mais parfois aussi j'avais droit à un compliment. À présent, c'est mon tour. Alors je te le dis : *laisse tomber*. Ne fais rien. Toute initiative de ta part ne fera que causer encore plus de désordre. Tu ne dois pas parler à Ture Saage, tu ne dois parler à personne. Sauf à Mattson. Et lui, tu dois lui parler *maintenant*. Il t'attend.

Wallander hocha la tête. Il se leva.

– On va essayer de limiter la casse, ajouta Martinsson.

À son ton, Wallander comprit qu'il ne nourrissait pas de grands espoirs.

Il tendit la main pour reprendre son arme.

– Non, dit Martinsson. Elle reste ici.

Wallander sortit. Kristina Magnusson passait justement dans le couloir, un gobelet de café à la main. Elle lui adressa un signe de tête. Wallander comprit qu'elle savait. Cette fois, il ne se retourna pas sur elle. Il alla aux toilettes, ferma la porte à clé. Le miroir au-dessus du lavabo était fissuré. Comme moi, pensa Wallander. Il se rinça le visage, s'essuya, contempla ses yeux rouges. La fissure coupait son reflet en deux.

Il s'assit sur la lunette. Au-delà de la honte de son geste et de la peur des conséquences, il éprouvait aussi autre chose. Ça ne lui était jamais arrivé avant. Il ne se rappelait pas avoir jamais manipulé son arme de service d'une manière contraire au règlement. Quand il la rapportait chez lui, il l'enfermait toujours dans l'armoire où il conservait également un fusil pour lequel il avait un permis et qu'il utilisait les rares fois où il accompagnait ses voisins à la chasse au lièvre. Ce qui s'était produit dépassait de beaucoup le simple fait d'avoir trop bu. C'était une *autre* forme d'oubli, qu'il ne reconnaissait pas. Comme une obscurité qu'il n'aurait eu aucun pouvoir d'éclairer.

Quand enfin il prit la direction du bureau du chef de police, il était resté au moins vingt minutes aux toilettes. Si Martinsson l'a prévenu tout à l'heure que j'arrivais, ils vont croire que je me suis tiré, pensa-t-il. Mais je n'en suis tout de même pas là.

Après deux chefs qui avaient été des femmes, Lennart Mattson était arrivé à Ystad l'année précédente. Il était jeune, quarante ans à peine, et avait fait une carrière éclair dans la bureaucratie dont étaient désormais issus la plupart de leurs supérieurs. Comme beaucoup de policiers actifs, Wallander considérait que ce type de recrutement augurait mal des capacités futures de la police à accomplir son travail. Pour ne pas arranger sa réputation, Mattson venait de Stockholm et avait tendance à se plaindre un peu trop de ses difficultés à comprendre le dialecte scanien. Wallander savait que certains collègues forçaient leur accent exprès dès qu'ils avaient affaire à Mattson. Lui ne participait pas à ces petits jeux cruels. Il avait juste décidé de garder ses distances et de ne pas se préoccuper de ce que fabriquait le chef tant que celui-ci ne se mêlait pas trop du travail policier proprement dit. Et, vu que Mattson paraissait éprouver un certain respect à son égard, Wallander n'avait jusqu'ici pas eu de problème avec lui.

Ce temps-là était révolu.

La porte du bureau était entrebâillée. Wallander frappa et la voix claire, presque aiguë, de Mattson lui cria d'entrer.

Ils prirent place dans le coin salon, aménagé tant bien que mal dans l'espace exigu du bureau. Mattson avait mis au point une technique qui consistait à ne jamais prendre la parole le premier, même si la réunion ou le rendez-vous avait lieu à son initiative. La rumeur racontait qu'un consultant de la direction centrale de la police était ainsi resté assis en silence pendant une demi-heure en compagnie de Mattson, après quoi il s'était levé, avait quitté la pièce et était rentré à la capitale.

Wallander pensa qu'il pourrait peut-être défier Mattson en gardant le silence lui aussi. Mais la nausée empirait, il avait besoin de sortir prendre l'air le plus vite possible.

– Je n'ai aucune excuse ni aucune explication à fournir pour ce qui s'est passé, commença-t-il. C'est indéfendable, et je comprends bien que tu dois prendre les mesures qui s'imposent.

Mattson paraissait avoir préparé ses répliques car il démarra sans une seconde d'hésitation :

– Est-ce que cela t'était déjà arrivé auparavant ?

– D'oublier mon arme au restaurant ? Bien sûr que non !

– As-tu un problème avec l'alcool ?

Wallander fronça les sourcils. D'où Mattson pouvait-il bien tenir une idée pareille ?

– Je bois avec modération. Quand j'étais plus jeune, il m'arrivait de forcer un peu le week-end. Mais ça fait longtemps que j'ai arrêté.

– Hier pourtant tu es sorti te soûler. Un soir de semaine.

– Je ne me soûlais pas, je dînais.

– Une bouteille de vin et un cognac avec le café, sans compter les apéritifs…

– Si tu es déjà au courant, pourquoi me poses-tu la question ? Mais je n'appelle pas ça me soûler et je ne crois pas être le seul. Se soûler, c'est quand on s'envoie de l'aquavit dans le seul but de finir ivre mort.

Mattson parut réfléchir avant de passer à la question suivante. Wallander s'exaspérait de sa voix haut perchée et se demanda si l'homme assit en face de lui avait la moindre idée de ce que le travail de terrain pouvait impliquer comme expériences douloureuses pour un policier.

– Il y a une vingtaine d'années, tu as été arrêté par des collègues sur la voie publique alors que tu conduisais en état d'ivresse. Ils ont étouffé l'affaire et il n'y a pas eu de poursuites. Mais tu dois comprendre que je m'interroge sur un possible alcoolisme, que tu cacherais et qui viendrait d'avoir des conséquences fâcheuses.

Wallander ne se rappelait que trop bien cet incident. Il avait passé la soirée à Malmö, où il devait dîner avec Mona. C'était après le divorce, au cours d'une période où il s'imaginait encore pouvoir la convaincre de revenir. La soirée s'était finie en dispute et il l'avait vue partir à bord d'une voiture conduite par un inconnu. Sa jalousie s'était enflammée. Dans sa rage et son émotion, il avait perdu toute jugeote et pris le volant alors qu'il aurait dû aller à l'hôtel ou dormir dans sa voiture. À l'entrée d'Ystad, il avait été arrêté par une patrouille. Les collègues l'avaient ramené chez lui, avaient garé sa voiture et après cela – il ne s'était rien passé. L'un des deux policiers qui l'avaient arrêté cette nuit-là était mort, l'autre avait pris sa retraite. Pourtant, la rumeur de l'incident courait manifestement encore au commissariat. Cela le surprenait.

– Je ne nie pas les faits. Mais comme tu l'as souligné toi-même, c'était il y a vingt ans. Et je maintiens que je n'ai aucun problème d'alcoolisme. Quant aux raisons pour lesquelles je suis sorti de chez moi un soir de semaine, je considère que ça me regarde.

– Tu comprendras néanmoins que je suis obligé de prendre des mesures. Vu que tu as des congés en retard et pas de grosse affaire en cours, je propose que tu poses ta semaine. Il y aura une enquête. Je ne peux pas t'en dire plus.

Wallander se leva. Mattson resta assis.

– As-tu quelque chose à ajouter ?

– Non, dit Wallander. Je vais suivre tes consignes. Prendre une semaine de congé et rentrer chez moi.

– Ce serait bien que tu laisses ton arme ici.

– Je ne suis pas un imbécile. Quelle que soit ton opinion à ce sujet.

Wallander se rendit tout droit à son bureau récupérer sa veste. Puis il quitta le commissariat par le sous-sol et prit le volant pour rentrer chez lui. La pensée le traversa qu'il avait peut-être encore un taux d'alcoolémie non négligeable après les excès de la veille. Mais, dans la mesure où rien ne pourrait désormais aggraver son cas, il continua. Le vent s'était levé. Un vent cinglant qui soufflait du nord-est. Wallander frissonna en traversant la cour jusqu'à sa maison. Jussi sautait et bondissait dans le chenil. Mais Wallander n'avait pas la force de l'emmener en promenade. Il se déshabilla, se coucha et s'endormit. Au réveil, il était déjà midi. Il resta allongé, les yeux ouverts, à écouter le vent se déchaîner contre les murs.

La sensation d'anormalité revint. Une ombre qui serait

tombée sur son existence. Comment avait-il pu ne pas remarquer l'absence de son arme, sinon hier soir en rentrant, du moins ce matin au réveil ? C'était comme si quelqu'un avait agi à sa place, en débranchant son cerveau pour l'empêcher de savoir ce qui s'était produit.

Il se leva, s'habilla et essaya de manger, malgré la nausée persistante. Il fut tenté de se verser un verre de vin, mais résista. Il lavait la vaisselle quand le téléphona sonna.

– J'arrive, dit la voix de Linda. Je vérifiais juste que tu étais chez toi.

Elle raccrocha sans lui laisser le temps de répondre. Vingt minutes plus tard, elle frappait à la porte. La petite dormait dans ses bras. Elle la déposa sur un fauteuil, puis s'assit en face de son père sur le canapé de cuir marron – acheté avec Mona l'année de leur emménagement à Ystad. Kurt voulut parler du bébé, mais Linda le devança ; il y avait un sujet plus urgent.

– J'ai appris la nouvelle, mais j'ai l'impression de ne rien savoir. Alors ?

– C'est Martinsson qui te l'a dit ?

– Il m'a appelée après t'avoir parlé ce matin. Il était très malheureux.

– Moins que moi.

– Vas-y. Raconte-moi ce que je ne sais pas.

– Si tu es venue pour me faire subir un interrogatoire, tu peux repartir.

– Je veux juste *savoir*. Tu es la dernière personne de la part de qui j'attendrais un comportement pareil.

– Ça suffit maintenant ! Il n'y a quand même pas mort d'homme. Il n'y a même pas de blessé. Et on peut s'attendre à n'importe quoi de la part de n'importe qui. J'ai vécu assez longtemps pour le savoir.

Puis il lui raconta toute l'histoire, depuis l'agitation qui l'avait poussé à reprendre sa voiture jusqu'à la conclusion, à savoir qu'il n'avait aucune idée de la raison pour laquelle il avait empoché son arme au moment de sortir. Quand il eut fini, elle garda un long silence.

– Je te crois, dit-elle ensuite. En fait, tout ce que tu me racontes me confirme que tu es beaucoup trop seul. Alors, quand tu perds les pédales, il n'y a personne pour te calmer et t'empêcher de faire des bêtises. Mais c'est autre chose qui me turlupine.

– Quoi ?

– Est-ce que tu m'as vraiment tout dit ?

Wallander hésita, faillit lui parler de cette sensation étrange qu'il avait, d'une ombre intérieure qui tombait sur lui. En définitive, il secoua la tête. Il n'y avait rien à ajouter.

– Que va-t-il se passer ? demanda-t-elle. Je ne sais plus bien quelle est la procédure quand on a fait une boulette.

– Il y aura une enquête interne. Je n'en sais pas plus.

– Est-ce qu'on peut t'obliger à démissionner ?

– Je suis sans doute trop vieux pour ça. Et ce que j'ai fait n'est tout de même pas la pire faute qu'on puisse commettre. Mais ils exigeront peut-être que je prenne ma retraite.

– Ça pourrait être agréable, non ?

Wallander, qui croquait distraitement une pomme, balança le trognon contre le mur.

– Ce n'est pas toi qui disais à l'instant que mon problème était la solitude ? Comment ça va se passer, à ton avis, si on m'oblige à partir ? Je n'aurai plus rien alors !

Ses rugissements avaient réveillé la petite.

– Je suis désolé, dit-il.

– Tu as peur. Mais je te comprends. Moi aussi, j'aurais peur à ta place. Je ne crois pas qu'il faille s'excuser de ça.

Linda resta jusqu'au soir. Elle lui prépara à dîner et ils ne parlèrent plus de ce qui s'était passé. Kurt la raccompagna jusqu'à sa voiture, sous le vent froid qui soufflait encore par rafales.

– Ça va aller ? demanda-t-elle.

– Je survivrai. Mais je suis content que tu me poses la question.

Le lendemain, Wallander fut appelé au téléphone par Lennart Mattson qui voulait le revoir le jour même. Au cours de cette entrevue il fut présenté au responsable de l'enquête interne, venu de Malmö et qui allait l'interroger.

– Au moment qui te conviendra, dit l'enquêteur qui s'appelait Holmgren et qui avait l'âge de Wallander.

– Allons-y tout de suite. Pourquoi attendre ?

Ils s'enfermèrent dans l'une des petites salles de réunion du commissariat. Wallander s'efforça d'être exact, de ne pas s'excuser, de ne pas se chercher de circonstances atténuantes. Holmgren prenait des notes en lui demandant de temps à autre de revenir en arrière et de préciser une réponse avant de poursuivre. Wallander pensa que si les rôles avaient été inversés, l'interrogatoire se serait déroulé de la même manière. Une bonne heure plus tard, c'était fini. Holmgren posa son stylo et considéra Wallander, non comme un criminel qui serait passé aux aveux, mais comme quelqu'un qui vient de se mettre dans de beaux draps. On aurait presque cru qu'il lui présentait ses condoléances.

– Tu n'as pas tiré. Tu as oublié ton arme de service, en état d'ivresse, dans un lieu public. C'est grave, c'est sûr, mais tu n'as pas commis de délit à proprement parler. Tu n'as molesté personne, tu ne t'es pas laissé soudoyer, tu ne t'es pas rendu coupable de harcèlement moral.

– Je ne vais pas être renvoyé alors ?

– Je ne le crois pas. Mais ce n'est pas moi qui décide.

– Quel est ton pronostic ?

– Je ne suis pas devin. Tu verras bien le moment venu.

Holmgren commença à rassembler ses papiers en les rangeant avec soin dans sa serviette au fur et à mesure. Soudain il s'interrompit.

– Évidemment, il vaudrait mieux que ça ne s'ébruite pas. Quand les médias s'en mêlent, ça envenime toujours la situation.

– Je crois que ça va aller. Rien n'a filtré jusqu'à présent ; c'est sans doute le signe qu'il n'y aura pas de fuite.

Mais il se trompait. Le jour même, on frappa à sa porte. Wallander, qui se reposait, alla ouvrir, croyant que c'était son voisin, et fut aussitôt aveuglé par un flash. À côté du photographe se tenait une journaliste qui se présenta sous le nom de Lisa Halbing, et dont le sourire lui parut d'emblée complètement artificiel.

– On peut parler ?

Son ton était à la fois agressif et plein d'insinuation.

– Parler de quoi ? voulut savoir Wallander, qui avait déjà mal au ventre.

– À ton avis[1] ?

– Aucune idée.

Le photographe fit une série entière de portraits. L'impulsion première de Wallander avait été de l'assommer d'un coup de poing. Au lieu de cela, il lui fit promettre de ne prendre aucune photo de lui à l'intérieur de la maison – c'était son domicile privé, après tout. Après que le photographe et Lisa Halbing se furent tous deux engagés à respecter cette demande, il les fit entrer et asseoir dans sa cuisine. Il leur servit du café et le reste d'une génoise offerte quelques jours plus tôt par une de ses voisines, qui passaient leur temps à confectionner des gâteaux.

– Quel journal ? demanda-t-il quand le café fut sur la table. J'ai oublié de vous poser la question.

– J'aurais dû le préciser tout de suite, répondit Lisa Halbing.

La jeune femme – la trentaine – était très maquillée et portait une chemise ample pour masquer son surpoids. Son visage rappelait un peu celui de Linda, même si Linda ne se serait jamais maquillée de cette façon.

1. Le tutoiement est généralisé en Suède depuis les années 1970 – même si le « vous » de politesse existe, et continue d'être employé dans certains cas.

– Je travaille en free lance pour plusieurs journaux. Quand j'ai une bonne histoire, je choisis celui qui paie le mieux.

– Et en ce moment, la bonne histoire, c'est moi ?

– Sur une échelle entre un et dix, tu vaux, disons, un petit quatre.

– Et si j'avais abattu le serveur ?

– Dans ce cas, tu aurais été un dix parfait. Tu aurais occupé toute la une, en grandes lettres bien noires.

– Qui t'a informée ?

Le photographe tripotait son appareil, mais respectait pour l'instant sa promesse. Lisa Halbing continuait d'afficher son sourire froid.

– Tu comprends bien que je n'ai pas l'intention de répondre à cette question.

– Bien sûr. J'imagine que c'est le serveur.

– Figure-toi que non. Mais je n'en dirai pas plus.

Après coup, il pensa que ce devait être l'un de ses collègues. Ce pouvait être n'importe qui, peut-être même Lennart Mattson en personne. Ou pourquoi pas l'enquêteur de Malmö… Combien l'informateur avait-il touché en échange de son tuyau ? Pendant toutes ces années où il avait travaillé dans la police, les fuites avaient posé un perpétuel problème. Mais jamais encore il n'était arrivé qu'il en soit la cible. Pour sa part, il n'avait jamais pris contact avec le moindre journaliste et n'avait jamais entendu dire que ç'ait été le cas de ses plus proches collaborateurs. Mais qu'en savait-il réellement ? Avec certitude ? La réponse était simple : rien du tout.

Dans la soirée, il appela Linda pour la prévenir de ce qu'elle allait découvrir le lendemain dans le journal.

– Tu leur as dit la vérité ?

– Personne ne pourra m'accuser d'avoir menti.

– Alors il n'y a pas de problème. C'est le mensonge qu'ils cherchent. Ça fera du bruit, mais il n'y aura pas de lynchage.

Il dormit mal cette nuit-là. Le lendemain, il attendit la

sonnerie du téléphone. Mais il ne reçut que deux appels – le premier de Kristina Magnusson, qui se déclara indignée du cas qu'on faisait de l'affaire, et le second, un peu plus tard, de Lennart Mattson.

– C'est malheureux que tu aies jugé bon de t'exprimer dans les médias, commença-t-il sur un ton sentencieux.

Wallander sortit de ses gonds.

– Et qu'aurais-tu fait à ma place ? Avec un photographe et une journaliste sur le pas de ta porte, qui savent déjà tout dans les moindres détails et qui n'ont aucune intention de s'en aller ? Tu leur aurais claqué la porte au nez ? Tu leur aurais raconté des bobards ?

– Je croyais que tu étais à l'initiative de cet article…

– Alors tu es plus bête que je ne le pensais.

Il raccrocha brutalement et arracha la fiche du téléphone. Puis il appela Linda sur son portable et lui dit qu'elle devait désormais utiliser ce numéro-là si elle voulait le joindre.

– Viens avec nous, proposa-t-elle.

– Où ça ?

Elle parut surprise.

– Je ne te l'ai pas dit ? On part pour Stockholm. Le père de Hans fête ses soixante-quinze ans. Tu es le bienvenu.

– Non. Je reste. Je ne suis pas d'humeur à faire la fête. Ça suffit avec ma soirée calamiteuse de l'autre jour.

– On part après-demain. À toi de voir.

En se couchant ce soir-là, Wallander était encore persuadé qu'il n'irait nulle part. Mais au matin, il avait changé d'avis. Les voisins pourraient s'occuper de Jussi. Ce n'était peut-être pas une mauvaise idée de se rendre invisible pendant quelques jours.

Le lendemain, il prit l'avion pour Stockholm ; Linda et Hans montaient, eux, en voiture avec la petite. Une fois dans la capitale, il choisit un hôtel en face de la gare centrale. En feuilletant les tabloïds, il vit que son histoire occupait déjà une place très anecdotique. La sensation du jour, c'était un hold-up d'une audace spectaculaire, commis contre une banque de Göteborg par quatre malfaiteurs portant des masques à l'effigie du groupe ABBA. À contrecœur, il adressa une pensée reconnaissante aux bandits.

Cette nuit-là, dans son lit d'hôtel, il dormit d'un sommeil inhabituellement paisible.

4

La fête d'anniversaire de Håkan von Enke devait avoir lieu à Djursholm, banlieue chic de Stockholm, où une salle avait été réservée pour l'occasion. Wallander n'avait jamais mis les pieds là-bas. Pour ce qui était de la « tenue exigée », Linda lui avait assuré qu'il pouvait parfaitement se contenter de son costume habituel. Håkan von Enke détestait les smokings et les queues-de-pie, dit-elle, mais en revanche il adorait les uniformes ; il en avait eu toute une panoplie au cours de sa longue carrière d'officier de marine. Donc, dit-elle, si le cœur lui en disait, il pouvait enfiler son uniforme de policier. Mais il avait opté pour le costume. Vu sa situation, l'uniforme ne lui semblait pas très indiqué.

Pourquoi diable avoir accepté cette invitation ? Il avait médité cette question dans l'avion, puis à bord du train express entre l'aéroport d'Arlanda et la gare centrale. Peut-être aurait-il mieux fait de partir ailleurs. De temps à autre, il lui arrivait de s'échapper pour de brefs séjours à Skagen, au Danemark, où il aimait errer sur les plages, visiter le musée des Beaux-Arts et paresser dans l'une ou l'autre des pensions de famille où il avait ses habitudes depuis plus de trente ans. C'était là qu'il s'était réfugié à l'époque où il avait envisagé de quitter la police.

Enfin, bref. Il était à Stockholm maintenant, et il allait participer à cette fête.

Ce soir-là, dès son arrivée à Djursholm, Håkan von Enke

vint l'accueillir et le prit pour ainsi dire en remorque. Il paraissait sincèrement heureux de le voir. Au dîner, il se vit placé à la table d'honneur, entre Linda à sa gauche, et la veuve d'un contre-amiral à sa droite. L'amirale, qui s'appelait Hök, avait quatre-vingts ans bien sonnés, portait un appareil auditif et ingurgitait tout ce qu'on versait dans les nombreux verres disposés devant elle. Dès les hors-d'œuvre, elle se lança dans une série d'histoires légèrement scabreuses. Il la trouva intéressante, d'autant plus lorsqu'il apparut que l'un de ses six enfants était un expert médico-légal de Lund qu'il avait eu l'occasion de rencontrer à quelques reprises et qui lui avait fait bonne impression. Les toasts furent nombreux mais d'une brièveté exemplaire – *militairement* exemplaire, pensa Wallander. Le *toastmaster* était un certain capitaine de frégate Tobiasson, dont il se surprit à apprécier les traits d'humour Quand l'amirale se taisait à cause d'un dysfonctionnement momentané de son appareil auditif, il en profitait pour réfléchir au scénario possible de son propre anniversaire, si jamais il devait arriver jusqu'à l'âge de soixante-quinze ans. Qui viendrait à la fête ? À supposer qu'il décide d'en organiser une ? Linda lui avait raconté que l'idée de louer un local venait de Håkan et, d'après ce qu'avait cru comprendre Wallander, cette initiative avait surpris au moins une personne : son épouse, Louise. Jusque-là, il avait en effet toujours tenu ses propres anniversaires dans le plus grand mépris. Et voilà qu'il organisait un banquet.

Le café fut servi dans un salon voisin au confort étudié. Wallander en profita pour aller étirer ses membres dans la véranda. Un vaste jardin entourait la bâtisse, autrefois habitée par l'un des premiers grands capitaines d'industrie suédois.

Il tressaillit quand Håkan von Enke se matérialisa soudain à ses côtés. Puis il constata que le capitaine tenait à la main une vieille pipe d'écume – accessoire qu'il croyait disparu. Il reconnut le paquet de tabac, de la marque Hamiltons Blandning. Au cours d'une brève période à la fin de son adolescence, il avait lui aussi fumé la pipe, avec ce même tabac.

– L'hiver approche, dit Håkan von Enke. La météo annonce une tempête de neige.

Il se tut et contempla le ciel noir avant de poursuivre.

– Quand on est à bord d'un sous-marin en plongée profonde, toute notion de météo disparaît. C'est un grand calme, une mer d'huile des profondeurs. Dans la Baltique, à condition que ça ne souffle pas trop en surface, il suffit de descendre à vingt-cinq mètres. En mer du Nord, c'est plus compliqué. Je me rappelle une fois, après avoir quitté l'Écosse sous la tempête, nous avions quinze degrés de gîte par trente mètres de fond. Ce n'était pas très agréable.

Il finit de bourrer sa pipe, l'alluma et dévisagea Wallander d'un regard aigu.

– Je t'ennuie peut-être ?

– Non. Mais les sous-marins sont pour moi un univers inconnu. Et effrayant, devrais-je ajouter.

Le capitaine de frégate aspira goulûment la fumée de sa pipe.

– Soyons francs, dit-il. Cette fête nous ennuie autant l'un que l'autre. Tout le monde croit que c'est moi qui l'ai organisée, et c'est vrai, mais c'était pour répondre à la demande de certains de mes amis. Je propose que nous allions nous cacher dans l'un des petits salons. Tôt ou tard, ma femme partira à ma recherche, mais d'ici là nous aurons la paix.

– Ne vont-ils pas se poser des questions ?

– C'est comme une pièce de théâtre. Le personnage principal ne doit pas toujours être sur scène, son absence favorise le suspense. L'un des moments forts de l'intrigue peut parfaitement se dérouler en coulisse.

Il se tut. Avec une brusquerie déconcertante, pensa Wallander. Le regard de Håkan von Enke semblait s'être arrêté sur quelque chose dans son dos. Il se retourna, vit le jardin et, au-delà, une petite route comme il y en avait beaucoup à Djursholm, qui rejoignait tôt ou tard les grands axes en direction de la capitale. Un homme se tenait derrière la clôture, sous un lampadaire, à côté d'une voiture dont le moteur tournait à vide. Les gaz d'échappement montaient en se dissolvant dans la lumière jaune.

Wallander crut percevoir une vive inquiétude chez von Enke.

– Un des petits salons, répéta celui-ci. On emporte nos cafés et on ferme la porte.

En quittant la véranda, Wallander se retourna une fois de plus. L'homme avait disparu. Peut-être quelqu'un qu'il a oublié d'inviter à la fête, pensa-t-il. En tout cas, il n'était pas là pour moi. Ce n'était pas un journaliste qui voulait me parler d'armes abandonnées ici ou là.

Ils allèrent chercher les cafés et von Enke le conduisit dans une petite pièce lambrissée meublée de fauteuils en cuir. Il nota que la pièce n'avait pas de fenêtre. Håkan von Enke avait suivi son regard.

– Oui, ça ressemble à un bunker. Il y a une explication. Dans les années 1930, la maison a appartenu à un homme qui possédait de nombreuses boîtes de nuit à Stockholm, illégales pour la plupart. Chaque nuit, ses hommes de main faisaient le tour pour récupérer la caisse, qui était ensuite apportée ici même. Cette pièce contenait autrefois un grand coffre-fort. Ses comptables effectuaient leurs calculs et notaient le résultat dans leurs colonnes avant de mettre les liasses à l'abri. Quand le propriétaire a été arrêté, il a fallu forcer le coffre. Si mes souvenirs sont bons, l'homme s'appelait Göransson. Il a écopé d'une longue peine qu'il a eu du mal à supporter. Il s'est pendu dans sa cellule de Långholmen.

Il se tut, goûta son café, suçota sa pipe éteinte. Au même instant, dans la pièce dont les murs aveugles ne laissaient filtrer que la lointaine rumeur de la fête, Wallander crut comprendre que Håkan von Enke avait peur. Il avait connu ça tant de fois dans sa vie – l'individu aux abois, guettant un danger imaginaire ou réel. Il était certain de ne pas se tromper.

La conversation commença de façon tâtonnante. Von Enke voulait manifestement parler du temps où il était encore officier d'active.

– L'automne 1980, dit-il. C'est très loin maintenant, le temps d'une génération, vingt-huit longues années. Que faisais-tu à l'époque ?

– J'étais déjà policier à Ystad. Linda était encore petite. J'avais voulu me rapprocher de mon père qui devenait vieux, et je pensais aussi que l'environnement serait plus sain pour elle. C'est en tout cas l'une des raisons pour lesquelles nous avons quitté Malmö. Ce que ça a donné par la suite, c'est une autre histoire.

Von Enke ne paraissait pas l'écouter. Quand Wallander se tut, il reprit aussitôt son propre fil.

– Moi, j'étais en poste à la base de Muskö. Deux ans plus tôt, j'avais quitté le commandement de l'un de nos meilleurs sous-marins de la classe *Sjöormen* – le Serpent de mer. Chez les sous-mariniers, on ne disait jamais que le Serpent. La base navale était pour moi une affectation provisoire. Je voulais retourner en mer, mais leur idée était de me faire entrer dans le commandement opérationnel de toute la défense maritime suédoise. En septembre, le pacte de Varsovie a lancé de grandes manœuvres au large des côtes est-allemandes et dans le golfe de Poméranie. MILOBALT, tel était le nom de l'exercice, je m'en souviens. Cela n'avait rien de surprenant ; ils avaient l'habitude de démarrer leurs manœuvres d'automne en même temps que nous les nôtres. Mais le nombre de bâtiments impliqués était inhabituellement élevé, vu qu'ils s'entraînaient à la fois au débarquement et au sauvetage de sous-marins, ainsi que nous avions réussi à l'apprendre sans trop de difficulté. L'Institut national de défense radio nous avait signalé un important trafic de signaux radio entre les bâtiments de guerre russes et leur base navale de Leningrad. Mais tout était normal ; on les surveillait d'un œil et on notait dans nos livres de bord ce qui nous paraissait digne d'intérêt. Puis arriva ce fameux jeudi – le 18 septembre 1980. Cette date est sans doute la dernière que j'oublierai. Celle où l'officier de quart d'un remorqueur des forces de surveillance côtière, *HMS Ajax*, nous a informés qu'il venait de détecter la présence d'un sous-marin étranger dans nos eaux. Je me trouvais à la base, dans l'une des salles des cartes, à la recherche d'une carte plus détaillée de l'ensemble des côtes de la RDA, quand j'ai vu un appelé arriver en coup de vent, très nerveux et incapable de m'expliquer ce qui s'était produit. Je suis retourné au centre de commandement et j'ai pris la communication avec l'officier de quart de l'*Ajax*. C'est alors que celui-ci m'a dit avoir vu surgir dans ses jumelles, à trois cents mètres, les antennes du sous-marin. Quinze secondes plus tard, le sous-marin avait plongé. L'officier, un type dégourdi, a dit qu'il naviguait vraisemblablement à faible profondeur d'immersion lorsqu'il avait découvert le remorqueur. Lors de l'incident, l'*Ajax* se trouvait au sud de l'île de Huvudskär et le sous-marin faisait route vers le sud-ouest, autrement dit, il naviguait parallèlement à la limite des eaux territoriales suédoises. Mais *côté suédois*, sans l'ombre d'un doute. J'ai essayé de voir si nous avions des sous-marins dans les parages. Ce n'était pas le cas. J'ai établi un nouveau contact avec l'*Ajax* et demandé à l'officier de quart s'il pouvait me décrire le mât ou le périscope qu'il avait vu. D'après ses explications, j'ai compris qu'il s'agissait d'un sous-marin de classe que les pays de l'OTAN appelaient *Whiskey*. Et ceux-ci étaient utilisés à l'époque uniquement par les Russes et les Polonais. Mon pouls s'est accéléré, tu imagines. Mais j'avais deux autres questions.

Von Enke se tut, comme s'il attendait que Wallander lui dise quelles questions avaient occupé son esprit en cet instant. Celui-ci entendit des rires insouciants derrière la porte ; puis un bruit de pas qui s'éloignaient.

– Sans doute te demandais-tu s'il était là par erreur, dit Wallander. Comme on l'avait affirmé l'année précédente pour cet autre sous-marin russe qui s'était échoué dans l'archipel de Karlskrona.

– J'avais déjà répondu à cette question. Aucun bâtiment de marine de guerre n'est aussi précis dans sa navigation que l'est un sous-marin. C'est une évidence. Celui qu'avait repéré l'*Ajax* était là de façon intentionnelle. Mais *quelle* était cette intention ? Voir s'il était possible de passer inaperçu en semi-immersion ? Dans ce cas, l'équipage ne s'était pas montré suffisamment vigilant. Mais il y avait une autre possibilité.

– Qu'il souhaitait être découvert ?

Von Enke acquiesça en silence et entreprit une fois de plus de rallumer sa pipe.

– Dans ce cas, reprit-il, il ne pouvait pas mieux tomber que sur un remorqueur. Ce type de bâtiment n'a absolument rien pour attaquer, pas même un lance-pierres. Et pas davantage un équipage formé à l'engagement. Je devais prendre une décision. J'ai appelé le chef de l'état-major. Il était de mon avis : nous devions sans tarder faire intervenir un hélicoptère équipé pour la lutte anti-sous-marine. Le sonar de l'hélicoptère a réussi à établir le contact avec un objet mobile que nous avons identifié comme étant un sous-marin. Pour la première fois de ma carrière, j'ai dû commander le feu ailleurs que dans le cadre d'un exercice. L'hélicoptère a largué une charge d'avertissement. Mais ensuite le sous-marin a disparu. Nous avons perdu le contact.

– Comment a-t-il pu disparaître ?

– Les sous-marins ont bien des façons de se rendre invisibles. Ils peuvent se coucher dans des failles en eaux profondes, au ras de parois rocheuses, ils peuvent égarer leurs poursuivants en dressant un mur sonore. On a fait venir d'autres hélicoptères, mais on ne l'a jamais retrouvé.

– N'avait-il pas pu être touché ?

– Les choses ne se passent pas ainsi. D'après les conventions internationales, la première charge se limite toujours à un avertissement. Ensuite seulement, on est en droit de contraindre le sous-marin à faire surface pour identification.

– Qu'est-il arrivé alors ?

– Pour te répondre en un mot : rien. Il y a eu une enquête. On a estimé que j'avais bien agi. Peut-être était-ce le prélude à ce qui allait arriver peu après, quand les sous-marins ont commencé à pulluler dans les eaux suédoises. L'archipel de Stockholm en particulier. Le plus important, sans doute, était la confirmation que l'intérêt des Russes pour nos eaux restait aussi grand qu'il l'avait toujours été. Tout cela se passait à une époque où personne ne croyait que le mur de Berlin tomberait un jour, encore moins que l'Union soviétique puisse s'écrouler. On a tendance à l'oublier. La guerre froide n'était pas finie. Après ce qu'on a appelé par la suite « l'incident d'Utö », la marine a vu son budget s'accroître. Mais c'est bien le tout.

Il se tut et vida sa tasse de café. Wallander allait se lever quand von Enke reprit la parole.

– Je n'ai pas fini. Deux ans plus tard, rebelote. J'étais entretemps monté en grade jusqu'à faire partie du haut commandement de la marine suédoise, dont le quartier général était la base navale de Berga, où un état-major opérationnel se relayait vingt-quatre heures sur vingt-quatre. L'inimaginable s'est produit le 1er octobre. Différents signes indiquaient la présence d'un ou de plusieurs sous-marins dans le détroit de Hårsfjärden, à proximité immédiate de notre base de Muskö. Alerte générale. Il ne s'agissait plus simplement d'une atteinte à l'intégrité du territoire ; les bâtiments étrangers s'étaient cette fois introduits au cœur de la zone interdite. Tu te souviens de l'affaire, je suppose ?

– Les journaux ne parlaient que de ça. Les rochers de l'archipel grouillaient de reporters télé.

– Je ne sais pas à quoi comparer l'événement. Imagine des hélicoptères étrangers atterrissant dans la cour intérieure du palais royal à Stockholm. Voilà l'effet que ça nous a fait, de savoir ces sous-marins à proximité immédiate de nos installations militaires les plus protégées.

– Moi, je ne sais plus très bien ce que je faisais à l'automne 1982.

Soudain la porte s'ouvrit. Von Enke sursauta et Wallander eut le temps de percevoir le geste de sa main droite – elle reprit aussitôt sa position initiale – vers la poche intérieure de sa veste. C'était une femme ivre, qui cherchait les lavabos. Elle s'excusa, referma la porte, et ils furent à nouveau seuls.

– On était donc en octobre, reprit von Enke. À certains moments, on aurait cru que toute la côte suédoise était attaquée par des sous-marins non identifiés. J'étais soulagé de ne pas être l'officier chargé des contacts avec la meute qui avait envahi Berga. Des journalistes partout, partout. Nous avons dû convertir deux chambrées en salle de presse. Pour ma part, je n'avais qu'un seul objectif, mais il me mobilisait en permanence : c'était de capturer les maudits sous-marins. À moins de contraindre ne serait-ce que l'un d'entre eux à faire surface, nous allions perdre toute crédibilité. Arriva enfin le soir où nous réussîmes à en encercler un dans le détroit de Hårsfjärden. Il n'y avait pas le moindre doute, le sous-marin était bel et bien là, tous les membres de l'état-major étaient d'accord, et c'était à moi, en dernier recours, qu'incombait la décision de faire feu. Au cours de ces heures fiévreuses, j'ai parlé à plusieurs reprises à la fois au chef de l'état-major et au ministre de la Défense, qui venait d'être nommé à son poste.

Il s'appelait Börje Andersson, tu t'en souviens peut-être. Originaire de Borlänge.

– J'ai un vague souvenir qu'on le surnommait Börje le Rouge.

– C'est bien ça. Mais il n'a pas tenu le coup. Il a dû penser, avec raison, qu'il était tombé dans un cauchemar. Il est retourné chez lui en Dalécarlie, et à sa place on a eu Anders Thunborg. Le nouveau ministre de la Défense était un proche de Palme. Nombreux étaient ceux de mes collègues qui s'en défiaient. Pour ma part, les contacts que j'ai eus avec lui étaient bons. Il ne se mêlait pas de notre travail. Il posait des questions et, pour peu qu'on lui fournisse des réponses, il était satisfait. Mais une fois, lors d'un de ses appels, j'ai eu le sentiment que Palme se trouvait dans les parages immédiats, dans la même pièce que lui, à ses côtés. Je ne sais pas si c'est vrai. Mais mon sentiment était très net.

– Que s'est-il passé ?

Håkan von Enke eut une imperceptible grimace – comme agacé d'être interrompu. Puis il reprit d'une voix égale :

– Nous avions attiré le sous-marin dans un endroit où il ne pouvait plus manœuvrer sans notre permission. J'ai dit, en substance, au chef de l'état-major : « Maintenant on l'oblige à remonter. » Nous avions besoin d'une heure pour finaliser les préparatifs, et ensuite nous ferions voir au reste du monde quel était ce sous-marin étranger qui opérait en eaux suédoises. Une demi-heure est passée. Les aiguilles se déplaçaient avec une lenteur insupportable. J'étais en contact permanent avec les hélicoptères et les bâtiments de surface qui faisaient cercle autour du sous-marin. Quarante-cinq minutes s'étaient à présent écoulées. L'instant fatidique approchait. C'est alors que ça s'est produit.

Von Enke s'interrompit brusquement et quitta la pièce. Wallander se demanda s'il avait été pris d'un malaise. Mais le capitaine de frégate revint après quelques minutes avec deux verres de cognac.

– Il fait froid, dit-il. C'est la nuit, c'est l'hiver, nous avons besoin de nous réchauffer. J'ai l'impression que nous ne manquons à personne, là-bas. Alors nous pouvons continuer à nous cacher un petit moment encore dans cette ancienne chambre forte.

Wallander attendait la suite. Ces vieilles histoires de sous-marins n'étaient peut-être pas absolument fascinantes, mais il préférait la compagnie de von Enke à l'obligation de faire la conversation à des inconnus.

– C'est alors que ça s'est produit, répéta von Enke. Quatre minutes exactement avant le lancement de l'opération, le téléphone qui nous reliait au commandement en chef a sonné. À ma connaissance, c'était l'un des rares téléphones dont on pouvait être sûr qu'il n'était pas sur écoute et qui incluait par-dessus le marché un déformateur de voix automatique. J'ai reçu un message que je n'attendais pas du tout. Tu devines lequel ?

Wallander fit non de la tête tout en réchauffant son verre de cognac entre ses mains.

– Nous avons reçu l'ordre de tout arrêter. Je n'en croyais pas mes oreilles. J'ai exigé des explications. Mais je n'ai rien obtenu. Seulement cet ordre direct de ne lancer aucune charge sous-marine. Je ne pouvais rien faire d'autre qu'obéir. Quand l'ordre est parvenu aux hélicoptères, il ne restait que deux minutes avant le déclenchement de l'opération. Aucun de nous, à Berga, ne comprenait ce qui avait pu se passer. Ensuite, il s'est écoulé exactement dix minutes avant l'ordre suivant. Qui était, si possible, encore plus invraisemblable. À croire que nos dirigeants avaient été frappés de démence. Nous devions nous replier.

Wallander écoutait avec un intérêt croissant.

– Quoi, vous deviez laisser filer le sous-marin ?

– Personne n'a évidemment formulé la chose ainsi. L'ordre n'était pas explicite à ce point, tu t'en doutes. Non, nous devions concentrer nos forces sur un autre secteur à la limite du détroit de Hårsfjärden, au sud de la passe du Danziger Gatt. Un hélicoptère aurait obtenu un contact sonar avec un autre sous-marin là-bas. Savoir pourquoi celui-là était soudain plus important que celui que nous tenions à notre merci ? Mystère total. Nous ne comprenions rien. J'ai demandé à parler personnellement au chef d'état-major des armées, mais on m'a dit qu'il était occupé et ne pouvait être joint. Ce qui était très surprenant dans la mesure où il avait au départ donné le feu vert à l'opération qu'on venait d'interrompre. J'ai essayé d'avoir en ligne le ministre de la Défense ou au moins son directeur de cabinet. Brusquement, tout le monde avait disparu, ou débranché son téléphone, ou reçu l'ordre de se taire. Le chef d'état-major et le ministre de la Défense *contraints de se taire* ? Mais de qui pouvait émaner un ordre pareil ? Il n'y avait que deux possibilités. Soit le gouvernement. Soit le seul Premier ministre. J'ai contracté un sérieux mal de ventre au cours de ces heures-là. Je ne comprenais pas les ordres reçus. Interrompre l'opération, cela allait à l'encontre non seulement de toute mon expérience, mais aussi de mon instinct. Il s'en est fallu d'un cheveu que je ne passe outre. Refus d'obéissance. Dans ce cas, ma carrière militaire aurait été terminée. Mais il faut croire qu'il me restait encore un grain de bon sens. Nous avons donc déplacé nos hélicoptères ainsi que deux bâtiments de surface en direction du Danziger Gatt. J'ai demandé qu'au moins un hélicoptère reste en vol stationnaire au-dessus de l'endroit où nous avions identifié la présence du sous-marin. Mais cela m'a été refusé. Nous devions quitter les lieux, et cela immédiatement. Ce que nous avons fait. Avec le résultat qu'on pouvait escompter.

– À savoir ?

– Que nous n'avons naturellement établi aucun contact sonar avec le moindre sous-marin du côté du Danziger Gatt. Nous avons persévéré toute la soirée et toute la nuit. Je me demande encore combien de milliers de litres de carburant ont été gaspillés cette nuit-là pour maintenir les hélicoptères en vol.

– Qu'est-il arrivé au sous-marin que vous aviez repéré ?

– Il a disparu.

Wallander réfléchit à ce qu'il venait d'entendre. Autrefois, dans un passé lointain, il avait effectué son service militaire à Skövde, dans un régiment de blindés. Il s'en souvenait non sans malaise. En passant son conseil de révision il avait demandé la marine ; résultat, on l'avait placé en Gothie occidentale. Il n'avait jamais eu de mal à accepter la discipline, mais la plupart des ordres qu'on leur demandait d'exécuter à la manœuvre lui paraissaient incompréhensibles. Souvent, c'était comme si les circonstances et le hasard décidaient de tout, alors même qu'ils étaient censés être impliqués dans un engagement mortel avec l'ennemi.

Von Enke finit son cognac.

– J'ai commencé à poser des questions sur ce qui s'était passé ce soir-là. Je n'aurais pas dû. J'ai vite constaté que ce n'était pas très bien vu. Les gens s'esquivaient. Même certains de mes collègues officiers que je comptais parmi mes amis n'appréciaient guère ma curiosité et me le laissaient entendre. Moi, je voulais juste savoir pourquoi il y avait eu ce contrordre. Nous étions ce soir-là, je l'affirme encore, plus proches que nous ne l'avons jamais été, que ce soit avant ou après, de la possibilité d'identifier un sous-marin de façon irréfutable. Deux minutes. Pas plus. Au début, je n'étais pas seul à en éprouver de la colère et de l'incrédulité. Un autre capitaine de frégate du nom d'Arosenius ainsi qu'un analyste de l'état-major – des membres de l'équipe qui étaient aux manettes ce soir-là – s'interrogeaient également. Mais il n'a fallu que quelques semaines avant qu'eux aussi ne prennent leurs distances. Ils ne voulaient plus avoir affaire à moi et à mes questions indiscrètes. Et un jour ça s'est terminé, y compris pour moi.

Von Enke posa son verre et se pencha vers Wallander.

– Je n'ai rien oublié. J'essaie encore aujourd'hui de découvrir ce qui a bien pu se passer, et pas seulement lorsque nous avons sciemment laissé un sous-marin nous échapper. Non, je repense à tout ce qui s'est produit tout au long de ces années-là. Et je crois que je commence enfin à comprendre.

– Quoi, la raison pour laquelle on ne vous a pas laissés identifier le sous-marin ?

Von Enke hocha lentement la tête, alluma une fois de plus sa pipe, mais ne répondit pas. Wallander se demanda si l'histoire qu'il venait d'entendre allait rester inachevée.

– Tu comprendras ma curiosité, dit-il. Quelle était l'explication ?

Von Enke eut un geste dissuasif.

– Il est trop tôt pour que j'en parle. Je touche au but, mais pour l'instant je n'ai rien à ajouter. Il vaut peut-être mieux que nous retournions auprès des invités.

Ils se levèrent et quittèrent le petit salon. En se dirigeant vers la véranda, Wallander tomba nez à nez avec la femme qui avait interrompu leur échange un peu plus tôt, et cela lui rappela le geste qu'avait eu von Enke à son entrée, ce mouvement rapide, aussitôt interrompu, de la main droite, que Wallander lui-même avait presque oublié mais qui lui revenait à présent à la vue de cette femme.

Cela avait beau paraître invraisemblable, la seule explication qu'il voyait à ce geste était que von Enke était armé. Est-ce possible ? songea-t-il tout en contemplant par la baie vitrée le jardin aux arbres dépouillés. Un capitaine de frégate de soixante-quinze ans qui vient armé à sa propre fête d'anniversaire ?

Il ne pouvait y croire. Il avait dû mal interpréter. Les impressions confuses se succédaient. Des ombres : d'abord la peur, puis l'arme. Il était peut-être en train de perdre son intuition, de la même façon qu'il perdait la mémoire.

Linda apparut dans la véranda.

– Je croyais que tu étais parti, dit-elle.

– Je ne vais pas tarder.

– Je suis certaine que ta présence a fait plaisir à Håkan et à Louise.

– Il m'a parlé des sous-marins.

Linda haussa les sourcils.

– Ah bon ? Ça m'étonne.

– Pourquoi ?

– J'ai essayé plusieurs fois de l'amener à m'en parler. Il a toujours refusé. Fermement, presque comme si ça le mettait en colère.

Linda disparut, appelée par Hans. Wallander resta dans la véranda à méditer ces paroles. Pourquoi Håkan von Enke aurait-il choisi de se confier à lui, entre tous ?

Plus tard, une fois revenu en Scanie et après avoir repensé à ce que lui avait raconté le vieux capitaine, il songea qu'une seule chose l'étonnait vraiment, au fond, dans cette affaire. Il y avait des aspects vagues, ambigus, difficiles à appréhender. Mais ce n'était pas ça. C'était le contexte même du récit, son *arrangement*, qui le turlupinait. Von Enke avait-il prémédité cette entrevue quand il avait su que Wallander viendrait à la fête ? Ou bien l'avait-il décidé à la dernière minute ? Plus précisément au moment où il avait aperçu l'homme sous le réverbère de l'autre côté de la clôture ? Et qui était cet homme ?

Il ne voyait aucune réponse à ces questions.

5

Trois mois plus tard, le 11 avril, il se produisit un événement qui obligerait Wallander à revenir longuement sur cette soirée de janvier où, confiné dans une pièce sombre, il avait écouté le héros de la fête lui dévider le fil de ses histoires de sous-marins vieilles de près de trente ans.

L'événement fut aussi inattendu que brutal pour toutes les personnes concernées. Håkan von Enke disparut purement et simplement de son domicile. Louise et lui habitaient Östermalm, le centre élégant de Stockholm, et il avait l'habitude chaque matin, quelle que soit la météo, de partir pour une longue promenade. Ce jour-là, une pluie fine tombait sur la capitale ; à son habitude, il s'était levé de bonne heure et avait pris son petit déjeuner. À sept heures, il avait frappé à la porte de Louise pour la réveiller et l'informer qu'il allait faire sa promenade. Celle-ci durait à peu près deux heures, sauf par grand froid, auquel cas il la réduisait de moitié car c'était un ancien grand fumeur, et ses poumons n'avaient jamais totalement récupéré. Il suivait toujours le même itinéraire. Du pied de son immeuble, dans Grevgatan, il rejoignait Valhallavägen, qu'il longeait jusqu'à l'entrée du bois de Lilljansskogen, dont il empruntait les sentiers selon un itinéraire complexe qui le ramenait à nouveau sur Valhallavägen, d'où il bifurquait dans Sturegatan avant de tourner à gauche et de longer Karlavägen jusque chez lui. Il marchait vite, à l'aide d'une des vieilles cannes de promenade héritées de son père ; il était toujours en sueur à son retour et se faisait couler un bain sitôt arrivé.

Ce matin-là avait été semblable aux autres, à une exception près : Håkan von Enke n'était pas rentré. Louise savait parfaitement quel chemin il empruntait. Jusqu'à ces dernières années, où elle y avait renoncé faute de pouvoir suivre son rythme, elle l'accompagnait de temps en temps.

Ne le voyant pas revenir, elle finit par s'inquiéter. Il avait beau être en forme, c'était malgré tout un vieil homme. Il pouvait lui être arrivé n'importe quoi, un accident cardiaque, une rupture d'anévrisme. Quand elle voulut l'appeler, elle découvrit que son téléphone portable était resté sur son bureau – alors qu'ils étaient convenus depuis longtemps qu'il devait l'emporter quand il sortait. Elle décida de partir à sa recherche. À onze heures, elle était de retour à l'appartement, après avoir marché pour ainsi dire sur ses traces, en redoutant à chaque instant de découvrir son corps sans vie sur un sentier. Mais elle ne le vit nulle part. Il était comme volatilisé. À son retour, elle téléphona aux deux ou trois amis auxquels il était susceptible d'avoir rendu visite. Ces coups de fil confirmèrent ses craintes. Personne ne l'avait vu. Elle avait à présent la certitude qu'il lui était arrivé quelque chose. Il était un peu plus de midi quand elle appela Hans à son bureau de Copenhague. Elle était extrêmement inquiète et voulait signaler sa disparition sur-le-champ. Hans s'efforça de la calmer. Elle finit par se laisser persuader d'attendre quelques heures encore.

Après cette conversation avec sa mère, Hans appela Linda et ce fut par elle que Wallander apprit la nouvelle. Il était dehors, en train d'essayer d'apprendre à Jussi à se tenir immobile pendant qu'il lui nettoyait les coussinets. Un dresseur de sa connaissance, qui habitait Skurup, lui avait donné des instructions. Il commençait à désespérer de réussir à enseigner quoi que ce soit à son chien quand la sonnerie du téléphone retentit. Linda lui raconta tout, la disparition de son beau-père, les recherches de sa belle-mère, et lui demanda conseil.

– Tu es de la police comme moi, répondit-il. Tu sais ce qu'on fait dans ces cas-là. On attend. La plupart des gens reviennent.

– Il n'a jamais dévié de ses habitudes, pas une fois en je ne sais combien d'années. Louise n'est pas une hystérique. Je comprends qu'elle soit très inquiète.

– Attendez jusqu'à ce soir. Il reviendra sûrement.

Wallander était persuadé que Håkan von Enke ne tarderait pas à rentrer et qu'il fournirait alors une explication toute naturelle à son absence. Pour sa part il se sentait plus curieux qu'inquiet, se demandant quelle serait cette explication. Mais Håkan von Enke ne revint pas, ni ce jour-là ni le suivant. Le 13 avril, en fin de soirée, Louise von Enke déclara à la police la disparition de son mari. Elle parcourut ensuite en tous sens, à bord d'une voiture de police, le labyrinthe des sentiers du bois de Lilljansskogen, sans le moindre résultat. Le lendemain, son fils monta à Stockholm. Ce fut alors seulement que Wallander commença à penser qu'il avait pu malgré tout arriver malheur.

Il n'avait pas encore repris le travail. L'enquête interne s'était prolongée. Début février, pour ne rien arranger, il avait fait une mauvaise chute sur le chemin verglacé, devant chez lui, et s'était cassé le poignet gauche. Non content de perdre l'équilibre sur le verglas, il s'était pris les pieds dans la laisse de Jussi, car le chien s'obstinait à tirer dessus et à marcher du mauvais côté. Une fois le poignet plâtré, Wallander s'était vu signifier un arrêt de travail. Ç'avait été une période de grande agitation et de colère violente qu'il retournait contre lui, contre Jussi, mais surtout contre Linda. C'est pourquoi celle-ci évitait de le fréquenter au-delà du strict minimum. D'après elle, il ressemblait de plus en plus à son père à la fin de sa vie : grincheux, impatient, irritable. Il était bien obligé d'admettre qu'elle avait raison. Or il ne voulait pas devenir comme son père. Il se sentait capable de supporter à peu près tout, mais pas ça. Pas finir dans la peau d'un vieil homme amer qui se répétait jusqu'à la parodie, que ce soit dans les toiles qu'il peignait ou dans ses opinions sur un monde qu'il ne comprenait plus. Ce fut une période où il tourna dans sa maison comme un ours en cage, sans plus trouver la force de résister à l'évidence qu'il avait soixante ans et qu'il était en marche, qu'il le veuille ou non, vers sa vieillesse. Il pouvait vivre encore dix ans et même vingt, mais tout ce que lui apporteraient ces années, ce serait de vieillir, précisément. La jeunesse était un lointain souvenir ; la quarantaine et la cinquantaine appartenaient elles aussi au passé. Il lui semblait attendre en coulisse le moment d'entrer en scène pour le troisième et dernier acte, où tout serait enfin résolu, les héros se révéleraient et les bandits mourraient, et il luttait de toutes ses maigres forces pour ne pas écoper du rôle tragique. S'il avait le choix, il préférait quitter les planches sur un éclat de rire.

Ce qui l'inquiétait le plus, c'était sa distraction. Quand il partait se ravitailler, à Simrishamn ou à Ystad, Il dressait une liste pour être sûr de ne rien oublier, mais une fois au supermarché il s'apercevait qu'il avait oublié la liste. D'ailleurs, en avait-il écrit une ? Il ne s'en souvenait pas. Un jour que ces trous de mémoire l'inquiétaient plus que de coutume, il prit rendez-vous chez un médecin de Malmö qui se présentait, dans l'annuaire, comme « spécialiste des troubles liés au vieillissement ». Son poignet était encore plâtré et, pour ne rien arranger, il avait un gros rhume. Le médecin, une femme du nom de Margareta Bengtsson, le reçut dans un vieil immeuble du centre de Malmö. Quand elle ouvrit la porte de la salle d'attente, il eut un sursaut d'indignation. Cette femme-là était beaucoup trop jeune pour comprendre quoi que ce soit aux misères de la vieillesse. Il faillit tourner les talons mais la suivit en fin de compte docilement, prit place dans un fauteuil de cuir noir et commença à lui raconter ses problèmes de mémoire.

– Est-ce que c'est Alzheimer ? demanda-t-il vers la fin de la consultation.

Margareta Bengtsson lui sourit – un sourire qui n'était pas condescendant mais juste naturel, aimable.

– Non, dit-elle, je ne crois pas. Mais aucun d'entre nous ne peut savoir ce qui l'attend au tournant.

Au tournant, pensa Wallander quand il fut sorti de là, luttant contre le vent glacial pour rejoindre sa voiture garée au coin de la rue. Un PV était coincé sous l'essuie-glace. Il le balança sur le siège du passager sans regarder le montant de l'amende et rentra à Löderup.

En arrivant, il trouva une voiture à l'arrêt devant sa maison. Il ne la reconnut pas. Puis il aperçut Martinsson devant le chenil, caressant la tête de Jussi à travers le grillage.

– J'allais partir, dit Martinsson. J'ai glissé un mot sous la porte.

– Tu es en mission commandée ?

– Je suis venu de ma propre initiative pour savoir comment tu allais.

Ils entrèrent. Martinsson parcourut les titres des livres de la bibliothèque de Wallander, qui avait pris une certaine ampleur avec les années. Ils burent un café à la table de la cuisine. Wallander ne lui dit rien de son voyage à Malmö ni de sa visite chez le médecin. Martinsson lui demanda comment allait son poignet.

– Ils doivent me retirer le plâtre la semaine prochaine. Que dit la rumeur ?

– À propos de ton plâtre ?

– À propos de moi. Et de mes oublis au restaurant.

– Lennart Mattson est un homme incroyablement silencieux. Je ne sais rien du tout. Mais je peux t'affirmer que nous te soutenons.

– Mensonge. Toi, oui, sans doute. Mais la fuite vient forcément de quelque part. Il y a beaucoup de gens qui ne m'aiment pas au commissariat.

Martinsson haussa les épaules.

– C'est comme ça, on n'y peut rien. Tu crois qu'il y en a beaucoup qui m'aiment, moi ?

Ils parlèrent un moment de tout et de rien. Martinsson, pensa Wallander, était maintenant le dernier de l'équipe qu'il avait connue en arrivant à Ystad.

Il paraissait un peu abattu et Wallander lui demanda s'il était malade.

– Non, je ne suis pas malade. Par contre, je me dis vraiment que c'est fini pour moi.

– Toi aussi, tu as oublié ton arme quelque part ?

– Non. Je n'ai pas la force de continuer.

À sa grande surprise, Wallander le vit fondre en larmes. Comme un enfant désemparé, tenant sa tasse à deux mains pendant que les larmes coulaient sur ses joues. Wallander n'avait aucune idée de ce qu'il devait faire. Ce n'était pas la première fois que Martinsson déprimait, loin de là. Mais qu'il s'effondre ? Ça n'était jamais arrivé. Il décida de ne rien faire et d'attendre. Quand le téléphone sonna, il se contenta de le débrancher.

Martinsson finit par rassembler ses esprits et s'essuya la figure.

– Je me conduis comme un idiot. Excuse-moi.

– Pourquoi ? Quelqu'un qui arrive à pleurer ouvertement, à mon avis, c'est quelqu'un qui a beaucoup de courage. Personnellement, j'en suis incapable. Hélas.

Martinsson lui parla alors de sa traversée du désert. De plus en plus, il en était venu à douter de son utilité en tant que policier. Il ne portait pas de jugement négatif sur son propre travail, ce n'était pas cela. C'étaient leur rôle et leur place, de façon générale, dans un pays où l'écart entre l'attente des citoyens et le travail de la police se creusait chaque année un peu plus. Lui, Martinsson, en était arrivé au point où chaque nuit était une attente insomniaque de la journée du lendemain, dont il ne savait rien, sauf qu'elle allait être un cauchemar.

– Je démissionne à l'été, dit-il. Je suis en pourparlers avec une boîte de Malmö qui s'occupe de conseil en sécurité pour de petites entreprises et des propriétaires privés. Ils me proposent un emploi. Et un salaire bien supérieur à ce que je gagne aujourd'hui.

Wallander se rappelait le jour, bien des années plus tôt, où Martinsson avait décidé de donner sa démission et où lui, Wallander, avait réussi à le convaincre de rester. Cela devait bien faire quinze ans. Mais cette fois-ci, c'était impossible. Ce n'était même pas la peine d'essayer. Et sa situation personnelle ne l'incitait guère à voir son propre avenir dans le métier sous un jour très enviable. Même s'il était certain de ne jamais devenir consultant en sécurité.

– Je crois que je te comprends, dit-il. Et je crois que tu as raison. Il faut changer de boulot pendant qu'on est assez jeune pour le faire.

– Presque cinquante balais, c'est ça que tu appelles jeune ?

– Moi, j'en ai soixante. À cet âge-là, on a déjà franchi le sas.

– Quel sas ?

– Qui ne laisse passer que ceux qui sont destinés à vieillir.

Martinsson resta encore un moment et lui parla en détail du travail qui l'attendait à Malmö. Wallander comprit qu'il voulait lui montrer que ses perspectives n'étaient pas si mauvaises et que tout son enthousiasme n'était pas éteint.

Il le raccompagna jusqu'à sa voiture.

– Tu as eu des nouvelles de ton côté ? demanda prudemment Martinsson.

– Le procureur a le choix entre quatre mesures. Un « entretien d'éclaircissement » – mais ils ne peuvent pas me faire ce coup-là, ce serait ridiculiser toute la corporation. Un policier de soixante ans contraint de subir le discours paternaliste du directeur de la police départementale ou autre, comme un galopin.

– Il a été question de ça ? C'est délirant !

– Sinon, ils peuvent me coller un avertissement, ou une retenue sur salaire. Et en dernier ressort, ils peuvent me virer. Je devine que ce sera une retenue sur salaire.

Ils se dirent au revoir. Martinsson démarra et disparut dans un tourbillon de neige. De retour à l'intérieur, Wallander s'aperçut en feuilletant son agenda qu'il s'était écoulé plus d'un mois depuis la malheureuse soirée où il avait égaré son arme.

Son plâtre fut retiré, mais le médecin orthopédiste de l'hôpital d'Ystad constata, lors de la visite de contrôle le 10 avril, que les os ne s'étaient pas ressoudés correctement. L'espace d'un instant effroyable, Wallander crut qu'on allait lui recasser le poignet. Le médecin le tranquillisa en disant qu'il existait d'autres méthodes. Cependant, comme il ne devait pas utiliser sa main gauche, son arrêt de travail fut prolongé.

Au lieu de rentrer chez lui après sa visite à l'hôpital, il resta en ville. Le théâtre d'Ystad donnait ce soir-là une pièce écrite par un dramaturge américain contemporain. Linda, enrhumée, ne pouvait pas y aller et lui avait donné sa place. Adolescente, elle rêvait de devenir comédienne. Mais ça lui avait passé assez vite ; elle-même disait qu'elle avait eu la chance de comprendre jeune qu'elle n'avait aucun réel talent pour la scène. Wallander n'avait jamais décelé de déception dans sa voix quand elle parlait de ça.

Au bout de dix minutes à peine, il commença à regarder sa montre. Il s'ennuyait ferme. Des comédiens au talent très relatif marchaient en rond dans une pièce en proférant des répliques au hasard, sur une table, sur un banc, sur un rebord de fenêtre. Il était question d'une famille au bord de l'implosion sous l'effet de sa propre pression intérieure, conflits non résolus, mensonges, rêves avortés ; tout cela ne parvenait pas à capter son intérêt. Quand l'entracte arriva enfin, Wallander alla chercher sa veste et partit. Il s'était réjoui à la perspective d'une soirée au théâtre ; à présent, il était juste déprimé. Cette représentation était-elle réellement très ennuyeuse ? Ou était-ce lui qui avait un problème ?

Pour récupérer sa voiture, il choisit de traverser la voie ferrée et d'emprunter le raccourci derrière le bâtiment rouge de la gare. Soudain il fut projeté vers l'avant, perdit l'équilibre et tomba au sol. Deux hommes jeunes, dix-huit ou dix-neuf ans pas plus, le dominaient de toute leur hauteur. L'un portait un sweat-shirt, capuche relevée, l'autre un blouson de cuir. Le premier tenait un couteau. Un couteau de cuisine, eut le temps d'observer Wallander avant que le garçon au cuir ne lui balance son poing dans la figure. Sa lèvre supérieure, fendue, se mit à saigner. Il reçut un deuxième coup au front. Le garçon était baraqué et cognait dur, comme sous l'emprise de la fureur. Il empoigna Wallander en sifflant qu'il voulait le portefeuille et le portable. Wallander leva le bras pour se protéger, sans quitter la lame du regard. Il réalisa que les garçons avaient plus peur que lui, et qu'il n'avait pas vraiment besoin de surveiller la main tremblante qui tenait le couteau. Il prit son élan, envoya un coup de pied qui rata sa cible, mais il saisit dans la foulée le bras du garçon et lui fit une clé ; le couteau s'envola. L'instant d'après, un coup violent à la nuque le renvoya au tapis. Il ne put se relever. À genoux, hébété, il sentit le froid du sol imprégner le tissu de son pantalon en pensant qu'il allait maintenant recevoir un coup de couteau. Mais quand il leva la tête, les garçons avaient disparu. En tâtant sa nuque, il sentit sa main devenir poisseuse. Lentement, il se mit debout. Il eut un accès de vertige, se raccrocha à la clôture de la voie ferrée et inspira plusieurs fois à fond. Il attendit un moment. Puis il se mit en marche vers sa voiture. Les garçons restaient invisibles. Il avait la nuque en sang, mais ça pouvait attendre. Il s'en occuperait à la maison. Peut-être n'y avait-il même pas de traumatisme crânien.

Une fois dans sa voiture, il resta assis un long moment sans mettre le contact. D'un monde à l'autre, pensa-t-il. Je suis dans un théâtre où je me sens étranger, je m'en vais, et voilà que je tombe dans une réalité que j'appréhende la plupart du temps de l'extérieur. Voilà. Cette fois, c'était moi le type à terre, le type qu'on frappe et qu'on menace.

Il pensait surtout au couteau. Un jour, au début de sa carrière, quand il était encore tout jeune policier, il avait été poignardé dans un parc municipal de Malmö par un déséquilibré. Si la lame avait pénétré plus à gauche, elle lui aurait transpercé le cœur. Dans ce cas, il n'aurait pas vécu toutes ces années à Ystad. Il n'aurait pas eu l'occasion de voir grandir une fille prénommée Linda. Sa vie aurait pris fin avant même d'avoir vraiment commencé.

Il se rappelait ce qu'il avait pensé à cet instant. *Il y a un temps pour vivre et un temps pour mourir.*

Il faisait froid dans la voiture. Il mit le contact, régla le chauffage. Plusieurs fois il déroula mentalement la scène de l'agression, comme un film. Il était encore sous le choc mais, constata-t-il, la colère montait en parallèle.

Il sursauta en entendant quelqu'un frapper à la vitre, croyant que les garçons étaient revenus. Mais c'était une dame âgée aux cheveux blancs bien coiffés dépassant de son béret. Il entrouvrit sa portière.

– Il est interdit de laisser le moteur tourner à vide aussi longtemps. Je promène mon chien, et j'ai chronométré le temps que vous êtes resté à l'arrêt moteur allumé.

Wallander ne répondit pas. Il se contenta d'un hochement de tête et démarra. Cette nuit-là, il eut du mal à trouver le sommeil. La dernière fois qu'il avait regardé le réveille-matin, il était cinq heures. Le lendemain, Håkan von Enke disparut. Et Wallander ne signala jamais l'agression dont il avait été victime. Il n'en parla à personne, pas même à Linda.

Von Enke n'ayant toujours pas reparu au bout de quarante-huit heures et son arrêt de travail ayant été prolongé, Wallander n'hésita pas à répondre oui lorsque Hans lui demanda s'il accepterait de monter à Stockholm. Il comprenait bien que c'était Louise, en réalité, qui sollicitait son aide. Il précisa à Hans qu'il n'était pas question pour lui d'intervenir dans le travail de ses collègues de Stockholm. Eux seuls étaient mandatés pour enquêter ; et les policiers qui se mettaient en tête de jouer sur la mauvaise moitié de terrain n'étaient jamais très populaires.

La veille de son départ, par une de ces longues soirées de printemps de plus en plus claires, il prit sa voiture et se rendit chez Linda. Hans était absent, comme d'habitude ; il faisait continuellement des heures supplémentaires dans le monde de ce que Wallander avait un jour appelé à haute voix ses « spéculations financières ». Bourde qui avait déclenché la première, et jusqu'à présent unique, dispute entre Wallander et son futur gendre. Hans avait protesté, indigné, contre cette accusation que ses collègues et lui puissent s'occuper d'affaires aussi triviales. Mais quand Wallander lui avait demandé en quoi consistait exactement son travail, il ne lui avait pas semblé entendre autre chose que, précisément, spéculations en tout genre, monnaies, actions, produits dérivés et *hedge funds* (dont il reconnaissait volontiers n'avoir toujours pas très bien compris ce que c'était). Linda était intervenue en disant que les instruments financiers modernes lui faisaient peur pour la simple raison qu'il n'y comprenait rien. En d'autres temps, Wallander aurait sans doute piqué une crise de rage. Là, il se contenta d'écarter les bras – elle l'avait dit sans hostilité aucune, et il acceptait le verdict.

Il était donc en visite chez eux, Hans n'était pas là et la petite, qui n'avait toujours pas de prénom, dormait sur un tapis aux pieds de Linda. En la contemplant, il pensa, peut-être pour la première fois, que sa propre fille ne grimperait plus jamais sur ses genoux. Quand on a un enfant et que cet enfant à son tour a des enfants – quelque chose est définitivement révolu.

– Que crois-tu qu'il soit arrivé à Håkan ? Je te demande ton sentiment, en tant que professionnelle et en tant que compagne de Hans.

Linda répondit sans hésiter. Elle avait médité la question.

– Je crains qu'il ne soit mort. Håkan n'est pas homme à disparaître de son propre chef. Il ne se suiciderait pas sans laisser un message expliquant les raisons de son acte. D'ailleurs, il ne se suiciderait pas tout court. S'il avait commis un acte répréhensible, il ne se déroberait pas, il assumerait la responsabilité de ses actes. Pour moi, c'est une disparition involontaire.

– Peux-tu développer ?

– Pourquoi ? Tu me comprends parfaitement.

– Oui, mais je veux l'entendre avec tes mots à toi.

Elle n'eut pas besoin de réfléchir. Et elle répondit, nota Wallander, en professionnelle. De façon concise et précise.

– Quand on parle de disparition involontaire, il y a deux cas de figure. Le premier : il y a eu un accident, la personne est tombée, elle a été renversée par une voiture, etc. Le second : c'est la violence intentionnelle, l'enlèvement, le meurtre. Le scénario de l'accident ne paraît plus très plausible, vu qu'il n'a été admis dans aucun hôpital.

Il leva la main.

– Faisons une hypothèse. Ça se produit plus souvent qu'on ne le pense. Surtout chez les hommes d'un certain âge.

– Il serait parti avec une femme ?

– Quelque chose comme ça.

Elle secoua énergiquement la tête.

– J'en ai parlé avec Hans. D'après lui, c'est exclu. Håkan a toujours été fidèle à Louise.

Wallander lui renvoya aussitôt la balle.

– Et Louise ?

Cette question-là, Linda ne se l'était pas posée, il le vit à son visage. Elle n'avait pas encore tout appris sur la manière dont on négocie les virages dans un interrogatoire.

– J'en doute fort, dit-elle. Ce n'est pas son genre.

– Quelle mauvaise réponse. On ne peut affirmer cela de personne. Ou alors, c'est qu'on sous-estime gravement ses semblables.

– Disons-le autrement. Je ne crois pas que Louise ait eu de liaison extraconjugale. Pourquoi ne lui demandes-tu pas toi-même ?

– Jamais de la vie ! Ce serait un comble, vu la situation.

Il hésita une seconde avant de poser la question qui venait de lui traverser l'esprit :

– Tu as dû en parler longuement avec Hans ces jours-ci. Je sais qu'il est devant son ordinateur jour et nuit, mais quand même… A-t-il été surpris par la disparition de son père ?

– Bien sûr. Pourquoi ?

– Je ne sais pas… À la fête d'anniversaire, à Stockholm, j'ai cru sentir que Håkan était inquiet.

– Pourquoi n'en as-tu rien dit ?

– Je l'ai mis sur le compte de mon imagination.

– Tes intuitions sont assez valables en général.

– Merci. Mais je m'y fie de moins en moins.

Linda resta silencieuse. Wallander la regardait. Elle avait pris du poids depuis sa grossesse, ses joues s'étaient arrondies. Sa fatigue, il pouvait la lire dans son regard. Il se rappela Mona, sa colère perpétuelle parce qu'il ne levait pas le petit doigt à la maison. Je me demande comment va ma fille en réalité, songea-t-il. Quand les bébés arrivent, tous les arcs se bandent en même temps. Quelques cordes cassent, c'est inévitable.

– C'est bien possible, dit-elle enfin. Quand j'y repense, je me rappelle des situations – rien de spectaculaire, mais où j'ai eu l'impression qu'il n'était pas serein. Il regardait derrière lui.

– Littéralement ?

– Oui. Il se retournait. Je n'y avais pas pensé jusqu'à aujourd'hui.

– Quoi d'autre ?

– Il vérifiait toujours que les portes étaient fermées à clé. Et certaines lampes devaient rester allumées en permanence.

– Pourquoi ?

– Je ne sais pas. Par exemple, celle de la table de son bureau. Et celle de l'entrée, près de la porte.

Un vieil officier de marine qui éclaire ses chenaux dans la nuit, pensa Wallander. Balises isolées, passages secrets loin des voies de navigation ordinaires.

La petite s'éveilla à cet instant. Il la tint dans ses bras jusqu'à ce qu'elle cesse de pleurer.

Dans le train vers Stockholm, ces lampes jamais éteintes continuèrent d'occuper son esprit. Y avait-il une raison toute simple à cette habitude ? Ou était-ce autre chose ? Il ne savait pas du tout comment s'y prendre pour approcher la personnalité de Håkan von Enke.

Cependant il persistait à penser que sa disparition connaîtrait une issue logique et sans drame.

6

Mona et lui avaient entrepris un voyage à Stockholm à la fin des années 1970. Ils étaient descendus à Sjöfartshotellet – l'hôtel de la Navigation –, sur l'île de Södermalm. Cela lui était revenu en mémoire, alors il avait appelé là-bas et réservé une chambre pour deux nuits. À sa descente du train, il hésita entre le taxi et le métro. Résultat, il partit en promenade, son petit sac de voyage sur l'épaule. La matinée était froide encore, mais bien ensoleillée ; aucun nuage chargé de pluie ne s'annonçait à l'horizon.

Ils étaient venus à la fin de l'été 1979, se rappela-t-il tout en traversant l'île de Gamla Stan. Ce n'était pas lui qui avait pris l'initiative de ce voyage, mais Mona. Elle s'était aperçue qu'elle n'avait jamais visité la capitale et avait voulu corriger ce qu'elle percevait presque comme un péché honteux. Il avait pris quatre jours ; Mona, à l'époque, poursuivait des études et n'avait ni salaire ni employeur. Linda passerait quelques jours chez une camarade de classe ; elle allait entrer en CE2 à l'automne. On était début août. Il faisait un temps de canicule ; un orage violent éclatait parfois, puis la chaleur revenait et les poussait à rechercher à nouveau l'ombre des arbres, dans les parcs. Cela fera bientôt trente ans, pensa-t-il en arrivant à Slussen et en commençant à gravir la côte. Trente ans, toute une génération – et me voici de retour. Seul, cette fois.

Arrivé à l'hôtel, il ne reconnut rien. Il se demanda s'il ne s'était pas trompé. Puis il se secoua, chassa le sentiment pénible qui venait de l'assaillir, s'interdit toute pensée relative au passé et prit l'ascenseur jusqu'à sa chambre au deuxième étage. Il replia le couvre-lit et s'allongea. Le voyage en train l'avait fatigué car il avait été entouré d'enfants bruyants ; puis un groupe de garçons ivres était monté en gare d'Alvesta. Il ferma les yeux et essaya de dormir. Puis il s'éveilla en sursaut et vit qu'il n'avait dormi que dix minutes. Il se leva, s'approcha de la fenêtre. Qu'était-il arrivé à Håkan von Enke ? S'il collationnait tous les fragments d'informations dont il disposait, ceux que lui avait fournis Linda et les siens propres, quel était le résultat ? Il ne parvenait pas même à l'ombre d'une hypothèse.

Il était convenu avec Louise qu'il passerait chez elle à dix-neuf heures. Il décida de repartir en promenade. Il venait de dépasser le palais royal quand soudain il se figea sur place. Il avait la certitude de s'être arrêté avec Mona pile à cet endroit, sur ce pont. Ils avaient fait une pause pour se dire qu'ils avaient mal aux pieds. Le souvenir était si vif qu'il lui semblait entendre leurs voix. À certains instants, il lui arrivait encore d'être submergé par le chagrin que leur mariage n'ait pas tenu. Maintenant, par exemple. Il se pencha par-dessus le parapet et regarda l'eau qui bouillonnait sous lui, en pensant que sa vie consistait de plus en plus à tenir la comptabilité douteuse de tout ce qui était venu à lui manquer, avec le temps.

Louise von Enke avait préparé du thé. Il la trouva épuisée, mais remarquablement maîtresse d'elle-même. Des portraits de la famille von Enke et des batailles navales aux couleurs sombres ornaient les murs du salon. Elle suivit son regard.

– Håkan a été le premier marin de sa famille. Son père, son grand-père et son arrière-grand-père étaient officiers de l'armée de terre. L'un de ses oncles était chambellan du roi, je ne sais plus si c'était Oscar Ier ou Oscar II. L'épée qui est là-bas a été offerte à un autre membre de la famille par Charles XIV pour services rendus. D'après Håkan, ces services consistaient à fournir Sa Majesté en dames jeunes et « adéquates ».

Elle se tut. Wallander entendit le tic-tac d'une horloge posée sur le manteau de la cheminée, et la rumeur lointaine de la rue.

– Quel est ton sentiment ? demanda-t-il avec douceur.

– Très honnêtement, je ne sais pas.

– Les derniers jours avant sa disparition, n'y a-t-il rien eu qui t'ait frappée ? Quelque chose qui n'aurait pas été conforme à ses habitudes ? Un comportement inhabituel ?

– Non. Tout était normal. Et Håkan est un homme qui a des habitudes bien ancrées.

– Et les jours précédents ? La semaine précédente ?

– Il était enrhumé. Ça l'a fait renoncer une fois à sa promenade quotidienne. C'est tout.

– A-t-il reçu du courrier ? Un appel téléphonique ? Une visite ?

– Il a parlé deux ou trois fois avec Sten Nordlander. C'est son plus proche ami.

– Était-il présent à la fête de Djursholm ?

– Non, il était en voyage à ce moment-là. Håkan et Sten se sont rencontrés à la fin des années 1960. Ils travaillaient à bord du même sous-marin – Håkan était commandant et Sten chef mécanicien. C'était il y a bien longtemps.

– Et que dit Sten Nordlander ?

– Il est aussi inquiet que nous. Il n'a aucune explication. Il a dit qu'il te parlerait volontiers pendant ton séjour ici.

Elle était assise sur un canapé, face à lui. À ce moment le soleil du soir éclaira son visage, et elle se déplaça légèrement pour être de nouveau dans l'ombre. Wallander pensa qu'elle était une de ces femmes qui dissimulent leur beauté pour passer inaperçues. Comme si elle avait lu dans ses pensées, elle lui adressa un sourire incertain. Il sortit son carnet pour noter le numéro de téléphone de Sten Nordlander. Louise, s'avéra-t-il, connaissait par cœur aussi bien celui du fixe que celui du portable.

Ils parlèrent pendant une heure sans que Wallander ait l'impression d'apprendre quoi que ce soit qu'il ne sût déjà. Puis elle lui montra le bureau de son mari. Son regard fut attiré par la lampe de travail.

– Il la laisse allumée la nuit, paraît-il.

– Qui t'a dit cela ?

– Linda.

Elle alla fermer les rideaux, qui étaient lourds et sombres. Wallander perçut la trace d'une odeur de tabac.

– Il a peur du noir, dit-elle en ajustant les plis de l'étoffe. Il trouvait cela gênant, comme une faiblesse. Cette peur lui est venue à bord des sous-marins et elle lui est restée. Je n'avais pas le droit d'en parler.

– Pourtant ton fils le sait, et il l'a répété à Linda.

– Håkan a dû le dire à Hans sans que je sois au courant.

La sonnerie d'un téléphone retentit dans les profondeurs de l'appartement.

– Tu es chez toi, dit-elle.

Elle sortit du bureau et ferma derrière elle les hautes doubles portes.

Wallander se surprit à la regarder comme il avait l'habitude de le faire avec Kristina Magnusson. Il s'assit dans le fauteuil de Håkan, qui était en bois et tapissé de cuir vert. Son regard parcourut lentement la pièce. Il alluma la lampe. Il y avait de la poussière autour du bouton de l'interrupteur. Wallander passa le doigt sur le plateau du bureau. De l'acajou. Puis il souleva le sous-main – une habitude qui lui était restée du temps de son apprentissage auprès de Rydberg. S'il y avait un bureau, Rydberg commençait toujours par lui. En règle générale il n'y avait rien. Mais Wallander s'était vu expliquer que même une surface vide pouvait être une piste. Rydberg aimait bien parfois ce genre de formule énigmatique.

Qu'y avait-il sur celui-ci ? Quelques stylos, une loupe, un vase de porcelaine en forme de cygne, un petit galet et une boîte de trombones. Il fit pivoter le fauteuil et regarda autour de lui. Au mur, des photographies encadrées montraient des sous-marins et divers bâtiments de guerre. Une grande photo en couleurs de Hans, coiffé de sa casquette de bachelier. Une photo de mariage : Håkan en uniforme, Louise et lui s'avançant au milieu d'une double haie de sabres levés. Quelques portraits de personnes âgées, les hommes presque tous en uniforme. Sur le mur opposé, un tableau. Il se leva et alla l'examiner de près. C'était une vision romantique de la bataille de Trafalgar : Nelson mourant, appuyé contre un canon, des marins en larmes agenouillés autour de lui. Cette toile le surprit, comme une faute de goût dans cet appartement qui n'en comportait par ailleurs aucune. Pourquoi l'avait-il mise au mur ? Wallander décrocha prudemment le tableau et le retourna. Rien. Une surface lisse, sans message. Comme le sous-main. Il était un peu tard pour commencer une exploration. Ça prendrait des heures, et il était déjà vingt heures trente. Autant revenir demain. Il retourna dans le premier des salons en enfilade. Louise arriva de la cuisine. Wallander crut sentir une odeur d'alcool, sans certitude. Ils convinrent qu'il reviendrait le lendemain matin à neuf heures. Il enfila sa veste ; puis il resta planté dans l'entrée, indécis.

– Tu me parais fatiguée, dit-il. Est-ce que tu dors assez ?

– Une heure par-ci par-là. Comment pourrais-je dormir avec toute cette angoisse ?

– Veux-tu que je reste ?

– C'est gentil à toi de le proposer, mais ce n'est pas nécessaire. J'ai l'habitude d'être seule. Je suis une femme de marin, après tout.

Il refit à pied le long trajet jusqu'à son hôtel, en s'arrêtant pour dîner dans un restaurant italien. Il l'avait choisi parce qu'il était bon marché, et la qualité du repas fut en conséquence. De retour dans sa chambre, il prit un demi-somnifère, en pensant sombrement que c'était l'une des rares manières qu'il avait encore de faire la fête : attirer le sommeil en dévissant le couvercle blanc de sa boîte à pilules.

Sa visite, le lendemain matin, commença comme celle de la veille. Louise lui proposa du thé. À voir sa tête, elle n'avait pas fermé l'œil de la nuit.

Elle avait un message pour lui, de la part d'un certain commissaire Ytterberg, responsable de l'enquête préliminaire relative à la disparition de Håkan. Ytterberg voulait qu'il le rappelle. Elle lui donna le téléphone sans fil et quitta la pièce sans fermer la porte. Wallander vit dans le miroir qu'elle s'était immobilisée au milieu de la cuisine, dos à lui.

Ytterberg s'exprimait avec un fort accent du Norrland.

– L'enquête bat son plein. Si j'ai bien compris, sa femme veut que tu regardes ses papiers.

– Vous ne l'avez pas encore fait ?

– *Elle* l'a fait. Mais elle n'a rien trouvé. J'imagine qu'elle veut que tu vérifies.

– Et de votre côté ?

– Juste un témoin, pas très fiable, qui croit avoir vu le monsieur dans le bois de Lilljansskogen. C'est tout. Attends une seconde...

Wallander entendit Ytterberg prendre un ton exaspéré et suggérer à quelqu'un de revenir plus tard.

– Je ne m'y ferai jamais, dit-il en reprenant le combiné. Les gens ne frappent plus aux portes.

– Un jour, tu verras que la direction centrale nous mettra dans des bureaux paysagers. Comme ça, notre efficacité sera décuplée, on pourra interroger les témoins des collègues, participer à leurs enquêtes... Ce sera formidable.

Il perçut un gloussement satisfait dans le combiné et se

dit qu'il venait d'établir un bon contact avec la police de Stockholm.

– Une chose encore, ajouta Ytterberg. Håkan von Enke est un ex-militaire de haut rang. Les renseignements tiennent donc à surveiller l'affaire. Comme tu le sais, nos collègues des services secrets nourrissent toujours l'espoir de mettre la main sur un espion.

Wallander n'en croyait pas ses oreilles.

– Il y a des soupçons contre lui ?

– Bien sûr que non. Mais il faudra bien qu'ils aient des arguments quand il s'agira de défendre le budget de l'an prochain.

Wallander fit quelques pas pour s'éloigner de la cuisine et baissa la voix.

– Entre nous. Quelle est ton hypothèse ? Sur la base de ton expérience…

– Ça me paraît grave. Il a pu être agressé et enlevé. C'est ce que je crois pour l'instant.

Avant de raccrocher, Ytterberg lui demanda son numéro de portable. Wallander retourna s'asseoir devant sa tasse de thé en pensant qu'il aurait de loin préféré un café. Louise revint à son tour. Devant son regard interrogateur, il secoua la tête.

– Rien de neuf. Mais ils prennent l'affaire au sérieux.

Au lieu de s'asseoir, elle était restée debout à côté du canapé.

– Je sais qu'il est mort, dit-elle brusquement. Jusqu'ici j'ai refusé d'envisager le pire, mais je n'y arrive plus.

– Y a-t-il une raison particulière qui te fait penser cela maintenant ? demanda Wallander avec prudence.

– Cela fait quarante ans que je vis avec lui. Jamais il ne se serait jamais comporté comme ça vis-à-vis de moi. Ou vis-à-vis de son fils.

Elle quitta la pièce. Il entendit la porte de la salle de bains se refermer. Il attendit un instant, puis se leva, s'aventura à pas de loup dans le couloir qui desservait les chambres et prêta l'oreille. Il entendit qu'elle pleurait. Il avait beau ne pas être sentimental, sa gorge se noua. Il retourna dans le salon, finit son thé et se rendit ensuite dans la pièce qu'il avait entrevue la veille au soir. Les rideaux étaient restés fermés. Il les écarta, fit entrer la lumière. Puis il s'attaqua au bureau, tiroir après tiroir. Un ordre méticuleux y régnait, chaque chose à sa place. Dans l'un, il trouva plusieurs vieilles pipes en compagnie de cure-pipes et d'une peau de chamois. Il passa à la deuxième colonne de tiroirs, tout aussi bien rangés. Anciens bulletins scolaires, divers certificats, dont un de vol : en mars 1958, Håkan von Enke avait gagné le droit de piloter des avions monomoteurs, brevet passé à l'aéroport de Bromma. Il ne vivait donc pas seulement dans les profondeurs, pensa Wallander.

Il regarda le relevé de notes du baccalauréat. Von Enke avait été élève au lycée Norra Latin. En histoire et en langue maternelle, il avait de très bonnes notes, tout comme en géographie. Pour l'allemand et le catéchisme, en revanche : passable. Dans le tiroir suivant, il découvrit un appareil photo et un casque audio d'un modèle ancien. En examinant de plus près l'appareil, un vieux Leica, il vit que celui-ci contenait un rouleau de pellicule douze poses. Il le posa sur la table. Quant au casque, il devinait qu'il avait dû être moderne dans les années 1950. Pourquoi Håkan le conservait-il ? Dans le tiroir du bas, il n'y avait rien du tout, à part un numéro de la série « Classiques illustrés » : une adaptation du *Dernier des Mohicans* de Cooper. Tellement feuilleté qu'il faillit tomber en morceaux quand Wallander le prit pour l'examiner. Il se rappela ce que lui avait dit Rydberg un jour : « Cherche toujours la dissonance. » Que faisait une vieille BD de 1962 dans le bureau de Håkan von Enke ?

Il ne l'avait pas entendue venir mais soudain il l'aperçut, dans l'encadrement de la porte. Repoudrée, toute trace d'émotion effacée. Il lui montra l'illustré.

– Pourquoi a-t-il gardé ça ?

– Son père le lui avait donné, je crois. Pour une occasion très spéciale, il ne m'a jamais dit laquelle.

Elle ressortit. Wallander ouvrit le large tiroir central ménagé dans l'épaisseur du plateau entre les deux montants. Comparé aux autres, le désordre y était surprenant. Lettres, photographies, billets d'avion périmés, un carnet de santé à la couverture jaune, quelques factures. Pourquoi ce désordre, là et pas ailleurs ? Il décida d'examiner le contenu plus tard et laissa le tiroir ouvert après avoir posé le carnet de santé sur la table.

L'homme dont il suivait la piste avait subi de nombreux vaccins au fil des ans. Moins d'un mois auparavant, il s'était fait vacciner contre la fièvre jaune, le tétanos et l'hépatite. Glissée sous le rabat du carnet, il trouva aussi une ordonnance pour un traitement préventif du paludisme. Il fronça les sourcils. La fièvre jaune ? Où allait-on pour devoir se vacciner contre ça ? Il remit le carnet dans le tiroir.

Puis il examina la bibliothèque. Si l'on pouvait se fier aux livres, Håkan von Enke nourrissait un profond intérêt pour l'histoire, en particulier celle de la marine anglaise à l'âge classique et celle de la marine du XXe siècle, tous pays confondus. Il y avait aussi des livres d'histoire générale et de nombreux ouvrages à caractère politique. Il nota que les *Mémoires* de Tage Erlander voisinaient avec l'autobiographie de l'espion Wennerström. À sa grande surprise, il découvrit que von Enke s'intéressait également à la poésie suédoise contemporaine. Il y avait là des noms dont Wallander n'avait jamais entendu parler et certains qu'il connaissait au moins de réputation, comme Sonnevi et Tranströmer. Il prit quelques volumes et vit que les pages avaient été coupées. L'un des recueils de Tranströmer contenait des remarques en marge et, à un endroit, ce commentaire : *poème lumineux*. Wallander le lut et tomba d'accord avec l'auteur de la note. Le poème évoquait des forêts de conifères. Il découvrit ensuite que deux mètres de rayonnage au moins étaient occupés par les grands écrivains prolétariens Ivar Lo-Johansson et Vilhelm Moberg. L'image du disparu se modifiait et s'approfondissait sans cesse. Il n'avait pas le sentiment d'avoir affaire à un homme mû par la vanité, qui aurait cherché à impressionner son entourage en étalant une curiosité inattendue pour les lettres. Wallander estimait avoir un flair infaillible pour détecter cette fausseté-là, dans la mesure où ça faisait partie des travers qu'il détestait le plus.

Laissant la bibliothèque, il se tourna vers l'armoire dont il examina les tiroirs l'un après l'autre. Tout était très ordonné, classeurs, chemises, lettres, rapports, un certain nombre de documents de bord à caractère privé et des croquis de sous-marins assortis de cette note : *type proposé par moi*. L'impression d'ordre général était confortée. Seul tranchait le tiroir central du bureau. Mais un autre détail mobilisait son attention sans qu'il pût mettre le doigt dessus. Se rasseyant dans le fauteuil, il observa fixement l'armoire ouverte. Dans un coin de la pièce, un fauteuil en cuir marron jouxtait une table où étaient posés deux livres et une lampe de lecture à abat-jour rouge. Il alla s'installer dans le fauteuil de lecture. Les deux livres sur la table étaient ouverts. L'un était ancien : *Printemps silencieux*, de Rachel Carson. Il savait que cet ouvrage avait été l'un des premiers à voir dans les excès de l'être humain occidental une menace pour l'ensemble de la planète. L'autre livre était consacré aux papillons de Suède. Des textes courts, ponctués de photographies en couleurs de toute beauté. Les papillons et une planète menacée, pensa-t-il. Et du désordre dans un tiroir. Quel rapport ?

Puis il découvrit quelque chose qui dépassait sous le fauteuil et le ramassa. C'était un magazine anglais, ou peut-être américain, consacré aux vaisseaux de guerre. Il le feuilleta. Il y avait de tout : des articles sur le porte-avions *Ronald Reagan*, des schémas de sous-marins qui n'étaient encore qu'à l'état de projet… Wallander déposa le magazine sur la table et regarda de nouveau l'armoire à documents. *Voir sans voir*. Ç'avait été la première mise en garde de Rydberg. Ne pas comprendre ce qu'on avait sous les yeux. Il retourna s'asseoir derrière le bureau et inspecta l'armoire une fois de plus. L'un des tiroirs contenait un chiffon. *Il s'occupe lui-même de l'époussetage. Pas un grain de poussière sur ses documents, ordre impeccable…* Il fit pivoter le fauteuil et considéra à nouveau le désordre du tiroir central, où tout était pêle-mêle, telle une contradiction flagrante à toutes ses autres observations. Prudemment, il commença à en explorer le contenu. Mais rien ne retint son intérêt. C'était juste ce désordre en lui-même. Il détonait. Il n'était pas un prolongement naturel de Håkan von Enke. À moins que ce ne fût l'inverse : le désordre était naturel, l'ordre, lui, artificiel…

Il se leva et fit glisser sa main le long du sommet de l'armoire. Ses doigts rencontrèrent une liasse de papiers ; il les prit et se rassit pour les examiner. C'était un rapport consacré à la situation politique au Cambodge, écrit par un couple d'auteurs du nom de Robert Jackson et Evelyn Harrison. Wallander constata, surpris, qu'il provenait du ministère de la Défense de États-Unis. Il était daté de mars 2008. Un document extrêmement récent, autrement dit. Quelqu'un avait lu ce rapport et souligné certaines phrases en ajoutant dans la marge des notes assorties de points d'exclamation énergiques. Wallander essaya sans succès d'imaginer quelle aurait été une traduction suédoise correcte du titre *On the Challenges of Cambodia, Based upon the Legacies of the Pol Pot Regime.*

Il se leva et retourna dans le séjour. Les tasses à thé avaient disparu. Louise, dos tourné devant l'une des fenêtres, regardait la rue. Il s'éclaircit la voix pour signaler sa présence. Elle se retourna si vite qu'il eut l'impression de l'avoir effrayée. Il se rappela le brusque mouvement de son mari lors de la réception, à Djursholm. Le même genre de réaction, pensa-t-il. L'un et l'autre réagissent comme s'ils étaient exposés à un danger.

Il n'avait pas eu l'intention de poser cette question, mais elle lui échappa au souvenir de l'incident de Djursholm.

– Håkan possède-t-il une arme ?

– Non. Peut-être en avait-il une à l'époque où il travaillait. Mais ici, à la maison ? Non, jamais.

– Vous n'avez pas de maison de vacances ?

– Nous parlions parfois d'en acheter une. En définitive, nous nous sommes toujours contentés de locations. Quand Hans était petit, nous passions l'été sur l'île d'Utö. Ces dernières années, nous allions plutôt sur la Côte d'Azur, où nous louions un appartement. L'achat d'une maison de vacances est resté à l'état de projet.

– Y a-t-il un autre endroit où il aurait pu conserver une arme ?

– Mais non, voyons.

– Peut-être y a-t-il un garage ou un espace de rangement à l'extérieur ? Ou peut-être un grenier, ici même ? Ou une cave ?

– Nous avons bien une cave, où nous conservons quelques vieux meubles et des affaires qui remontent à l'enfance de Hans. Je serais très surprise qu'il y ait une arme là-dedans.

Elle quitta la pièce et revint avec la clé du cadenas de la cave. Wallander la rangea dans sa poche. Elle lui demanda s'il voulait encore du thé ; il refusa mais n'eut pas la présence d'esprit d'ajouter qu'un café lui ferait plaisir.

Il retourna dans le bureau et parcourut le rapport sur la situation politique au Cambodge. Pourquoi ce rapport en haut de l'armoire ? Il y avait un repose-pied devant le fauteuil de lecture. Wallander le plaça devant l'armoire et grimpa dessus. La surface, là-haut, était poussiéreuse, sauf à l'endroit où avait été posé le rapport. Il remit le repose-pied à sa place et resta debout, indécis. Soudain, il crut deviner ce qui avait capté son attention un peu plus tôt. L'impression qu'il manquait des choses dans l'armoire. Qu'on avait retiré une partie du contenu, et cela récemment. Il l'examina avec soin. Son impression se confirma. Håkan avait-il pu le faire lui-même ? Bien sûr que oui. Ou alors ce pouvait être Louise.

Wallander retourna dans le séjour. Elle s'était assise dans un fauteuil qu'il devina être fort ancien. Elle regardait ses mains. À son entrée, elle se leva et lui demanda encore une fois s'il voulait du thé. Cette fois, il dit qu'il en reprendrait volontiers. Puis il attendit. Quand elle l'eut servi – elle n'avait pas rapporté de tasse pour elle –, il passa à l'offensive :

– Je ne trouve rien. Quelqu'un a-t-il pu visiter son bureau avant moi ?

Elle le regarda sans comprendre. Son visage était gris, presque déformé à force de fatigue.

– Moi, bien sûr, répondit-elle enfin. Mais à part moi, je ne vois pas qui...

– Il me semble que des dossiers manquent. Je peux me tromper, mais c'est l'impression que j'ai.

– Personne n'est entré dans ce bureau depuis la disparition de Håkan. À part moi.

– Bien. Je voudrais revenir sur un sujet que nous avons déjà évoqué. Håkan est un homme ordonné, n'est-ce pas ?

– Il déteste le désordre.

– Mais il n'est pas maniaque ?

Louise marqua une pause avant de répondre.

– Quand nous recevons, il a l'habitude de m'aider à mettre la table. Il veille à disposer régulièrement les verres, les couteaux et les fourchettes. Mais il n'ira pas chercher un double décimètre pour vérifier qu'ils sont bien alignés. C'est suffisant, comme réponse ?

– Mais oui, dit Wallander avec douceur.

Il était mal à l'aise ; le visage de Louise s'affaissait d'instant en instant, lui semblait-il.

Il finit son thé et descendit ensuite au sous-sol jeter un coup d'œil à la cave de la famille von Enke. Il y trouva un certain nombre de vieilles malles et valises, un cheval à bascule, des bacs en plastique contenant les jouets de précédentes générations – pas seulement ceux de Hans. Quelques paires de skis étaient appuyées contre le mur. Il y avait aussi un équipement pour copier des négatifs argentiques.

Wallander s'assit avec précaution sur le cheval à bascule. L'intuition lui vint brutalement, comme un choc, comme l'agression dont il avait été récemment victime. Håkan von Enke était mort. Il n'y avait pas d'autre explication à son absence. Il était mort.

Cette brusque certitude l'attristait, mais pas seulement cela. Elle l'inquiétait beaucoup.

Håkan von Enke a essayé de me raconter quelque chose ce soir-là dans le petit salon de Djursholm. Je n'ai malheureusement pas compris de quoi il s'agissait.

7

Wallander dormit à l'hôtel et fut réveillé à l'aube par un jeune couple qui se disputait dans la chambre voisine. L'isolation était si mauvaise qu'il comprenait même les paroles. Et elles étaient dures. Il se leva, fouilla sa trousse de toilette à la recherche de ses bouchons d'oreilles ; mais il les avait manifestement oubliés. Il frappa fort contre le mur, deux fois, puis encore une, comme un juron final. La dispute cessa aussitôt. Du moins, elle passa à un autre registre et il n'entendit plus rien. En attendant de se rendormir, il rumina la question de savoir si Mona et lui n'avaient pas eu, eux aussi, une dispute idiote dans cet hôtel au cours de leur voyage à la capitale. Ça leur arrivait parfois, pour des détails absurdes. Toujours des détails, jamais un sujet vraiment important. Nos conflits n'étaient pas spectaculaires, pensa-t-il. Ils étaient gris, ternes, sans plus. Nous étions tristes, ou déçus, ou les deux à la fois, et nous savions que c'était passager. Et pourtant nous nous disputions, et il n'y en avait pas un pour rattraper l'autre quand il s'agissait de débiter des insanités qu'on regrettait après. Des volières entières de noms d'oiseaux qu'on laissait échapper sans avoir la présence d'esprit de les rattraper par les ailes.

Il se rendormit, rêva de quelqu'un qui était peut-être Rydberg, ou son père, et qui l'attendait debout, dehors, sous la pluie. Il était en retard, peut-être à cause d'une panne de voiture, et il savait qu'il allait se faire tirer les oreilles à son arrivée.

Après le petit déjeuner, il s'installa à la réception et composa le numéro de Sten Nordlander. Il commença par son domicile. Personne ne répondit. Pas de réponse non plus sur le portable, mais cette fois il put au moins laisser un message. Il dit son nom et ce qu'il voulait. Mais que voulait-il ? Chercher le disparu, voilà une mission qui incombait à la police de Stockholm. Peut-être pouvait-on voir en lui un détective privé enquêtant sur initiative personnelle… Depuis le meurtre d'Olof Palme, ce genre de personnage était très mal vu.

Il fut interrompu dans ses réflexions par la sonnerie du portable. C'était Nordlander. Il avait une voix de basse rocailleuse.

– Je sais qui tu es, dit-il, Louise et Håkan m'ont parlé de toi. Je peux passer te prendre. Où es-tu ?

Wallander était sur le trottoir quand la voiture de Sten Nordlander freina devant l'hôtel. Une Dodge des années 1950 avec des chromes étincelants et des jantes aux incrustations blanches. Sten Nordlander avait dû être un vrai loubard dans sa jeunesse, un représentant de cette *jeunesse autoportée* qui avait semé la terreur à l'époque. Il arborait encore veste en cuir, bottes américaines, jean et tee-shirt en coton, malgré le froid. Comment Håkan von Enke et Sten Nordlander avaient-ils pu devenir amis intimes ? Difficile, en surface, d'imaginer deux individus plus différents. Mais Rydberg lui avait appris à voir dans cette notion de surface un réel danger. *Une surface, c'est un truc sur lequel tu dérapes. Ça se vérifie presque toujours.*

– Allez monte, dit Sten Nordlander.

Wallander ne lui demanda pas où ils allaient. Il se laissa choir sur le siège en cuir rouge, sûrement d'époque, posa quelques questions polies sur la voiture et reçut en retour des réponses tout aussi polies. Puis le silence s'installa. Deux gros dés, taillés dans une sorte de matière laineuse, se balançaient sous le rétroviseur. Dans son enfance, il avait souvent eu l'occasion de voir des voitures comme celle-là. À l'intérieur, il y avait toujours des types dont les costumes brillaient presque autant que les chromes de leurs belles américaines. Ils achetaient les tableaux de son père par lots de douze. Pour le payer, ils détachaient des billets de banque de leurs épaisses liasses, un à un, comme des pelures d'oignon. *Les chevaliers de la soie* – c'était ainsi qu'il les appelait dans son for intérieur. Plus tard, il avait compris que ces hommes humiliaient son père en payant ses tableaux un vil prix.

L'espace d'un instant, le souvenir l'attrista. Ce temps-là était révolu. Fini. Il ne reviendrait jamais.

Il n'y avait pas de ceinture de sécurité. Wallander avait cherché et Sten Nordlander avait suivi son regard.

– C'est une antiquité. Alors j'ai une dispense.

Ils avaient pris la direction de l'archipel et roulaient à présent sur l'île de Värmdö. Wallander n'en savait pas plus, il avait perdu le sens de l'orientation et des distances. Nordlander freina devant une maison peinte en marron qui abritait un café.

– La propriétaire s'appelle Matilda. C'était la femme d'un de nos amis, à Håkan et à moi. Maintenant elle est veuve. Claes Hornvig, son mari, était second sur un Serpent où nous servions, nous aussi.

Wallander hocha la tête. Il se souvenait que Håkan von Enke lui avait parlé de cette classe de sous-marins qu'on appelait *Sjöormen*. Le Serpent de mer.

– Nous essayons autant que possible d'aller chez elle. Elle a besoin de gagner de l'argent. En plus, elle fait du bon café.

À peine entré, Wallander aperçut un périscope dressé au milieu de la salle. Sten Nordlander lui expliqua de quel sous-marin il provenait; il comprit qu'il avait atterri dans un musée privé voué à la mémoire des sous-mariniers.

– C'était une habitude dans le temps. Tous ceux qui avaient jamais travaillé à bord d'un sous-marin suédois, que ce soit à titre professionnel ou d'appelé, venaient tous au moins une fois en pèlerinage au café de Matilda. On apportait toujours un cadeau, le contraire aurait été impensable. De la vaisselle volée, une couverture, ou même des bouts de radio. Quand un sous-marin partait à la casse, les uns et les autres se servaient au passage ; il y avait toujours quelqu'un pour penser à Matilda. On faisait une collecte ; on n'y mettait pas d'argent, mais une sonde, par exemple.

Une femme d'une vingtaine d'années apparut par le double battant de la cuisine.

– Je te présente Marie, dit Sten Nordlander. La petite-fille de Matilda et de Claes. Matilda vient parfois, mais elle a plus de quatre-vingt-dix ans maintenant. Elle prétend que sa mère a atteint cent un ans et sa grand-mère cent trois.

– C'est vrai, dit la fille prénommée Maria. Maman a cinquante ans et elle considère qu'elle n'est pas encore à la moitié de sa vie.

Ils allèrent chercher deux cafés et des brioches. Sten Nordlander choisit en plus un mille-feuille. Quelques clients étaient attablés dans la salle, la plupart n'étaient pas tout jeunes.

– Anciens sous-mariniers ? devina Wallander quand ils furent dans l'arrière-salle déserte.

– Pas forcément. Mais je reconnais certains visages.

Les murs s'ornaient de vestes d'uniformes et de pavillons de signal. Il avait l'impression d'être dans un entrepôt d'accessoires de cinéma spécialisé dans les films de guerre. Ils s'assirent dans un coin. Au-dessus de la table, il y avait une photographie encadrée en noir et blanc. Sten Nordlander la pointa du doigt.

– Tiens, regarde, un de nos Serpents. Le deuxième de la deuxième rangée, c'est moi, le quatrième, c'est Håkan. Claes Hornvig n'était pas avec nous ce jour-là.

Wallander se pencha pour mieux voir. Les visages étaient flous. Sten Nordlander ajouta que la photo avait été prise à Karlskrona, juste avant une expédition au long cours.

– Pas franchement ce qu'on pourrait appeler un voyage de rêve. Au départ de Karlskrona, monter jusqu'au détroit de Kvarken, puis jusqu'à Kalix et retour. C'était au mois de novembre, un froid de chien. Si je me souviens bien, la tempête a duré presque tout le temps. Ça tanguait où qu'on se trouve, vu que le golfe de Botnie est si peu profond. On ne pouvait jamais descendre suffisamment. La Baltique est une flaque.

Sten Nordlander dévorait sa pâtisserie dont le goût, apparemment, lui importait peu. Soudain il posa sa fourchette et regarda Wallander.

– Que s'est-il passé ?

– Je n'en sais pas plus que toi.

Sten Nordlander repoussa sa tasse d'un geste brusque. Wallander vit alors qu'il était aussi épuisé que Louise. Encore quelqu'un qui ne dormait pas.

– Tu le connais mieux que personne, si j'ai bien compris. Louise m'a dit que vous étiez très proches. Ton opinion est plus importante que celle de n'importe qui.

– J'ai l'impression d'entendre le policier à qui j'ai rendu visite dans son bureau de Bergsgatan.

– Je suis policier, moi aussi.

Sten Nordlander hocha la tête. Tendu, lèvres serrées. Son inquiétude était tout à fait perceptible.

– Comment se fait-il que tu n'aies pas assisté à sa fête d'anniversaire ? demanda Wallander.

– J'ai une sœur qui habite Bergen, en Norvège. Son mari est mort brutalement. Elle avait besoin de moi. D'ailleurs, les grandes réceptions, ce n'est pas mon truc. Håkan et moi avions célébré l'événement à notre façon une semaine plus tôt.

– Comment ?

– Ici même. Avec un café et un gâteau.

Sten Nordlander montra à Wallander une casquette d'uniforme accrochée au mur.

– Cette casquette-là a appartenu à Håkan. Il l'a offerte au café de Matilda à l'occasion de notre petite fête.

– De quoi avez-vous parlé ?

– De ce dont nous parlons toujours. Les événements d'octobre 1982. Je servais à bord du chasseur *Småland*, qui allait bientôt partir à la retraite. Il est au musée de la Marine de Göteborg maintenant.

– Tu ne travaillais donc pas uniquement à bord de sous-marins ?

– Je te les cite dans l'ordre : un torpilleur, une corvette, un chasseur, un sous-marin et, à la fin, encore un chasseur. Nous nous trouvions sur la côte ouest quand les sous-marins ont commencé à surgir dans la Baltique. Le 2 octobre à midi, le commandant Nyman a dit que nous devions mettre le cap vers l'archipel de Stockholm à pleine vitesse. En renfort.

– Étais-tu en contact avec Håkan ?

– Il m'appelait.

– Chez toi ou à bord ?

– À bord du chasseur. Je n'étais jamais chez moi pendant cette période, toutes les permissions étaient supprimées. On était en état d'alerte maximale, et c'est un euphémisme. Il faut se rappeler que c'était l'époque merveilleuse avant que les téléphones portables ne deviennent la propriété de Monsieur Tout-le-Monde. Les appelés en charge du central, sur le chasseur, venaient nous prévenir quand on avait une communication. En général, Håkan appelait la nuit. Et il voulait que je prenne ses appels dans ma cabine.

– Pourquoi ?

– Sans doute ne voulait-il pas qu'on nous entende.

Wallander perçut une certaine réticence dans les réponses de Sten Nordlander, qui avait presque fini son mille-feuille et en écrasait les restes avec sa fourchette tout en parlant.

– Il m'a appelé pratiquement chaque nuit entre le 1er et le 15 octobre. En réalité, je crois qu'il n'était pas autorisé à le faire. Du moins pas ainsi. Mais nous avions une confiance absolue l'un en l'autre. Sa responsabilité lui pesait. Une charge explosive mal dirigée pouvait couler le sous-marin au lieu de l'obliger à remonter.

Les restes du gâteau formaient à présent une bouillie peu appétissante. Nordlander posa sa fourchette et recouvrit négligemment la petite assiette avec une serviette en papier.

– Le dernier soir, il m'a appelé trois fois. Puis une dernière fois en pleine nuit, ou plutôt à l'aube.

– Tu étais encore à bord ?

– Nous nous trouvions au sud-est du détroit de Hårsfjärden, à un mille à peine. Il y avait un peu de vent, mais ça allait. À bord, c'était l'alerte maximale. Seuls les officiers étaient informés de la réalité de la situation.

– Prévoyait-on réellement de vous impliquer dans la traque ?

– Nous ne pouvions savoir ce que feraient les Russes si nous obligions l'un des leurs à faire surface. Peut-être tenteraient-ils de le libérer ? Des bâtiments de guerre russes étaient positionnés au nord de l'île de Gotland, et ils avançaient lentement dans notre direction. L'un de nos télégraphistes a dit qu'il n'avait encore jamais vu une telle intensité du trafic radio côté russe, même au cours de leurs grandes manœuvres qui se déroulaient en général plus au sud, près des côtes baltes. Ils étaient inquiets, ça ne faisait aucun doute.

Il se tut quand Marie arriva et leur demanda s'ils revoulaient du café. Ils déclinèrent.

– Venons-en au plus important, reprit Wallander. Quelle a été ta réaction en apprenant que le sous-marin cerné avait été autorisé à fuir ?

– Je n'en croyais pas mes oreilles.

– Comment l'as-tu appris ?

– Nyman a soudain reçu l'ordre de faire machine arrière, de descendre vers Landsort et d'attendre là-bas. Aucune explication, rien. Nyman n'était pas homme à poser des questions inutiles. J'étais en salle des machines quand on est venu me dire que j'avais une communication. Je suis remonté à ma cabine quatre à quatre. C'était Håkan. Il m'a demandé si j'étais seul.

– Avait-il l'habitude de te poser cette question ?

– Non. Je lui ai dit qu'il n'y avait personne. Il a insisté sur le fait que c'était important, je devais lui dire la vérité. Je me souviens que j'ai failli me fâcher. Puis j'ai compris tout à coup qu'il avait quitté le central de commandement et qu'il m'appelait depuis une cabine téléphonique.

– Comment pouvais-tu le savoir ?

– J'ai entendu le bruit des pièces de monnaie qu'il glissait dans la fente. Il y avait un appareil téléphonique dans le mess. Comme il ne pouvait s'absenter du central plus de quelques minutes, disons au maximum le temps de se rendre aux toilettes, il avait dû y aller au pas de course.

– Il te l'a dit ?

Sten Nordlander le considéra un instant.

– Il était essoufflé. Tu es vraiment de la police, ma parole.

Wallander ne se laissa pas déstabiliser. Il fit signe à Nordlander de continuer.

– Il était dans un état second – comment dire ? Un mélange de colère et de peur. Il m'a dit que c'était de la trahison, qu'il allait refuser d'obéir aux ordres, qu'il allait forcer ce sous-marin à remonter, quelles qu'en soient les conséquences. Puis il s'est trouvé à court de monnaie. Comme une bande-son qui s'arrête, clac.

Wallander gardait le regard rivé à son interlocuteur dans l'attente d'une suite, qui ne vint pas.

– *Trahison*, dit-il. C'est fort, comme mot.

– Mais c'était précisément de ça qu'il s'agissait ! On laissait partir un sous-marin qui avait porté atteinte, gravement, à notre intégrité territoriale.

– Qui a pris cette décision ?

– Quelqu'un, ou quelques-uns, au niveau du commandement suprême. Ils se sont dégonflés. Ils n'ont pas voulu mettre la pression qu'il fallait pour obliger le sous-marin russe à se montrer.

Un homme entra dans l'arrière-salle, une tasse de café à la main, mais Sten Nordlander lui jeta un regard tel qu'il battit aussitôt en retraite et partit se chercher une table ailleurs.

– Tu me demandes « qui », reprit Nordlander. Je ne le sais pas. Il est peut-être plus facile de répondre à la question « pourquoi ». Mais ça reste naturellement du domaine de la spéculation. Ce qu'on ne sait pas, eh bien… On ne le sait pas.

– Il est parfois nécessaire de réfléchir à voix haute. Même les policiers le font.

– Supposons qu'il y ait eu quelque chose à bord de ce sous-marin et que les autorités suédoises n'aient pas voulu mettre la main dessus.

– Quoi ?

Sten Nordlander baissa la voix, pas beaucoup mais assez pour que Wallander se rapproche.

– Ou alors, ce n'était pas « quelque chose » mais « quelqu'un ». De quoi aurions-nous eu l'air si on avait trouvé un officier suédois à bord ? Juste à titre d'exemple ?

– Qu'est-ce qui te fait penser ça ?

– Ce n'est pas mon idée. C'est une théorie de Håkan. Il en a beaucoup.

Wallander réfléchit avant de poursuivre, tout en pensant qu'il aurait peut-être dû noter tout ce que lui racontait à présent Sten Nordlander.

– Qu'est-il arrivé après cela ?

– Après quoi ?

L'autre commençait à être de mauvaise humeur. Difficile de savoir si cela tenait aux questions de Wallander ou au mauvais sang qu'il se faisait pour son ami.

– Håkan m'a raconté qu'il avait posé des questions aux uns et aux autres, dit Wallander avec douceur.

– Il a essayé de comprendre ce qui s'était produit. Presque tout, dans cette affaire, relevait du secret-défense et même, pour partie, du niveau très secret-défense, qui fait qu'on n'y a accès qu'au bout de soixante-dix ans. C'est la plus longue durée autorisée en Suède ; normalement, c'est quarante ans. Pas même la gentille Marie qui nous a servi notre café n'aura sans doute l'occasion de lire certains éléments du dossier.

– D'un autre côté, elle appartient à une lignée qui a de bons gènes...

Sten Nordlander ne sourit pas.

– Håkan pouvait être difficile quand il s'était mis un truc en tête. Il se sentait atteint dans son intégrité, tu comprends, au même titre que l'avait été le territoire national. Quelqu'un avait trahi. Beaucoup de journalistes s'intéressaient aux sous-marins, mais Håkan n'était pas satisfait. Il voulait réellement savoir. Il a misé sa carrière sur cette question.

– À qui a-t-il parlé ?

La réponse de Sten Nordlander claqua comme un fouet :

– À tous. Il a interrogé tout le monde. À l'exception du roi peut-être, et encore. Il a demandé une audience au Premier ministre, ça du moins c'est une certitude. Il a appelé au téléphone Thage G. Peterson, l'estimable vieux social-démocrate qui était en ce temps-là au gouvernement, et il a sollicité un rendez-vous avec Palme. Peterson a répondu que l'agenda de Palme était complet. Mais Håkan n'a pas lâché prise. « Alors regardez l'autre agenda. Celui où on peut toujours coincer un rendez-vous important. » Et, de fait, il l'a obtenu. Quelques jours avant Noël 1983.

– C'est ce qu'il t'a raconté ?

– J'étais avec lui.

– Chez Palme ?

– Je lui ai servi de chauffeur. Il est sorti de la voiture, en uniforme et pardessus sombre, et je l'ai vu franchir le portail du bâtiment de Rosenbad. Le premier sanctuaire du pays, après le palais royal. Sa visite a duré environ trente minutes. Au bout de dix minutes, un garde est venu frapper à ma vitre en disant qu'on avait le droit de déposer les gens, mais pas de stationner. J'ai baissé complètement la vitre et je l'ai informé que la personne que j'attendais était auprès du Premier ministre et que je n'avais aucune intention de bouger de là. Le garde m'a laissé tranquille. Quand Håkan est revenu, j'ai vu que son front était couvert de sueur.

« J'ai démarré. On a roulé en silence. On est venus ici. On s'est assis à cette même table. Au moment où on sortait de la voiture, il s'est mis à neiger. On a eu un Noël blanc à Stockholm cette année-là. La neige s'est attardée jusqu'au Nouvel An, puis la pluie l'a fait fondre.

Marie revint avec la cafetière. Cette fois, ils acceptèrent une deuxième tasse. Sten Nordlander glissa dans sa bouche un morceau de sucre, et Wallander s'aperçut alors seulement qu'il portait un dentier. Cela le mit mal à l'aise. Peut-être parce qu'il pensait à sa propre négligence à se rendre régulièrement chez le dentiste.

Von Enke avait fait à son ami un récit très circonstancié de sa rencontre avec Olof Palme. Il avait été bien reçu. Palme avait posé quelques questions sur sa carrière militaire, et évoqué avec une pointe d'autodérision son propre statut d'officier de réserve. Puis il avait écouté ce que son visiteur avait à lui dire. Et von Enke avait été très explicite. En termes de loyauté vis-à-vis de son employeur, l'armée, il avait ce jour-là franchi la ligne rouge. Le fait d'aller voir le chef du gouvernement de sa propre initiative signifiait qu'il était définitivement grillé auprès du chef d'état-major et de son équipe. Il n'y avait plus de retour possible. Mais il n'avait pas le choix : il devait dire ce qu'il en était. Il avait parlé pendant plus de dix minutes. Et Palme, dit-il, l'avait écouté sans le quitter des yeux, lèvres entrouvertes. Puis il avait réfléchi un moment avant de commencer à l'interroger. Il voulait en premier lieu savoir si les militaires étaient certains de la nationalité du sous-marin. Celui-ci appartenait-il au pacte de Varsovie ? Håkan avait répondu par une autre question. Quelles étaient les autres possibilités ? Palme n'avait pas répondu, s'était contenté d'une grimace et d'un hochement de tête. Quand Håkan avait ensuite prononcé les mots de haute trahison et de scandale militaro-politique, Palme l'avait interrompu en disant que cette discussion-là devait avoir lieu dans un autre cadre que celui d'un entretien particulier avec le Premier ministre. Leur échange s'était arrêté là. Un secrétaire avait passé une tête prudente dans le bureau et rappelé au chef du gouvernement qu'un autre visiteur patientait. En sortant, Håkan était en nage, mais soulagé. Palme l'avait écouté. Voilà ce qu'il avait répété à Sten Nordlander, au café. Il était plein d'optimisme, convaincu que quelque chose allait maintenant se produire. Le Premier ministre l'avait sûrement entendu, quand il avait parlé de trahison. Il allait attraper son ministre de la Défense et son chef d'état-major par les oreilles et exiger qu'ils lui disent la vérité. *Qui* avait ouvert la nasse et laissé partir le sous-marin ? Et surtout : *pourquoi ?*

Sten Nordlander se tut en jetant un regard à sa montre-bracelet.

– Et ensuite ? demanda Wallander.

– On était juste avant Noël. Il ne s'est rien passé pendant quelques jours, mais, la veille du Nouvel An, Håkan a été convoqué chez le chef d'état-major des armées. Il a essuyé une réprimande sévère pour être allé voir Palme dans son dos. Mais Håkan n'est pas stupide au point de ne pas comprendre que celui qui était visé et critiqué en premier lieu, c'était le Premier ministre lui-même qui, aux yeux de l'état-major, n'aurait jamais dû écouter les divagations d'un officier de marine en mission solitaire.

– Mais il a donc continué de fouiller ? Malgré les pressions ?

– Il n'a jamais cessé de fouiller. Ça fait vingt-cinq ans.

– Tu étais son plus proche ami. S'il a reçu des menaces, il a dû t'en parler.

Sten Nordlander hocha la tête mais ne dit rien.

– Et maintenant, il n'est plus là, ajouta Wallander.

– Il est mort. Quelqu'un l'a tué.

C'était venu brutalement. Sten Nordlander l'avait dit comme une évidence.

– Comment peux-tu être si sûr de toi ?

– Comment peux-tu en douter ?

– Alors qui ? Pourquoi ?

– Je n'en sais rien. Mais peut-être savait-il quelque chose qui s'est révélé à la fin trop dangereux pour certains.

– L'histoire des sous-marins remonte à vingt-cinq ans. Qu'est-ce qui pourrait être encore dangereux après tant d'années ? Bon sang, l'Union soviétique n'existe même plus. Le mur de Berlin est tombé. La RDA, c'est fini. Toute cette époque-là est révolue. Quelles seraient ces ombres qui resurgiraient à l'improviste ?

– Nous croyons que tout cela a disparu. Mais si ça se trouve, quelqu'un est juste allé changer de costume en coulisse. Le répertoire a changé, mais la scène reste la même.

Sten Nordlander se leva.

– Nous pourrons continuer un autre jour. Ma femme m'attend.

Il raccompagna Wallander en voiture jusqu'à son hôtel. Au moment de le quitter, celui-ci s'aperçut qu'il avait encore une question :

– Håkan avait-il un ami proche, à part toi ?

– Personne. Ou alors Louise, peut-être. Les marins, en général, ne sont pas des gens très sociables. Je n'étais pas proche de lui. J'étais *plus proche* que tous les autres, si tu veux.

Wallander nota que Sten Nordlander marquait une hésitation. Allait-il le dire, ou non ?

– Il y a bien Steven Atkins. Un Américain, commandant

de sous-marin lui aussi. Un peu plus jeune que Håkan. Je crois qu'il aura soixante-quinze ans l'an prochain.

Wallander dénicha son carnet et un stylo-bille et nota le nom.

– Il a une adresse ?

– Il habite en Californie, près de San Diego. Il était autrefois stationné à Groton. Une grande base navale dans le Connecticut.

Wallander se demandait pourquoi Louise ne lui avait pas parlé de Steven Atkins ; mais il renonça à interroger Nordlander, qui paraissait pressé de partir.

La Dodge disparut au sommet de la côte.

Il récupéra sa clé, monta à sa chambre et réfléchit à ce qu'il venait d'apprendre. En vérité, il ne lui semblait pas avoir progressé d'un pas.

8

Le lendemain matin, Linda l'appela pour savoir comment ça allait à Stockholm. Il lui fit part de ce qui semblait être la conviction de Louise, que son mari était mort.

– Hans refuse de le croire, dit-elle. Il est persuadé que son père est en vie.

– Au fond de lui, il sait sûrement que Louise peut avoir raison.

– Et toi, que crois-tu ?

– Ça ne me dit rien qui vaille.

Wallander chercha à savoir si elle avait parlé à quelqu'un, à Ystad. Il savait qu'elle était en contact avec Kristina Magnusson et qu'elles se voyaient parfois en dehors du travail.

– L'enquêteur de Malmö est revenu et reparti. Ton sort va se jouer maintenant.

– Je serai peut-être viré.

– Arrête ! C'était idiot d'emporter ton arme en ville et de l'oublier au moment de rentrer, mais si ça devait suffire à te faire virer, il y a au moins quelques centaines de collègues qui devraient perdre leur boulot. Pour des fautes beaucoup plus graves.

– Je m'attends au pire, dit Wallander sombrement.

– Quand tu auras laissé tomber ce ton geignard, on pourra se reparler.

Elle raccrocha. Il pensa qu'elle avait raison. Bien sûr. Il

écoperait sans doute d'un avertissement, éventuellement d'une retenue sur salaire. Il voulut la rappeler, puis changea d'avis. Le risque était trop grand qu'ils entament une dispute. Il s'habilla, déjeuna et appela ensuite Ytterberg, qui promit de le recevoir à neuf heures. Wallander demanda s'ils avaient du nouveau, mais la réponse fut négative.

– Quelqu'un nous a signalé la présence de von Enke à Södertälje. Ce qu'il allait faire là-bas ? Mystère. Mais en fait, c'était juste un homme en uniforme. Et notre ami ne portait pas l'uniforme le jour de sa promenade.

– C'est tout de même curieux que personne ne l'ait vu. Si j'ai bien compris, énormément de gens fréquentent le bois de Lilljansskogen, pour marcher, courir, promener leur chien…

– Je suis d'accord. Ça nous préoccupe aussi. Passe à neuf heures, on en parlera. Je viendrai te chercher à l'accueil.

Ytterberg était un type très grand et très costaud ; en le voyant, Wallander pensa aussitôt aux lutteurs suédois de la grande époque. Il lorgna ses oreilles pour voir si celles-ci présentaient la déformation caractéristique en chou-fleur, mais non. D'autre part, malgré sa masse, Ytterberg se déplaçait avec une incroyable légèreté. Dans les couloirs où il avançait à toute allure, Wallander en remorque, on eût dit qu'il effleurait à peine le sol. Enfin ils arrivèrent dans un bureau où régnait un véritable chaos et où l'espace libre au sol était occupé par un énorme dauphin gonflable.

– Pour ma petite-fille, expliqua Ytterberg. Anna Laura Constance va le recevoir vendredi pour ses neuf ans. Tu as des petits-enfants ?

– Une. Ma première. Elle vient de naître.

– Et elle s'appelle ?

– Rien pour l'instant. Ils attendent que le nom se présente tout seul.

Ytterberg se laissa tomber dans son fauteuil en marmonnant une réplique inaudible. Puis il montra du doigt un percolateur posé sur l'appui de la fenêtre mais Wallander fit non de la tête.

– Nous privilégions la piste criminelle, commença Ytterberg sans attendre la première question. Il s'est écoulé trop de temps depuis sa disparition. À part ça, c'est une bien étrange affaire. Pas une trace, rien. À croire qu'il est parti en fumée, comme on dit. Ce bois est plein de monde à toute heure, mais personne n'a rien vu. Ça ne tient pas debout.

– Cela peut indiquer qu'il n'a pas suivi son itinéraire habituel, qu'il n'est pas allé dans le bois…

– … ou alors qu'il lui est arrivé quelque chose avant. Même dans ce cas, il est curieux que personne n'ait remarqué quoi que ce soit. On ne tue pas quelqu'un en toute discrétion dans Valhallavägen. On ne fait pas monter quelqu'un de force dans une voiture sans que ça se voie.

– Et s'il était parti, malgré tout, de son plein gré ?

– Vu l'absence de témoins, c'est l'hypothèse la plus plausible. Le problème, c'est que rien d'autre ne va dans ce sens.

Wallander hocha la tête.

– Tu as dit que les services s'étaient penchés sur son cas. Alors ? Ont-ils pu apporter une lumière ?

Ytterberg plissa les yeux et se carra dans son fauteuil.

– Depuis quand les services ont-ils apporté la moindre lumière quelque part ? Ils disent que c'est normal pour eux de s'y intéresser, vu que c'est un militaire haut placé qui a disparu, même s'il est à la retraite depuis longtemps.

Ytterberg se servit un café et en reproposa à Wallander, qui n'en voulait toujours pas.

– Comme tu le sais, j'ai assisté à la fête qu'il a donnée pour ses soixante-quinze ans. J'ai eu l'impression, ce soir-là, qu'il avait peur.

Wallander s'était pris de confiance pour Ytterberg. Il lui raconta l'épisode de la véranda, qui avait si visiblement effrayé Håkan von Enke.

– J'ai aussi eu le sentiment qu'il voulait se confier à moi.

Mais rien, dans ce qu'il m'a dit, n'explique cette inquiétude. Il ne m'a fait aucune confidence digne de ce nom.

– Pourtant il avait peur, dis-tu.

– C'est le sentiment que j'ai eu. Je me souviens d'avoir pensé qu'un commandant de sous-marin ne s'inquiète sans doute pas pour des dangers imaginaires. Une existence au fond de la mer doit vous prémunir contre cela.

– Je crois comprendre ce que tu veux dire, fit Ytterberg pensivement.

Une voix de femme s'éleva au même moment dans le couloir. Hors d'elle, crut saisir Wallander, parce qu'elle en avait « marre d'être interrogée par un guignol ». Puis le silence retomba.

– J'ai une question, dit-il. En visitant son bureau, à son domicile de Grevgatan, j'ai eu l'impression que quelqu'un avait fait le ménage dans ses archives. J'aurais du mal à préciser mon sentiment. Mais je crois que tu connais ça. On a tous une méthode, une forme de système, un style, quand il s'agit de ranger nos affaires, nos papiers en particulier, bref, tout ce que nous laissons dans notre sillage – *l'écume de l'existence*, comme le disait un commissaire que j'ai connu autrefois. On croit repérer un tel système chez quelqu'un –, et voilà qu'on voit apparaître des failles bizarres. À part les espaces vides, j'ai aussi trouvé un tiroir où tout était pêle-mêle, alors qu'un ordre impeccable régnait partout ailleurs.

– Que dit sa femme ?

– Que personne n'est venu.

– Dans ce cas, il reste deux possibilités. Soit elle a fait le ménage elle-même pour des raisons qu'elle ne veut pas dire. Ce peut être assez innocent, par exemple qu'elle ne veut pas avouer sa curiosité. Elle peut trouver ça gênant, que sais-je. Soit c'est lui.

Wallander se perdit en conjectures. Il aurait dû comprendre. Un lien venait de se dévoiler avant de disparaître à nouveau. Mais l'association était trop fugace, elle lui échappa.

– Revenons-en un instant à nos amis des services, dit-il. Se peut-il qu'ils détiennent une information qu'ils ne nous communiquent pas ? Un vieux soupçon enterré, qui serait soudain redevenu intéressant ?

– Je leur ai posé la question, figure-toi. Et j'ai obtenu une réponse très vague. Si ça se trouve, le collègue des renseignements qui m'a rendu visite n'était au courant de rien. Ce n'est pas impossible. Ces gens-là sont aussi doués pour les cachotteries internes que maladroits quand il s'agit de préserver un secret vis-à-vis de l'extérieur.

– Alors ? Avaient-ils quelque chose sur Håkan von Enke ?

Ytterberg écarta les bras, heurtant par mégarde son gobelet de café qui se renversa. Il le jeta à la corbeille d'un geste rageur. Puis il essuya sa table et ses papiers tachés à l'aide d'un torchon récupéré sur une étagère. Wallander soupçonna que cet épisode n'avait rien d'unique.

– J'ai cherché de mon côté, dit-il quand il eut fini d'essuyer. Il n'y avait rien. Håkan von Enke est un militaire suédois irréprochable. J'ai parlé à quelqu'un dont j'ai oublié le nom, qui a accès aux dossiers des officiers de marine. En résumé : il a gravi les échelons à toute allure, il a atteint le grade de capitaine de frégate – puis ça s'est arrêté. Sa carrière s'est étalée, pour ainsi dire.

Wallander réfléchissait à ce que lui avait dit Sten Nordlander sur le fait que von Enke avait « misé sa carrière » sur cette histoire des sous-marins. Ytterberg se curait les ongles avec un coupe-papier. Quelqu'un passa dans le couloir en sifflotant. À sa propre surprise, Wallander reconnut le vieux refrain des années de guerre intitulé *We'll Meet Again*.

– *Don't know where, don't know when*, fredonna Wallander tout bas.

– Combien de temps restes-tu à Stockholm ?

– Je rentre cet après-midi.

– Laisse-moi ton numéro, je te tiendrai au courant.

Ytterberg le raccompagna jusqu'à l'entrée du commissariat

donnant sur Bergsgatan. Wallander prit la direction de la place de Kungsholmstorg, héla un taxi et retourna à l'hôtel. Dans sa chambre, il s'allongea sur le lit après avoir suspendu à la poignée de la porte l'écriteau « Ne pas déranger ». En pensée, il revint à la fête de Djursholm. Ôta symboliquement ses chaussures et s'approcha à pas de loup, sans bruit, de ses propres souvenirs quant aux faits et gestes de Håkan von Enke. Puis il tritura ces souvenirs, les mit à l'épreuve. Avait-il pu se tromper du tout au tout ? Ce qu'il avait perçu spontanément comme de la peur trahissait-il en réalité tout autre chose ? L'expression de quelqu'un peut s'interpréter de tant de manières. Les myopes qui plissent les yeux, par exemple, passent facilement pour arrogants. L'homme dont il suivait la trace n'avait pas reparu depuis maintenant six jours. On avait dépassé le laps de temps au terme duquel les gens refaisaient surface. Dans la plupart des cas, après six jours, ou bien ils étaient rentrés chez eux, ou bien ils avaient au moins donné signe de vie. Håkan von Enke, lui, ne donnait pas le moindre signe de quoi que ce soit.

Il est juste absent, songea Wallander, poursuivant sa conversation muette avec lui-même. Il part se promener et il ne revient pas. Son passeport est resté à la maison, il n'a pas d'argent sur lui, il n'a même pas emporté son portable. C'était là l'un des points cruciaux, l'une des circonstances les plus étonnantes de l'affaire, qui exigeait une élucidation. Il pouvait évidemment l'avoir oublié. Mais ce matin-là précisément... Cela renforçait l'hypothèse selon laquelle sa disparition n'était pas volontaire.

Il se prépara à rentrer à Ystad, fit son sac, paya sa note d'hôtel et déjeuna dans un restaurant du quartier. Au cours du voyage, il fit quelques mots croisés. Il restait toujours, dans chaque grille, deux ou trois mots qui lui échappaient, ce qui était bien irritant ; mais, la plupart du temps, il était plongé dans ses pensées. Il arriva chez lui vers vingt et une heures. Quand il alla chercher Jussi, celui-ci fut si heureux de le revoir qu'il faillit le renverser.

À peine franchi le seuil de sa maison, il perçut une odeur bizarre. En compagnie de Jussi, il s'avança, narines écarquillées, jusqu'à la salle de bains. La puanteur provenait de la bonde au sol. Il ôta la grille et déversa deux seaux d'eau sans résultat ; le tuyau de la fosse septique devait être bouché. Il sortit de la salle de bains et ferma la porte. Le plombier qu'il avait l'habitude d'appeler à la rescousse connaissait des épisodes de beuverie. Il espérait que ce ne serait pas le cas en ce moment.

Jarmo, c'était le nom du plombier, répondit d'une voix égale quand Wallander l'appela le lendemain matin. L'odeur n'avait pas disparu. Une heure plus tard, il était à pied d'œuvre ; encore une heure, et il avait débouché la canalisation. La puanteur disparut quasi instantanément. Wallander le paya. Au noir, comme d'habitude. Ça ne lui plaisait guère mais Jarmo était, par principe, opposé au fait de rédiger des factures. Il avait une quarantaine d'années et des enfants dans tout le voisinage. Wallander l'avait personnellement interpellé quelques années plus tôt ; Jarmo était soupçonné de recel d'objets volés dans divers ateliers de bricolage. Mais il était innocent, il y avait eu malentendu ; depuis que Wallander habitait dans sa maison, c'était toujours Jarmo qui s'occupait de ses canalisations – et ses canalisations avaient toujours des problèmes.

– Comment va ton histoire d'arme oubliée ? demanda Jarmo sur un ton insouciant après avoir rangé dans son épais portefeuille les billets de cent de Wallander.

– J'attends le résultat de l'enquête, répondit Wallander qui préférait ne pas s'appesantir.

– Je crois bien que je n'ai jamais été soûl au point d'oublier un coupe-tubes au bistrot.

Wallander ne trouva pas de repartie. Il agita la main en regardant la fourgonnette rouillée de Jarmo disparaître au bout du chemin. Puis il appela le commissariat, la ligne directe de Martinsson. La voix enregistrée de son collègue l'informa qu'il était ce jour-là en séminaire à Lund sur le thème des transports de migrants clandestins. Il hésita un instant à appeler Kristina Magnusson. Il laissa tomber, remplit encore en partie quelques grilles de mots croisés, dégivra son réfrigérateur et fit ensuite une longue promenade avec Jussi. Il se sentait désœuvré et agité, contrarié de ne pas pouvoir se rendre à son travail. Quand le téléphone sonna, il attrapa le combiné comme s'il avait attendu bien trop longtemps qu'il sonne enfin. Une voix de femme, jeune, presque gazouillante, lui demanda si cela l'intéressait de louer un appareil de massage qu'on pouvait entreposer dans une armoire et qui ne prenait presque pas de place même quand il était déplié. Wallander raccrocha et regretta dans la foulée d'avoir été agressif avec cette fille, qui ne le méritait sûrement pas.

Le téléphone sonna à nouveau. Il hésita avant de décrocher. La ligne était mauvaise ; c'était une communication longue distance, la voix de son interlocuteur lui parvenait avec un temps de retard.

Une voix d'homme. Qui s'exprimait en anglais, en criant dans le téléphone. Il voulait savoir s'il parlait bien à la personne qu'il cherchait, Kurt, Kurt Wallander, était-ce bien lui ?

– Oui, c'est moi, cria Wallander à travers le grésillement. Qui êtes-vous ?

Il crut que la communication avait été coupée et s'apprêtait à raccrocher quand la voix revint, plus proche à présent.

– Wallander ? C'est toi ? C'est Kurt ?

– C'est moi !

– Ici Steven Atkins. Tu sais qui je suis ?

– Oui, je sais, cria Wallander. Tu es l'ami de Håkan.

– On l'a retrouvé ?

– Non.

– La réponse était bien : « non » ?

– Oui, la réponse était non !

– Ça fait une semaine maintenant ?

– Plus ou moins.

Les grésillements reprirent de plus belle. Il devina que Steven Atkins l'appelait depuis un portable.

– Je suis très inquiet, cria Atkins. Håkan n'est pas un homme qui disparaît comme ça.

– Quand lui as-tu parlé pour la dernière fois ?

– Il y a huit jours. Dimanche après-midi, *swedish time*.

Le jour avant sa disparition, pensa Wallander.

– C'est lui qui t'a appelé ?

– Oui. Il m'a dit qu'il était parvenu à une conclusion.

– À quel sujet ?

– Je n'en sais rien. Il ne me l'a pas dit.

– « Je suis parvenu à une conclusion. » C'est tout ? Il a bien dû ajouter quelque chose ?

– Non. Il était très prudent au téléphone. Parfois il préférait même m'appeler d'une cabine.

Wallander avait à nouveau du mal à entendre. Il retint son souffle, ne voulait pas perdre le contact.

– Je veux savoir ce qui se passe, dit Atkins, la voix soudain très claire. Je suis inquiet.

– A-t-il évoqué des projets de voyage ?

– Il paraissait plus heureux que depuis longtemps. Håkan pouvait être un peu sombre parfois. Il n'aimait pas vieillir. Il craignait de ne pas avoir assez de temps. Quel âge as-tu, Kurt ?

– Soixante.

– Ce n'est rien, ça ! As-tu une adresse e-mail, Kurt ?

Wallander indiqua péniblement son adresse, sans préciser qu'il ne l'utilisait pour ainsi dire jamais.

– Je t'écris, Kurt, cria Atkins. Pourquoi ne viendrais-tu pas me rendre visite en Amérique ? Mais d'abord tu dois retrouver Håkan.

Il l'entendait à nouveau très mal. La communication fut interrompue. Il resta debout, le combiné à la main.

Why don't you come over ?

Il raccrocha et s'assit à la table de la cuisine. De la lointaine Californie, Steve Atkins venait de lui communiquer une information nouvelle – ou plutôt de la lui hurler à l'oreille. Il sortit son carnet de notes et se remémora la conversation point par point, réplique par réplique. La veille de sa disparition, Håkan von Enke n'avait pas appelé Sten Nordlander, ni son fils Hans. Il avait appelé Steve Atkins en Californie. Était-ce une décision réfléchie ? Von Enke était-il sorti pour le faire, l'avait-il appelé d'une cabine ? Il faudrait poser la question à Louise. Il continua à écrire jusqu'à avoir retranscrit toute la conversation. Alors il se leva, se plaça à quelques mètres de la table et regarda son carnet comme un peintre qui prend ses distances avec le chevalet. C'était naturellement Sten Nordlander qui avait donné son numéro à Atkins. Rien d'étrange à cela. Atkins était aussi inquiet que les autres. Ou bien ? Il eut soudain la sensation étrange que Håkan von Enke avait été tout près d'Atkins pendant leur conversation. Puis il repoussa cette idée, qui lui paraissait presque indécente.

Il en avait assez. Par-dessus la tête de toute cette affaire. Il pouvait s'inquiéter comme les autres, certes. Mais ce n'était pas à lui de retrouver le disparu ni de spéculer sur les circonstances du drame. Il tournait en rond, remplissait son inactivité forcée avec des fantômes, et voilà tout. Peut-être était-ce un exercice préparatoire ? Un prélude à la misère qui serait la sienne quand l'inévitable mise à la retraite le happerait à son tour ?

Il se prépara à manger, fit le ménage sans entrain et essaya de lire un livre que lui avait offert Linda sur l'histoire de la police suédoise. Il s'était endormi, le livre sur la poitrine, quand la sonnerie du téléphone le réveilla en sursaut.

C'était Ytterberg.

– J'espère que je ne te dérange pas.

– Pas du tout. Je lisais.

– Nous venons de faire une découverte. Je voulais t'en informer.

– Quelqu'un est mort ?

– Carbonisé. Nous l'avons trouvé voici quelques heures dans une cabane de chantier incendiée, sur Lidingö. Pas très loin du bois de Lilljansskogen. L'âge pourrait coller. À part ça, rien n'indique que ce soit lui. Nous ne disons rien à sa femme pour l'instant.

– Les journaux ?

– Ils n'ont pas encore fait le rapprochement.

Cette nuit-là, Wallander dormit mal. Il se releva plusieurs fois et reprit sa lecture, le livre sur l'histoire de la police, pour l'abandonner après quelques paragraphes. Jussi, allongé devant la cheminée, le suivait du regard. Parfois Wallander l'autorisait à dormir dans la maison.

Ytterberg le rappela à six heures du matin. Ce n'était pas Håkan von Enke. Le corps avait été identifié grâce à une bague. Wallander, soulagé, se rendormit jusqu'à neuf heures. Il prenait son petit déjeuner quand Lennart Mattson l'appela à son tour.

– C'est fini, dit-il. Le service d'inspection a rendu son verdict : cinq jours de retrait de salaire pour l'oubli de ton arme.

– C'est tout ?

– Ce n'est pas assez ?

– C'est plus qu'assez. Alors je reviens.

Tôt le lundi matin, Wallander était à nouveau derrière son bureau du commissariat.

Toujours aucune trace de Håkan von Enke.

9

Wallander reprit le service entouré de collègues qui affichaient une mine joyeuse parce que la mesure disciplinaire s'était révélée bénigne. Quelqu'un proposa même d'organiser une collecte pour le dédommager de sa perte de salaire, mais ce projet resta évidemment sans suite. Wallander soupçonnait bien que, chez l'un ou l'autre, les sourires de bienvenue cachaient une réelle satisfaction et qu'ils se réjouissaient secrètement de sa mésaventure, mais il résolut de ne pas s'attacher à ça. Il avait mieux à faire que perdre son temps à dépister d'éventuels hypocrites. Sinon il dormirait moins bien la nuit, s'énervant tout seul dans son lit à imaginer les ricanements derrière son dos.

Sa première grosse affaire après l'élucidation réussie du vol d'armes – à la suite de laquelle il eut d'ailleurs la surprise de recevoir un jour un bouquet de fleurs de la part de la fille au haras – fut un cas de violence aggravée à bord d'un ferry reliant Ystad à la Pologne. Une histoire d'une brutalité et d'une tristesse inhabituelles, alors que l'enquête avait démarré de façon classique : il n'y avait aucun témoin fiable et tout le monde se renvoyait la balle. La scène s'était déroulée dans une cabine étroite, la victime était une jeune femme originaire de Skurup, qui voyageait en compagnie de son petit ami, dont elle savait qu'il était jaloux et avait l'alcool mauvais. Au cours de la traversée, ils avaient rencontré un groupe de garçons de Malmö, pour qui le voyage n'avait qu'un seul et unique but : se soûler à mort. Il s'interrogea pas mal là-dessus au cours de son enquête. Comment pouvait-il exister des gens pour qui une soirée bien employée consistait à boire le plus vite possible pour ensuite ne se souvenir de rien ?

Au début il s'occupa seul de l'affaire, avec l'assistance occasionnelle de Martinsson. Il n'était pas nécessaire d'y affecter de plus amples moyens dans la mesure où l'auteur des faits ne pouvait que se trouver parmi les personnages que la jeune femme avait rencontrés à bord du ferry. Pour peu qu'il secoue l'arbre assez fort, les fruits tomberaient, après quoi il ne resterait plus qu'à les trier : un seau pour les innocents et un autre pour celui ou ceux qui avaient battu la fille jusqu'à l'inconscience et lui avaient presque arraché l'oreille gauche.

Le cas Håkan von Enke, pendant ce temps, piétinait. Il parlait presque chaque jour à Ytterberg, qui persistait à penser que le capitaine de frégate n'était pas parti de son plein gré. Le portable oublié penchait en ce sens, tout comme le fait qu'il n'eût pas emporté son passeport et, peut-être le plus important : que sa carte de crédit n'ait pas été utilisée depuis sa disparition.

Wallander parla aussi plusieurs fois avec Louise. C'était toujours elle qui l'appelait, sur le coup de dix-neuf heures, où elle le trouvait en général chez lui en train d'avaler son dîner à la hâte. Il entendait à sa voix qu'elle avait à présent accepté l'idée que son mari était mort. À sa question directe, elle répondit qu'elle avait recommencé à dormir la nuit. Elle prenait des somnifères. Tout le monde attend, pensa-t-il après une de ces conversations avec Louise. Mais où est Håkan ? Son corps est-il train de pourrir quelque part ? Ou bien dîne-t-il en ce moment même, lui aussi, sur une autre planète, sous un autre nom ?

Quelle était sa propre opinion ? D'après son expérience, beaucoup de signes portaient à croire que le vieux capitaine était mort. Il redoutait que l'affaire ne se révèle être qu'un banal fait divers, un crime crapuleux, une agression qui avait mal tourné. Mais il n'avait pas de réelle certitude. Peut-être existait-il malgré tout une infime possibilité que von Enke se soit dérobé de sa propre initiative, même si les raisons d'une telle attitude leur échappaient pour l'instant.

La personne qui s'opposait le plus fermement à l'idée d'un homicide, c'était Linda. Håkan n'est pas du genre à se laisser faire, dit-elle, presque avec colère, un jour où Wallander et elle étaient attablés dans leur salon de thé habituel, en ville, la petite endormie dans son landau. Elle n'avait pas pour autant la moindre idée à avancer quant aux raisons de son absence. Hans, lui, ne prenait jamais l'initiative d'appeler Wallander, mais celui-ci percevait sans cesse sa présence et son influence à travers les questions et les réflexions de Linda. Pour sa part, il ne posait aucune question ; il ne voulait surtout pas se mêler de leur vie.

Steven Atkins, lui, avait commencé à lui adresser de longs e-mails. Plus ses messages rallongeaient, jusqu'à occuper plusieurs pages, plus les réponses de Wallander devenaient brèves. Il aurait volontiers répondu plus longuement, mais son anglais ne lui permettait pas de s'engager dans des formulations trop complexes. Quoi qu'il en soit, il avait compris que Steven Atkins habitait à côté de Point Loma, la grande base navale située non loin de San Diego, en Californie, et qu'il avait là-bas une petite maison dans un quartier dont la population était surtout formée de vétérans. Là-bas, on aurait pu, selon ses propres termes, « rassembler de quoi équiper en personnel un ou plusieurs sous-marins jusqu'au dernier homme ». Wallander essaya d'imaginer à quoi ressemblerait la vie dans un quartier uniquement peuplé de policiers à la retraite. Il eut un long frisson.

Atkins, dans ses e-mails, lui parlait de sa vie, de sa famille, de ses enfants et petits-enfants. Il lui envoya même un lien Internet où il pourrait voir des photos ; Wallander dut demander l'aide de Linda pour y accéder. Des images ensoleillées, avec des bateaux militaires à l'arrière-plan, Atkins en uniforme avec sa nombreuse famille. Tous souriaient largement à Wallander. Atkins était maigre et chauve, et tenait par les épaules son épouse tout aussi maigre et souriante, mais pas chauve. Il eut l'impression que la photo avait été empruntée à une publicité pour de la lessive ou pour une nouvelle marque de céréales de petit déjeuner. La famille américaine aux joues roses, éclatante de santé, lui faisait signe sur ces photos.

Un jour, Wallander constata en regardant son agenda qu'il s'était écoulé exactement un mois depuis que Håkan von Enke avait quitté l'appartement de Grevgatan pour ne plus revenir. Ce jour-là, Ytterberg et Wallander restèrent longtemps au téléphone. C'était le 11 mai et la pluie tombait à torrents sur Stockholm. Ytterberg avait une voix désespérée – à cause de la météo ou de l'état de l'enquête ? Wallander, lui, se demandait comment il allait réussir à épingler le vrai responsable de la sinistre tragédie du ferry. C'étaient, en d'autres mots, deux policiers fatigués et assez grincheux qui discutaient ce jour-là. Wallander demanda si les services de renseignements continuaient de s'intéresser à la disparition de von Enke.

– De temps à autre on m'envoie un certain William, répondit Ytterberg. Sincèrement, je ne sais pas si c'est son prénom ou son nom de famille. D'ailleurs ça ne me fait ni chaud ni froid. À sa dernière visite, j'ai eu envie de l'étrangler. Je venais de lui demander s'il n'aurait pas par hasard une information pour nous, une contribution, un petit quelque chose qui pourrait peut-être nous faciliter la vie. Un échange de bons procédés, en somme, comme on pourrait attendre que ça se pratique dans ce pays phare de la démocratie, je veux parler de la Suède. Un petit soupçon, aussi infime soit-il... Mais rien. Rien de rien. Du moins c'est ce que m'a répondu William. Savoir s'il disait la vérité, c'est une autre affaire. Toute leur existence professionnelle consiste en une espèce de jeu où on avance ses pions à coups de mensonges et de duplicité. Nous autres, policiers normaux, pouvons jouer à ça, je ne dis pas le contraire, mais chez nous, ce n'est pas la *condition même* de notre existence, si tu vois ce que je veux dire.

Après ce coup de fil, Wallander retourna au dossier contenant les transcriptions d'interrogatoires qu'il avait ouvert sur son bureau. Une photographie était posée à côté du dossier. Un portrait. Un visage de femme gravement abîmé. *C'est pour ça que je fais ce boulot*, pensa-t-il. *Parce qu'elle a ce visage-là maintenant. Parce que quelqu'un a failli la tuer.*

En rentrant chez lui dans l'après-midi, il trouva Jussi malade, couché dans sa niche, refusant de manger et même de boire. Wallander en eut des sueurs froides et appela aussitôt un vétérinaire qu'il connaissait : il l'avait aidé autrefois à identifier un homme qui se livrait à des agressions bestiales contre des poulains en pâture dans les environs d'Ystad. Le vétérinaire, qui habitait Kåseberga, promit de venir au plus vite. Il tint parole et, après avoir examiné Jussi, se déclara convaincu que celui-ci avait juste mangé quelque chose qui ne lui convenait pas et qu'il serait bientôt remis. Jussi passa cette nuit-là couché sur un tapis devant la cheminée. Wallander se levait régulièrement pour aller le voir. Le lendemain matin, comme l'avait prédit le vétérinaire, Jussi était à nouveau sur pied, bien qu'un peu tremblant.

Le soulagement de Wallander fut immense. En arrivant au commissariat et en allumant son ordinateur, il nota distraitement que cela faisait cinq jours qu'il n'avait pas eu de nouvelles d'Atkins. Peut-être celui-ci n'avait-il plus rien à lui raconter, ni de photos à lui envoyer. Mais peu avant midi, alors qu'il se demandait s'il allait déjeuner chez lui ou en ville, il eut un coup de fil de la réception. Il avait de la visite.

– Qui est-ce ?

– Il n'est pas suédois, dit la réceptionniste, mais il me fait l'effet d'être de la police.

– Qu'est-ce qu'il veut ?

Wallander se rendit à la réception, et comprit aussitôt qui venait de débarquer. Ce n'était pas un uniforme de la police, mais de la marine américaine. Steven Atkins en personne, sa casquette sous le bras.

– Bonjour ! fit Atkins, je n'avais pas l'intention de

débouler sans prévenir, mais je me suis trompé sur l'heure d'arrivée à Copenhague. Je t'ai appelé chez toi et sur ton portable. Comme tu ne décrochais pas, je suis venu.

– Pour une surprise, c'est une surprise. Sois le bienvenu. Ai-je mal compris ou est-ce la première fois que tu viens en Suède ?

– Oui. Håkan m'a souvent proposé de venir, mais ça ne s'est jamais fait.

Ils déjeunèrent dans le restaurant que Wallander estimait être le meilleur de la ville. Atkins était un homme affable, qui observait tout avec curiosité, posait des questions qui n'étaient pas uniquement dictées par la politesse et écoutait les réponses avec attention. Wallander avait du mal à voir en lui un ex-commandant de sous-marin, surtout de la classe des sous-marins nucléaires d'attaque américains les plus puissants. Il paraissait beaucoup trop jovial. D'un autre côté, il n'avait aucun moyen de juger quel type d'homme convenait à ce type de poste.

Atkins était venu jusqu'en Suède mû par la seule inquiétude quant à ce qui avait pu arriver à son ami. Wallander fut touché par son émotion. Un vieil homme à qui manquait un autre vieil homme ; une amitié profonde, de toute évidence.

Atkins avait pris une chambre au Hilton de l'aéroport de Kastrup, puis il avait loué une voiture, traversé le détroit et continué jusqu'à Ystad.

– Il fallait que je voie de mes yeux le fameux pont entre le Danemark et la Suède, dit-il en riant.

Wallander ressentit un pincement d'envie au vu de ses dents blanches étincelantes. Après le repas, il appela le commissariat pour prévenir qu'il ne reviendrait pas de l'après-midi. Puis ils prirent chacun leur voiture et Wallander guida son visiteur jusqu'à Löderup. Atkins se révéla être un grand ami des chiens et fut aussitôt adopté par Jussi. Ils partirent pour une longue promenade, en suivant le bord des champs et en s'arrêtant de temps à autre pour admirer le paysage vallonné et la mer à l'horizon. Wallander tenait Jussi en laisse. Soudain Atkins s'arrêta et lui fit face en se mordant la lèvre.

– Est-ce que Håkan est mort ?

Wallander comprit. Cette question frontale était destinée à le prendre par surprise et à l'empêcher de recourir à des faux-fuyants. Atkins voulait une réponse franche. En cet instant, il était le capitaine qui voulait savoir s'il avait perdu un homme.

– Nous n'en savons rien. Il n'est pas revenu – voilà tout.

Atkins le considéra longuement puis hocha la tête. Ils se remirent en marche. De retour à la maison, Wallander prépara du café. Ils s'assirent dans la cuisine.

– Tu m'as parlé de votre dernière conversation téléphonique, commença Wallander. Il t'a dit qu'il était « parvenu à une conclusion ». Comment peut-on dire cela à quelqu'un qui n'a pas la moindre idée du sujet dont on parle ?

– On croit parfois que l'autre sait ce qu'on a en tête. Peut-être Håkan a-t-il cru que c'était mon cas.

– Vous avez dû beaucoup parler au fil des ans. Y avait-il un thème récurrent ? Qui supplantait tous les autres ?

Wallander n'avait pas préparé ses questions. Elles se formulaient d'elles-mêmes, facilement.

– Nous avions le même âge, Håkan et moi. Nous étions tous deux des enfants de la guerre froide. J'avais vingt-trois ans quand les Russes ont lancé leur spoutnik. J'étais terrifié, je m'en souviens, à l'idée qu'ils puissent être en mesure de nous dépasser. Håkan m'a dit un jour avoir vécu la même chose, bien que de façon moins intense. Les Russes n'étaient pas tout à fait les mêmes monstres pour lui que pour moi. Quoi qu'il en soit, cette époque nous a marqués. Je sais que Håkan n'a jamais accepté que la Suède n'intègre pas l'OTAN. Pour lui, votre neutralité incarnait non seulement une erreur de jugement catastrophique et dangereuse, mais aussi une pure hypocrisie. Nous étions dans le même camp. La Suède, quoi qu'en disent les politiciens du haut de leurs tribunes, n'existe pas dans un no man's land où l'on peut se permettre d'être impartial. Quand l'espion suédois Wennerström a été démasqué, Håkan m'a appelé au téléphone. Je m'en souviens très bien. C'était en juin 1963, j'étais second à bord d'un sous-marin qui se dirigeait vers le Pacifique. Håkan n'était pas consterné d'apprendre que le colonel en question avait trahi et vendu des secrets militaires aux Russes, bien au contraire. Il jubilait ! Enfin le peuple suédois allait comprendre ce qui se passait. Les Russes infiltraient tout ce qu'avait pu construire la défense suédoise. Les taupes étaient partout, seul un ralliement à l'OTAN aurait le pouvoir de vous sauver le jour où les Russes décideraient de passer à l'attaque. Tu me demandes s'il y avait un thème récurrent entre nous ? C'était la politique. Nous en parlions sans cesse. Surtout du fait que les politiciens nous privaient de tout moyen réel de tenir tête aux Russes. À vrai dire, je ne me rappelle pas une seule conversation entre nous qui n'ait pas abordé la politique.

– Dans ce cas, quelle pouvait être la « conclusion » dont il t'a parlé ? Lui était-il déjà arrivé de tirer des « conclusions » qui l'enthousiasmaient ?

Steve Atkins réfléchit.

– Pas vraiment. Mais nous nous connaissons depuis près de cinquante ans. Certains souvenirs se sont évidemment estompés.

– Comment vous êtes-vous rencontrés ?

– De la manière propre à toutes les rencontres importantes : par le plus grand des hasards.

Il se mit à pleuvoir pendant qu'Atkins racontait à Wallander de quelle façon il avait rencontré Håkan von Enke. C'était un conteur autrement plus fascinant que ne l'avait été son ami dans le petit salon de Djursholm. Mais cela tient peut-être à la langue, pensa-t-il. Je suis tellement habitué à trouver les récits en anglais plus riches, ou plus intéressants, que ceux que j'entends dans ma propre langue.

– C'était il y a bientôt cinquante ans, au mois d'août 1961, commença Atkins de sa voix tranquille. Dans un lieu peu propice à la rencontre de deux jeunes officiers de marine, l'un suédois, l'autre américain. J'étais parti en Europe avec mon père, colonel dans l'armée de terre. Il voulait me montrer Berlin, ce petit bastion occidental isolé au cœur de la zone soviétique. Nous avions pris un vol de la Pan Am au départ de Hambourg, je m'en souviens, l'avion était rempli de militaires, il n'y avait presque aucun civil à part quelques prêtres vêtus de noir. La situation était tendue, mais à notre arrivée nous n'avons tout de même pas vu des tanks de l'Est et de l'Ouest se faire face, tels des fauves prêts à attaquer. Un soir pourtant, non loin de la Friedrichstrasse, nous avons soudain été pris dans un attroupement, mon père et moi. Devant nous, des soldats est-allemands s'employaient à dérouler du fil barbelé et à monter une barricade de briques et de ciment. J'ai avisé un type de mon âge, en uniforme, qui observait la scène un peu plus loin. Je suis allé le voir, je lui ai demandé d'où il venait. Il m'a répondu qu'il était suédois et, tu l'auras deviné, c'était Håkan. Voilà comment nous nous sommes rencontrés. Nous étions là, à voir Berlin en passe d'être divisée par un mur et un monde en passe d'être amputé, pourrait-on dire. Ulbricht, le chef de la RDA, expliqua que cette mesure allait « sauver la liberté et poser le fondement de la poursuite de l'épanouissement de l'État socialiste ». Mais ce jour-là, au moment où s'érigeait le Mur, nous avons vu une vieille femme qui pleurait. Elle était pauvrement vêtue, une cicatrice marquait son visage, son oreille gauche ressemblait à une prothèse en plastique collée sous ses cheveux, nous en avons parlé après, nous n'étions pas très sûrs de notre observation ni l'un ni l'autre. Mais ce que nous avons vu avec certitude, et que nous n'allions pas oublier, c'est le geste qu'elle a eu. Elle a tendu la main, dans une sorte de supplique impuissante adressée à ces gens qui étaient en train d'ériger un mur devant son visage. Cette femme tendait la main, et elle tendait la main *vers nous*. Je crois que c'est à cet instant que nous avons tous deux compris que nous avions une mission. Veiller à ce que le monde libre reste libre, et veiller à ce que d'autres pays ne finissent pas derrière des murs semblables à des murs de prison. Nous en fûmes encore plus convaincus quelques semaines plus tard, quand les Russes ont repris leurs tirs nucléaires. J'étais alors de retour à Groton, la base où j'étais stationné à l'époque, et Håkan avait repris le train pour la Suède. Mais nous avions échangé nos adresses, et ce fut le commencement de notre amitié. Håkan avait vingt-huit ans, et moi vingt-sept. Quarante-sept ans, c'est une longue période.

– Il t'a rendu visite en Amérique ?

– Il venait souvent. Une quinzaine de fois en tout, je dirais, peut-être plus.

La réponse surprit Wallander. Il avait cru que Håkan von Enke ne s'était rendu qu'exceptionnellement aux États-Unis. Était-ce quelque chose qu'avait dit Linda ? Ou juste une idée de sa part ? Il savait à présent que c'était une erreur.

– Cela fait une moyenne d'un voyage tous les trois ans…

– Håkan est un grand ami des États-Unis.

– Restait-il longtemps ?

– Rarement moins de trois semaines. Louise l'accompagnait toujours. Ma femme et elle s'entendent bien. Chacune de leurs visites nous réjouissait.

– Tu sais peut-être que leur fils Hans travaille à Copenhague ?

– Oui, je vais d'ailleurs le voir ce soir.

– Tu sais donc aussi qu'il est le compagnon de ma fille ?

– Oui. Mais je rencontrerai ta fille une autre fois. Hans a beaucoup de travail. Nous avons rendez-vous après vingt-deux heures à mon hôtel. Demain je prends l'avion pour Stockholm. Je vais voir Louise.

La pluie avait cessé. Un avion à l'approche de Sturup survola la maison à basse altitude, faisant trembler les vitres.

– Que crois-tu qu'il ait pu arriver ? demanda Wallander. Je te pose la question. Tu es son ami.

– Je ne sais pas et je n'aime pas jouer aux devinettes. L'indécision est quelque chose qui va à l'encontre de ma nature. Mais je ne peux pas croire qu'il se soit absenté volontairement, qu'il ait laissé sa femme, son fils, et à présent pardessus le marché une petite-fille, livrés à l'incertitude et à l'angoisse. Je n'ai rien, je ne sais rien, et je suis obligé de l'admettre, bien que cela me rebute.

Atkins finit son café et se leva. Il était temps pour lui de retourner à Copenhague. Wallander lui expliqua quel chemin prendre pour retrouver au plus vite la route vers Ystad et Malmö. Au moment de partir, Atkins sortit de sa poche un galet qu'il remit à Wallander.

– Cadeau, dit-il. J'ai entendu un jour un Amérindien de la nation des Kiowas évoquer une tradition ancienne. Si tu as un problème, tu caches une pierre, lourde de préférence, dans tes vêtements et tu la traînes jusqu'à l'avoir résolu. Alors tu peux t'en débarrasser et reprendre ta vie plus léger qu'avant. Mets ce galet dans ta poche. Tu l'enlèveras quand nous saurons ce qui est arrivé à Håkan.

C'est sans doute un banal caillou, pensa Wallander après avoir fini d'agiter la main quand la voiture de location eut disparu en bas de la côte. Il se rappela distraitement le galet qu'il avait vu sur le bureau de l'appartement de Grevgatan. Puis il pensa à ce que lui avait raconté Atkins sur sa première rencontre avec Håkan von Enke. Wallander n'avait aucun souvenir de ces jours d'août 1961. Cette année-là était celle de ses treize ans, et le seul souvenir vraiment vivant qu'il en avait, c'était celui de la tempête hormonale qui le frappait de plein fouet, transformant sa vie en une suite de rêveries à propos de femmes imaginaires ou réelles.

Il appartenait à la génération qui avait fini de grandir dans les années 1960. Mais il n'avait jamais été impliqué dans un mouvement politique, n'avait jamais participé à une manifestation à Malmö, n'avait jamais réellement compris l'enjeu de la guerre au Vietnam, pas plus qu'il ne s'était intéressé aux luttes de libération dans des pays qu'il aurait eu des difficultés à situer sur une carte. Linda lui rappelait souvent à quel point il était ignorant. La politique, il l'avait le plus souvent rejetée loin de lui, comme une puissance supérieure qui permettait à la police de maintenir l'ordre – sa vision était à peine plus élaborée que ça. Certes, il déposait un bulletin dans l'urne les jours d'élections, mais après avoir hésité en général jusqu'à la dernière minute. Son père, lui, avait été un social-démocrate convaincu et c'était pour ce parti que lui-même, Wallander, votait presque toujours. Mais rarement avec conviction.

Sa rencontre avec Atkins l'avait rendu morose. Il cherchait en vain un écho, une trace du mur de Berlin à l'intérieur de lui. Sa vie avait-elle donc vraiment été si limitée ? Au point qu'aucun des grands événements extérieurs ne l'ait jamais réellement touché ? Quelque chose avait-il jamais suscité sa révolte ? Bien sûr, oui, des images d'enfants maltraités d'une manière ou d'une autre – mais cela n'avait jamais motivé le moindre acte concret de sa part. Son excuse avait toujours été le travail. Bon, pensa-t-il, par mon travail j'ai parfois pu aider certaines personnes. J'ai contribué à retirer provisoirement certains criminels de l'espace public. Mais à part ça ? Son regard errait par-delà les champs où rien ne poussait encore ; il ne trouva pas ce qu'il cherchait.

Ce soir-là, il débarrassa sa grande table et déversa dessus les pièces d'un puzzle que lui avait donné Linda l'année précédente pour son anniversaire et qui représentait un tableau de Degas. Il tria méthodiquement les pièces et réussi à poser tout le coin inférieur gauche.

Pendant ce temps, il continuait de s'interroger sur le sort de Håkan von Enke. Mais en réalité, c'était sans doute son propre sort qu'il ruminait.

Il cherchait un mur de Berlin inexistant.

10

Début juin, un après-midi, Wallander reçut l'appel d'un vieil homme dont le nom lui était familier, mais que sa mémoire peinait à situer. Ce n'était pas très surprenant étant donné qu'ils ne s'étaient pas vus depuis dix ans et ne s'étaient rencontrés, avant cela, qu'en de rares occasions, la dernière ayant été l'enterrement du père de Wallander.

Son nom était Sigfrid Dahlberg ; l'un des voisins qui aidaient parfois le vieux à déneiger le chemin devant chez lui, l'hiver, et à l'entretenir le reste de l'année, en échange de quoi, il recevait un tableau par an. Wallander avait tenté d'expliquer à son père que le voisin n'était peut-être pas ravi d'avoir chez lui une dizaine de tableaux tous identiques, mais ce point de vue avait été accueilli par un silence glacial. Après la mort du père et la vente de la maison, Wallander n'avait plus eu de contact avec la famille Dahlberg. Et voilà que le vieil homme l'appelait, pour une affaire qu'il désirait lui exposer. Sa femme, Aina, que Wallander n'avait sans doute rencontrée qu'une seule fois, allait bientôt mourir. D'un cancer incurable. Il n'y avait rien à faire, et elle avait accepté son sort.

– Elle voudrait voir le commissaire, dit Dahlberg. C'est quelque chose qu'elle veut lui dire.

– Quoi ?

– Je ne sais pas.

Wallander hésita. Mais la curiosité fut la plus forte et il prit donc sa voiture jusqu'à l'unité de soins palliatifs de

Hammenhög où était Aina Dahlberg. Il fut accueilli à la réception par une infirmière souriante qui lui dit qu'elle avait été à l'école avec Linda – pas dans la même classe, dans une classe parallèle. Elle se proposa de lui montrer le chemin. Wallander fut pris de malaise à voir tous ces vieux qui se traînaient avec leur déambulateur ou qui regardaient devant eux, murés dans l'isolement et le silence. Sa crainte de la vieillesse ne s'était pas adoucie avec les ans, au contraire. C'était comme une perche d'athlétisme qui le soulevait peu à peu, sans un bruit, vers le point où il ne pourrait plus se débrouiller seul. Sans cesse son angoisse était aiguillonnée par de nouveaux reportages, à la télévision et dans les journaux, sur des vieux privés de soins, dans des maisons de retraite souvent gérées par des fonds privés, où le personnel était réduit bien en deçà du minimum décent.

L'infirmière s'arrêta devant une porte et se tourna vers lui.

– Aina est très malade. Mais tu es de la police, tu as vu des gens dans toutes sortes d'états, pas vrai ?

Il hocha la tête. Pourtant, à peine eut-il franchi le seuil qu'il regretta d'être venu. Aina Dahlberg était seule dans la chambre. Décharnée, bouche ouverte, yeux brillants, elle le dévisageait avec une expression qu'il prit pour de l'épouvante. Une odeur d'urine flottait dans l'air – exactement comme chez son père à la fin de sa vie, quand il était seul, dans les moments où Gertrud n'étendait pas sa miséricorde jusqu'à lui. Il s'avança vers le lit, effleura sa main. Il ne la reconnaissait pas du tout, cependant un vague souvenir papillotait, la lointaine image d'une femme qu'il aurait peut-être en effet rencontrée un jour. Elle, en revanche, le reconnut aussitôt et commença à lui parler comme si le temps était compté.

Il se pencha vers elle pour l'entendre, car ce qui sortait de sa bouche ressemblait plus à un sifflement qu'à une suite de paroles sensées. Il dut la prier de répéter, à deux reprises ; enfin il comprit ce qu'elle essayait de lui dire. Abasourdi, il lui demanda alors comment elle allait. Il ne put empêcher la phrase idiote de franchir ses lèvres. Puis il toucha sa main une fois encore et quitta la chambre.

Dans le couloir, il croisa une femme qui caressait les pétales d'une fleur en pot. Il se hâta de sortir de là. Quand il fut à l'air libre devant l'hôpital, il put repenser à ce que lui avait dit Aina Dahlberg. *Ton père t'aimait beaucoup.* Elle l'avait fait venir pour lui dire ça. Pourquoi ? Il ne voyait qu'une seule explication : elle croyait qu'il ne le savait pas. Et elle avait voulu le lui dire avant de s'en aller à son tour.

Wallander prit la route pour retourner à Ystad. Une fois en ville, il laissa sa voiture sur le port de plaisance, puis il alla s'asseoir sur le banc tout au bout de la jetée. C'était l'un de ses lieux solennels, dans l'existence ; un confessionnal sans prêtre, où il se retirait quand il voulait être seul et débrouiller quelque chose qui le tourmentait. Le printemps avait été froid, pluvieux, venteux, mais le premier anticyclone de l'été passait à présent sur le pays. Il ôta sa veste, ferma les yeux et tourna son visage vers le soleil. Il dut aussitôt rouvrir les yeux. Le visage d'Aina Dahlberg était là comme une membrane entre le soleil et lui. *Ton père t'aimait beaucoup.* Il s'était souvent demandé si son père l'aimait. Sur son choix d'entrer dans la police, ils n'avaient jamais pu trouver un terrain d'entente. Mais la vie était quand même bien plus que cela ! Mona avait toujours jugé le vieux insupportable. Elle avait même fini par refuser de l'accompagner là-bas. Linda et lui prenaient seuls la voiture pour lui rendre visite à Löderup. Il avait toujours été gentil avec Linda. Il avait fait preuve avec elle d'une patience que ni Wallander ni sa sœur Kristina ne se rappelaient avoir jamais connue, de sa part, dans leur propre enfance.

Mon père était quelqu'un qui s'esquivait en permanence, pensa-t-il. Suis-je en train de devenir comme lui ?

De l'endroit où il était, il pouvait voir un homme de son âge occupé à nettoyer un filet, assis sur le plat-bord de son petit bateau de pêche. Il était entièrement concentré sur sa tâche et fredonnait tout en travaillant. En l'observant,

Wallander pensa soudain qu'il aurait volontiers échangé sa place. Du banc au plat-bord, des ruminations au filet, du commissariat à un joli bateau en bois verni.

Pour lui, son père avait toujours été une énigme. Était-il de la même façon une énigme pour Linda ? Et sa petite-fille ? Que penserait-elle plus tard de son grand-père ? Serait-il seulement un vieux policier gris, taciturne, terré dans sa maison où il recevrait de moins en moins de visites ? Je le crains, pensa-t-il, et j'ai toutes les raisons du monde de le craindre. Je n'ai vraiment pas pris la peine d'entretenir mes amitiés.

Il était trop tard maintenant. La plupart de ceux qu'il avait pu compter parmi ses proches étaient morts. Rydberg avant tout, mais aussi son vieil ami, Sten Widén, l'éleveur de chevaux de course. Wallander n'avait jamais compris ceux qui prétendaient que la relation avec les gens qu'on aimait se poursuivait au-delà de la mort. Pour sa part il n'avait jamais réussi à la prolonger. Les morts étaient pour lui des visages dont il se souvenait à peine et leurs voix ne lui parlaient plus.

Il se leva du banc à contrecœur. Il devait retourner au commissariat. L'enquête sur l'agression commise à bord du ferry était terminée ; un homme avait été inculpé et condamné, mais Wallander était convaincu qu'ils avaient été deux, en réalité, à s'acharner sur la jeune femme. Il avait l'impression de ne pas être allé jusqu'au bout de cette affaire. C'était une demi-victoire ; une personne avait été punie pour ses actes, une autre obtenait réparation, à supposer que ce soit possible quand on avait eu le visage démoli. Mais une troisième avait filé entre les mailles, et Wallander doutait que l'enquête ait été bien menée.

Il était quinze heures quand il revint de son excursion et qu'il trouva sur son bureau un Post-it : Ytterberg cherchait à le joindre. La personne qui avait pris le message avait noté que c'était urgent. De toute façon, il n'avait jamais reçu un message qui n'ait pas été assorti du mot « urgent ». Il ne rappela donc pas Ytterberg sur-le-champ. Il commença par parcourir un mémo de la direction centrale que Lennart Mattson lui avait demandé de commenter et qui traitait de la dernière en date des réorganisations qu'on imposait en quasi-permanence aux différents districts de police du pays. En l'occurrence, il s'agissait de créer un système pour intensifier la présence policière sur la voie publique le week-end et les jours fériés, pas seulement dans les grandes agglomérations mais aussi dans les petites villes comme Ystad. Wallander lut le mémo, s'énerva contre son style pédant, ampoulé et bureaucratique, et se dit après avoir fini qu'il ne comprenait rien à ce qu'il venait de lire. Il nota quelques commentaires qui n'engageaient à rien et rangea le tout dans une enveloppe qu'il laisserait dans la corbeille à courrier interne en quittant le commissariat à la fin de la journée.

Puis il composa le numéro d'Ytterberg à Stockholm. Celuici décrocha à la première sonnerie.

– Tu m'as appelé ?

– Maintenant c'est elle qui a disparu, dit Ytterberg.

– Qui ?

– Louise von Enke.

Wallander retint son souffle. Avait-il bien entendu ? Il demanda à Ytterberg de répéter.

– Louise von Enke est introuvable.

– Raconte.

Wallander entendit un bruit de papiers. Ytterberg cherchait parmi ses notes. Il voulait être précis.

– Les époux von Enke ont une femme de ménage bulgare, en situation régulière, qui se prénomme Sofia, comme la capitale si je ne m'abuse. Elle vient chez eux trois matins par semaine, le lundi, le mercredi et le vendredi, et elle reste trois heures à chaque fois. Lundi dernier, quand elle y est allée, tout était normal. Je précise que cette femme me paraît tout à fait fiable. Elle répond de façon claire et précise à toutes les questions. En plus, elle parle un suédois remarquable, compte tenu du peu de temps qu'elle a vécu dans le pays, avec des mots d'argot typiques du quartier de Söder, ce qui est assez fascinant.

Bref. Quand elle est partie, lundi vers treize heures, Louise lui a dit à mercredi. En arrivant le mercredi matin à neuf heures, Sofia a trouvé l'appartement désert. Elle ne s'est pas inquiétée, car cela peut arriver à Louise de s'absenter. Mais quand elle est revenue ce matin, il n'y avait toujours pas de Louise. Et Sofia est certaine qu'elle n'a pas remis les pieds dans l'appartement depuis mercredi. Tout était exactement tel qu'elle l'avait laissé. Louise ne s'est jamais absentée aussi longtemps sans la prévenir. Il n'y avait aucun message, aucune trace, juste l'appartement vide où rien n'avait été touché entre-temps. Sofia a alors appelé le fils, à Copenhague, et celui-ci m'a appelé à son tour. Il m'a dit qu'il avait parlé à sa mère pour la dernière fois dimanche, c'est-à-dire il y a maintenant cinq jours. Est-ce que tu as compris d'ailleurs de quoi il s'occupait, ce fils ?

– D'argent.

– Ça me paraît une occupation fascinante, dit Ytterberg sur un ton pensif.

Puis il retourna à ses notes.

– Hans m'a donné le numéro de Sofia, je l'ai appelée et nous sommes retournés à l'appartement ensemble. Elle semblait avoir une connaissance assez précise du contenu des armoires, placards, penderies, etc. Elle m'a confirmé ce que je ne voulais surtout pas entendre. Tu vois ce que je veux dire ?

– Rien n'avait disparu.

– Précisément. Pas une valise, pas un vêtement, pas même son porte-monnaie ni son passeport. Celui-ci se trouvait dans le tiroir où Sofia savait que Louise le conservait d'habitude.

– Son portable ?

– En charge, dans la cuisine. C'est d'ailleurs en le voyant que je me suis inquiété pour de bon.

Wallander réfléchit. Il n'avait jamais imaginé que la disparition de Håkan puisse être suivie d'une deuxième. Encore moins qu'il s'agirait cette fois de Louise.

– C'est très désagréable, dit-il enfin. As-tu la moindre idée d'une explication ?

– Non. J'ai appelé ses amis et connaissances, mais aucun d'entre eux n'a été en contact avec elle depuis dimanche. Ce jour-là, outre son fils, elle a appelé une amie du nom de Katarina Lindén, à qui elle a demandé ses impressions sur un certain hôtel de montagne en Norvège où elle aurait apparemment séjourné. Louise lui a paru « égale à elle-même ». Après cela, personne ne lui a plus parlé. Le groupe qui enquête sur la disparition du mari va se réunir d'un moment à l'autre. Je voulais juste t'appeler avant. Pour entendre ta réaction, à vrai dire.

– Ma première pensée est qu'elle sait où est Håkan et qu'elle est partie le rejoindre. Mais le passeport et le téléphone contredisent évidemment cette hypothèse.

– J'ai eu la même idée, et j'hésite aussi.

– Peut-il y avoir malgré tout une explication banale ? Malaise, accident…

– On a fait le tour des hôpitaux. D'après Sofia – et comme je l'ai déjà dit, nous n'avons aucune raison de mettre sa parole en doute –, Louise avait toujours sa carte d'identité sur elle. Nous ne l'avons pas trouvée dans l'appartement, il est donc raisonnable de penser qu'elle l'avait en sortant.

Wallander se demanda pourquoi Louise ne lui avait pas dit qu'ils avaient une femme de ménage qui venait trois fois par semaine. Hans non plus n'en avait jamais parlé. Mais cela n'avait peut-être rien de surprenant. La famille von Enke appartenait à une classe sociale où la présence des femmes de ménage allait de soi. On n'en parlait pas ; elles existaient, un point c'est tout.

Ytterberg promit de le tenir informé, et ils allaient raccrocher quand Wallander demanda s'il avait pensé à appeler Atkins – qu'Ytterberg avait rencontré lors de la visite de celui-ci à Stockholm.

– Tu crois qu'il pourra nous apprendre quelque chose ? fit Ytterberg sur un ton dubitatif.

Wallander trouva étrange que son collègue ne parût pas

comprendre à quel point les deux familles étaient proches. À moins qu'Atkins ne lui eût donné d'autres informations.

– Quelle heure est-il en Californie ? Je ne vais tout de même pas le réveiller en pleine nuit.

– Le décalage entre nous et la côte Est est de six heures, dit Wallander. Avec la Californie, je ne sais pas. Mais je peux me renseigner et lui passer un coup de fil.

– Fais-le. On paiera la communication.

– Ma ligne n'est pas encore bloquée. Je ne crois pas qu'on autorise la police à faire faillite pour cause de factures téléphoniques impayées. On n'en est pas là. Pas tout à fait.

Wallander appela les renseignements et apprit que le décalage horaire avec la Californie était de neuf heures. Il était donc six heures du matin à San Diego. Il résolut d'attendre un peu avant d'appeler Steve Atkins et composa plutôt le numéro de Linda. Celle-ci avait déjà longuement parlé à Hans à Copenhague.

– Passe me voir, proposa-t-elle. Je ne bouge pas d'ici, Klara dort dans sa poussette.

– Klara ?

Il l'entendit sourire.

– On s'est décidés hier soir. Elle va s'appeler Klara. En fait, elle s'appelle déjà Klara.

– Comme ma mère ? Ta grand-mère ?

– Ma grand-mère, tu es bien placé pour le savoir, je ne l'ai pas connue. En premier lieu, et sauf ton respect, on l'a surtout choisi parce que c'est un beau nom. Et aussi parce qu'il fonctionne bien avec les deux noms de famille. Klara Wallander ou Klara von Enke.

– Alors ? Lequel est-ce ?

– Wallander jusqu'à nouvel ordre. Ensuite elle décidera elle-même. Tu viens ? Je te propose un café et une fête de baptême surprise.

– Vous allez la baptiser ? Pour de vrai ?

Linda ne répondit pas. Il eut la sagesse de ne pas insister.

Un quart d'heure plus tard, il freinait devant la maison. Le jardin brillait de mille couleurs. Il pensa à son propre jardin négligé, où il s'occupait à peine de quoi que ce soit. À l'époque où il vivait à Mariagatan, il avait toujours imaginé une autre vie, où il arracherait les mauvaises herbes à quatre pattes en respirant les odeurs de la terre.

Klara dormait dans sa poussette à l'ombre d'un poirier. Wallander alla contempler le petit visage sous la moustiquaire avant de rejoindre Linda.

– C'est un beau nom, Klara. Comment ça vous est venu ?

– On l'a lu dans le journal. Une certaine Klara avait fait merveille lors d'un énorme incendie à Östersund. On a pris la décision dans la foulée.

Ils se promenèrent dans le jardin en parlant des derniers événements. La disparition de Louise avait été une surprise aussi totale pour eux qu'elle l'avait été pour la police. Il n'y avait pas eu le moindre signe, rien qui indiquât que Louise ait eu un plan qu'elle venait peut-être à présent de mettre à exécution.

– Peut-on imaginer un acte criminel ? demanda Wallander. Si on part de l'hypothèse que c'est ce qui s'est passé dans le cas de Håkan.

– Quelqu'un qui voudrait les éliminer l'un et l'autre ? Mais pourquoi ?

– C'est bien ça, dit-il en contemplant un buisson de roses flamboyantes. Peuvent-ils avoir eu un secret qu'aucun de nous ne connaissait ?

Ils reprirent leur marche en silence ; Linda ruminait la question qui venait d'être posée.

– On sait si peu de choses sur ses proches, dit-elle enfin, quand ils furent de nouveau devant la maison et qu'elle eut jeté un regard sous la moustiquaire pour vérifier que tout allait bien.

Klara dormait, le bord de la couverture serré dans ses poings minuscules.

– D'une certaine manière, on peut dire que je n'en sais pas plus sur eux que sur cette petite personne, poursuivit-elle.

– Percevais-tu Louise et Håkan comme des gens secrets ?

– Pas du tout, au contraire. Ils se sont toujours montrés ouverts et accueillants avec moi.

– Certaines personnes sont très fortes quand il s'agit de semer des fausses pistes, dit-il pensivement. Le côté ouvert et accueillant peut être une façade, qui cache d'autant mieux ce qu'ils ne souhaitent pas révéler.

Ils prirent le café au jardin jusqu'au moment où Wallander regarda sa montre : il était temps d'appeler Atkins. Il retourna au commissariat, s'assit dans son bureau et composa les nombreux chiffres. Après quatre sonneries, Atkins décrocha dans un rugissement, comme prêt à recevoir un ordre. Wallander lui apprit la nouvelle. Le silence, au bout du fil, dura si longtemps qu'il crut que la communication avait été coupée. Puis la voix d'Atkins revint à pleine puissance :

– Ce n'est pas possible !

– Pourtant elle n'est pas rentrée chez elle depuis lundi ou mardi.

Il perçut l'émoi et l'agitation d'Atkins comme s'ils avaient été dans la même pièce. Il lui demanda quand il avait parlé pour la dernière fois à Louise. Atkins réfléchit.

– Vendredi après-midi, dit-il. Son après-midi à elle, ma matinée à moi.

– Qui a pris l'initiative de cet appel ?

– Elle.

Wallander fronça les sourcils.

– Que voulait-elle ?

– Souhaiter un bon anniversaire à ma femme. Nous avons été surpris, à vrai dire. Nous n'avions pas l'habitude de nous fêter nos anniversaires.

– Son appel pouvait-il avoir une autre raison ?

– Nous avons eu l'impression que la solitude lui pesait,

qu'elle voulait parler à quelqu'un. Ce n'est pas très difficile à comprendre.

– Réfléchis. Y a-t-il quelque chose, dans cette conversation, que tu pourrais mettre en relation avec sa disparition ?

Wallander se désolait de son mauvais anglais. Mais Atkins comprit ce qu'il lui demandait car il réfléchit longuement avant de répondre.

– Non, rien. Elle était exactement comme d'habitude.

– Il y a pourtant bien quelque chose. D'abord lui, maintenant elle…

– C'est comme la comptine des dix petits nègres, dit Atkins. La moitié de la famille a disparu, il ne reste que les deux enfants.

Wallander sursauta. Avait-il mal entendu ?

– Il n'y en a qu'un, dit-il prudemment. Tu ne comptes tout de même pas Linda ?

– Non, mais il ne faut pas oublier la sœur.

– Quelle sœur ?

– Elle s'appelle Signe. Je ne sais pas si je prononce son nom correctement. Je peux te l'épeler, si tu veux. Elle n'a jamais habité avec ses parents, j'ignore pourquoi. Il ne faut pas fouiller inutilement dans la vie des autres. Je ne l'ai jamais rencontrée. Mais Håkan m'a dit qu'il avait une fille.

Wallander était trop abasourdi pour poser la moindre question intelligente. Ils se dirent au revoir. Il alla se planter devant la fenêtre et considéra le château d'eau. *Il y avait une sœur qui s'appelait Signe.* Pourquoi personne n'avait-il jamais parlé d'elle ?

Ce soir-là, il resta longtemps assis à la table de la cuisine à parcourir toutes ses notes, depuis le jour de la disparition de Håkan von Enke. Il devait parler à Hans. En attendant il pensait à cette fille, dont nul dans la famille n'avait jamais mentionné le nom. Signe n'existait pas. C'était comme si elle n'avait jamais existé.

Deuxième partie

Incidents sous la surface

11

Wallander était indigné. Ce fut pourquoi il attaqua frontalement, contrairement à ses habitudes. Il se sentait trahi par la famille von Enke. Håkan, Louise, Hans, tous l'avaient roulé dans la farine. Mensonges ordinaires de la classe dominante, pensait-il. Secrets de famille qu'il faut préserver à tout prix, alors même que cela n'intéresse personne.

Après la conversation avec Atkins et la longue soirée où il avait reparcouru, avec une sorte de rage, tout ce qui avait été dit et fait depuis la fête d'anniversaire de Håkan von Enke, il dormit d'un sommeil lourd. Dès sept heures, il attrapait son téléphone, espérant tomber sur Hans. Mais ce fut Linda qui répondit ; Hans, dit-elle, était parti au travail une heure plus tôt.

– Que peut-il bien faire au travail à cette heure ? demanda Wallander, exaspéré. Les banques ne sont pas ouvertes, que je sache, et la Bourse non plus.

– Essaie le Japon. Ou la Nouvelle-Zélande. Apparemment, ça bouge beaucoup en ce moment sur les places asiatiques. Il n'est pas rare qu'il parte de bonne heure. Et ce n'est pas la peine de t'énerver contre moi. Il s'est passé quelque chose ?

– Je veux parler de Signe.

– Qui est-ce ?

– La sœur de ton mari.

Il l'entendit respirer à l'autre bout du fil. À chaque inspiration, une pensée nouvelle.

– Mais Hans n'a pas de sœur, dit-elle enfin.

– En es-tu certaine ?

Linda connaissait son père. Il ne l'aurait pas appelée à sept heures du matin pour lui faire une mauvaise blague.

– Klara s'agite dans son lit. Alors si tu veux me parler, il faudra que tu viennes. Elle peut être assez grincheuse le matin – elle tient ça de toi.

En sonnant chez elle, une heure plus tard, il trouva Klara repue et satisfaite, Linda douchée et habillée. Elle était bien pâle, quand même, et il continuait à se demander comment elle allait, au fond. Mais il se garda de l'interroger. Elle était comme lui, elle n'aimait pas qu'on se mêle de ses affaires.

Ils s'assirent dans la cuisine. Wallander reconnut la nappe – elle avait orné la maison de son enfance, puis celle de son père à Löderup, et à présent voilà qu'elle était chez Linda. Enfant, il s'en souvenait, il laissait son doigt courir le long du fil rouge qui formait un motif complexe sur la bordure.

– Je t'écoute, dit-elle. Je le répète, pour moi Hans n'a pas de sœur.

– Pour moi non plus, il n'en avait pas. Jusqu'à hier soir.

Il lui restitua son échange avec Atkins. Le commentaire tout à fait inattendu de celui-ci à propos des dix petits nègres et, dans son prolongement, la révélation de l'existence de Signe. Il aurait suffi que cette association d'idées n'ait pas surgi dans l'esprit d'Atkins, et ils n'en auraient jamais rien su. Linda l'écoutait attentivement en fronçant les sourcils.

– Hans ne m'a jamais dit un mot à ce sujet. C'est absurde.

Wallander désigna le téléphone.

– Appelle-le.

– Elle est plus jeune ou plus âgée que lui ?

Il n'avait pas rappelé Atkins pour lui poser cette question – parmi bien d'autres. Mais il lui semblait que si la sœur était née après Hans, le secret aurait été trop difficile à garder.

– À mon avis, elle est plus âgée.

– Je ne veux pas lui parler de ça au téléphone. Je le ferai ce soir quand il rentrera.

– Non. Il ne s'agit plus d'une affaire privée. Une enquête de police est en cours. Si tu ne l'appelles pas, c'est moi qui le fais.

– Ça vaut peut-être mieux.

Wallander composa les chiffres à mesure qu'elle les lui dictait. Il fut mis en attente avec un accompagnement de musique classique.

– C'est sa ligne directe, dit Linda. C'est moi qui ai choisi la musique. Avant il avait de la country américaine assez horrible. Billy Ray Cyrus, si ça te dit quelque chose… J'ai menacé de ne plus l'appeler s'il n'en changeait pas. Il ne va sûrement pas tarder à décrocher.

Elle avait à peine fini sa phrase que Hans répondit, stressé, presque hors d'haleine. Qu'est-ce qui se passe exactement sur les Bourses asiatiques ? eut le temps de penser Wallander.

– J'ai une question qui ne peut pas attendre, dit-il. Je t'appelle de chez toi, au fait, je suis attablé dans ta cuisine.

– Louise ? Håkan ? On les a retrouvés ?

– J'aimerais bien. Mais non, il s'agit de quelqu'un d'autre. As-tu une idée de qui ça peut être ?

Il vit Linda prendre un air exaspéré. Il faisait l'idiot en jouant au chat et à la souris : voilà ce qu'elle se disait. Avec raison.

– Il s'agit de ta sœur, dit-il. Signe.

Il y eut un silence à l'autre bout du fil.

– Je ne comprends pas de quoi tu parles, dit Hans enfin. C'est une plaisanterie ?

Linda s'était penchée par-dessus la table. Wallander tenait le combiné de manière qu'elle puisse entendre. Hans paraissait sincère.

– Non, ce n'est pas une plaisanterie.

– Je n'ai aucune sœur ni aucun frère. Puis-je parler à Linda ?

Sans un mot, Wallander tendit le combiné à sa fille, qui lui répéta ce qu'elle venait d'apprendre.

– Quand j'étais petit, entendit-il Hans dire à Linda, je demandais souvent à mes parents pourquoi je n'avais pas de frère ou de sœur. Ils me répondaient toujours qu'un enfant, c'était bien assez. Je n'ai jamais entendu parler de Signe, jamais vu la moindre photo. J'ai toujours été enfant unique.

– C'est difficile à croire.

Hans perdit son sang-froid et se mit à crier :

– Et moi alors ? Ça me fait quoi, à ton avis, d'apprendre une chose pareille ?

Wallander prit le combiné de la main de sa fille.

– Je te crois, dit-il. Linda aussi. Mais tu comprends bien que c'est important. La découverte de l'existence de ta sœur, après la disparition de tes parents… Il faut se demander s'il y a un lien.

– Je n'y comprends rien, dit Hans. J'ai mal au cœur.

– Quelle que soit l'explication, crois-moi, je la trouverai.

Wallander rendit le combiné à Linda et sortit de la pièce. Il entendit qu'elle parlait à Hans d'une voix apaisante. Il ne voulait pas entendre ce qu'elle lui disait. La conversation se prolongea ; il griffonna quelques mots sur un bout de papier, retourna dans la cuisine et le déposa sur la table. Elle hocha la tête, ramassa un trousseau de clés sur l'appui de la fenêtre et le lui tendit. Il quitta la maison après avoir contemplé Klara qui dormait dans son lit, sur le ventre. Il lui effleura la joue. Elle tressaillit, mais ne se réveilla pas.

Arrivé au commissariat, il appela Sten Nordlander sans même prendre le temps d'ôter sa veste. La confirmation qu'il attendait lui fut donnée aussitôt.

– Oui, il y a bien un deuxième enfant, dit Sten Nordlander. Une fille, gravement handicapée de naissance. Totalement impotente, si j'ai bien compris Håkan. Aucune possibilité de la garder à la maison. Elle a eu besoin de soins constants dès le premier jour. Ils ne parlaient jamais d'elle, et je me disais qu'il fallait respecter ce silence.

– Elle s'appelle Signe ?

– Oui.

– Sais-tu quand elle est née ?

Sten Nordlander réfléchit.

– Elle doit avoir une dizaine d'années de plus que son frère. Je crois que le choc a été tel, pour eux, qu'ils ont longtemps été incapables d'imaginer avoir un autre enfant.

– Dans ce cas, elle a à peu près quarante ans aujourd'hui. Sais-tu où elle se trouve, dans quelle institution ?

– J'ai entendu Håkan dire un jour que c'était près de Mariefred. Je n'en sais pas plus.

Wallander se hâta de conclure. Il avait l'impression d'être pressé, alors même que cela ne le concernait pas, au fond. Il savait qu'il devait commencer par prévenir Ytterberg. Mais sa curiosité lui ordonnait autre chose. Il fouilla dans son carnet d'adresses, toujours aussi désespérément collant et plein de taches, avant de trouver le numéro qu'il cherchait : le portable d'une femme qui travaillait à la direction sociale de la commune d'Ystad, fille d'un ancien employé administratif du commissariat. Il l'avait rencontrée lors d'une enquête menant à un réseau pédophile, quelques années auparavant. Sara Amander décrocha aussitôt. Ils échangèrent trois phrases sur la météo et la vie en général, puis Wallander exposa son affaire.

– Un foyer pour personnes handicapées près de Mariefred, dit-il. Combien y en a-t-il ? Il me faudrait les adresses et les numéros de téléphone.

– Peux-tu m'en dire plus ? S'agit-il d'un handicap de naissance ? D'une infirmité cérébrale ?

– Infirmité de naissance, oui. Grave, oui. Cérébrale, je ne sais pas.

– Je vais voir ce que je peux faire.

Il alla chercher un café au distributeur et échangea

quelques mots avec Kristina Magnusson, qui lui rappela qu'elle réunissait les collègues chez elle, le lendemain soir. Fête d'été, dans son jardin. Wallander, qui avait tout oublié de ce projet, répondit qu'il viendrait, bien sûr. De retour dans son bureau, il prit une grande feuille de papier, écrivit le mot « fête », et la posa à côté du téléphone.

Sara Amander le rappela une heure plus tard. Elle avait deux suggestions : une clinique privée du nom d'Amalienborg, dans les environs immédiats de Mariefred, et une institution publique située non loin du château de Gripsholm, et qui portait le nom de Niklasgården. Il nota les adresses et les numéros et s'apprêtait à composer le premier quand Martinsson apparut dans l'encadrement de la porte. Il raccrocha et lui fit signe d'entrer. Martinsson s'assit en grimaçant.

– Qu'y a-t-il ?

– Une partie de poker qui a déraillé. Une ambulance vient de conduire à l'hôpital un type qui s'est pris un coup de couteau. Nous avons une voiture sur place, mais ce serait mieux que nous y allions aussi. Toi et moi.

Wallander prit sa veste et suivit Martinsson. Il fallut le reste de l'après-midi et une partie de la soirée pour débrouiller l'affaire. De retour au commissariat, vers vingt heures, il put enfin composer les numéros communiqués par Sara Amander. Il commença par Amalienborg. Une femme à la voix aimable lui répondit ; au moment même où il posait sa question à propos d'une patiente du nom de Signe von Enke, il comprit cependant qu'il commettait une erreur. On ne lui répondrait pas. Ils n'allaient pas livrer le nom de leurs patients au premier venu. Ce que ne manqua pas de lui expliquer la dame. Du coup, elle ne répondit pas davantage à sa deuxième question, s'ils accueillaient des personnes de tous âges, ou uniquement des enfants. Elle lui répéta patiemment qu'elle ne pouvait pas l'aider, malgré tout le désir qu'elle en avait. Il raccrocha en pensant qu'il fallait maintenant appeler Ytterberg. Mais il ne le fit pas. Il n'y avait aucune raison de le déranger à cette heure tardive. Ça attendrait le lendemain.

La soirée était tiède et calme, et il dîna dans son jardin. Jussi, couché à ses pieds, attrapait les morceaux qui tombaient de sa fourchette. Le jaune du colza brillait dans les champs alentour. Son père lui avait appris autrefois que le colza s'appelait en latin *Brassica napus*. Ça lui était resté. Soudain il se rappela le jour, bien des années plus tôt, où une jeune femme désespérée s'était immolée par le feu dans un champ de colza. Il repoussa cette pensée. Là, tout de suite, il voulait seulement profiter de cette belle soirée d'été. Sa vie était remplie de personnes humiliées, violentées, mortes ; il avait besoin de pouvoir s'accorder des soirées sans souvenirs pénibles.

Mais la pensée de la sœur de Hans ne le quittait pas. Il essayait de comprendre le silence qui avait entouré son existence même ; il essaya d'imaginer comment Mona et lui auraient réagi s'ils avaient eu un enfant pris en charge dès le premier jour par des inconnus. Il frémit. Il était au fond incapable de penser à ce genre de chose jusqu'au bout. Ses réflexions erraient de-ci de-là quand il vit Jussi dresser l'oreille. L'instant d'après, il entendit la sonnerie du téléphone. C'était Linda. Hans dormait, expliqua-t-elle, c'est pour ça qu'elle parlait à voix basse.

– Il est complètement démoli. Et il dit que le pire, c'est qu'il n'a plus personne à interroger maintenant.

– Peux-tu comprendre comment Håkan et Louise ont pu faire ça ?

– Non. Mais c'est peut-être la seule façon de le supporter. Faire comme si l'enfant n'existait pas.

Il lui décrivit le champ de colza et l'horizon.

– Je me réjouis à l'idée que Klara va courir ici dans quelques années.

– Tu ferais bien de te trouver une femme d'ici là.

– On ne « se trouve » pas une femme !

– Si tu ne fais aucun effort, c'est sûr que tu n'en trouveras pas. La solitude va te dévorer de l'intérieur. Tu deviendras un vieux grincheux imbuvable.

Il resta dehors jusqu'à vingt-deux heures passées. Il pensait aux paroles dures de Linda. Il dormit bien, malgré tout, et se réveilla reposé vers cinq heures du matin. À six heures trente, il était au commissariat. Une idée avait germé dans son esprit. Rien ne le requérait sérieusement à Ystad jusqu'à la Saint-Jean. D'autres pouvaient s'occuper de la malheureuse partie de poker. Sachant que Lennart Mattson était encore plus matinal que lui, il alla frapper à sa porte. En effet, il venait d'arriver. Wallander entra et demanda trois jours de congé. À compter du lendemain.

– Je m'y prends un peu tard. Mais j'ai des raisons personnelles. En plus, je peux me mettre à disposition le week-end de la Saint-Jean, même si j'ai déjà posé une semaine à ce moment-là.

Lennart Mattson ne fit aucune difficulté. Wallander retourna à son bureau et chercha sur Internet la situation géographique exacte des deux institutions, Amalienborg et Niklasgården. Les renseignements fournis sur leur site ne purent le mettre sur la bonne voie. L'une et l'autre paraissaient s'occuper de personnes lourdement handicapées.

Ce soir-là, il se rendit à la fête de l'été chez Kristina Magnusson. Linda arriva un peu plus tard, vers vingt et une heures. Klara avait fini par s'endormir, et Hans était resté à la maison. Wallander la prit aussitôt à part et lui parla de son projet d'excursion, qui débuterait le lendemain à l'aube. C'était pour ça qu'il se limitait à boire de l'eau gazeuse. Il quitta la fête très tôt, vers vingt-deux heures. Lorsque Kristina le raccompagna jusque dans la rue, il eut un bref accès de déraison et faillit l'attirer à lui, mais se maîtrisa. Elle avait pas mal bu, et parut ne s'apercevoir de rien.

Le chenil était désert. Il avait laissé Jussi à ses voisins avant de partir pour la fête. Il se coucha, programma le réveil pour trois heures et s'endormit. À quatre heures, il était au volant, en route vers le nord. Une brume transparente couvrait le paysage, mais la journée s'annonçait belle. Il arriva à Mariefred peu après midi. Après avoir mangé dans un restoroute et somnolé un peu dans la voiture, il se mit en quête d'Amalienborg, qui se révéla être une ancienne école populaire supérieure pour adultes flanquée d'une annexe et réaménagée en établissement de soins. À l'accueil, il montra sa carte de police en espérant que cela suffirait. La réceptionniste hésita, puis alla chercher une responsable, qui examina attentivement la carte de Wallander.

– Signe von Enke, dit-il. C'est tout ce que j'ai besoin de savoir. Est-elle ici, ou non ? Il s'agit de son père. Il a malheureusement disparu de son domicile.

La responsable portait un badge indiquant qu'elle s'appelait Anna Gustafsson. Elle écouta ses explications sans le quitter des yeux.

– Le capitaine de frégate Håkan von Enke. C'est lui ?

– C'est lui, dit Wallander sans cacher sa surprise.

– J'ai entendu parler de lui par les journaux.

– Sa fille est-elle ici ?

– Non. Nous n'avons personne de ce nom, je peux te l'assurer.

Wallander poursuivait sa route quand un violent orage éclata. Il pleuvait si fort qu'il dut s'arrêter ; il n'y voyait plus rien. Il s'engagea sur un chemin de traverse et coupa le moteur. Assis là, enfermé comme dans une bulle, avec la pluie qui crépitait contre le toit de l'habitacle, il repensa une fois de plus à l'enchaînement des deux disparitions. Celle de Louise n'était pas nécessairement une conséquence ni même une suite de celle de son mari. C'était là une sagesse élémentaire, acquise du temps de Rydberg. On constatait bien des fois que l'événement ultérieur expliquait en réalité celui qu'on avait cru le premier. Il repensa aux dossiers qui avaient été retirés, il en était certain, de l'armoire à documents de Håkan von Enke. Le compas, dans sa tête, oscillait sans se stabiliser.

Au fond, il avait peut-être tout imaginé. Sa perception de la peur de Håkan von Enke pouvait être infondée. Il avait déjà connu de tels fantômes, même s'il essayait en général de garder son sang-froid et de ne pas se laisser entraîner par eux. Des personnes disparues, il en avait cherché une quantité au cours de sa carrière. Il y avait presque toujours, dès le départ, des signes indiquant s'il fallait s'inquiéter ou non. Dans le cas de Håkan et de Louise, il ne savait pas, et c'était bien là le problème. Il n'y a rien du tout, pensa-t-il encore pendant qu'il attendait que la pluie cesse. Juste un grand vide. Et au milieu de ce vide, surgit une fille dont on a toujours nié l'existence.

La pluie cessa enfin, et il put continuer jusqu'à Niklasgården. L'endroit était joliment situé, au bord d'un lac qui portait sur la carte le nom de Vångsjön. Des maisons en bois peintes en blanc, un parc en pente douce, des bouquets d'arbres immenses et, plus loin, des champs et des prés. Il descendit de voiture et inspira avidement l'air frais d'après la pluie. C'était comme contempler une vieille affiche, de celles qui ornaient les salles de classe du temps où il était écolier à Limhamn – de sempiternels paysages bibliques, des bergers et des troupeaux de moutons, et aussi le paysage agricole suédois dans toutes ses variantes. Niklasgården s'étendait devant lui comme un détail tiré de l'une d'elles. Un court instant, il fut saisi de nostalgie pour *l'époque des affiches*, mais il l'écarta ; la nostalgie ne rendait que plus effrayante la perspective de la vieillesse qui s'annonçait. Il prit les jumelles qu'il avait emportées dans son sac à dos et balaya lentement les maisons et le parc. Tel un périscope surgissant dans cette belle journée d'été – un sous-marin qui aurait eu la forme d'une vieille Peugeot. L'image était absurde, mais elle le fit sourire. À l'ombre de quelques arbres, il découvrit la présence de deux fauteuils roulants. Il régla la mise au point et essaya de ne plus bouger. L'un des fauteuils était occupé par une femme d'âge incertain au menton affaissé contre le sternum ; l'autre par un homme jeune, lui sembla-t-il, dont la tête était au contraire projetée vers l'arrière comme si sa nuque manquait d'un appui. Il baissa ses jumelles et se demanda avec un certain malaise ce qui l'attendait à l'intérieur. Il reprit sa voiture et s'arrêta devant le bâtiment principal, où le conseil général du Sörmland lui souhaitait la bienvenue. Des panneaux pointaient vers différentes directions. Il pénétra dans le hall, appuya sur un bouton de sonnette et attendit. Une radio était allumée quelque part. Puis la porte d'un bureau s'ouvrit et une femme d'une quarantaine d'années s'avança vers le guichet de la réception. Wallander fut frappé par sa très grande beauté. Elle avait des cheveux noirs coupés court, des yeux sombres, et le regardait en souriant. Quand elle lui adressa la parole, ce fut avec un accent étranger très perceptible. Il la devinait originaire d'un pays arabe. Il lui montra sa carte et posa sa question. La femme continuait de le regarder en souriant.

– C'est la première fois que nous recevons la visite d'un policier, dit-elle. Venu de si loin, en plus. Malheureusement je ne peux te donner aucun nom.

– Je comprends. Si c'est nécessaire, je vais revenir avec un papier signé par un procureur qui me donnera le droit de fouiller toutes les chambres. Je préfère éviter ça. Il suffit que tu hoches la tête, oui ou non. Ensuite je te promets de m'en aller et de ne plus revenir.

Elle parut réfléchir. Wallander était hypnotisé par son visage.

– Vas-y, dit-elle enfin.

– Y a-t-il ici quelqu'un du nom de Signe von Enke ?

Elle hocha la tête – une fois, ce fut tout, mais il ne lui en fallait pas davantage. Il avait retrouvé la sœur de Hans. Avant de poursuivre, il devait maintenant parler à Ytterberg.

Il s'arracha à sa contemplation et s'apprêtait à partir quand il songea qu'elle serait peut-être prête à répondre à une deuxième question.

– Juste un signe de tête encore. À quand remonte la dernière visite qu'elle ait reçue ?

Cette fois, la femme répondit avec des mots :

– C'était il y a plusieurs mois. En avril, il me semble. Si c'est important, je peux vérifier.

– Cette information nous serait très précieuse.

Elle disparut dans le bureau d'où elle avait émergé à son arrivée et revint après quelques minutes, un papier à la main.

– Le 10 avril, dit-elle. Personne n'est venu la voir depuis lors.

Le 10 avril. La veille de la disparition de Håkan von Enke.

– Je suppose que c'est son père qui est venu ce jour-là, dit-il lentement.

Elle hocha la tête.

C'était bien lui.

Wallander quitta Niklasgården et prit la direction de Stockholm. Il gara la voiture au pied de l'immeuble de Grevgatan et ouvrit la porte de l'appartement avec les clés que lui avait passées Linda la veille.

Il devait recommencer depuis le début. Mais le début de quoi ?

Il se planta au milieu du salon.

Autour de lui, un grand silence. Comme dans les profondeurs où se mouvaient les sous-marins, où l'agitation de surface ne se remarquait guère.

12

Wallander dormit cette nuit-là dans l'appartement vide. Il y faisait une chaleur presque suffocante ; il avait donc entrebâillé quelques fenêtres et les voilages bougeaient doucement dans la brise. De la rue lui parvenaient des voix éméchées. Il pensa qu'il écoutait les ombres, comme on le fait toujours dans les maisons ou les appartements qui viennent d'être abandonnés. Mais ce n'était pas pour économiser l'hôtel qu'il avait demandé les clés à Linda. Ni pour se faire une seconde impression ; l'expérience lui avait appris qu'une deuxième visite apportait rarement du nouveau par rapport à l'impression première qui était, elle, décisive. Mais, cette fois, il savait ce qu'il cherchait.

Il avait ôté ses chaussures pour ne pas éveiller la méfiance des voisins. En chaussettes, il fouilla ensuite le bureau de Håkan et les deux commodes de Louise, ainsi que la bibliothèque du séjour, les armoires et tous les placards. Quand il se faufila dehors, vers vingt-deux heures, pour manger un morceau, il était à peu près sûr de son fait. Toute trace de Signe avait été soigneusement effacée.

Il alla dîner dans un restaurant supposé hongrois, mais où tous les serveurs et le personnel parlaient italien. Après le repas, dans l'ascenseur qui le hissait poussivement jusqu'au troisième étage, il se demanda dans quelle pièce il dormirait. Le bureau de Håkan possédait un canapé. Ce fut en définitive sur celui du séjour, où il avait pris le thé avec Louise, qu'il se coucha avec un coussin et une couverture écossaise.

Il fut réveillé vers une heure du matin par des promeneurs nocturnes plutôt bruyants. Et ce fut alors, pendant qu'il attendait immobile dans la pénombre qu'ils aient passé leur chemin, qu'il se réveilla soudain tout à fait. C'était invraisemblable qu'il n'y ait pas dans cet appartement la moindre trace de la fille qui vivait à présent à Niklasgården. Cela le choquait d'une manière presque physique. Il était choqué de n'avoir trouvé aucune photographie, pas le moindre document, pas une seule de ces incontournables attestations bureaucratiques qui accompagnent pourtant la vie de chaque Suédois depuis sa naissance. Il refit un tour de l'appartement. Il avait emporté une petite torche électrique et s'en servait pour éclairer les recoins. Il évitait d'allumer plus d'une lampe à la fois, de crainte qu'un voisin de l'immeuble d'en face ne réagisse ; quoique Linda, relayée par Louise, avait affirmé que Håkan von Enke laissait toujours au moins deux lampes allumées la nuit. Il était déterminé à ne pas se recoucher tant qu'il n'aurait pas trouvé une trace de Signe. Elle devait exister. Le contraire était impensable.

Il la découvrit vers quatre heures du matin. Dans les rayonnages de la bibliothèque qu'il venait d'explorer une nouvelle fois, plus méthodiquement que la première. Derrière quelques gros livres d'art il y avait un album. Les photographies n'étaient pas nombreuses, mais elles avaient été collées avec soin. La plupart étaient en couleurs, et elles avaient pâli, mais il y en avait aussi quelques-unes en noir et blanc. L'album ne contenait rien d'autre, aucun commentaire écrit, aucune photo du frère et de la sœur ensemble, mais ce n'était guère étonnant. À la naissance de Hans, Signe avait déjà disparu. Écartée, effacée, annulée. Sur les photos, on ne la voyait que petite fille. Seule. Couchée. Dans différentes positions. Mais sur la dernière, elle était avec sa mère. Qui la tenait dans ses bras. Le visage de Louise était grave, elle détournait le regard. Wallander fut rempli d'une intense tristesse à la vue de ce cliché, qui révélait toute la réticence que lui inspirait sa fille. Une solitude infinie se dégageait de la photo. Il secoua la tête. Il était très mal à l'aise.

Il s'allongea de nouveau sur le canapé. Fatigué, mais soulagé d'avoir trouvé ce qu'il cherchait, il s'endormit tout de suite. Il fut réveillé en sursaut à huit heures du matin par le klaxon d'une voiture. Il avait rêvé de chevaux. Un troupeau entier de chevaux qui galopaient droit devant par-dessus les dunes de Mossby Strand et se précipitaient dans les vagues. Il essaya de l'interpréter, sans succès. Il ne parvenait d'ailleurs presque jamais à interpréter ses rêves. Il fit couler un bain, but un café et, vers neuf heures, appela Ytterberg. Celui-ci était en réunion ; Wallander réussit à lui faire passer un message et reçut peu après un SMS proposant qu'ils se retrouvent à onze heures devant l'hôtel de ville, côté pont. Wallander, ponctuel, vit Ytterberg arriver sur son vélo. Ils entrèrent dans le café le plus proche.

– Qu'est-ce que tu fais là ? Je croyais que tu n'aimais que la campagne ou, à la rigueur, les toutes petites villes.

– C'est vrai. Mais parfois on n'a pas le choix.

Il lui parla de Signe. Ytterberg l'écouta sans l'interrompre. Wallander évoqua pour finir l'album de photos qu'il avait découvert au cours de la nuit, et qu'il avait emporté dans un sac en plastique. Il le posa sur la table. Ytterberg repoussa sa tasse, s'essuya les mains et commença à le feuilleter avec précaution.

– Quel âge as-tu dit qu'elle avait aujourd'hui ? Quarante ans ?

– À peu près, d'après ce que m'a dit Atkins.

– Ici, il n'y a aucune photo où elle en ait plus de deux ou trois.

– Il existe peut-être d'autres albums. Mais franchement, j'en doute.

Ytterberg fit une grimace et rangea l'objet dans le sac

plastique. Un bateau de promenade peint en blanc passa sur les eaux de Riddarfjärden. Wallander déplaça sa chaise pour être à l'ombre.

– Je voudrais retourner à Niklasgården, dit-il. Signe fait partie de ma famille, après tout. Mais j'ai besoin de ton feu vert.

– Que crois-tu pouvoir obtenir en la rencontrant ?

– Je n'en sais rien. Mais son père lui a rendu visite la veille de sa disparition. Depuis, personne n'est allé la voir.

Ytterberg réfléchit.

– C'est vraiment étrange que Louise n'y soit pas allée, même une fois. Qu'en penses-tu ?

– Je n'en pense rien du tout. Je me pose la même question. On pourrait peut-être y aller ensemble ?

– Non, vas-y. Je vais les appeler tout de suite pour qu'ils te fassent une autorisation de visite.

Wallander lui donna le numéro de Niklasgården. Pendant qu'Ytterberg téléphonait, il descendit au bord du quai et regarda l'horizon. Le soleil était haut, le ciel d'un bleu vif. C'est le plein été, pensa-t-il. Ytterberg vint le rejoindre.

– C'est bon. Mais la personne que j'ai eue m'a prévenu que Signe von Enke ne parlait pas. Je ne sais pas si j'ai tout compris, mais apparemment elle serait née sans cordes vocales. Entre autres.

– *Entre autres ?*

– Il lui manque pas mal de choses, je crois. À vrai dire, je suis content de ne pas y aller. Surtout par un jour comme celui-ci.

– Pourquoi ?

– Parce qu'il fait beau. C'est un des premiers vrais jours d'été qu'on ait cette année-ci. Je n'ai pas envie de le gâcher.

– Est-ce qu'elle avait un accent ? demanda Wallander pendant qu'ils s'éloignaient, Ytterberg poussant son vélo. Celle à qui tu as parlé ?

– Oui. Et une belle voix. Elle s'est présentée, je crois qu'elle a dit Fatima. Elle est peut-être irakienne ? Ou iranienne ?

Wallander dit qu'il le rappellerait dans la journée. Il avait laissé sa voiture devant l'entrée principale de l'hôtel de ville ; il eut juste le temps de démarrer avant d'être arrêté par une contractuelle. Il quitta la ville. Une petite heure plus tard, il était de retour à Niklasgården. Cette fois, il fut reçu par un homme âgé ; il s'appelait Artur Källberg et était de service l'après-midi et le soir jusqu'à minuit.

– Commençons par le commencement, dit Wallander. Qu'est-ce qu'elle a ?

– C'est l'une de nos patientes les plus gravement atteintes, dit Artur Källberg. À sa naissance, on ne pensait pas qu'elle survivrait très longtemps. Mais certaines personnes possèdent une volonté de vivre qui peut nous paraître incompréhensible, à nous autres simples mortels.

– Quel est exactement le problème ?

Artur Källberg hésita, comme s'il se demandait ce que Wallander était capable d'entendre – ou peut-être s'il méritait de l'entendre. Wallander s'impatienta.

– J'écoute !

– Elle n'a pas de bras. Plus un problème à la gorge qui l'empêche de parler, et une défaillance cérébrale. Et une déformation de la colonne vertébrale. Sa faculté de mouvement est donc très limitée.

– C'est-à-dire ?

– Elle a une certaine mobilité au niveau du cou et de la tête. Elle peut, par exemple, cligner les paupières.

Wallander essaya de se projeter dans la même situation : si cette personne avait été sa propre petite-fille, Klara, comment aurait-il réagi ? Qu'aurait-il fait si Linda avait mis au monde une enfant gravement handicapée ? Pouvait-il avoir la moindre idée de ce que cela avait été pour Håkan et Louise ?

Il tenta de tirer au clair ce qu'il pensait, sentait ou imaginait à ce sujet. Mais c'était impossible.

– Depuis combien de temps est-elle ici ?

– Au début de sa vie elle était dans un autre foyer, sur Lidingö, à côté de Stockholm, mais il a fermé en 1972.

Wallander leva la main.

– Sois précis, s'il te plaît. Imagine que je ne sache rien de cette fille, à part son nom.

– Alors nous allons peut-être commencer par cesser de la traiter de « fille ». Elle va avoir quarante et un ans. Devine quand ?

– Aucune idée.

– Aujourd'hui ! En temps normal, son père serait venu et il aurait passé l'après-midi avec elle. Là, il n'y a personne.

Källberg paraissait très contrarié que Signe von Enke ne reçoive pas de visite le jour de son anniversaire. Wallander le comprenait.

Une question était évidemment beaucoup plus importante que les autres. Mais il décida d'attendre, de procéder par ordre, et sortit de sa poche son carnet plié en deux qui était vraiment décati.

– Autrement dit, elle est née le 8 juin 1967 ?

– C'est ça.

– A-t-elle jamais vécu chez ses parents ?

– D'après son dossier, que j'ai relu avant ta visite, elle a été emmenée directement de la maternité au foyer dont je te parlais : Nyhagahemmet, sur Lidingö. À un moment donné, il a fallu agrandir le bâtiment, et les voisins ont eu peur que ça ne dévalorise les villas du quartier – sur le marché de l'immobilier, tu comprends. Je ne sais pas comment ils ont fait pour bloquer le projet. Quoi qu'il en soit, non seulement le foyer n'a pas été agrandi, mais il a carrément dû fermer.

– Où est-elle allée alors ?

– Ç'a été les chaises musicales, si on peut dire. Entre autres, elle a passé une année sur l'île de Gotland, près de Hemse.

Puis un jour, elle est arrivée ici, et elle y est restée. Ça va faire vingt-neuf ans.

Wallander notait au fur et à mesure. L'image d'une Klara sans bras surgissait de temps à autre en lui avec une intensité macabre.

– Parle-moi de son état. Bon, tu l'as déjà fait – je veux dire, son état de conscience. Que comprend-elle ? Que ressent-elle ?

– Nous n'en savons rien. Elle n'exprime que des réactions élémentaires, avec une mimique et un langage corporel difficiles à interpréter pour ceux qui n'ont pas l'habitude. Si tu veux, nous la considérons un peu comme un nourrisson, mais qui aurait une longue expérience de vie.

– Peut-on imaginer ce qu'elle pense ?

– Non. Mais rien n'indique au fond qu'elle ait conscience de sa détresse. Elle n'a jamais manifesté de douleur ou de désespoir. Et si cela correspond à une réalité intérieure, c'est évidemment une grâce.

Wallander acquiesça en silence. Il croyait comprendre. Restait la question cruciale.

– Son père lui rendait visite. À quelle fréquence ?

– Une fois par mois, parfois plus. Et ce n'étaient pas de courtes visites. Il ne restait jamais moins de deux heures.

– Que faisait-il ? S'ils ne pouvaient pas se parler ?

– *Elle* ne le pouvait pas. Lui, il n'arrêtait pas, il lui racontait plein de choses. Il lui parlait de tout, de la vie quotidienne, de tout ce qui s'était produit depuis sa dernière visite, dans le petit monde comme dans le grand. Il lui parlait comme à une adulte, sans se lasser.

– Et quand il était en mer ? Je veux dire, pendant toutes les années où il était encore officier d'active ?

– Il la prévenait toujours. C'était très touchant de l'entendre lui expliquer qu'il allait devoir s'absenter quelque temps.

– Et qui rendait visite à Signe en son absence ? Sa mère ?

La réponse de Källberg tomba, claire et froide, sans une hésitation :

– Sa mère n'est jamais venue. Je travaille à Niklasgården depuis 1994. Elle n'a jamais rendu visite à sa fille. La seule personne qui venait la voir, c'était son père.

– Pas une seule fois ? Tu en es certain ?

– Jamais.

– N'est-ce pas étonnant ?

Källberg haussa les épaules.

– Pas forcément. Ça peut être tout simple. Certains ne supportent pas de voir la souffrance des autres.

Wallander rangea son carnet. Réussirait-il à déchiffrer ce qu'il avait écrit ?

– Je voudrais la voir. Sauf si ça risque de la perturber...

– Ah oui. J'ai oublié de te dire qu'elle y voyait à peine. Elle perçoit les silhouettes comme des ombres sur un fond gris. C'est du moins ce que croient les médecins.

– Elle reconnaît donc son père à la voix ?

– Sans doute, oui. À en juger par sa mimique.

Wallander s'était levé. Källberg restait assis.

– Es-tu tout à fait certain de vouloir la voir ?

– Oui.

Ce n'était pas vrai, bien sûr. Ce qu'il voulait, c'était voir sa chambre.

Ils franchirent les doubles portes vitrées qui se refermèrent sans bruit après leur passage. Källberg ouvrit une porte au bout d'un couloir. Une chambre aux couleurs claires, du lino au sol. Quelques chaises, des étagères avec des livres – pour quoi faire ? – et un lit où gisait Signe von Enke.

– Laisse-nous seuls, demanda Wallander.

Après le départ de Källberg, il avança vers le lit et contempla Signe. Elle avait des cheveux courts et blonds et ressemblait à son frère. Ses yeux étaient ouverts mais paraissaient ne rien voir. Elle respirait par à-coups, comme si chaque inspiration lui coûtait. Wallander sentit sa gorge se serrer. À quoi donc pouvait bien rimer une souffrance pareille ? Être privée à jamais de ce qui donne à la vie ne serait-ce qu'un illusoire reflet de sens ? Il la regardait mais elle ne semblait pas s'être aperçue de sa présence. Le temps s'était arrêté. Il se trouvait dans un étrange musée. Un musée contenant un être humain. La fille dans la tour, pensa-t-il. Emmurée dans son propre corps.

Son regard glissa vers le fauteuil près de la fenêtre. *C'est là que devait s'asseoir Håkan au cours de ses visites.* Il s'avança jusqu'au rayonnage et s'accroupit. Il y avait là des livres pour enfants, des livres d'images. Håkan lui faisait peut-être la lecture à voix haute. Wallander les sortit, un à un, pour s'assurer que rien n'était caché derrière.

Il trouva ce qu'il cherchait entre deux volumes de *Babar*. Pas un album cette fois – d'ailleurs ce n'était pas ce qu'il avait imaginé, sans savoir précisément ce qu'il avait imaginé au juste. Mais si Håkan von Enke avait voulu mettre des documents à l'abri, où aurait-il pu les cacher mieux que là ? Dans cette chambre inconnue de tous, au milieu des livres de *Babar* que Linda et lui avaient lus, eux aussi, quand Linda était petite. Un grand cahier à la reliure noire rigide maintenue par deux élastiques épais. Wallander hésita à l'ouvrir. Puis il se décida en vitesse, ôta sa veste et fourra le volume à l'intérieur. Signe n'avait pas bougé. Elle gisait, inerte, les yeux ouverts.

Il ouvrit la porte. Källberg était dans le couloir, occupé à tâter le terreau d'une plante en pot qui paraissait desséchée.

– C'est terrible, dit Wallander. J'ai des sueurs froides rien qu'à la regarder.

Ils longèrent les couloirs dans l'autre sens jusqu'à l'accueil.

– Voici bien des années, dit Källberg, nous recevions la visite d'une jeune femme étudiante aux Beaux-Arts. Son frère vivait ici, mais il est mort maintenant. Un jour, elle a demandé si elle pouvait dessiner nos patients. Elle était très douée ; elle avait apporté un grand carton de dessins pour nous montrer ce qu'elle savait faire. J'y étais favorable, mais la direction a estimé que cela porterait atteinte à l'intégrité de nos patients.

– Que se passe-t-il quand un patient meurt ?

– La plupart ont une famille. Mais pas tous. Dans ce cas-là, nous essayons d'être aussi nombreux que possible à l'enterrement. Le personnel est stable, ici. Nous devenons comme leur nouvelle famille.

Wallander prit congé d'Artur Källberg et roula jusqu'à Mariefred, où il déjeuna dans une pizzeria. Quelques tables étaient sorties sur le trottoir ; après le repas, il s'y installa avec son café. Un orage s'annonçait. Un peu plus loin dans la rue, devant un petit supermarché, un homme jouait de l'accordéon. Sa valse écorchait les oreilles, c'était un mendiant, pas un musicien de rue. Quand ce devint franchement insupportable, Wallander finit son café et retourna à Stockholm. Il venait de franchir le seuil de l'appartement de Grevgatan quand la sonnerie du téléphone retentit, envoyant un écho lugubre à travers les pièces vides. La personne raccrocha. Wallander écouta les messages enregistrés par le répondeur. Il y en avait deux. Le premier d'un cabinet dentaire informant Louise qu'un client s'était décommandé et qu'elle avait un nouveau rendez-vous. Mais quand était-ce ? Wallander nota le nom du dentiste, Sköldin. Le second message provenait d'une couturière annonçant simplement que « le tailleur était prêt ». Elle ne précisait ni son nom, ni l'heure de son appel.

Soudain, l'orage éclata sur Stockholm. La pluie drue martelait les vitres. Wallander, posté à la fenêtre, regardait la rue. Il se faisait l'effet d'être un intrus. Mais la disparition du couple von Enke jouait un grand rôle dans la vie d'autres personnes qui lui étaient proches et cela, pensa-t-il, justifiait sa présence.

Quand la pluie cessa une heure plus tard, d'innombrables caves étaient inondées et la surtension dans les réseaux avait éteint les feux de signalisation. Ce fut l'un des plus violents orages que connut la capitale cet été-là. Mais Wallander ne remarqua rien, absorbé par le livre que Håkan von Enke avait caché dans la chambre de sa fille. Après dix minutes de lecture, il eut la sensation d'un indescriptible fourre-tout. Il y avait là des haïkus, des photocopies d'extraits du journal du chef d'état-major datant de l'automne 1982, des aphorismes plus ou moins compréhensibles de la plume de Håkan von Enke et bien d'autres choses encore, pêle-mêle : coupures de presse, photographies, à quoi s'ajoutaient quelques aquarelles barbouillées. Il tournait les pages avec la sensation croissante que ce journal intime, si on pouvait appeler cela ainsi, était totalement inattendu de la part de Håkan von Enke. Il commença par le feuilleter pour s'en faire une idée générale. Puis il reprit au début. Quand enfin il le referma et se leva pour se dégourdir les jambes, rien ne s'était vraiment éclairci.

Il sortit dîner. L'orage n'était plus qu'un souvenir. Il était vingt et une heures quand il revint à l'appartement. Pour la troisième fois, il prit le cahier noir et se mit à le relire.

Il cherchait *l'autre* contenu. Le texte invisible.

Qui devait s'y trouver, il en était certain.

13

Il était presque trois heures du matin quand Wallander se leva du canapé et s'approcha de la fenêtre. Une pluie fine tombait. Malgré la fatigue, il revint en pensée à la fête de Djursholm, lorsque Håkan von Enke lui avait parlé des sous-marins. Le cahier était déjà caché à ce moment-là parmi les *Babar* dans la chambre de Signe. C'était là la chambre secrète de Håkan, plus sûre qu'un coffre-fort. Le cahier s'y trouvait, car certaines entrées étaient datées, et la dernière remontait au jour précédant sa fête d'anniversaire. Il lui avait rendu visite au moins une fois encore la veille de sa disparition ; mais, ce jour-là, il n'avait rien noté.

Je ne peux plus avancer. Mais je suis déjà bien assez loin. Puis un mot, un seul, tracé plus tard, semblait-il, avec un autre stylo. *Marécage.*

C'était tout. Sans doute les derniers mots de sa main, pensa Wallander. Comment savoir ?

Le cahier lui apprenait beaucoup de choses. En particulier les extraits du journal du chef d'état-major Lennart Ljung – pas tant en eux-mêmes que par les commentaires de Håkan von Enke dans la marge. Souvent au stylo rouge, parfois biffés ou corrigés, avec des ajouts faits, dans certains cas, plusieurs années après l'annotation d'origine. À maints endroits, il avait aussi dessiné de petits bonshommes allumettes en forme de diable tenant une hache ou un trident. Sur une page, il avait collé une carte marine en réduction représentant le détroit de

Hårsfjärden. Il y avait ajouté des points rouges, esquissé plusieurs voies maritimes possibles, avant de tout barrer avec rage et de recommencer. Il avait aussi noté sur la carte le nombre de contacts sonar et le nombre de charges anti-sous-marines qui avaient été larguées. Sous le regard fatigué de Wallander, tout finissait par se confondre en un fatras indéchiffrable. Alors il allait se passer de l'eau sur le visage et il recommençait.

Souvent von Enke appuyait si fort, avec la pointe de son stylo, qu'il transperçait le papier. Ces notes montraient un homme très différent de celui qu'il avait rencontré et qui avait monologué si calmement face à lui dans la pièce sans fenêtres ; dans ces pages, le vieux capitaine manifestait tout autre chose : une obsession à la limite de la folie.

Wallander continuait de regarder tomber la pluie en écoutant quelques hommes jeunes qui rentraient chez eux dans la nuit d'une démarche chancelante en criant des obscénités. Les braillards sont ceux qui n'ont pas eu de touche et qui sont obligés de rentrer seuls, pensa-t-il. Ça m'arrivait aussi il y a quarante ans.

Wallander avait lu les extraits du journal si attentivement qu'il les connaissait presque par cœur. Mercredi 24 septembre 1980. Le chef d'état-major rend visite à un régiment de l'armée de l'air près de Stockholm ; il note la difficulté persistante à recruter des officiers, bien qu'on ait dépensé beaucoup d'argent pour rénover les casernes et les rendre plus attirantes. Dans ce passage, Håkan von Enke ne fait pas une seule remarque, mais plus bas, sur la page, le stylo-bille rouge lance un éclair, comme un coup d'épée à travers le papier : *La question de la présence de sous-marins dans les eaux territoriales suédoises a connu un regain d'actualité ces jours-ci. La semaine dernière, un sous-marin a été découvert près de l'île d'Utö, en violation flagrante de la souveraineté nationale. Le sous-marin naviguait à faible profondeur d'immersion avec des éléments visibles. L'identification désigne sans ambiguïté un sous-marin de classe Misky. L'Union soviétique et la Pologne possèdent de tels sous-marins.*

Les phrases griffonnées dans la marge étaient illisibles. Wallander avait réussi à les décrypter en empruntant une loupe dans le bureau. Von Enke se demande quels sont ces « éléments » qu'on déclare avoir vus. Périscope ? Mâts ? Combien de temps le sous-marin est-il resté visible ? Qui l'a vu ? Quelle était sa route ? Il s'irrite de ce que le journal soit si pauvre en détails essentiels. À côté de l'expression « classe Misky », von Enke écrit : *OTAN et Whiskey.* Le stylo rouge souligne les dernières phrases de cette page. *Il y a eu un tir de sommation. Le sous-marin n'a pu être contraint à faire surface. Il aurait par la suite quitté les eaux suédoises.* Dans la marge, il écrit : *On n'oblige pas un sous-marin à remonter avec des tirs de sommation. Pourquoi l'a-t-on laissé filer ?*

Les annotations se poursuivent jusqu'au 28 septembre. Ce jour-là, Ljung a un entretien avec le chef d'état-major de la marine, qui était auparavant en visite en Yougoslavie. Cela n'intéresse pas Håkan von Enke. Pas la moindre note, pas le moindre bonhomme allumette, pas le moindre point d'exclamation. Mais, au bas de la page, Ljung, qui est mécontent d'une déclaration du service d'information de la marine, exhorte son subordonné à punir le responsable. Dans la marge est noté au stylo rouge : *Il devrait mieux choisir ses priorités.*

Le sous-marin de l'île d'Utö. Wallander se souvenait d'en avoir entendu parler ce soir-là à Djursholm. *C'est là que tout a commencé*, avait dit Håkan von Enke en substance ; il ne se rappelait pas ses paroles exactes.

L'autre extrait du journal était nettement plus long. Il couvrait les dates du 5 au 15 octobre 1982. Une vraie représentation de gala que cette affaire, pensa Wallander. La Suède est au centre du monde. Chacun regarde la marine suédoise et ses hélicoptères traquer impitoyablement le sous-marin – probable ? réel ? inexistant ? – alors que, pour tout arranger, suite aux élections législatives et au changement de majorité, on est en pleine transition gouvernementale. Le chef d'état-major se démultiplie pour informer à la fois le cabinet sortant et le cabinet entrant. Torbjörn Fälldin semble un moment oublier qu'il doit partir, et Olof Palme exprime son très fort mécontentement de ne pas être correctement informé de l'évolution de la situation dans le détroit de Hårsfjärden. Lennart Ljung n'a pas une minute à lui, tout occupé à faire la navette entre Berga et les deux cabinets qui se marchent sur les pieds. De plus, il doit répondre aux questions acides du chef de file du parti modéré, Adelsohn, qui ne comprend pas pourquoi le ou les sous-marins n'ont pas encore été capturés. Håkan von Enke note ironiquement dans la marge : *Enfin un politicien qui se pose de bonnes questions.*

Wallander avait pris son carnet déchiré et commencé à dresser des listes de noms et de dates, sans trop savoir pourquoi, peut-être afin de mettre un peu d'ordre dans le fourmillement de détails pour mieux comprendre les notes de plus en plus amères de von Enke.

Il avait par instants l'impression que celui-ci s'efforçait de décrire un *autre enchaînement* que celui qui s'était réellement produit. Il est en train de réécrire l'histoire, pensa-t-il. Comme ce fou qui a passé quarante ans d'asile à lire les grands classiques et à inventer une autre fin chaque fois que celle-ci lui paraissait trop tragique. Von Enke écrit ce qui *aurait dû* se produire. Et pose ainsi la question de *pourquoi* cela ne s'est pas produit.

À un moment, en pleine lecture – il avait ôté sa chemise et était assis, à moitié nu, sur le canapé –, il se demanda si Håkan von Enke n'était pas paranoïaque. Mais il rejeta vite cette idée. Ses notes avaient beau être rageuses, elles étaient parfaitement claires et logiques – du moins d'après ce que Wallander lui-même était en mesure d'en comprendre.

Puis il tomba sur quelques lignes simples aux allures de haïku :

Incidents sous la surface
Personne ne voit
Ce qui approche.

Incidents sous la surface
Le sous-marin rôde
Nul ne veut le voir.

Était-ce la vérité ? Un jeu destiné à la galerie ? N'y avait-il jamais eu une réelle volonté d'identifier ce sous-marin ? Mais pour Håkan von Enke, la question la plus importante était ailleurs. Il menait une autre chasse. Sa proie à lui n'était pas quelque chose, mais quelqu'un. Cela revenait sans cesse dans ses notes. Qui prend les décisions ? Qui les modifie ? Qui ?

À un endroit, Håkan von Enke note ce commentaire : *Pour répondre à la question « qui », je dois répondre à la question « pourquoi ». À moins que je n'aie déjà la réponse.* Là, il n'est pas en colère, pas indigné ; il est parfaitement calme. Le papier n'est pas troué.

À ce stade de sa lecture, Wallander n'avait plus de difficulté à comprendre l'interprétation des faits par Håkan von Enke. Un ordre a été donné, et on suit la chaîne de commandement. Normal. Mais voilà soudain que quelqu'un fait annuler la décision ; le ou les sous-marins disparaissent. Il ne cite aucun nom, du moins aucun qui identifierait un suspect. Mais parfois il désigne certains acteurs par une lettre, X ou Y ou Z. Il les cache, pensa Wallander. Puis il cache son cahier parmi les livres de Signe. Et il disparaît. Et maintenant Louise aussi a disparu.

L'épluchage des extraits du journal occupa une bonne partie de sa nuit. Mais il accorda également une attention intense aux autres éléments du cahier. Celui-ci contenait toute l'histoire de la vie de Håkan von Enke, à compter du jour où il avait pris la décision d'embrasser la carrière d'officier. Photographies, souvenirs, cartes postales, bulletins scolaires, diplômes militaires, nominations. Il y avait aussi la photo de son mariage avec Louise, et des portraits de Hans à des âges différents.

Quand Wallander alla à la fenêtre regarder la nuit d'été et la bruine qui tombait sur Stockholm, il pensa que rien ne s'était éclairci, surtout pas le plus important : l'absence prolongée de Håkan et celle, récente, de Louise. Je ne sais rien, pensa-t-il. Mais j'en sais tout de même plus qu'avant sur la personne de Håkan von Enke.

Avec ces pensées, il se coucha enfin sous la couverture du canapé et s'endormit.

À son réveil vers huit heures, il avait la tête lourde et la bouche sèche comme s'il avait fait la bringue. Mais à peine eut-il ouvert les yeux qu'il sut ce qu'il allait faire. Il composa le numéro avant même d'avoir bu son premier café. Sten Nordlander décrocha à la deuxième sonnerie.

– Je suis à Stockholm, dit Wallander. Il faut que je te voie.

– J'allais partir faire un tour en bateau. Si tu m'avais appelé dix minutes plus tard, tu m'aurais loupé. Si tu veux, je t'emmène, on en profitera pour parler.

– Je n'ai pas franchement la tenue adéquate.

– Moi oui. Où es-tu ?

– À l'appartement de Grevgatan.

– Alors je passe te prendre dans une demi-heure.

Sten Nordlander arriva, vêtu d'une combinaison en toile grise déteinte portant l'emblème de la marine suédoise. Sur la banquette arrière, Wallander aperçut un grand panier : leur pique-nique, annonça Nordlander. Ils quittèrent la ville pour Farsta, et empruntèrent une suite de routes secondaires jusqu'à la petite marina où Sten Nordlander avait son bateau. Wallander prit avec lui le sac plastique contenant le grand cahier noir ; il vit le regard interrogateur de Nordlander, mais ne dit rien ; il préférait attendre d'être en mer.

Ils s'arrêtèrent sur le ponton flottant pour admirer le joli bateau en bois, qui venait d'être verni à neuf.

– Un authentique Peterson, dit Sten Nordlander. Entièrement d'origine. On n'en fabrique plus des comme ça. Le plastique donne moins de travail quand il faut le remettre en état après l'hivernage. Mais on n'aimera jamais un bateau en plastique de la même manière. Celui-ci sent bon comme un bouquet de fleurs. Maintenant, je vais te montrer Hårsfjärden.

Wallander fut surpris. En quittant la ville, il avait perdu la notion de l'orientation, jusqu'à envisager que le bateau puisse être amarré au bord d'un petit lac, ou du lac Mälar. Mais la baie s'ouvrait effectivement en direction d'Utö, que Sten Nordlander lui indiqua sur la carte. Au-delà, au nord-ouest, s'étendaient Mysingen, Hårsfjärden et puis le saint des saints de la marine suédoise : la base de Muskö.

Sten Nordlander lui donna une combinaison semblable à la sienne et une casquette de marin.

– Voilà, dit-il avec satisfaction quand Wallander se fut changé. Tu as l'air respectable.

Le bateau était équipé d'un moteur à deux temps. Wallander le démarra avec des gestes maladroits, en priant pour qu'il n'y ait pas trop de vent en mer.

Sten Nordlander s'appuya contre le pare-brise, la main posée avec légèreté sur la barre à roue en bois ouvragé.

– Dix nœuds, dit-il, c'est une bonne vitesse. On a le temps de sentir la mer, pas seulement d'avancer en rebondissant comme si on était pressé d'atteindre l'horizon. De quoi voulais-tu me parler ?

– Hier j'ai rendu visite à Signe. Dans le foyer où elle est, recroquevillée dans un lit comme un nourrisson alors qu'elle vient d'avoir quarante et un ans.

Sten Nordlander leva vivement la main.

– Je ne veux rien savoir. Si Håkan ou Louise avaient voulu m'en parler, ils l'auraient fait.

– Alors je me tais.

– C'est pour me parler d'elle que tu m'as appelé ? J'ai du mal à le croire.

– J'ai trouvé un objet. Et je voudrais que tu le regardes quand nous nous serons arrêtés quelque part.

Wallander décrivit sa trouvaille sans rien dire de son contenu. Il voulait que Sten Nordlander découvre le cahier par lui-même.

– Ça me paraît étrange, dit Nordlander.

– Quoi donc ?

– Que Håkan ait tenu un journal. Écrire, ce n'est vraiment pas son genre. Nous sommes allés en Angleterre ensemble une fois, et je me souviens qu'il n'a pas envoyé une seule carte postale, il disait qu'il ne savait pas quoi écrire. Ses journaux de bord ne racontaient presque rien.

– Dans ce cahier-ci, il y a même des bouts de texte qui ressemblent à des poèmes.

– J'ai beaucoup de mal à le croire.

– Tu verras.

– De quoi est-il question ?

– Essentiellement de l'endroit vers lequel nous nous dirigeons.

– Muskö ?

– Hårsfjärden. Les sous-marins, le début des années 1980. À le lire, on le devine totalement obsédé par ces événements.

Sten Nordlander eut un geste en direction d'Utö.

– C'est là qu'on a chassé le sous-marin en 1980, dit-il.

– C'est ça. En septembre, un *Whiskey*, vraisemblablement russe, ou alors polonais.

Sten Nordlander plissa les yeux.

– Tu as étudié, ma parole !

Il passa la barre à Wallander et sortit du panier une Thermos et deux tasses. Wallander maintenait attentivement le cap qu'il lui avait indiqué. Un bateau des gardes-côtes fonçait sur eux ; ils se croisèrent. Sten Nordlander coupa les gaz et laissa le bateau dériver pendant qu'ils prenaient leur café en mangeant des tartines.

– Håkan n'était pas le seul à être en colère, dit-il. Nous étions nombreux à nous demander ce qui s'était produit exactement. Près de vingt ans s'étaient écoulés depuis l'affaire Wennerström. Mais il y avait beaucoup de rumeurs.

– À quel sujet ?

Sten Nordlander pencha la tête comme pour inviter Wallander à répondre lui-même à la question.

– Des espions ?

Nordlander acquiesça.

– Il n'était tout simplement pas normal que ces sous-marins aient toujours un temps d'avance sur nous. Ils agissaient comme s'ils connaissaient notre tactique, comme s'ils savaient où étaient nos mines, comme s'ils étaient même capables de suivre les discussions de nos chefs. La rumeur évoquait un espion encore plus haut placé que ne l'avait été Wennerström. N'oublie pas qu'à cette même époque en Norvège, un certain Arne Treholt sévissait dans le cercle même du gouvernement. Et le conseiller personnel de Willy Brandt avait été démasqué en tant qu'agent de la RDA. Chez nous, ces soupçons n'ont jamais été confirmés. Mais cela ne veut pas dire que ça n'existait pas.

Wallander se rappela les lettres X, Y et Z.

– Vous deviez bien penser à tel ou tel ?

– À en croire certains officiers de marine à l'époque, Palme lui-même aurait été un espion. Ça m'a toujours paru une thèse absurde. Mais le fait est que personne n'était à l'abri. En plus, nous étions affaiblis par un autre facteur.

– Lequel ?

– L'argent. Côté budget, on n'en avait que pour les armes robotisées et l'aviation. Pour la marine, c'était de plus en plus maigre. Beaucoup de journalistes de cette époque ont parlé avec mépris de nos « sous-marins budgétaires ». D'après eux, ces sous-marins étaient une pure invention destinée à attirer à nous la manne de l'État.

– T'est-il jamais arrivé de douter ?

– De quoi ?

– De l'existence des sous-marins.

– Jamais. Bien sûr qu'il y avait des sous-marins soviétiques à Utö.

Wallander sortit du sac le grand cahier noir. Il eut la nette impression que Sten Nordlander ne l'avait jamais vu. L'air perplexe, plein de curiosité, il s'essuya les mains et posa l'objet avec précaution sur ses genoux. Le vent se réduisait à une brise ridant à peine la surface de l'eau.

Nordlander le feuilleta lentement. De temps à autre, il levait la tête pour voir vers où dérivait le bateau. Puis il reprenait sa lecture. Après l'avoir entièrement parcouru, il le rendit à Wallander et secoua la tête.

– Ça m'étonne, dit-il. Et pourtant non, peut-être, en réfléchissant bien. Je savais que Håkan continuait à creuser ces vieilles histoires. Mais à ce point… Comment faut-il appeler ça ? Un journal intime ? Des mémoires privés ?

– Je crois qu'on peut le lire de deux manières. D'une part comme un récit. D'autre part comme une enquête inachevée.

– Pourquoi inachevée ?

Mais oui, pensa Wallander. Pourquoi est-ce que je dis ça ? C'est sans doute le contraire. Ce livre est un objet clos.

– Tu as raison. Il l'avait sans doute fini. Mais que croyait-il avoir atteint ?

– J'ai mis longtemps à comprendre combien de temps il consacrait à fouiller dans les archives, à éplucher les rapports, à lire les enquêtes et les livres publiés sur le sujet. Et il parlait à toutes sortes de gens. Parfois quelqu'un m'appelait et me demandait ce qu'il fabriquait. Je répondais juste qu'à mon avis, il tenait à savoir ce qui s'était réellement passé.

– Et ça déplaisait à certains…

– Je crois qu'il a fini par passer pour un type pas fiable. C'est tragique, parce que, dans toute la marine royale, il n'y avait personne de plus consciencieux ni de plus honnête que lui. Il n'en a jamais rien dit, mais cela a dû le blesser profondément.

Sten Nordlander souleva le capot du moteur, puis le referma.

– Comme un cœur qui bat, dit-il avec satisfaction. Autrefois j'ai travaillé en tant que chef mécanicien sur le *Småland* qui est, tu le sais peut-être, l'un de nos deux chasseurs de la classe Halland. Ça fait partie de mes souvenirs les plus marquants. Le *Småland* possédait deux turbines à vapeur de Laval capables de développer dans les soixante mille chevaux. Ce bâtiment, qui pesait trois mille cinq cents tonnes, on pouvait lui faire atteindre une vitesse de trente-cinq nœuds. Là, je peux te dire que ça allait vite. Là, on était contents d'être en vie.

– J'ai une question, dit Wallander. Et elle est très importante. Y a-t-il quelque chose dans ce que tu viens de voir dans ce cahier qui n'aurait pas dû y être ?

– Quelque chose de secret, tu veux dire? demanda Sten Nordlander en fronçant les sourcils. Non, je ne le crois pas.

– Quelque chose qui t'a surpris, alors ?

– Je n'ai pas lu en détail. Ses commentaires en marge, j'arrive à peine à les déchiffrer. Mais dans ce que j'ai lu, rien ne m'a fait réagir.

– Pourquoi il a éprouvé le besoin de cacher ce cahier ?

Sten Nordlander tarda à répondre. Il considérait pensivement la course d'un voilier au loin.

– Non, je ne vois pas, dit-il enfin. Je ne vois pas qui aurait pu être la personne qui ne devait pas y avoir accès.

Wallander aiguisa soudain son attention. Un détail, dans ce que venait de dire l'homme assis près de lui, était important. Mais il ne réussit pas à le capter, ça lui échappa. Il mémorisa ses paroles.

Sten Nordlander, qui avait rangé tasses et Thermos, mit les gaz en direction de Mysingen et de Hårsfjärden. Wallander se leva et vint se placer à son côté. Au cours des heures qui suivirent, Sten Nordlander lui fit une visite guidée de Hårsfjärden et de l'île de Muskö. Il lui montra avec force explications à quel endroit on avait largué les charges et par où le sous-marin avait pu s'échapper, *via* des champs de mines non activées. Sur une carte marine, Wallander pouvait visualiser parallèlement les différentes profondeurs et les nombreux écueils qui parsemaient le secteur. Il était évident que seul un équipage très entraîné, et encore, aurait été capable de naviguer en immersion dans le détroit de Hårsfjärden.

Quand il estima que Wallander en avait assez vu, Nordlander mit le cap vers un groupe d'îlots, dont certains n'étaient guère plus que des rochers, dans le détroit compris entre les îles d'Ornö et d'Utö. Au-delà, c'était la haute mer, ouverte jusqu'à l'horizon. Il choisit l'un des îlots et, d'une main sûre, manœuvra jusqu'à une petite anse ; le bateau alla s'aligner sagement le long de la paroi rocheuse.

– Cette crique, dit-il quand il eut coupé le moteur, il n'y a pas grand monde qui la connaît et c'est pourquoi personne ne vient m'y déranger. Tiens, attrape !

Wallander, qui avait sauté à terre pour amarrer le bateau, prit le panier qu'il lui tendait et le posa sur les rochers. Il inspira l'odeur de la mer mêlée à celle de la végétation qui poussait dans les failles. Il se sentit soudain comme un enfant, en expédition sur une île déserte.

– Comment s'appelle cette île ?

– Elle est trop petite pour avoir un nom.

Et, là-dessus, Sten Nordlander se débarrassa de sa combinaison. Nu comme un ver, il plongea. Wallander vit sa tête émerger de l'eau avant de disparaître à nouveau. Comme un sous-marin, pensa-t-il. Ça lui est égal qu'elle soit froide.

Nordlander escalada les rochers, sortit du panier une grande serviette rouge et se frictionna.

– Tu devrais essayer. Elle est bonne.

– Un autre jour. Combien de degrés ?

– Le thermomètre est derrière le compas. Tu n'as qu'à vérifier pendant que je me rhabille et que je mets la table.

Wallander dénicha le thermomètre, qui était muni d'un petit flotteur en caoutchouc, et le laissa quelques instants au bord d'un rocher avant de lire le résultat.

– Onze degrés, annonça-t-il en revenant vers Sten Nordlander. Trop froid pour moi. Tu te baignes aussi en hiver ?

– Non, mais je l'ai envisagé. Ça sera prêt dans dix minutes. Va faire un tour sur l'île. Qui sait, tu trouveras peut-être une bouteille à la mer laissée par un sous-marin russe…

Wallander se demanda s'il pouvait y avoir la moindre intention sérieuse dans ces paroles. Mais non, Sten Nordlander n'était pas homme à laisser planer des sous-entendus complexes.

Il s'assit sur un rocher d'où il avait vue sur l'horizon, ramassa quelques galets et les jeta à l'eau. Quand avait-il fait des ricochets pour la dernière fois ? Il se rappelait une visite à Stenshuvud avec Linda, quand elle était adolescente et prête à se cabrer au simple mot d'« excursion ». Ils s'y étaient exercés et elle s'était révélée être bien meilleure que lui. Et maintenant, pensa-t-il, elle est pour ainsi dire mariée. Un homme l'attendait quelque part, et c'était le bon. Et si ça n'avait pas été le cas, je ne serais pas assis sur ce bout de rocher aujourd'hui à regarder la mer en pensant aux parents disparus de ce garçon.

Un jour, il enseignerait à Klara l'art de lancer des galets le plus loin possible pour le plaisir de les voir sauter comme des grenouilles à la surface de l'eau avant de couler.

Il allait se lever, Sten Nordlander venait de l'appeler, quand il se ravisa brusquement et resta assis, son dernier galet encore à la main. Gris, petit – un fragment de la roche mère suédoise. Une association, d'abord confuse, puis de plus en plus claire, se dessinait dans son esprit.

Il resta assis si longtemps que Nordlander dut l'appeler une seconde fois. Alors il se leva et revint sur ses pas, sans lâcher son idée.

Ce soir-là, après avoir pris congé de Nordlander devant l'immeuble de Grevgatan, il se dépêcha de monter à l'appartement.

Il ne s'était pas trompé. Le galet qu'il avait vu sur la table de travail de Håkan von Enke lors de sa première visite n'était plus là.

Il était sûr de lui. Il y avait eu un galet sur cette table, et il n'y était plus.

14

L'excursion en mer l'avait fatigué. En même temps, elle avait suscité de nombreuses réflexions. Sur la disparition du galet, par exemple, mais aussi sur sa vigilance soudaine après la phrase de Nordlander : *Je ne vois pas qui aurait pu être la personne qui ne devait pas y avoir accès.*

Au fond, Håkan von Enke ne pouvait avoir qu'une seule raison de cacher son livre, et celle-ci pouvait se résumer en une phrase. *Ce dont il parlait était encore d'actualité.* Il ne fouillait pas le passé, il n'essayait pas de débusquer une vérité dormante. Ce qui s'était produit à l'époque avait des ramifications vivaces encore aujourd'hui.

Figé sur son canapé, Wallander ruminait cette question dans tous les sens. Il devait s'agir de personnes vivantes, encore actives. Sur une page de son cahier, von Enke avait dressé une liste de noms qui ne lui disaient absolument rien. À une exception près : celui d'un officier de marine qui avait beaucoup figuré dans les médias au cours de la chasse aux sous-marins des années 1980 : Sven-Erik Håkansson. Son nom était assorti d'une croix, d'un point d'exclamation et d'un point d'interrogation. Alors ? Ces annotations n'étaient pas le fruit du hasard, bien au contraire – même s'il s'agissait d'un langage secret qu'il n'avait pas réussi à déchiffrer.

Il ressortit le cahier et considéra la liste de noms : ces gens étaient-ils impliqués à un titre ou à un autre dans la lutte contre les intrus, ou étaient-ils, à l'inverse, soupçonnés ? Et soupçonnés de quoi ?

Soudain, il eut presque le souffle coupé. Il croyait enfin comprendre. *Håkan von Enke était à la recherche d'un agent russe au plus haut niveau.* Qui aurait fourni aux équipages les informations nécessaires pour duper leurs poursuivants suédois et même téléguider leurs interventions armées. Quelqu'un qui sévissait encore, qui n'avait pas été démasqué. C'était *lui* qui ne devait pas avoir accès aux documents, *lui* que craignait le vieux capitaine de frégate.

La silhouette de l'autre côté de la clôture. Håkan von Enke était-il sous surveillance ?

Wallander orienta la lampe de lecture près du canapé et parcourut une fois de plus l'épais cahier noir, en s'arrêtant sur les notes qui pouvaient désigner d'éventuels suspects. Peut-être était-ce aussi la réponse à une autre question, ou plutôt à sa sensation que quelqu'un avait fait le ménage dans les archives du bureau. Ce quelqu'un ne pouvait être que Håkan von Enke lui-même. Wallander pensa aux poupées russes. Von Enke n'avait pas seulement caché ses notes, il avait masqué leur véritable contenu.

Wallander finit par éteindre la lumière et s'allonger sous la couverture écossaise. Mais il ne put s'endormir. Mû par une impulsion, il se rhabilla et sortit. Dans les périodes de sa vie où la solitude était insupportable, il avait trouvé un réconfort dans les longues promenades nocturnes. Pas une seule rue d'Ystad qu'il n'ait arpentée une nuit ou l'autre… Mais là, il était à Stockholm ; il descendit jusqu'aux quais, longea Strandvägen sur sa gauche jusqu'au pont qui menait à l'île de Djurgården. La nuit d'été était tiède, il y avait encore du monde dehors, pas mal de gens ivres qui faisaient du tapage. Wallander se sentait un étranger indésirable rôdant parmi les ombres. Il longea le parc d'attractions de Gröna Lund puis s'enfonça parmi les arbres et ne fit demi-tour que parvenu devant le musée Thielska Galleriet, tout au bout de l'île, sur la pointe de Blockhusudden. Il ne pensait à rien de spécial, il marchait dans la nuit au lieu de dormir, voilà tout. De retour à l'appartement, il sombra dans le sommeil, son excursion avait eu l'effet escompté.

Le lendemain il prit la route, arriva en Scanie avant le soir, s'arrêta pour acheter de la nourriture et alla ensuite chercher Jussi – qui, fou de joie à sa vue, laissa des empreintes boueuses sur ses vêtements. Après avoir mangé et dormi une petite heure, il se rassit à la table de la cuisine avec le cahier noir. Il avait sorti sa loupe la plus puissante, offerte autrefois par son père quand, au début de l'adolescence, il s'était découvert une passion pour les insectes qui rampaient dans l'herbe. C'était l'un des rares cadeaux qu'il eût reçus de son père, en dehors de sa chienne, Saga, bien sûr, et il en prenait le plus grand soin. À présent, il s'en servait pour examiner le cahier noir, laissant de côté les textes et les notes pour se concentrer uniquement sur les photos.

L'une paraissait se détacher du lot. Cela ne l'avait pas frappé auparavant. Elle avait quelque chose d'un peu trop *civil.* Or rien ne figurait par hasard dans ce cahier. Håkan von Enke était un chasseur prudent, mais déterminé.

La photo, en noir et blanc, avait été prise dans ce qui ressemblait à une zone portuaire. À l'arrière-plan on distinguait un bâtiment sans fenêtres, vraisemblablement un entrepôt. La périphérie était floue, mais Wallander réussit avec l'aide de la loupe à identifier quelques cageots de pêche et l'arrière d'un semi-remorque. Le photographe avait fait la mise au point sur deux hommes, débout à côté d'un chalutier à l'ancienne. L'un n'était encore qu'un garçon, l'autre pouvait avoir l'âge d'être son père. Wallander devina que l'image avait été prise dans les années 1960. C'était l'époque des pulls tricotés maison, des vestes en cuir, des chapeaux de marin et des cirés jaunes. Le bateau était blanc avec des traces noires le long du bordé. Dans le dos de l'homme plus âgé, on apercevait un fragment du matricule. La dernière lettre était incontestablement un G. La première était cachée, celle du milieu pouvait être un R ou un T. Les chiffres étaient plus faciles à lire : 123. Wallander s'assit devant son ordinateur, se connecta à Internet et tenta de déterminer à partir de divers mots de recherche où ce chalutier avait pu être enregistré. Il découvrit assez vite que les possibilités se réduisaient à une seule : la combinaison de lettres était NRG. Le bateau était originaire de Norrköping, sur la côte est. Encore quelques recherches, et Wallander dénicha le numéro de téléphone de la Direction des pêches maritimes. Il le nota sur un bout de papier et retourna dans la cuisine. Le téléphone sonna au même moment. C'était Linda, qui voulait savoir pourquoi il ne l'avait pas appelée.

– Tu ne donnes aucune nouvelle, c'est normal que je m'inquiète !

– Non, dit Wallander. Je suis arrivé il y a deux heures, je pensais t'appeler demain.

– Non, je veux savoir, pour Signe. Et Hans encore plus que moi.

– Il est à la maison ?

– Non. Ce matin, je l'ai engueulé parce qu'il n'était jamais là. J'ai essayé de lui faire comprendre qu'un jour, moi aussi je reprendrai le travail. Que se passera-t-il ce jour-là ?

– Oui. Que se passera-t-il ?

– Il doit faire sa part du boulot. Allez, raconte !

Wallander essaya de rendre compte de sa rencontre avec la solitaire créature blonde repliée sur elle-même, mais il avait à peine commencé que Klara se mit à pleurer, et Linda fut obligée de raccrocher. Il lui promit de la rappeler le lendemain.

Dès son arrivée au commissariat le lendemain matin, il partit à la recherche de Martinsson pour savoir s'il était d'astreinte le week-end de la Saint-Jean. Martinsson était celui de ses collègues qui maîtrisait le mieux l'emploi du temps collectif avec toutes ses fluctuations, et il put le renseigner après quelques minutes : non, Wallander n'était pas censé travailler ce week-end-là, malgré les jours qu'il venait de prendre. Martinsson, lui, avait l'intention de participer avec sa fille cadette à un stage de yoga au Danemark.

– Je ne sais pas dans quoi on s'embarque, dit-il avec une certaine inquiétude. Est-ce que c'est vraiment raisonnable pour une fille de treize ans de faire du yoga ?

– C'est sûrement préférable à plein d'autres choses.

– Les deux aînées ne s'intéressaient qu'aux chevaux, c'était beaucoup plus tranquille. Mais celle-ci, la petite dernière… Elle est différente.

– Comme nous tous, répondit Wallander de façon énigmatique avant de quitter le bureau de Martinsson.

En composant le numéro qu'il avait noté la veille au soir, il obtint rapidement l'information que NRG 123 correspondait à l'immatriculation d'un pêcheur du nom d'Eskil Lundberg, domicilié sur l'île de Bokö, dans l'archipel sud de Gryt. Il essaya de le joindre dans la foulée ; un répondeur se déclencha et il laissa un message qui disait de le rappeler dès que possible.

Puis il appela Linda et ils reprirent la conversation interrompue la veille. Elle avait parlé avec Hans. Tous deux voulaient se rendre à Niklasgården pour rencontrer Signe. Wallander ne fut guère surpris d'entendre ça. Mais avaient-ils vraiment compris ce qui les attendait ? Qu'avait-il imaginé pour sa part ?

– Nous avons décidé de fêter la Saint-Jean, annonça-t-elle ensuite. Malgré l'inquiétude pour les parents de Hans, malgré l'angoisse, malgré tout ça. Nous pensions que cela te ferait plaisir.

– Volontiers, dit Wallander. Je suis très content. Quelle surprise.

Il alla chercher un café au distributeur qui, pour une fois, ne fit aucune difficulté. Puis il échangea quelques mots avec un collègue de la police technique qui venait de passer la nuit dans un marais où l'on supposait qu'une femme psychiquement instable avait mis fin à ses jours. Le collègue ne l'avait pas trouvée, mais en rentrant chez lui à l'aube, il avait découvert une grenouille dans l'une des nombreuses poches de sa combinaison. Sa femme n'avait pas été enchantée.

Wallander retourna dans son bureau et réussit à identifier un nouveau numéro dans son carnet d'adresses poisseux et illisible. C'était le dernier coup de fil qu'il avait l'intention de passer ce matin-là avant de laisser provisoirement de côté le couple disparu et de redevenir un commissaire de police en activité. On lui répondit aussitôt.

– Hans-Olov.

Wallander reconnut la voix faible, presque enfantine, du jeune professeur de géologie auquel il avait eu affaire quelques années plus tôt, et dont l'expertise s'était révélée déterminante pour établir quelle sorte de poussière minérale occupait le fond des poches d'un homme trouvé mort sur une plage près de Svarte. Après une analyse rapide et minutieuse, Hans-Olov Uddmark avait conclu à trois poussières différentes. Cela leur avait permis d'identifier le lieu du meurtre, qui n'était pas celui de la découverte du corps, et, par la suite, d'arrêter le coupable.

Wallander entendit à l'arrière-plan un haut-parleur annoncer un prochain vol.

– C'est Wallander. Tu es à l'aéroport ?

– Oui, à Kastrup. Je reviens d'un congrès de géologues au Chili. Il semblerait que ma valise se soit égarée en route.

– J'ai besoin de ton aide. Quelques cailloux que j'aimerais que tu compares.

– Volontiers. Est-ce que ça peut attendre demain ? Je ne supporte pas bien les longs voyages en avion.

Wallander se rappela qu'Uddmark avait pas moins de cinq enfants, malgré son jeune âge.

– Les cadeaux pour les petits n'étaient pas dans la valise, j'espère ?

– C'est pire que ça. Je rapportais plusieurs belles pierres.

– Travailles-tu toujours au même laboratoire ? Dans ce cas, je t'expédie mes cailloux dès aujourd'hui.

– Que veux-tu que je fasse, à part en déterminer la nature ?

– L'origine. Je veux savoir si l'un d'entre eux peut provenir des États-Unis.

– Plus précisément ?

– Des environs de San Diego, en Californie. Ou alors sur la côte Est, du côté de Boston.

– Je vais voir ce que je peux faire. Ça ne me paraît pas évident. Est-ce que tu as une idée du nombre de types de roches qui existent ?

Wallander répondit qu'il l'ignorait, exprima à nouveau ses regrets pour la valise égarée, raccrocha et se hâta de rejoindre une réunion matinale à laquelle il était censé participer. Quelqu'un avait laissé un mot sur son bureau avec la mention important. Il arriva le dernier dans la salle aux fenêtres grandes ouvertes, car la journée s'annonçait chaude. Il pensa au nombre de fois où il avait lui-même dirigé ce genre de réunion ; son soulagement n'était pas dénué d'ambivalence. Pendant toutes ces années, il avait rêvé du jour où il en serait déchargé. À présent, il lui arrivait de regretter de ne plus être celui qui impulsait la dynamique, triait les informations et répartissait les tâches.

Ce jour-là, la réunion était conduite par un certain Ove Sunde, débarqué l'année précédente de Växjö. Quelqu'un avait murmuré à l'oreille de Wallander qu'un divorce pénible et une enquête défaillante ayant donné lieu à une vive polémique dans le journal local *Smålandsposten* l'avaient poussé à demander sa mutation. Ove Sunde était originaire de Göteborg, et n'avait jamais cherché à masquer son accent. Il était jugé compétent, quoique un peu paresseux. D'après une autre rumeur, il se serait trouvé à Ystad une nouvelle compagne qui avait l'âge d'être sa fille. Wallander se méfiait des hommes qui recherchaient la compagnie de femmes trop jeunes. Ça finissait rarement bien et, en général, par un nouveau divorce déchirant.

Restait à savoir si sa propre solitude était plus enviable ? Il en doutait beaucoup.

Sunde commença son exposé. Il s'agissait de la femme du marais. Ce n'était pas un suicide, semblait-il, mais plutôt un meurtre car on avait découvert dans leur maison, située dans un petit village non loin de Marsvinsholm, le corps sans vie de son mari. Il y avait un hic : l'homme était venu quelques jours plus tôt au commissariat d'Ystad pour déclarer qu'il avait peur que sa femme ne veuille le tuer. Mais le policier qui avait enregistré la main courante ne l'avait pas pris au sérieux, dans la mesure où l'homme avait donné des informations contradictoires et ne paraissait pas être dans son assiette. Il s'agissait à présent de débrouiller l'écheveau au plus vite, sans laisser le temps aux médias de s'emparer de l'affaire et de monter en épingle la négligence de la police. Wallander s'irrita du ton autoritaire de Sunde. Le fait de craindre la réaction des médias et de l'avouer ouvertement était à ses yeux de la lâcheté pure et simple. Quand on avait commis une erreur, il fallait l'assumer.

Il pensa qu'il devrait le dire à voix haute, calmement mais fermement, sans s'énerver. Mais il s'abstint. Puis il vit que Martinsson lui souriait, de l'autre bout de la table. Il sait à quoi je pense, se dit-il. Et il est d'accord avec moi.

Après la réunion, ils partirent en voiture ensemble, Martinsson et lui, jusqu'à la maison où l'on avait trouvé le corps du mari. Photos à la main et protège-chaussures aux pieds, ils allèrent de pièce en pièce, accompagnés d'un collègue de la police technique. Wallander eut soudain une impression de déjà-vu, la sensation d'être déjà venu dans cette maison pour une *visite oculaire* – comme l'aurait dit Lennart Mattson – du lieu du crime. Il n'en était rien, naturellement ; c'était juste qu'il l'avait fait tant de fois, tant de fois... Quelques années plus tôt, il avait acheté en solde un livre sur une affaire criminelle qui remontait au début du XIXe siècle. En le lisant, distraitement d'abord, puis avec un intérêt croissant, il avait eu la sensation qu'il aurait pu entrer de plain-pied dans ce récit, enquêter aux côtés du commissaire rural sur le meurtre de ce couple de paysans pauvres de l'île de Värmdö, dans l'archipel de Stockholm. L'être humain restait semblable à lui-même, les crimes les plus répandus n'étaient que la répétition des crimes commis par les générations précédentes. En guise de mobile, en cherchant bien, on trouvait presque toujours l'argent ou la jalousie ; parfois aussi le désir de vengeance. Les commissaires ruraux, sergents de ville, officiers de paix et procureurs du passé faisaient déjà les mêmes observations. On avait acquis depuis une indéniable compétence technique pour constituer le faisceau d'indices. Mais la capacité d'observation, le regard personnel restaient déterminants.

Soudain, Wallander pila net au milieu de ces pensées. Il était entré dans la chambre du couple. Il y avait du sang au sol et sur tout un côté du lit. Mais ce qui venait de capter son intérêt était le tableau au mur, au-dessus des oreillers. Il représentait un paysage de forêt avec un coq de bruyère au premier plan. Martinsson apparut à ses côtés.

– Il est de ton père, n'est-ce pas ?

Wallander hocha la tête, puis la secoua, incrédule.

– Ça me surprend toujours autant à chaque fois...

– En tout cas, dit Martinsson, il n'avait pas à s'inquiéter des faussaires.

– Bien sûr. Artistiquement, c'est de la merde.

– Ce n'est pas ce que je voulais dire !

– Eh bien moi, je le dis. Où est l'arme ?

Ils ressortirent dans la cour, où la police avait monté un auvent de plastique pour abriter une grosse hache à fendre le bois, couverte de sang jusqu'en haut du manche.

– Y a-t-il un mobile ? Depuis combien de temps étaient-ils mariés ?

– Ils avaient fêté leurs noces d'or l'an dernier. Quatre enfants adultes, des petits-enfants en pagaille. Personne n'y comprend rien.

– L'argent ?

– D'après les voisins, ils étaient aussi économes l'un que l'autre, pour ne pas dire avares. Je n'ai pas encore de chiffre, on interroge la banque en ce moment. Mais ça fait sûrement une belle somme.

– On dirait qu'il y a eu lutte, dit Wallander après un moment de réflexion. Il a résisté. Si ça se trouve, elle était grièvement blessée en partant d'ici.

– Le marais n'est pas grand. Ils pensent la retrouver avant la fin de la journée.

Ils retournèrent au commissariat, abandonnant le lieu du crime à sa désolation. C'était, pensa Wallander, comme si le paysage d'été s'était transformé l'espace de quelques minutes en une image en noir et blanc. Après s'être balancé un peu dans son fauteuil, il composa à nouveau le numéro d'Eskil Lundberg. Cette fois, il tomba sur sa femme, qui lui expliqua que son mari était en mer. Wallander entendait des voix d'enfants à l'arrière-plan. Il devina qu'Eskil Lundberg était le jeune garçon de la photo.

– Il est en train de pêcher, je suppose…

– Et que ferait-il d'autre ? Un kilomètre et demi de filet. Si on veut pouvoir livrer à Söderköping tous les deux jours…

– Il pêche quoi, l'anguille ?

Elle répondit sur un ton presque vexé :

– S'il pêchait l'anguille, il aurait des nasses. Mais des anguilles, il n'y en a plus. Et du poisson tout court, il n'y en a presque plus non plus d'ailleurs.

– Il a gardé le bateau ?

– Lequel ?

– Le grand chalutier. NRG 123.

Wallander la sentit se raidir.

– Celui-là, il a essayé de le vendre il y a bien longtemps. Personne n'en voulait, alors il a fini par pourrir sur place. Le moteur, il l'a bradé cent couronnes. Pourquoi ?

– Je voudrais juste lui parler, dit Wallander aimablement. A-t-il un portable ?

– Oui, mais là où il est, il n'y a pas de réseau. Il vaut mieux réessayer quand il sera rentré. Dans deux heures.

– Entendu.

Il raccrocha avant qu'elle ait pu lui redemander ce qu'il voulait. Il se carra dans son fauteuil et posa les pieds sur la table. Il n'avait aucune réunion en vue, aucune tâche urgente. Il attrapa sa veste et quitta le commissariat, en passant par le garage pour plus de sûreté, au cas où quelqu'un chercherait à le coincer au dernier moment. Il se dirigea vers le centre-ville et sentit bientôt son pas s'alléger malgré lui. Il n'était quand même pas vieux à ce point. Tout n'était pas fini. Le soleil et la chaleur rendaient la vie beaucoup plus supportable.

Il déjeuna près de la place centrale, parcourut l'édition du jour d'*Ystads Allehanda* ainsi qu'un tabloïd. Puis il alla s'asseoir sur un banc de la place. Encore un quart d'heure à attendre. Où étaient Håkan et Louise en cet instant ? Étaient-ils vivants ? Avaient-ils mis en scène leur double disparition d'un commun accord ? Il songea au cas célèbre de l'espion Bergling, qui avait réussi à fuir en Union soviétique. Mais il avait du mal à trouver la moindre ressemblance entre l'austère capitaine de frégate et le vaniteux Bergling.

Wallander laissa aussi affleurer une autre pensée dont il reconnaissait à contrecœur qu'elle pouvait être décisive. Håkan von Enke rendait visite à sa fille ; il lui était à l'évidence très attaché. Aurait-il été prêt à la trahir, à l'abandonner, en disparaissant de la sorte ? Cela tendait plutôt vers l'hypothèse de sa mort.

Il existait une autre éventualité bien sûr. Wallander contemplait distraitement, sur la place, les gens qui fouillaient dans les bacs de vieux 33 tours disposés sur une table à tréteaux. Von Enke avait eu peur. Se pouvait-il malgré tout que celui ou ceux qu'il craignait l'aient rattrapé ? Il n'y avait aucune réponse, juste des questions qu'il devait essayer de formuler de façon aussi claire et précise que possible.

Quand le quart d'heure fut écoulé, il rappela Bokö. Un type éméché vint s'asseoir au même moment à l'autre extrémité du banc. Une voix d'homme répondit après plusieurs sonneries ; Wallander avait décidé d'être direct. Il dit son nom et qu'il était de la police.

– J'ai découvert une photographie dans un cahier appartenant à un homme du nom de Håkan von Enke. Ça te dit quelque chose ?

– Non.

Réponse rapide et assurée. Wallander crut sentir que l'autre était sur ses gardes.

– Connais-tu sa femme ? Louise ?

– Non.

– D'une manière ou d'une autre, vous vous êtes pourtant croisés. Dans ce cahier appartenant à Håkan von Enke, il y a une photographie où tu figures en compagnie d'un homme qui est probablement ton père, à côté d'un chalutier immatriculé NRG 123. C'était le sien, je suppose.

– Mon père l'a acheté à Göteborg au début des années 1960, à l'époque où ils commençaient à construire des bateaux plus gros et qui n'étaient plus en bois, ce qui a fait qu'il l'a eu pour pas cher. Il y avait encore beaucoup de harengs dans la Baltique en ce temps-là.

– Où la photo a-t-elle été prise ?

– Je ne sais pas de quelle photo tu parles, mais le bateau se trouvait à Fyrudden. Construit dans un chantier naval du sud de la Norvège, à Tönsberg, je crois. Le bateau s'appelait *Helga*.

– Qui a pris cette photo ?

– Si c'est à Fyrudden, ce devait être Gustav Holmqvist. Il avait un atelier de construction de bateaux. Quand il ne travaillait pas, il passait son temps à photographier.

– Ton père connaît-il Håkan von Enke ?

– Mon père est mort. Et il ne fréquentait pas ces gens-là.

– Que veux-tu dire ?

– Les nobles.

– Håkan von Enke est un marin. Comme ton père et comme toi.

– Je ne le connais pas. Mon père ne m'a jamais parlé de lui.

– Pourquoi aurait-il gardé cette photo s'ils ne se connaissaient pas ?

– Je n'en sais rien.

– Je devrais peut-être interroger Gustav Holmqvist. Tu as son numéro de téléphone ?

– Il n'en a pas. Il est mort depuis quinze ans. Sa femme aussi, leur fille aussi. Tout le monde est mort.

Cul-de-sac. Eskil Lundberg avait répondu à toutes ses questions. Mais disait-il toute la vérité ?

Il s'excusa du dérangement et resta assis après avoir raccroché, le téléphone à la main. Puis il vit que l'ivrogne s'était endormi. Soudain, il le reconnut. Plusieurs années auparavant, il avait arrêté ce type avec quelques autres pour une série de cambriolages commis dans des villas. En sortant de prison, il avait quitté Ystad. Mais il était manifestement de retour.

Wallander se leva et reprit le chemin du commissariat en repensant à la conversation qu'il venait d'avoir avec Lundberg. Celui-ci n'avait montré aucune curiosité. Était-ce de l'indifférence ? Ou savait-il déjà sur quoi il allait être interrogé ? Il continua à triturer mentalement leur échange, mais quand il ouvrit la porte de son bureau et se laissa tomber dans son fauteuil, il n'avait fait aucun progrès.

Martinsson passa la tête par l'entrebâillement de la porte.

– On l'a retrouvée.

Wallander le regarda sans comprendre.

– Qui ?

– La femme du marais. Celle qui a tué son homme à la hache. Evelina Andersson. J'y retourne. Tu viens ?

– J'arrive.

Il fouilla en vain dans sa mémoire. Il n'avait pas la moindre idée de ce dont lui parlait Martinsson.

Ils prirent la voiture de celui-ci. Wallander ne savait toujours pas où ils se rendaient ni pour quelle raison. Il sentit la panique l'envahir. Martinsson lui jeta un regard.

– Ça ne va pas ?

– Si, si.

Au sortir de la ville seulement, la mémoire lui revint. L'ombre dans sa tête était revenue. Sa peur ressemblait à de la rage.

– Et zut, dit-il. J'ai oublié que j'avais rendez-vous chez le dentiste.

Martinsson freina.

– Tu veux que je fasse demi-tour ?

– Non. Les collègues pourront me ramener.

Wallander ne prit même pas la peine de regarder la femme qu'on venait de tirer hors du marais. Une patrouille le ramena à Ystad. Il descendit devant le commissariat, remercia les collègues pour la course et monta dans sa propre voiture. Il avait des sueurs froides tant était puissant l'effroi que lui inspiraient ces pertes de mémoire inexpliquées.

Après un moment, il ressortit de sa voiture et retourna dans son bureau. Il avait pris la décision de parler à son médecin. Il lui décrirait ces absences, ces trous noirs qui se creusaient à l'improviste. Il venait de prendre place dans son fauteuil quand son portable émit le bip signalant la réception d'un SMS :

Les deux pierres suédoises. Aucune des côtes US. Hans-Olov.

Laconique et précis. Wallander, immobile dans son fauteuil, ne mesurait pas encore la teneur de cette information. Mais il était maintenant certain qu'il y avait un problème.

Et cette sensation d'être tout près d'une information décisive. Mais laquelle ? Il n'en savait rien.

Pas plus qu'il ne savait si les époux Enke s'éloignaient de lui.

Ou s'ils se rapprochaient peu à peu au contraire.

15

Quelques jours avant la Saint-Jean, Wallander reprit la route vers le nord en longeant la Baltique. Après Västervik, il faillit entrer en collision avec un élan ; il resta longtemps sur un parking, le cœur battant, à penser à Klara, avant de trouver la force de poursuivre. Son voyage le mena devant un café où bien des années auparavant, à bout de forces, il avait dormi dans une chambre de service. Plusieurs fois au fil des ans, il avait repensé avec une nostalgie pleine de désir à la femme qui tenait ce café. Au lieu de dépasser l'endroit sans ralentir, cette fois il s'arrêta. Mais il ne sortit pas de sa voiture. Les mains nouées sur le volant, il hésitait. Puis il redémarra et continua vers le nord. Il savait, bien sûr, pourquoi il s'était enfui de la sorte. Il avait peur de découvrir quelqu'un d'autre derrière la caisse ; peur d'être obligé d'admettre que, dans ce café aussi, le temps avait passé et qu'il ne retrouverait jamais ce qu'il y avait laissé.

Il n'était même pas onze heures quand il parvint au port de Fyrudden car il avait roulé beaucoup trop vite, comme d'habitude. En sortant de la voiture, il vit que l'entrepôt était toujours au même endroit que sur la photo, même s'il avait été entre-temps rénové et équipé de fenêtres. En revanche il n'y avait plus de cageots de pêche, pas plus que de chalutiers à quai. Le bassin portuaire était rempli de bateaux de plaisance. Wallander laissa la voiture devant la maison rouge des gardes-côtes, alla acquitter la taxe de stationnement à la capitainerie et s'avança sur la jetée.

Ce voyage était comme un jeu de roulette. Il n'avait pas prévenu Eskil Lundberg de son arrivée. S'il l'avait appelé de Scanie, il était certain que Lundberg aurait refusé de le voir. Mais s'il l'attendait à côté de chez lui ? Il s'assit sur un banc et composa le numéro en pensant : « Ça passe ou ça casse. » S'il avait eu un blason d'aristocrate, s'il avait été un *von Wallander*, il en aurait fait sa devise. Il avait toujours été comme ça. Il écouta résonner les sonneries en espérant que ça passerait.

Lundberg décrocha.

– C'est Wallander. On s'est parlé il y a une semaine.

– Que veux-tu ?

S'il était surpris, il le cachait bien. Il faisait partie de ces gens enviables qui sont toujours prêts à tout, disposés à avoir au téléphone un fou, un roi ou, pourquoi pas, un policier d'Ystad.

Wallander se lança.

– Je suis à Fyrudden. J'espère que tu as un moment pour me voir.

– Et qu'est-ce que j'aurais à te dire que je ne t'ai pas dit la dernière fois ?

En cet instant, toute l'expérience cumulée de Wallander lui apprit que Lundberg avait précisément des choses à lui apprendre. Il prit sa voix la plus calme.

– Je pense que nous devons avoir une conversation.

– Ça veut dire que je vais être interrogé ?

– Non. Je veux juste discuter avec toi et te montrer la photo dont je t'ai parlé.

Lundberg réfléchit.

– Je passe te chercher dans une heure, dit-il enfin.

Wallander consacra ce temps à déjeuner à la cafétéria du port, avec vue sur les îles et, au-delà, sur la mer. Une carte marine sous verre ornait le mur de la salle : l'île de Bokö était au sud. Wallander suivait du regard avec une vigilance particulière les bateaux qui venaient de cette direction. Il s'imaginait que le bateau de Lundberg ressemblerait, du moins dans les grandes lignes, au Peterson de Sten Nordlander. Mais il se trompait. Eskil Lundberg arriva dans un hors-bord en plastique rempli de seaux et de casiers chargés de filets. Il l'amarra, puis regarda autour de lui. Wallander lui fit signe, s'approcha, monta dans l'embarcation – manquant s'étaler à cause du fond glissant – et ils se serrèrent la main.

– Je pensais t'emmener chez moi, dit Lundberg. Il y a trop d'inconnus ici à mon goût.

Il manœuvra sans attendre la réponse et se dirigea vers l'entrée du port à une vitesse beaucoup trop élevée au goût de Wallander. Un homme assis dans le cockpit d'un voilier à quai les regarda passer avec un mécontentement manifeste. Le bruit du moteur empêchait toute conversation. Wallander, qui s'était installé à l'avant, voyait défiler à toute allure îles boisées et rochers lisses. Ils traversèrent un détroit – vraisemblablement celui de Halsösundet, que Wallander avait vu sur la carte de la cafétéria – et continuèrent ensuite vers le sud. Les îles étaient encore très rapprochées, on ne voyait la mer que par intermittence. Lundberg portait un pantalon coupé, des bottes et un tee-shirt qui proclamait : *Je brûle mes ordures moi-même*. Quel étrange slogan, pensa Wallander. Il lui donnait la cinquantaine ou un peu plus. Il pouvait être le garçon de la photo prise dans les années 1960.

Ils approchèrent d'une crique bordée de chênes et de bouleaux ; Lundberg manœuvra, fit entrer le hors-bord dans un abri pour bateaux qui sentait le goudron et d'où entraient et sortaient des hirondelles. Wallander remarqua deux fours à fumer le poisson à côté de la remise.

– Ta femme m'a raconté qu'il n'y avait plus d'anguilles. C'est vrai ?

– C'est pire. Bientôt, il n'y aura plus de poissons du tout.

La maison, peinte en rouge et à deux étages, avait été construite au creux d'une combe à une centaine de mètres du bord de l'eau. Des jouets en plastique étaient éparpillés dans l'herbe. La femme de Lundberg, Anna, vint le saluer. Très réservée, comme lorsqu'il lui avait parlé au téléphone.

Une radio diffusait de la musique à faible volume dans la cuisine, qui sentait le poisson et les pommes de terre bouillies. Anna Lundberg posa une cafetière fumante sur la table et sortit. Elle avait à peu près le même âge que son mari et aussi, pensa Wallander, une certaine ressemblance physique avec lui.

À peine était-elle sortie qu'un chien fit irruption dans la pièce. Un beau cocker. Wallander le caressa pendant que Lundberg versait le café.

Puis il posa la photo sur la toile cirée. Lundberg chaussa les lunettes qu'il gardait dans sa poche, jeta un coup d'œil à l'image puis la repoussa.

– Ce devait être en 1968 ou 1969. À l'automne, je dirais.

– Comment se fait-il que je l'aie trouvée dans les papiers de Håkan von Enke ?

Lundberg le regarda droit dans les yeux.

– Je ne sais pas qui est ce Håkan von Enke.

– Un officier de marine. Capitaine de frégate. Ton père a-t-il pu le connaître ?

– C'est possible. Mais j'en doute.

– Pourquoi ?

– Les militaires, ce n'était pas trop son truc.

– Tu es sur la photo, toi aussi.

– Même si je le voulais, je ne pourrais pas répondre à tes questions.

Wallander décida de s'y prendre autrement.

– Est-ce que tu es né sur l'île ?

– Oui. Comme mon père. Je suis la quatrième génération.

– Quand est-il mort ?

– En 1994, d'une attaque, pendant qu'il remontait ses filets. Comme je ne le voyais pas revenir, j'ai appelé les gardes-côtes. C'est Lasse Åman qui l'a trouvé. Il dérivait vers

Björkskär. Mais je crois bien qu'il aurait eu envie de mourir comme ça, de toute façon.

Son ton, crut percevoir Wallander, trahissait une relation pas tout à fait heureuse avec son père.

– Est-ce que tu as toujours vécu ici ?

– Non, ça n'aurait pas été possible. On ne peut pas être le larbin de son propre vieux. Surtout quand il veut toujours décider de tout et avoir raison quoi qu'il arrive. Même quand il a complètement tort. Et pas seulement en mer.

Eskil Lundberg rit.

– Je me rappelle une émission télé qu'on regardait un soir, où on posait des questions aux gens. La question portait sur le pays européen frontalier du rocher de Gibraltar. Il a dit que c'était l'Italie, moi l'Espagne. Quand il a compris que j'avais eu raison, il a éteint le poste et il est allé se coucher. Il était comme ça.

– Tu es donc parti vivre ailleurs ?

Eskil Lundberg pencha la tête sur le côté.

– C'est important ?

– Peut-être.

– Raconte-moi l'histoire encore une fois, pour que je comprenne. Quelqu'un a disparu, c'est ça ?

– Deux personnes. Le mari et la femme. Et j'ai découvert cette photo dans un cahier appartenant à l'homme, le capitaine de frégate.

– Ils habitent Stockholm, d'après ce que tu m'as dit. Et toi, tu es d'Ystad. Comment ça peut coller ?

– Ma fille doit bientôt épouser leur fils. Ils ont un enfant ensemble. Ce sont donc les futurs beaux-parents de ma fille qui ont disparu.

Eskil Lundberg hocha la tête et parut soudain un peu moins méfiant.

– J'ai quitté l'île après l'école. J'ai trouvé du travail dans une usine près de Kalmar. J'ai vécu là-bas un an. Puis je suis revenu. Pour la pêche. Mais je n'arrivais pas à m'entendre avec lui. Si on ne faisait pas exactement comme il voulait, il se mettait en rogne. Alors je suis reparti.

– Au même endroit ?

– Non, vers l'est. L'île de Gotland. J'ai travaillé à l'usine de ciment de Slite pendant vingt ans, jusqu'à ce que le vieux tombe malade. C'est là-bas que j'ai rencontré ma femme. On a eu deux enfants. Quand on est revenus ici, il était déjà au bout du rouleau. Ma mère était morte, ma sœur s'était installée au Danemark, alors il n'y avait que ma femme et moi pour reprendre l'exploitation. Ce n'est pas rien : on a du terrain, des eaux de pêche, trente-six îlots, des milliers de rochers.

– Autrement dit, tu n'étais pas ici au début des années 1980 ?

– Une semaine l'été, c'est tout.

– Peut-on envisager que ton père ait eu des contacts avec un officier de marine sans que tu en sois informé ?

Eskil Lundberg secoua la tête avec énergie.

– Ça ne colle pas avec ses opinions. D'après lui, on aurait dû supprimer toute la marine suédoise, les appelés comme les autres, et en particulier leurs supérieurs.

– Pourquoi ?

– Ils étaient partout, avec leurs manœuvres et leurs exercices. Nous avons un ponton, de l'autre côté de l'île ; le chalutier était amarré là-bas. Deux automnes d'affilée, le remous des bâtiments militaires l'a détruit, les caissons de pierre ont été arrachés. Et, bien sûr, zéro dommages et intérêts. Le vieux a écrit pour se plaindre, mais il n'a rien obtenu. Plusieurs fois, sur les îles, il est arrivé que les équipages se débarrassent de leurs restes de nourriture dans les puits. Quand on sait ce que représente un puits pour les habitants des îles, on ne fait pas ça. Mais il y avait aussi autre chose.

Eskil Lundberg parut hésiter. Wallander attendit, comme le renard patient qu'il était.

– Peu avant de mourir, il était couché à peu près tout le temps et là, il m'a parlé d'un truc qui remontait au début des années 1980. Il était devenu moins méchant vers la fin, si on veut. Il avait sans doute compris que c'était quand même moi qui allais prendre la relève.

Eskil Lundberg se leva et sortit. Ne le voyant pas revenir, Wallander pensa qu'il n'en dirait peut-être pas plus finalement, mais il reparut au même moment, tenant ce qui ressemblait à de vieux cahiers.

– Ce sont ses agendas. Il notait la prise du jour et la météo, mais aussi s'il y avait eu des événements particuliers. Je cherchais celui de 1982. Le 19 septembre. Regarde.

Il tendit l'agenda à Wallander. Une main avait tracé cinq mots d'une calligraphie consciencieuse. *Presque envoyé par le fond.*

– Qu'est-ce que ça veut dire ?

– C'est justement ce qu'il m'a raconté. Au début, j'ai cru qu'il devenait gaga. Mais c'était trop détaillé. Ça ne pouvait pas être arrivé juste dans son imagination.

– Prends l'histoire par le commencement. Cet automne 1982 m'intéresse.

Eskil Lundberg repoussa sa tasse comme s'il avait besoin de place pour raconter.

– Il pêchait avec le chalutier à l'est de Gotland quand c'est arrivé. Le bateau a commencé à gîter. Brutalement, une grosse secousse dans les filets ; il n'a rien compris, sauf que quelque chose s'était pris dedans. Il s'est tout de suite méfié, car dans sa jeunesse ça lui était arrivé de remonter des grenades sous-marines. Lui et les deux autres gars qui étaient à bord ont tenté de dégager le bateau à coups de couteau. Puis ils ont découvert que le bateau avait viré et que le chalut s'était détaché du fond. Ils ont réussi à le remonter et c'est là qu'ils ont ramené à la surface un cylindre d'acier long d'un mètre à peu près. Ce n'était pas une grenade ni une mine ; ça ressemblait plutôt à une pièce provenant de la machinerie d'un bateau. Le cylindre était lourd et ne donnait pas l'impression d'être resté longtemps dans l'eau. Ils ont essayé de deviner son emploi. De retour à la maison, mon vieux a continué à examiner le cylindre. Impossible de découvrir à quoi il avait bien pu servir. Il l'a rangé dans un coin et il s'est concentré sur la réparation du chalut. C'était quelqu'un d'avare, il ne voulait rien jeter. Mais il y a une suite.

Eskil Lundberg attira à lui l'agenda et le feuilleta jusqu'à la date du 27 septembre. À nouveau, il montra la page à Wallander. *Ils cherchent.* Ces deux mots, rien d'autre.

– Il avait presque oublié le cylindre quand soudain il a commencé à voir arriver des bâtiments de la marine et où ça ? À l'endroit précis où il avait remonté son chalut avec l'engin emmailloté dedans. Il pêchait souvent à cet endroit, à l'est de Gotland. Il a tout de suite compris que ce n'était pas un exercice ordinaire. Les bateaux restaient sur place ou se déplaçaient bizarrement, en cercles de plus en plus serrés. Il n'a pas mis longtemps à comprendre ce qui se passait.

Eskil Lundberg referma l'agenda et regarda Wallander.

– Ils cherchaient un truc qu'ils avaient perdu. Ni plus ni moins. Mais lui, il n'avait pas la moindre intention de leur rendre le cylindre, à ces abrutis qui lui avaient esquinté son chalut. Il a donc continué à pêcher en faisant semblant de rien.

– Qu'est-il arrivé ensuite ?

– La marine a gardé des bateaux et des plongeurs sur place tout au long de l'automne. Les derniers sont partis en décembre. Des rumeurs ont circulé comme quoi un sous-marin avait coulé. Mais il n'y avait pas assez de profondeur pour un sous-marin à l'endroit où ils cherchaient. Les militaires n'ont jamais récupéré leur engin, et mon père n'a jamais compris à quoi il était censé servir. Mais il était content d'avoir pris sa revanche, tu comprends ? Pour son ponton et son chalut amochés. C'est pour ça que j'ai du mal à l'imaginer en copain d'un officier de marine.

Un silence tomba sur la cuisine. Le chien se grattait. Wallander essayait de comprendre quelle part pouvait avoir

Håkan von Enke dans l'histoire qui venait de lui être racontée.

– Je crois qu'il y est toujours d'ailleurs, ajouta distraitement Lundberg.

Wallander crut avoir mal entendu, mais l'autre s'était déjà levé.

– Le cylindre, dit-il. Je crois qu'il est toujours dans la remise.

Ils quittèrent la maison, précédés par le chien, truffe au ras du sol. Le vent s'était levé. Anna Lundberg suspendait du linge à un fil tendu entre deux vieux cerisiers. Les taies d'oreiller blanches claquaient au vent. Derrière l'abri pour bateaux, il y avait une petite remise perchée sur les rochers. Wallander pénétra dans un espace saturé d'odeurs ; une ampoule nue brillait au plafond ; il vit une antique foène à anguilles accrochée à un mur. Eskil Lundberg s'était accroupi dans un coin devant un fouillis de cordages emmêlés, d'écopes cassées, de vieux flotteurs de liège et de filets pleins de trous. Lundberg cherchait dans ce fatras comme s'il partageait l'énervement paternel à propos de ces sagouins de militaires. Pour finir il se releva, s'écarta et désigna un objet à Wallander. Oblong, en acier gris, on aurait dit un étui à cigare géant, long d'un mètre, avec un diamètre de vingt centimètres à peu près. Un couvercle entrouvert, à une extrémité, laissait voir un enchevêtrement de relais et de câbles électriques.

– On peut le sortir de là, dit Lundberg. Si tu m'aides.

Ils descendirent l'objet jusque sur le ponton. Le chien arriva aussitôt et entreprit de le flairer. Quelle pouvait être la fonction de ce truc ? Wallander ne pensait pas que ce soit une pièce de machinerie. Plutôt quelque chose en lien avec un radar, ou peut-être avec le système de mise à feu de mines ou de torpilles.

Il s'accroupit et chercha un numéro de série ou l'indication du lieu de fabrication, mais ne trouva rien. Le chien, pendant ce temps, essayait de lui lécher la figure ; Lundberg finit par le chasser.

– C'est quoi, à ton avis ? demanda Wallander en se relevant.

– Je n'ai pas plus d'idée que le vieux. Ça ne lui plaisait pas, et à moi non plus. On se ressemblait pour ça. Il aimait bien avoir des réponses à ses questions.

Eskil Lundberg réfléchit.

– Moi, il ne me sert à rien, dit-il ensuite. Mais toi, tu le veux peut-être ?

Wallander mit un instant à comprendre qu'il parlait du cylindre à leurs pieds.

– Volontiers, dit-il en pensant aussitôt que Sten Nordlander, lui, saurait peut-être ce que c'était.

Ils le hissèrent dans le hors-bord ; Wallander défit l'amarrage, Lundberg mit le cap vers l'est, le détroit séparant Bokö et l'île qu'on appelait Björkskär. Ils dépassèrent une autre île où Wallander aperçut une maison solitaire au milieu d'un petit bois.

– C'est un vieux cabanon de chasse, dit Lundberg. Mon père s'en servait avec ses copains quand ils partaient chasser l'oiseau de mer. Mais il y allait aussi quand il voulait rester seul. Boire tranquille, tu comprends ? C'est une bonne cachette quand on a envie de débarrasser le plancher pendant quelques jours.

Quand ils furent à quai, Wallander approcha sa voiture en marche arrière ; ensemble ils déchargèrent le cylindre et le déposèrent sur la banquette arrière.

– Il y a un truc qui me turlupine, dit Eskil Lundberg. Tu disais que la femme avait disparu aussi mais que ça ne s'était pas passé en même temps, c'est ça ?

– Oui. Håkan von Enke a disparu en avril et sa femme il y a quelques semaines.

– C'est vraiment bizarre. Qu'est-ce qui leur est arrivé, à ton avis ?

– Tout est possible. Nous ne savons rien.

Eskil Lundberg secoua la tête. Wallander pensa qu'il avait une attitude décidément farouche. Mais les gens devenaient sans doute ainsi à force de vivre isolés sur des îles. Quand l'hiver était rude, ils pouvaient être carrément coupés du monde.

– Reste la question de la photographie, dit Wallander.

– Je ne peux rien te dire là-dessus.

Lundberg avait-il réagi trop vite ? Wallander se demanda soudain, de façon purement intuitive, si c'était vrai. Ou si l'autre lui cachait malgré tout quelque chose.

– Ça te reviendra peut-être, dit-il. On ne sait jamais. Les souvenirs peuvent surgir à l'improviste.

Wallander le regarda manœuvrer ; ils levèrent la main, un dernier salut, puis le bateau rapide disparut en direction de Halsö.

Pour le retour, Wallander choisit un autre itinéraire qu'à l'aller. Il voulait éviter de repasser devant le petit café.

Il arriva chez lui fatigué, affamé, et décida d'attendre le lendemain avant de récupérer Jussi chez les voisins. Au loin, il entendait gronder l'orage. Il avait plu ; l'herbe embaumait.

Il ouvrit la porte, ôta sa veste, envoya valser ses chaussures.

Soudain il retint son souffle, aux aguets. Il n'y avait personne, rien n'avait changé. Pourtant il savait que quelqu'un était venu en son absence. En chaussettes, il se faufila dans la cuisine. Il n'y avait aucun mot sur la table. Linda, elle, aurait laissé un message. Il alla dans le séjour. Fit lentement le tour de la pièce.

Il avait eu de la visite.

Enfilant ses bottes, il ressortit dans la cour et contourna la maison.

Quand il eut la certitude que personne ne l'observait, il entra dans le chenil, s'accroupit devant la niche de Jussi et en tâta l'intérieur. Ce qu'il y avait laissé était toujours là.

16

La boîte en fer-blanc était un héritage de son père. Plus exactement, il l'avait trouvée parmi les pots de couleurs, les pinceaux, les châssis au rebut, tout le fatras qui encombrait l'atelier paternel. En y faisant le ménage après sa mort, il avait eu les larmes aux yeux. L'un des plus vieux pinceaux avait été fabriqué pendant la guerre. En 1942, c'était marqué dessus. Voilà quelle avait été la vie de son père : des pinceaux rageusement jetés dans les coins où ils s'étaient entassés année après année, de plus en plus nombreux. Wallander avait déjà bien avancé dans son rangement et rempli un certain nombre de grands sacs-poubelle – perdant finalement patience et attrapant son téléphone pour louer une benne – quand soudain il était tombé sur la boîte. Elle était vide et rouillée, mais il la reconnut tout de suite. Quand il était petit, cette boîte avait contenu les jouets de son père. Des jouets très anciens, de beaux soldats de plomb peints avec art. Il y avait eu aussi une cuiller à fondre le plomb et des moules en plâtre. Et des pièces de Meccano.

Il ignorait où les jouets avaient bien pu passer. Il fouilla en vain chaque recoin de la maison et de l'atelier. Il chercha même dans le tas de ferraille à l'aide d'une pelle et d'une fourche, mais ne trouva rien. La boîte en fer-blanc avait bel et bien été vidée et Wallander y vit un symbole. Un héritage auquel il pouvait désormais réserver l'usage qu'il voulait. Il la nettoya, enleva le plus gros de la rouille avec une brosse métallique et la rangea ensuite dans sa cave de Mariagatan. La boîte s'était rappelée à son souvenir lors du déménagement. Il l'avait emportée dans sa nouvelle maison. Et voilà qu'à présent il venait de lui découvrir un emploi, après s'être demandé dans quel lieu sûr il pourrait bien ranger le cahier noir découvert dans la chambre de Signe. D'une certaine manière, pensa-t-il, il lui appartenait : c'était *le Livre de Signe*, contenant peut-être le secret de la disparition de ses parents.

Il avait ensuite caché la boîte dans la niche, sous les planches qui servaient de couche à Jussi. Cela lui avait paru être le meilleur endroit. Il fut soulagé de constater que la boîte et son contenu étaient toujours là et, dans la foulée, décida d'aller chercher son chien tout de suite. La ferme des voisins se trouvait de l'autre côté des champs de colza moissonnés pendant son absence. Il longea les fossés, puis un chemin de traverse, échangea quelques mots avec le voisin qui réparait son tracteur, et alla ensuite récupérer Jussi qui sautait sur place et tirait comme un fou sur sa chaîne, dans la cour. De retour chez lui, il traîna le cylindre dans la maison, étala des journaux sur la table de la cuisine, hissa le cylindre sur la table et entreprit de l'examiner. Avec précaution. Peut-être l'objet était-il dangereux ? Prudemment il dégagea l'écheveau des fils, câbles, relais, fiches et contacts divers et vit que, dessous, une sorte de dispositif de fixation avait été arraché. Il chercha de nouveau, en vain, un numéro de série ou un indice révélant le lieu de fabrication de l'engin ou l'identité de son propriétaire. Puis il interrompit son démontage pour se préparer à dîner – une omelette qu'il améliora avec une boîte de champignons et mangea devant la télé, en suivant distraitement un match de football et en essayant de ne plus penser au cylindre ni aux disparus. Jussi vint s'allonger à ses pieds. Wallander l'autorisa à lécher les restes de l'omelette ; il vit l'une des équipes marquer un but, Dieu sait qui étaient les joueurs ; puis il sortit avec son chien. C'était une belle soirée d'été. Il s'assit sur l'un des fauteuils de jardin peints en blanc qu'il avait installés côté ouest avec vue sur le soleil couchant qui, précisément, se couchait à l'horizon.

Il se réveilla en sursaut, surpris de s'être endormi. Près d'une heure d'absence au monde. Il avait la bouche sèche et retourna à l'intérieur pour mesurer sa glycémie. Elle était beaucoup trop élevée : 15,2. Il fut assailli par l'inquiétude. Il obéissait pourtant aux médecins, mangeait correctement, faisait ses promenades, prenait ses cachets, n'oubliait pas ses injections. Que faire ? Sans doute forcer davantage sur les médicaments ; augmenter les doses d'insuline qu'il apportait à heures fixes à son organisme.

Un court instant, il resta assis au coin de la table de la cuisine, où il venait de se piquer le bout du doigt. Le découragement, l'impuissance, la peur de vieillir le terrassèrent une fois de plus. Et aussi, tout particulièrement, l'inquiétude causée par ses pertes de mémoire intempestives. Me voilà en train de démonter ce cylindre, pensa-t-il, alors que je devrais être auprès de ma fille et de ma petite-fille.

Il fit ce qu'il avait l'habitude de faire dans ces cas-là. Il se versa une solide rasade d'aquavit et vida le verre d'un trait. Un grand coup à boire, pas plus, pas deux, pas davantage. Puis il examina de nouveau le cylindre, avant de se dire que ça suffisait comme ça. Il fit couler un bain et alla se coucher avant minuit.

Tôt le lendemain matin, il appela Sten Nordlander. Celui-ci était en mer et s'engagea à le rappeler quand il serait au port, dans moins d'une heure.

– Il s'est passé quelque chose ? cria-t-il.

La transmission était aussi mauvaise que d'habitude.

– Oui ! cria Wallander en retour. On ne les a pas retrouvés, mais j'ai fait une découverte.

À sept heures trente, le téléphone sonna ; c'était Martinsson, pour lui rappeler l'ordre du jour. Un gang de motards s'apprêtait à acheter une propriété près d'Ystad et le chef avait décidé une réunion. Wallander promit d'être là à dix heures.

Il n'avait pas l'intention de dire à Sten Nordlander d'où il tenait le cylindre. Sa maison avait été visitée en son absence et il avait décidé de ne se fier à personne, du moins pas sans conditions. Bien sûr, l'intrus pouvait avoir des motifs sans aucun rapport avec Håkan et Louise von Enke. Mais dans ce cas : lesquels ? Dès son réveil, il avait fouillé la maison. L'une des fenêtres qui donnait à l'est – celle de la pièce où il avait installé un lit d'appoint qui ne servait jamais – était fixée en position entrouverte avec l'entrebâilleur. Il était certain de ne pas avoir fait cela lui-même. On pouvait s'être introduit par là. Mais pourquoi n'avait-on rien pris ? Il ne voyait que deux cas de figure. Soit la personne n'avait pas trouvé ce qu'elle cherchait. Soit elle avait voulu au contraire laisser quelque chose. Il se faufila sous les lits, regarda sous les fauteuils, déplaça les canapés, retourna les tableaux et ouvrit ses livres, mais rien n'avait apparemment été enlevé ni ajouté. Au bout d'une heure, juste avant que Sten Nordlander ne le rappelle, il interrompit ses recherches. Il pourrait peut-être en parler à Nyberg, le chef de la police technique à Ystad, lui demander de chercher un éventuel micro. Puis il renonça. Ça entraînerait trop de questions, trop de rumeurs.

Sten Nordlander le rappela comme promis et annonça qu'il était à présent assis sur une terrasse, à Sandhamn, devant un café.

– Je suis en route vers le nord, dit-il. Härnösand, puis la côte finlandaise, et retour par l'île d'Åland. Deux semaines de vacances, tout seul avec le vent et les vagues.

– Tu n'en as donc jamais assez de la mer ?

– Jamais. Qu'as-tu trouvé ?

Wallander lui décrivit le cylindre. Avec un mètre pliant – celui de son père, couvert de taches de peinture –, il avait noté la longueur exacte et le diamètre.

– Où l'as-tu découvert ? demanda Sten Nordlander quand il eut fini.

– Dans la cave de Håkan et Louise, mentit Wallander. Tu as une idée ce que ça peut être ?

– Non. Mais je vais y réfléchir. Dans leur cave ?

– Oui. Tu n'as jamais vu d'objet de ce genre ?

– Les cylindres ont des qualités aérodynamiques et marines qui les rendent utiles dans plein de contextes. Mais celui que tu me décris, précisément – non, ça ne me dit rien. Tu as essayé d'ouvrir un câble ?

– Non.

– Fais-le. Ça peut nous en apprendre plus.

Wallander alla chercher un couteau et trancha avec précaution l'une des gaines noires. Il découvrit à l'intérieur des câbles encore plus fins, semblables à des fils. Il décrivit ce qu'il avait sous les yeux.

– Dans ce cas, ce sont plutôt des câbles de connexion, dit Nordlander. Un truc qui sert aux communications. Je ne peux pas t'en dire plus. Je dois me renseigner.

– Rappelle-moi quand tu auras la réponse.

– C'est curieux qu'il n'y ait pas de lieu de fabrication. D'habitude c'est gravé dans l'acier en même temps que le numéro de série. On peut se demander comment il a atterri là – comment Håkan se l'est procuré…

Wallander vit à l'horloge qu'il devait se rendre au commissariat s'il ne voulait pas être en retard à la réunion, pendant que Sten Nordlander lui décrivait avec dégoût un grand yacht de plaisance qui entrait au même moment dans le port.

La réunion sur le gang de motards dura presque deux heures. Wallander s'exaspéra de la lenteur de Lennart Mattson, de son incapacité à faire avancer le débat et à tirer les conclusions pratiques qui s'imposaient. À la fin, n'y tenant plus, il l'interrompit et déclara qu'il devrait tout de même être possible d'empêcher cette transaction en s'adressant directement au propriétaire. Une fois le compromis de vente annulé, on pourrait imaginer des tactiques pour rendre la vie difficile aux motards. Mais rien à faire, Mattson continua d'ânonner, imperturbable, comme si de rien n'était. Wallander avait cependant un atout en réserve. Il tenait la nouvelle de Linda, qui la tenait à son tour d'un collègue de Stockholm, et aucune des personnes présentes, croyait-il, n'en avait encore eu vent. Il redemanda donc la parole.

– Nous avons une complication. Un médecin tristement célèbre pour avoir, entre autres, prescrit des arrêts de travail longue durée à quatorze membres d'un de ces gangs, qui touchent donc des indemnités journalières pour cause de dépression grave.

Une certaine gaieté se répandit dans la salle.

– Ce médecin vient de prendre sa retraite, mais il a décidé d'emménager à Ystad. Il vient de s'acheter une jolie maison dans le centre-ville. Le risque, bien sûr, c'est qu'il récidive avec les motards d'ici. Tellement abattus, les pauvres, qu'ils sont hors d'état de travailler. Les services de la sécu enquêtent actuellement sur son cas. Mais comme chacun le sait, on ne peut pas leur faire confiance.

Wallander se leva et écrivit le nom du médecin sur le tableau à feuilles mobiles.

– Il faudrait tenir cet homme à l'œil, dit-il avant de quitter la salle.

Pour sa part, la réunion était terminée.

Au cours des longues heures de cette matinée, il avait continué à ruminer l'histoire du cylindre. Il prit sa voiture et se rendit à la bibliothèque municipale où il demanda à voir tous les ouvrages portant sur les sous-marins, sur les bâtiments de guerre en général et sur la lutte anti-sous-marine moderne. La bibliothécaire, une ancienne camarade de classe de Linda, rassembla une pile de livres en disant qu'il pouvait tous les emprunter. Avant de partir, il prit aussi l'autobiographie de Wennerström. Il porta le tout dans la voiture, descendit jusqu'à Saltsjöbaden et déjeuna en terrasse, face à la mer. On venait de le servir quand Kristina Magnusson arriva à l'improviste et demanda si elle pouvait s'asseoir à sa table. Elle partageait manifestement son impression concernant l'ennui mortel de la réunion du matin.

– J'ai cru que j'allais devenir zinzin.

– On s'habitue, dit Wallander. Comment savais-tu que tu me trouverais là ?

– Je n'en savais rien. J'avais juste besoin de prendre l'air.

Après le déjeuner, ils firent une promenade le long de la piste cyclable, au bord de la plage. Wallander ne disait pas grand-chose, c'était surtout Kristina qui parlait. Il comprit qu'elle était très insatisfaite – des histoires d'organisation en particulier. À la fin, il s'arrêta et lui fit face.

– Est-ce que tu envisages de nous quitter par hasard ?

– Non. Mais on a besoin d'un vrai changement. Je me demande ce que ce serait si c'était toi, le chef.

– Ce serait une catastrophe. Je n'ai aucune capacité à m'entretenir avec des bureaucrates haut placés avec toutes leurs règles et leurs prescriptions. Ni à calculer des budgets qui sont de toute façon toujours trop justes.

Ils revinrent sur leurs pas, échangèrent trois mots sur la Saint-Jean qui s'annonçait. Elle lui apprit que la météo prévoyait du vent et de la pluie. Ce n'est peut-être pas ce que j'aurais préféré offrir à Klara si j'avais eu le choix, pensa-t-il. Mais il maintiendrait sa fête quoi qu'il en soit.

De retour dans son bureau, il lut quelques comptes rendus d'interrogatoires et plusieurs rapports techniques, discuta avec un pathologiste de Lund au sujet d'une lointaine affaire et consacra le reste de l'après-midi à feuilleter les livres de la bibliothèque. Vers seize heures, il reçut l'appel d'un journaliste de Stockholm. Il avait complètement oublié qu'il avait accepté de répondre à une enquête destinée au prochain numéro du *Policier suédois* sur la formation de nouvelles recrues. Au fond, il n'avait pas le moindre avis sur la question, mais il répondit qu'à Ystad il n'y avait pas de problème, puisqu'ils avaient depuis longtemps mis au point un système informel de mentors, qui donnait d'emblée un interlocuteur à chaque nouveau venu. Ce qu'il ne dit pas, c'est qu'après avoir été mentor pendant près de quinze ans il avait refusé pour la première fois cette année de l'être. Que d'autres prennent la relève, après tout.

À dix-sept heures, il rentra chez lui, s'arrêtant en route pour faire des courses au supermarché. En quittant la maison au matin, il avait équipé portes et fenêtres de bouts de scotch discrets. Tous étaient à leur place. Il avala un gratin de poisson et se consacra ensuite aux livres qu'il avait empilés sur la table de la cuisine. Il lut jusqu'à ne plus avoir la force de poursuivre. Quand il alla se coucher vers minuit, la pluie tambourinait contre le toit. Il s'endormit aussitôt. Le bruit de la pluie l'avait toujours aidé à trouver le sommeil, depuis qu'il était enfant.

Le lendemain, il arriva au commissariat trempé comme une soupe. Il avait décidé de se rendre au travail à pied après avoir laissé sa voiture devant la gare de chemin de fer. Son taux de glycémie anormalement élevé lui lançait un défi. Il devait bouger davantage ; mais il avait été surpris en pleine promenade par une violente averse. Il suspendit son pantalon mouillé à un cintre et en sortit un autre de son casier. En l'enfilant, il fut obligé de constater qu'il avait grossi. De rage, il claqua la porte de l'armoire. Nyberg entra dans le vestiaire au même moment.

– Mauvaise humeur ? fit Nyberg.

– Pantalon mouillé.

Son collègue hocha la tête, avec cette espèce de gaieté lugubre qui était sa marque de fabrique.

– Je vois. On peut supporter d'avoir les pieds mouillés. Mais le pantalon, c'est comme si on s'était pissé dessus. Ça fait une chaleur agréable, qui disparaît très vite.

Une fois dans son bureau, Wallander appela Ytterberg, qui était sorti, lui apprit-on, sans préciser quand il reviendrait. Or il avait déjà essayé de le joindre sur son portable sans succès. En allant se chercher un café il tomba sur Martinsson, qui allait prendre l'air. Il l'accompagna et ils s'assirent ensemble devant le commissariat. Martinsson lui parla d'un pyromane qu'ils soupçonnaient depuis longtemps sans jamais avoir réussi à le coincer.

– Cette fois on y arrivera ?

– Tôt ou tard on y arrive toujours, dit Martinsson. La question, c'est plutôt si on nous permettra de le garder. Mais là, nous avons un témoin fiable. Il est bien possible qu'on parvienne à le faire condamner.

Chacun retourna à son bureau. Après quelques heures, Wallander rentra chez lui sans avoir réussi à joindre Ytterberg. Il avait noté les points les plus importants sur un bout de papier, bien déterminé à lui parler avant la fin de la soirée. C'était Ytterberg le responsable de l'enquête. Wallander lui donnerait ce qu'il avait, le cahier noir et le cylindre. À lui d'en tirer les possibles conséquences. Pour sa part, il n'était que le père de sa fille, entraîné dans cette histoire pour cette unique raison. Alors maintenant il allait se concentrer sur la Saint-Jean, puis sur ses vacances.

Mais les choses ne se passèrent pas comme prévu. Quand il arriva à Löderup, une voiture inconnue de lui stationnait dans la cour. Une Ford en mauvais état, dont la carrosserie portait des traces de rouille. Wallander ignorait à qui elle pouvait appartenir. Il réfléchit à la question pendant un moment avant de se diriger vers le jardin. Sur l'une des chaises blanches – celle précisément sur laquelle il s'était endormi la veille au soir –, il vit une femme assise.

Sur la table devant elle, une bouteille de vin débouchée. Et pas le moindre verre en vue.

Très mal à l'aise, il s'avança pour la saluer.

17

La personne assise dans son jardin était Mona, son ex-femme. Ils ne s'étaient pas vus depuis des années, et encore – la dernière fois, ils s'étaient juste croisés à la cérémonie de fin de formation de Linda à l'école de police. Après cela, ils s'étaient brièvement parlé au téléphone à quelques reprises. C'était tout.

Tard ce soir-là, quand Mona fut enfin endormie dans la chambre à coucher et que lui-même, en tant que premier invité à dormir dans sa propre maison, mit des draps dans le lit de la chambre d'amis, il n'en menait pas large. L'humeur de Mona n'avait cessé de fluctuer tout au long de la soirée, passant de l'épanchement sentimental à la rage, et il avait eu beaucoup de mal à gérer ces excès. À son arrivée déjà, elle était passablement ivre. Elle avait chancelé en se levant pour l'embrasser, il l'avait retenue de justesse. Le fait de débarquer ainsi chez lui la rendait nerveuse ; elle s'était beaucoup trop maquillée pour l'occasion. Il pensa avec tristesse à la jeune fille qu'il avait rencontrée et dont il était tombé amoureux quarante ans plus tôt ; celle-là n'avait eu aucun besoin de maquillage.

Elle était venue parce qu'elle était blessée, lui expliqua-t-elle. Quelqu'un lui avait fait du mal et elle n'avait qu'une personne au monde vers qui se tourner : lui. Wallander s'était assis sur l'autre fauteuil, les hirondelles plongeaient autour d'eux, et il avait eu le sentiment étrange de revivre une époque très ancienne. Une petite Linda de cinq ans n'allait pas tarder à surgir en sautillant de derrière un fourré pour réclamer leur attention. Mais il ne put que prononcer maladroitement quelques phrases de bienvenue avant que Mona n'éclate en sanglots. Il en fut terriblement gêné. Cela lui rappelait la dernière période de leur vie commune. En ce temps-là, il croyait encore à ses débordements d'émotion. Elle était, de plus en plus, une comédienne en représentation sur leur scène conjugale. Et elle s'attribuait un rôle qui ne lui convenait pas du tout. Son talent naturel ne la portait pas vers le tragique ; ni d'ailleurs vers le comique ; plutôt vers une normalité qui supportait mal les revirements spectaculaires. À présent, la voilà de nouveau en larmes ; Wallander eut la présence d'esprit d'aller chercher un rouleau de papier hygiénique pour qu'elle s'essuie les yeux. Il ne savait pas quoi dire. Après un moment, elle s'arrêta et s'excusa, mais d'une voix pâteuse qu'elle contrôlait mal. Il regrettait que Linda ne soit pas là ; elle savait s'y prendre avec elle bien mieux que lui.

En même temps, et bien qu'il rechignât à l'admettre, il y avait aussi en lui une impulsion : celle de la prendre par la main et de l'entraîner vers la chambre à coucher. Sa présence l'excitait, et il s'en fallut de peu qu'il ne passe à l'acte. *Ça passe ou ça casse.* Mais il resta assis. Mona se dirigea d'un pas incertain vers le chenil et Jussi, plein d'espoir, se mit aussitôt à sauter derrière son grillage. Wallander lui emboîta le pas, à titre préventif, prêt à la cueillir au cas où elle ferait un faux pas. Mais le chien cessa bien vite de l'intéresser. Elle dit qu'elle avait froid. Il lui proposa d'aller à l'intérieur. Elle accepta et fit le tour de la maison en lui demandant de *tout lui montrer*, surtout, comme si elle se trouvait dans une galerie d'art, en s'émerveillant à voix haute, il avait *si bien arrangé* sa maison, tout était *tellement joli* – même si elle trouvait quand même qu'il aurait dû jeter l'affreux canapé qu'ils avaient déjà à Mariagatan du temps où ils vivaient ensemble. En apercevant leur photo de mariage sur une commode, elle se remit à pleurer. Avec des accents si faux, cette fois, qu'il eut envie de la flanquer dehors. Mais il se domina, prépara du café, rangea une bouteille de whisky qui traînait sur le plan de travail et réussit enfin à la faire asseoir.

J'ai aimé cette femme plus que toute autre, pensa-t-il pendant qu'ils étaient assis là, attablés dans la cuisine devant leurs tasses de café. Même si je devais rencontrer demain un grand amour, Mona restera la femme la plus importante de ma vie. C'est une donnée qui ne changera jamais. Un amour peut éventuellement remplacer un autre amour, mais l'ancien reste toujours là. On vit sa vie avec des doubles fonds – sans doute pour ne pas couler si l'un d'eux se révèle être percé.

Mona finit son café. Elle paraissait dessoûler à vive allure. C'était là aussi un phénomène dont Wallander avait le souvenir : elle avait tendance à surjouer sa propre ivresse.

– Excuse-moi, dit-elle. Je t'importune, je fais mon cirque. Tu veux que je m'en aille ?

– Pas du tout. Je veux juste savoir pourquoi tu es venue.

– Ce que tu peux être froid ! Pourquoi es-tu si dur ? Tu ne peux quand même pas prétendre que je te dérange souvent.

Wallander battit aussitôt en retraite. La dernière année avec Mona avait été une lutte de chaque instant, où tout ce qu'il pouvait faire était de ne pas se laisser entraîner dans son monde d'accusations et de menaces. De son côté, elle affirmait qu'il faisait de même, et il savait qu'elle avait raison. Ils étaient tous deux coupables et victimes dans ce nœud inextricable, qui ne pouvait qu'être tranché de façon brutale. Le divorce, chacun de son côté.

– Raconte-moi, dit-il prudemment. Pourquoi es-tu si triste ?

Vint alors une longue et douloureuse harangue – version personnelle, pensa Wallander, des ballades sentimentales à deux sous telles que *Croix sur la tombe d'Ida* ou *La Triste Histoire d'Elvira Madigan*. En substance, un an plus tôt, Mona avait rencontré un homme qui, à la différence du précédent, n'était pas rentier ni golfeur (Wallander, lui, était persuadé que celui-là avait gagné sa fortune en pillant des sociétés écrans). Le nouveau était, très prosaïquement, gérant d'une supérette ICA de Malmö, un homme de son âge, divorcé lui aussi. Mais Mona n'avait pas tardé à découvrir, épouvantée, que même un respectable gérant ICA pouvait avoir des penchants de psychopathe. Petit à petit, il s'était mis à surveiller ses faits et gestes, puis à la menacer à mots couverts, enfin à l'exposer à des violences physiques. Elle avait bêtement cru que ça se tasserait et que sa jalousie cesserait, faute d'être justifiée. Mais ça n'avait pas été le cas. À présent, elle venait de rompre et elle se tournait vers lui, Wallander, son ex-mari, parce qu'elle craignait que l'autre ne commence à la harceler. Elle avait peur, tout simplement, et c'était pour ça qu'elle était venue le voir.

Jusqu'à quel point ce qu'elle lui racontait était-il vrai ? Mona n'était pas toujours de bonne foi ; parfois elle mentait sans que ses intentions soient mauvaises pour autant. Mais, dans ce cas précis, il y avait sans doute lieu de la croire. Et il était aussi indigné, évidemment, que ce type ait pu lui taper dessus.

Puis, soudain, elle eut un accès de nausée et se précipita aux toilettes. Wallander se faufila jusqu'à la porte et tendit l'oreille. Elle vomissait pour de vrai, ce n'était pas une comédie à son intention. Ensuite elle s'allongea sur le canapé dont, selon elle, il aurait dû se débarrasser, pleura encore un peu et s'endormit enfin sous une couverture. Lui s'installa dans son fauteuil de lecture avec ses livres empruntés à la bibliothèque, sans pouvoir se concentrer. Elle se réveilla deux heures plus tard ; découvrant chez qui elle était, elle faillit se remettre à pleurer, mais il mit le holà. Ça suffisait comme ça, il pouvait lui faire à dîner si elle le désirait, puis elle dormirait, et le lendemain elle pourrait parler à Linda, qui était sûrement meilleure conseillère que lui. Elle répondit qu'elle n'avait pas faim. Alors il prépara juste un potage, et combla le creux de son propre estomac avec une grande quantité de pain. Pendant qu'ils étaient ainsi attablés face à face, elle se mit soudain à évoquer le passé, à quel point ils avaient été heureux, etc. Wallander se demanda si ce n'était pas là le véritable but de sa visite, et si elle n'était pas venue lui faire la cour. Il y a quelques années encore, elle aurait réussi, pensa-t-il. C'est dire combien de temps j'ai cru qu'on pourrait se remettre ensemble. J'ai quand même fini par comprendre que c'était une illusion, que cette vie-là était derrière nous et que je n'avais plus besoin ni envie de la retrouver.

Après le repas, elle voulut boire un verre. Il refusa net, il ne lui verserait pas une goutte d'alcool supplémentaire tant qu'elle serait sous son toit. Si cela ne lui convenait pas, elle pouvait prendre le taxi jusqu'à Ystad et dormir à l'hôtel. Elle faillit faire un scandale, puis renonça en comprenant qu'il resterait inflexible.

Quand elle alla enfin se coucher, vers minuit, elle fit une tentative prudente pour l'attirer à lui. Mais il l'esquiva, lui tapota la tête et quitta la chambre. Plusieurs fois, il se releva pour aller écouter derrière la porte entrouverte. Mona resta longtemps éveillée, mais finit malgré tout par s'endormir.

Il sortit alors dans la cour, lâcha Jussi et s'assit sur la balancelle qui était installée autrefois dans le jardin de son père. La nuit d'été était claire, calme, remplie de parfums. Jussi vint s'allonger à ses pieds. Wallander fut soudain submergé par le chagrin. Il n'existait aucun retour, jamais – peu importait le désir naïf qu'il en avait. Impossible de revenir en arrière, même d'un seul pas.

Avant de se coucher, il prit un demi-somnifère. Il ne voulait plus ruminer, plus penser, plus réfléchir à quoi que ce soit – ni à Mona endormie dans son lit ni aux pensées qui l'avaient tourmenté dans le jardin.

Le lendemain matin, il découvrit qu'elle n'était plus là. Il en fut très surpris. Lui qui se réveillait d'habitude au moindre bruit ne l'avait pas entendue partir. Elle avait laissé un mot sur la table de la cuisine. *Pardon d'avoir été là dans ton jardin quand tu es rentré hier soir.* Rien d'autre, pas un mot sur ce qu'elle aurait réellement pu avoir à se faire pardonner. Combien de fois, au cours de leur vie commune, avait-elle posé devant lui de tels petits mots d'excuse ? Une quantité dont il ne voulait même pas se souvenir.

Il but un café, donna à manger à Jussi, et hésita ensuite à appeler Linda pour lui raconter la visite de Mona. Mais sa priorité était de parler à Ytterberg. Il décida donc d'attendre.

C'était un matin venteux, un vent froid qui soufflait du nord, l'été avait provisoirement déserté la Scanie. Les moutons du voisin paissaient dans leur pré fermé ; deux cygnes survolèrent la maison à tire-d'aile, vers l'est.

Wallander appela Ytterberg à son bureau. Cette fois, il répondit.

– Kurt ? On m'a dit que tu avais cherché à me joindre. Tu as trouvé les von Enke ?

– Non. Et de ton côté ?

– Rien qui vaille la peine d'être raconté.

– Rien du tout ?

– Non. Et toi ?

Wallander avait décidé de lui rendre compte de son voyage à Bokö et de l'étonnant cylindre qu'il avait découvert là-bas. Mais soudain, sans savoir pourquoi, il changea d'avis. C'était étrange. Il devait pourtant pouvoir se fier au moins à Ytterberg.

– Non, rien, dit-il.

– On s'appelle s'il y a du nouveau.

Après cette courte conversation où rien n'avait été dit, Wallander prit sa voiture et se rendit au commissariat afin de se préparer pour l'audience, au tribunal, d'une autre affaire désespérante où il figurait en tant que témoin. Toutes les personnes concernées se rejetaient la faute, et la victime, qui était restée deux semaines dans le coma, n'avait aucun souvenir des faits. Wallander avait été le premier enquêteur arrivé sur les lieux, et c'était la raison pour laquelle il devait faire part de ses observations à la barre. Il avait les pires difficultés à se souvenir de ce qu'il avait vu. Même le rapport, pourtant écrit de sa propre main, lui paraissait irréel.

Soudain, Linda se matérialisa devant lui. Il était midi.

– J'ai cru comprendre que tu avais reçu une visite imprévue.

Wallander repoussa ses dossiers et considéra sa fille. Elle avait peut-être perdu un kilo ou deux. Son visage paraissait avoir dégonflé.

– Mona est passée te voir ?

– Non, elle m'a appelée de Malmö. Elle s'est plainte de ce que tu avais été méchant avec elle.

Il en resta sans voix.

– Qu'est-ce que… ?

– Elle était malade et tu l'as à peine laissée entrer. Ensuite tu ne lui as rien donné à manger ou à peu près, et tu l'as enfermée dans la chambre.

– C'est un tissu de mensonges ! Cette sale bonne femme…

– Tu ne parles pas comme ça de ma mère, dit Linda en s'assombrissant d'un coup.

– Elle ment ! Que ça te plaise ou non. Je l'ai accueillie, je l'ai fait entrer, j'ai séché ses larmes, je lui ai préparé une soupe et je lui ai même mis des draps propres.

– En tout cas, elle n'a pas menti au sujet de son compagnon. Je l'ai rencontré. Il est exactement aussi charmant que les psychopathes ont pour habitude de l'être. Mona a un don étrange pour toujours tomber sur les pires.

– Merci.

– Je ne pensais pas à toi. Mais le joueur de golf ne valait pas beaucoup mieux.

– Qu'est-ce que je peux faire ?

Linda réfléchit, en frottant son index gauche contre l'arête de son nez. Comme mon père ! pensa soudain Wallander. Il ne l'avait jamais remarqué avant et ça le fit éclater de rire. Elle leva les yeux, étonnée. Il s'expliqua et elle rit à son tour.

– Bon, dit-elle ensuite, j'ai Klara dans la voiture, je voulais juste échanger deux mots avec toi. On en reparlera.

– Quoi ? s'écria Wallander, horrifié. Tu as laissé Klara seule dans la voiture ?

– Ça ne s'arrange pas de ton côté, dis donc. Je suis venue avec une amie.

Sur le seuil, elle se retourna.

– Je crois que Mona a besoin de nous.

– Je suis toujours là. Mais je préférerais qu'elle passe me voir quand elle est sobre. Et qu'elle me prévienne avant.

– Toi, tu es toujours sobre peut-être ? Tu préviens toujours avant d'aller voir les gens ? Tu n'as jamais été mal ?

Elle s'engouffra dans le couloir sans attendre la réponse.

Wallander venait de se remettre à son rapport quand Ytterberg le rappela.

– Je pars en vacances dans quelques jours, je crois que j'ai oublié de te le dire.

– Que vas-tu faire ?

– Rien, mais avec conviction, dans une vieille maison de garde-barrière au bord d'un lac des environs de Västerås. Laisse-moi te dire ce que je pense du couple von Enke. J'étais un peu rapide quand on s'est parlé tout à l'heure.

– Je t'écoute.

– Voilà. J'ai deux théories, et mes collègues sont d'accord avec moi. Voyons si tu es du même avis. Première théorie : ils ont planifié leur disparition ensemble et ont décidé, Dieu sait pourquoi, de partir à deux moments distincts. Il y a plusieurs explications possibles à cela. Si leur intention était, par exemple, de changer d'identité, il peut être parti le premier afin de préparer son arrivée à elle et l'accueillir « sur un chemin jonché de roses » en termes bibliques. Sinon il ne nous semble y avoir qu'une seule autre possibilité. C'est qu'ils ont été soumis à violence. Et qu'ils sont probablement morts. Voilà à peu près le cadre.

– Je suis d'accord.

– J'ai interrogé nos meilleurs experts, à l'échelle nationale, sur les diverses motivations que peuvent avoir les gens pour disparaître. Notre tâche est simple dans le sens où nous n'avons qu'un but.

– Les retrouver.

– Ou établir avec certitude pour quelle raison nous ne les trouvons pas.

– N'y a-t-il vraiment aucun nouveau détail ?

– Non. Mais il y a un tiers dont nous devons tenir compte.

– Tu penses au fils ?

– C'est nécessaire. Si l'on suppose qu'ils ont mis en scène leur disparition, on peut se demander pourquoi ils exposent leur propre fils à pareille angoisse. C'est inhumain. Et ce n'est pas là l'image que nous avons d'eux. Toutes les informations que nous avons concernant Håkan von Enke montrent un officier respecté, intelligent, juste, stable, jamais capricieux. Le pire qu'on ait entendu à son sujet, c'est qu'il pouvait lui arriver de s'impatienter. En tant qu'enseignante, Louise était très appréciée de ses élèves. « Discrète » et « réservée », c'est ce qu'ont dit plusieurs des personnes que nous avons interrogées. Mais cela n'a rien de suspect, n'est-ce pas ? Il faut bien des gens capables d'écouter, aussi, de temps en temps. En tout cas, l'hypothèse d'une double vie n'est pour l'instant étayée par rien. Nous avons même interrogé des experts d'Europol. J'ai eu au téléphone une dame de la police française, Mlle Germain, à Paris, qui avait des observations intéressantes à me communiquer. Elle a confirmé mon idée, à savoir qu'il faut envisager les choses tout à fait différemment.

– Tu veux dire quel rôle Hans peut jouer dans l'affaire ?

– C'est ça. S'il y avait eu une fortune, on aurait pu partir de là. Mais ce n'est pas le cas. Leur patrimoine s'élève à un million de couronnes à peu près, en plus de l'appartement qui en vaut sûrement sept ou huit. On peut dire que c'est beaucoup d'argent pour un simple mortel. Mais de nos jours, ce n'est plus vraiment ce qu'on appelle être riche.

– Tu as parlé à Hans ?

– Il y a environ une semaine, il était à Stockholm pour une réunion au siège de l'Autorité des marchés financiers. C'est lui qui m'a contacté, et nous avons eu une conversation. Pour moi, son inquiétude paraît sincère et il ne comprend rien à ce qui s'est passé. Il faut ajouter à cela qu'il gagne très bien sa vie.

– Voilà donc où on en est ?

– Oui, ce n'est pas grand-chose. Il faut continuer à creuser, mais le sol est franchement très dur.

Ytterberg posa soudain son téléphone ; Wallander l'entendit jurer à l'arrière-plan. Puis sa voix revint.

– Je pars en vacances après-demain, dit Ytterberg. Mais tu pourras toujours me joindre. C'est ça que je voulais te dire.

– Je te promets de ne le faire que si c'est important.

Wallander alla s'asseoir sur le banc devant l'entrée du commissariat et repensa aux paroles d'Ytterberg.

Il y resta longtemps. L'épisode avec Mona l'avait fatigué. Il ne voulait pas qu'elle vienne mettre du désordre dans sa vie ni qu'elle l'expose à des exigences déraisonnables. Il allait devoir le lui dire clairement, si jamais elle se présentait de nouveau chez lui. Et il allait devoir convaincre Linda d'être son alliée. Il était d'accord pour aider Mona, là n'était pas la question, mais il fallait qu'elle comprenne que le passé était le passé.

Il descendit jusqu'au kiosque, en face de l'hôpital. Il choisit une barquette saucisses purée. Un peu de purée tomba, et une corneille arriva aussitôt pour s'en emparer.

Soudain il eut la sensation d'avoir perdu quelque chose. Son arme ? Non, il ne l'avait pas sur lui. Quoi, alors ? Ce n'était peut-être pas de cet ordre-là… Brusquement, il s'aperçut qu'il ne savait plus s'il était venu jusqu'au kiosque à pied ou en voiture.

Il jeta sa barquette à moitié pleine et regarda autour de lui. Pas de voiture. Il remonta lentement la côte jusqu'au commissariat. La mémoire lui revint pendant qu'il marchait. Il avait des sueurs froides, son cœur battait à se rompre. Il ne pouvait plus repousser une nouvelle visite chez le médecin. C'était le troisième épisode en peu de temps. Il voulait savoir ce qui lui arrivait.

Dès qu'il fut dans son bureau, il appela Margareta Bengtsson et obtint un rendez-vous quelques jours après la Saint-Jean. Après avoir raccroché, il vérifia que son arme de service était rangée sous clé, à sa place.

Il consacra le reste de la journée à préparer l'audience où il était censé comparaître comme témoin. Il était dix-huit heures quand il referma le dernier dossier et le balança sur le fauteuil des visiteurs. Il avait déjà sa veste à la main quand une pensée le frappa. Impossible de dire d'où elle avait surgi. Pourquoi von Enke n'avait-il pas emporté le cahier secret à la fin de sa dernière visite à Signe ? Wallander ne voyait que deux explications. Soit il avait l'intention de revenir ; soit il avait été exposé à un événement qui rendait toute nouvelle visite impossible.

Il se rassit à son bureau et chercha le numéro de Niklasgården. Il reconnut la femme séduisante à sa voix.

– Je voulais juste savoir si tout allait bien du côté de Signe, dit-il.

– Tu sais, il n'y a pas beaucoup de changements dans le monde où elle vit.

En dehors de ceux que nous connaissons tous, pensa Wallander. Le temps qui passe, invisible, la vieillesse qui vient.

– Son père n'est pas revenu la voir, par hasard ?

– Ah bon ? Il a reparu alors ? Je croyais qu'il avait disparu.

– Non, il n'a pas reparu.

– Par contre, son oncle est venu hier. J'étais de congé, mais j'ai vu que c'était noté sur le registre des visiteurs.

Wallander en eut le souffle coupé.

– Son oncle ?

– Oui. Un certain Gustaf von Enke. Il est venu dans l'après-midi et il est resté environ une heure.

– Tu en es absolument certaine ?

– Pourquoi irais-je inventer une chose pareille ?

– Non, bien sûr. Si jamais cet oncle revenait, pourrais-tu me prévenir ?

Elle parut soudain inquiète.

– Ça ne va pas ?

– Si, si, tout va bien. Merci pour ton aide.

Wallander posa le combiné et resta assis. Il savait qu'il ne faisait pas erreur. Il avait étudié la famille von Enke et il était certain qu'il n'existait aucun oncle.

Quel que soit l'homme qui avait rendu visite à Signe, il s'était présenté sous un faux nom.

Wallander prit sa voiture et rentra chez lui. Son inquiétude était revenue, plus forte qu'avant.

18

Le lendemain matin, Wallander avait de la fièvre et mal à la gorge. Il essaya de se persuader que ce n'était rien, mais, quand il finit malgré tout par aller chercher un thermomètre et par prendre sa température, il avait 38°9. Il appela le commissariat, se déclara malade et passa le reste de la journée au lit et dans sa cuisine, au milieu des livres de la bibliothèque.

Il avait rêvé de Signe. Il lui rendait visite à Niklasgården et s'apercevait soudain que quelqu'un d'autre avait pris sa place. Il faisait sombre dans la chambre, il essayait d'allumer, mais l'interrupteur ne marchait pas, alors il se servait de son téléphone comme d'une lampe de poche. Dans la lueur bleutée, il découvrait que la personne couchée dans le lit était Louise. Elle était la copie exacte de sa fille. Pris d'une frayeur incontrôlable, il voulait sortir de la chambre mais la porte était fermée à clé.

Il s'était réveillé à ce moment-là. Quatre heures du matin, le jour était déjà levé. Il avait chaud, mal à la gorge ; il s'était empressé de se rendormir. Plus tard, au réveil, il avait essayé en vain d'interpréter ce rêve. Juste cette sensation que tout se recouvrait, dans la disparition de Håkan et de Louise von Enke.

Wallander se leva, enroula une écharpe autour de son cou, alluma l'ordinateur et chercha Gustaf von Enke sur

Internet. Il n'y avait personne de ce nom. À huit heures, il appela Ytterberg. Celui-ci accomplissait sa dernière journée de travail avant les vacances ; il s'apprêtait, dit-il, à se rendre à un interrogatoire extrêmement pénible, celui d'un homme qui avait essayé d'étrangler sa femme et ses deux enfants, au motif qu'il avait trouvé une autre femme avec laquelle il voulait partager sa vie.

– Était-il vraiment indispensable de s'en prendre aux enfants ? demanda Ytterberg sur un ton pensif. C'est comme une tragédie grecque.

Wallander ne connaissait pas grand-chose à ces histoires vieilles de plus de deux mille ans. Une fois, Linda l'avait entraîné à une représentation de *Médée*, à Malmö. Il avait été touché, mais pas au point de commencer à aller régulièrement au théâtre. Et sa dernière tentative en date ne l'avait pas franchement encouragé.

Il raconta à Ytterberg son coup de fil de la veille à Niklasgården.

– Il n'y a pas d'oncle ? Tu en es sûr ?

– Oui. Il y a un cousin en Angleterre, mais c'est tout.

– Très étrange.

– Je sais que tu es en vacances à partir de ce soir. Quelqu'un d'autre pourra peut-être se rendre à Niklasgården et tenter d'obtenir un signalement ?

– J'ai la personne qu'il nous faut. Elle s'appelle Rebecka Andersson et elle excelle dans ce genre de mission, malgré son jeune âge. Je vais lui parler.

Ils collationnèrent les numéros de téléphone ; Wallander allait raccrocher quand Ytterberg le retint.

– Est-ce que ça t'arrive de sentir comme moi une envie presque désespérée d'échapper à ce bourbier où on est plongé tous les jours jusqu'au cou ?

– Ça m'arrive.

– Pourquoi on reste ?

– Je ne sais pas. Un vague sentiment de responsabilité,

peut-être. Mon mentor, autrefois, était un vieux de la brigade criminelle qui s'appelait Rydberg. Il disait toujours ça. Une question de responsabilité, c'est tout.

Rebecka Andersson l'appela une demi-heure plus tard, vérifia auprès de lui les informations reçues d'Ytterberg et dit qu'elle comptait se rendre à Niklasgården dans la matinée.

Wallander prépara le petit déjeuner et se rendit aux toilettes. Quand il tira la chasse d'eau, la cuvette déborda. Il essaya d'y remédier avec la ventouse. Puis il donna un coup de pied à la faïence et alla appeler Jarmo. Celui-ci était tout disposé à venir, mais ça s'entendait au téléphone, il était complètement ivre. Wallander passa près de deux heures à chercher un autre plombier disponible. À midi, une camionnette freina devant la porte et un plombier polonais, gai comme un pinson et s'exprimant dans un suédois incompréhensible, en sortit. Wallander se rappela le débat houleux qui avait agité les médias, un an plus tôt, sur le thème des artisans polonais qui envahissaient l'Europe telle une funeste nuée de sauterelles. Ce plombier-ci, quoi qu'il en soit, résolut le problème en vingt minutes. Au moment de le payer, Wallander découvrit aussi qu'il était beaucoup moins cher que Jarmo.

Il retourna à ses livres. Rebecka Andersson le rappela vers quatorze heures. Elle était encore à Niklasgården.

– J'ai cru comprendre que tu voulais être informé au plus vite. Je suis assise sur un banc dans le parc, il fait un temps splendide. Tu as de quoi noter ?

– Je t'écoute.

– Un homme, la cinquantaine, costume strict, cravate, très aimable, cheveux blonds frisés, yeux bleus. S'exprimant dans un suédois, disons, générique, pas de dialecte identifiable, et certainement pas d'accent étranger. Une certitude : il n'était jamais venu auparavant. Ils ont dû lui montrer le chemin de la chambre de Signe. Mais personne ne s'est posé de questions.

– Que leur a-t-il dit ?

– Rien, en fait. Il était juste « très aimable ».

– Et la chambre ?

– J'ai demandé à deux aides-soignantes, indépendamment l'une de l'autre, de voir si elles pouvaient repérer un changement. Réponse négative. J'ai eu l'impression qu'elles étaient sûres de leur fait.

– Combien de temps est-il resté ?

– Les informations divergent sur ce point. Ils ne sont pas très méticuleux, apparemment, quand ils notent les heures de visite. Mais au maximum une heure et demie.

– Ensuite ?

– Il est parti.

– Comment ?

– Personne ne l'a vu arriver ni repartir. On peut supposer qu'il était motorisé.

Wallander réfléchit, mais ne trouva pas d'autres questions à poser. Il la remercia pour son aide et raccrocha. Par la fenêtre, il vit la voiture jaune de la Poste s'éloigner sur la route. Il sortit en peignoir et sabots ouvrir la boîte aux lettres. Une lettre, c'était tout. Le tampon indiquait qu'elle avait été postée à Ystad. L'expéditeur était un certain Robert Åkerblom. Il se rappelait vaguement quelqu'un de ce nom-là, mais pas dans quel contexte il l'aurait rencontré. Il s'assit dans la cuisine et déchira l'enveloppe. Elle contenait une photo : un homme d'un certain âge, entouré de deux jeunes femmes. Alors seulement Wallander comprit de qui il s'agissait. Sa vue faisait ressurgir un souvenir douloureux vieux de plus de quinze ans. Au début des années 1990, la femme de Robert Åkerblom avait connu une mort brutale après s'être trouvée, pour son malheur, au mauvais endroit au mauvais moment. Par la suite, ce meurtre s'était révélé avoir un lien avec l'Afrique du Sud et avec un attentat contre la vie de Nelson Mandela. Il retourna la photographie et lut ce qui était écrit au dos : « Un rappel de notre existence et un grand merci pour l'aide que tu nous as apportée au cours de la période la plus difficile de notre vie. »

Juste ce qu'il me fallait, pensa Wallander. Un témoignage que ce que nous faisons est tout de même important pour certains. Il punaisa la photo au mur.

La fête de la Saint-Jean était le lendemain. Il ne se sentait pas remis, mais décida quand même d'aller faire les courses. Il n'aimait pas les magasins bondés, ni les magasins tout court d'ailleurs, mais il avait décidé que son buffet de la Saint-Jean ne manquerait de rien. Par chance, ou plutôt par prévoyance, il avait déjà acheté les boissons. Il griffonna une liste et sortit.

Le lendemain, il avait déjà beaucoup moins mal à la gorge et la fièvre était tombée. Il avait plu au cours de la nuit, mais le ciel était à présent dégagé. Wallander scruta l'horizon et résolut qu'ils pourraient manger dehors. Quand Linda arriva avec sa famille sur le coup de dix-sept heures, tout était prêt. Elle le complimenta pour ses préparatifs, puis elle le prit à part.

– Nous attendons une autre invitée.

– Qui ?

– Mona.

– Non !

– Si.

– Je t'ai pourtant dit que ça s'était mal passé la dernière fois.

– Je ne veux pas qu'elle reste seule pour la fête de la Saint-Jean.

– Alors c'est toi qui la raccompagneras.

– Ne t'inquiète pas. Essaie de te dire que tu fais une bonne action.

– Quand doit-elle venir ?

– Je lui ai dit dix-sept heures trente. Elle ne va pas tarder.

– À toi de la surveiller pour qu'elle ne boive pas trop.

– Pas de problème. Et n'oublie pas que Hans l'aime bien. Et qu'elle a le droit de voir sa petite-fille, elle aussi.

Wallander ne dit plus rien. Mais il profita d'un moment où il était seul à la cuisine pour se verser un verre d'aquavit et le boire cul sec, histoire de se calmer.

Mona arriva et, au début, tout se passa bien. Elle s'était habillée pour l'occasion. Elle était de bonne humeur. Ils mangèrent, burent modérément, profitèrent de la douceur de l'air. Wallander vit Mona s'occuper de sa petite-fille comme la chose la plus naturelle au monde. Il avait l'impression de la revoir avec Linda petite. Mais la paix ne dura qu'un temps. Vers vingt-trois heures, Mona commença soudain à évoquer les vexations du passé. Linda essaya de détourner la conversation, mais apparemment elle avait réussi à boire en cachette, peut-être avait-elle dissimulé une petite bouteille dans son sac. Wallander resta neutre, se contentant d'écouter ce qu'elle avait à dire – jusqu'au moment où c'en fut trop pour lui. Il frappa du poing sur la table et lui demanda de disparaître. Linda, qui n'était pas très sobre non plus, lui hurla de se calmer : ce n'était tout de même pas si grave. Mais pour Wallander, ça l'était. Après toutes ces années, quand il avait enfin découvert qu'elle ne lui manquait plus, la nostalgie s'était changée en colère et en accusation. C'était la faute de Mona si tant de temps s'était écoulé sans qu'il rencontre une autre femme. Il se leva et s'en alla à travers champs en emmenant Jussi.

Quand il revint une demi-heure plus tard, tout le monde était sur le départ. Mona était déjà dans la voiture, Hans, qui n'avait bu qu'un verre de vin, allait conduire. Linda aperçut son père et revint vers lui.

– C'est dommage que ça se soit terminé ainsi. À part ça, c'était une belle fête. Mais je crois que j'ai compris. Cette habitude qu'elle a de boire aura toujours ce type de conséquences.

– Tu vois ? J'avais raison.

– Si tu veux. Je n'aurais peut-être pas dû lui proposer de venir. Maintenant au moins, je sais qu'elle ne pourra pas s'en sortir seule. Il va falloir qu'elle soit prise en charge. C'est dingue que je n'aie pas compris ça plus tôt. Mona est en train de se tuer à l'alcool, et je ne l'ai pas vu.

Elle lui caressa la joue. Ils s'embrassèrent.

– Sans toi je n'aurais jamais tenu le coup, dit Wallander.

– Bientôt Klara pourra passer du temps chez toi sans que je sois là. Dans un an déjà... Ça va vite, tu sais.

Wallander agita la main jusqu'à ce que la voiture ait disparu, et entreprit ensuite de rassembler la vaisselle. Puis il fit une chose qu'il ne faisait qu'une fois l'an, deux au grand maximum : il alla chercher un cigare et l'alluma après s'être installé dehors.

Il commençait à faire froid. Ses pensées divaguaient. Il repensait à ses anciens camarades de classe de l'école élémentaire de Limhamn. Un jubilé avait été organisé quelques années auparavant, mais il n'avait pas pris la peine d'y aller. Il le regrettait à présent. Cela aurait pu lui donner une perspective sur sa propre vie, de voir ce que les autres étaient devenus. Il posa son cigare, retourna dans la maison et revint avec une boîte dont il sortit une vieille photo de classe de 1962. Sa dernière année d'école. Il se souvenait des visages et de presque tous les noms. Cette fille-là, par exemple, se prénommait Siv. C'était la plus timide des timides, mais un génie des maths. Pour sa part, il était le deuxième à partir de la gauche dans la rangée du haut, coupe en brosse et un vague sourire aux lèvres. Il portait un pull gris et, dessous, une chemise en flanelle.

On a soixante balais maintenant. Nos vies glissent lentement vers leur terminus. Plus grand-chose qui puisse encore changer...

Il resta dehors jusqu'à deux heures du matin. À un moment il entendit de la musique au loin – peut-être *La Valse de Calle Schewen* d'Evert Taube, mais il n'en était pas sûr. Puis il alla se coucher et dormit jusqu'au milieu de la matinée. Sans quitter le lit, il se remit à feuilleter les livres de la bibliothèque. Soudain, il se redressa d'un bond. Il venait de tomber sur quelques photographies en noir et blanc dans un livre consacré à la rivalité entre sous-marins américains et soviétiques pendant la guerre froide.

Le cœur battant, il ne quittait pas la page du regard. Il n'y avait aucun doute. La photo représentait l'objet qu'il avait rapporté de Bokö. Sautant au bas du lit, il alla chercher le cylindre qu'il avait caché derrière une étagère à chaussures dans la réserve.

À l'aide d'un dictionnaire anglais, il essaya de s'assurer qu'il avait bien tout compris du chapitre dans lequel figurait la photo. Il y était question de James Bradley qui, au début des années 1970, avait été le chef des forces sous-marines américaines. Il était connu pour sa propension à passer des nuits entières dans son bureau du Pentagone afin de mettre au point de nouvelles façons de se mesurer aux Russes. Une nuit, alors que l'énorme bâtiment était pour ainsi dire désert, si l'on exceptait les agents de sécurité qui arpentaient les couloirs en permanence, il eut une idée. Celle-ci était si audacieuse qu'il comprit qu'il devait en parler sans attendre à Henry Kissinger, qui était à l'époque le conseiller à la Défense du président Nixon. Selon la légende, Kissinger écoutait rarement plus de cinq minutes et jamais au grand jamais plus de vingt. Bradley parla pendant plus de trois quarts d'heure. En revenant au Pentagone, il était convaincu d'obtenir l'argent et l'équipement nécessaires. Kissinger n'avait rien promis, mais il avait bien vu la fascination dans son regard.

Il fut rapidement décidé que le sous-marin affecté à cette mission top secret serait le *USS Halibut*. Ce sous-marin était l'un des plus grands de la flotte. Wallander s'ébahit en découvrant son poids, sa taille, son armement et le nombre d'officiers et de membres d'équipage nécessaires à son maniement. En principe, il pouvait rester en mission tous les jours de l'année, à condition de remonter de temps à autre pour se charger en air et en ravitaillement – opération qui pouvait être menée à bien en moins d'une heure. Mais pour assurer la viabilité de cette mission précise, il fallait l'aménager un peu, en particulier l'équiper d'une chambre de plongée profonde destinée aux plongeurs qui exécuteraient la partie la plus délicate de la mission sur le lit de l'océan.

L'idée de Bradley était en réalité très simple. Pour assurer les communications entre l'état-major de la flotte du Pacifique, établi à Vladivostok, et les sous-marins nucléaires qui opéraient à partir de la base de Petropavlovsk, sur la presqu'île de Kamchatka, les Russes avaient déposé un câble traversant par le fond la mer d'Okhotsk. Le plan de Bradley consistait tout bonnement à fixer sur ce câble un dispositif d'écoute.

Il y avait cependant un gros problème. La mer d'Okhotsk couvrait une étendue de plus de six cent mille kilomètres carrés. Comment localiser le câble ? La solution se révéla d'une simplicité aussi incroyable que l'avait été l'idée proprement dite.

Une nuit, dans son bureau du Pentagone, Bradley se rappela les étés de son enfance au bord du fleuve Mississippi. Sur les berges du fleuve, il y avait à intervalles réguliers des panneaux signalant : *Mouillage interdit. Câble sous-marin*. La solution à son problème lui apparut au même moment. Vladivostok mise à part, l'est de la Russie était un vrai désert. Les endroits où l'on avait pu poser le câble ne devaient donc pas être très nombreux. Et les panneaux de signalisation existaient en Union soviétique comme ailleurs.

Le *USS Halibut* s'immergea donc dans le Pacifique. Après une traversée aventureuse semée de plusieurs contacts sonar avec d'autres sous-marins, il réussit à pénétrer en territoire soviétique. Vint alors l'un des moments les plus risqués de l'opération, où il fallait choisir l'un des détroits entre les îles Kouriles et se faufiler au travers. Ce fut possible uniquement grâce au fait que le *USS Halibut* était équipé d'un système de détection dernier cri, à la fois pour l'écoute des émissions de sonar et pour le repérage des champs de mines. Après un temps relativement court, on découvrit en effet le câble. Restait le plus difficile : comment fixer le dispositif d'écoute sans que les Russes s'en aperçoivent ? Après plusieurs échecs, l'exploit fut enfin mené à bien ; à bord du *SS Halibut*, on put dès lors entendre les Russes de la terre ferme parler à leurs commandants de sous-marins en opération, et réciproquement. En guise de récompense, Bradley fut par la suite autorisé à rencontrer personnellement le président Nixon, qui le félicita pour ce grand succès.

Wallander alla s'asseoir dans le jardin. Il soufflait un vent froid, mais il put se mettre à l'abri dans l'angle de la maison. Il avait lâché Jussi, qui disparut aussitôt. Les questions qu'il se posait à présent étaient simples et peu nombreuses. Quelle était la véritable raison de la présence de cet engin chez Eskil Lundberg ? En quoi était-elle liée à Håkan et à Louise von Enke ? C'est plus grand que je l'imaginais, pensa-t-il. Derrière ces disparitions se cache quelque chose que je n'ai aucun moyen de comprendre par moi-même. Je vais avoir besoin d'aide.

Il hésita, mais pas très longtemps. Retournant à l'intérieur, il appela Sten Nordlander. La transmission était mauvaise comme d'habitude mais ils réussirent à se parler malgré tout.

– Où es-tu ?

– Dans la baie de Gävle. Faible vent de sud-ouest, quelques nuages. Merveilleux, quoi. Et toi ?

– Je suis chez moi. Il faut que tu viennes. Je crois savoir ce que j'ai trouvé. Prends l'avion.

– C'est si important que ça ?

– Oui. D'une manière ou d'une autre, c'est lié à la disparition de Håkan.

– Tu éveilles ma curiosité, dis donc.

– Je peux me tromper, mais dans un cas comme dans l'autre tu seras de retour sur ton bateau demain. Je te paie le voyage.

– Ce n'est pas la peine, je te remercie. Mais ne m'attends pas avant la fin de la soirée. Je suis encore assez loin de Gävle.

– Je viendrai te chercher à l'aéroport.

Il était dix-huit heures quand Sten Nordlander le rappela : il était à l'aéroport d'Arlanda et l'avion pour Malmö décollait une heure plus tard.

Wallander se prépara à aller le chercher. Il laissa Jussi dans la maison, pensant que sa présence dissuaderait un éventuel intrus.

L'avion atterrit à l'heure. Wallander vit Sten Nordlander émerger entre les portes silencieuses du hall des arrivées, et il le ramena à Löderup, où les attendait l'étonnant cylindre.

19

Sten Nordlander contempla longuement l'objet que Wallander avait une fois de plus soulevé et déposé sur la table de la cuisine. Puis il examina la photo.

– Je n'avais jamais vu un engin pareil dans la réalité, dit-il ensuite. Mais c'est clair qu'il s'agit bien de ça. Et ce n'est pas un spécimen factice que tu as là.

Wallander décida qu'il n'y avait plus de raison d'entretenir le jeu du chat et de la souris avec son invité. Si Nordlander était le meilleur ami de Håkan von Enke, il le resterait même au cas où le pire serait avéré. Wallander fit du café et lui raconta comment le cylindre s'était retrouvé en sa possession. Il n'omit aucun détail, commençant par la photographie des deux hommes devant le chalutier jusqu'aux livres de la bibliothèque qui lui avaient enfin permis de comprendre ce qu'il avait arraché à l'obscurité de la remise sur l'île de Bokö.

– Je ne sais pas ce que tu en penses, conclut-il. Ça valait le coup de te faire venir ou pas ?

– Mais oui, dit Sten Nordlander. Il se peut même que je devine la nature du lien…

Il était vingt-trois heures passées. Sten Nordlander refusa la proposition d'un vrai repas, un thé lui suffirait, avec quelques biscottes. Wallander dut chercher longtemps parmi tous les emballages de son garde-manger avant de dénicher un paquet de biscottes aux flocons d'avoine dont le contenu était largement réduit en miettes.

– Je continuerais bien à discuter, dit Sten Nordlander après avoir bu son thé, mais j'ai un médecin qui me refuse la vie de noctambule, avec ou sans alcool. Alors on reprendra demain, si tu veux bien. Laisse-moi juste emporter le livre où tu as trouvé la photo. J'aimerais bien le feuilleter avant de m'endormir.

Le lendemain il faisait chaud, pas un souffle de vent. Wallander, qui s'était levé dès cinq heures, impatient d'entendre ce que Sten Nordlander aurait à lui dire, vit par la fenêtre Jussi qui contemplait de loin, fasciné, un oiseau de proie en vol stationnaire au-dessus d'un fossé.

Sten Nordlander sortit de la chambre d'amis à sept heures trente. Pendant qu'ils prenaient le petit déjeuner dehors, il le complimenta sur son jardin et sur le panorama.

– La légende veut que la Scanie soit une région plate et morne, mais ce que je vois ici m'évoque tout autre chose. Comme une houle légère. Peut-on dire ça d'un paysage ? Et la mer à l'horizon, si je ne m'abuse…

– C'est à peu près comme ça que je le vois, moi aussi, dit Wallander. Les forêts touffues m'effraient. Dans les paysages ouverts d'ici, il est difficile de se cacher. C'est bien. Nous pouvons tous avoir besoin de nous cacher parfois, mais certains le font un peu trop.

Sten Nordlander lui jeta un regard surpris. Puis, comme par association d'idées, il répondit pensivement :

– As-tu déjà pensé que Håkan et Louise avaient pu partir volontairement ?

– Oui, bien sûr. Ça fait toujours partie des hypothèses quand quelqu'un disparaît.

Le petit déjeuner fini, Sten Nordlander proposa une promenade.

– Il faut que je bouge, le matin, sinon la digestion ne démarre pas bien.

Jussi disparut, telle une flèche noire, vers les bois remplis de petites dépressions de terrain elles-mêmes remplies d'eau, qui avaient toujours tant d'odeurs intéressantes à proposer à une truffe de chien. Sten Nordlander prit la parole tout en marchant.

– À certains moments, à la fin des années 1960 et au début des années 1970, nous avons vraiment cru que les Russes étaient aussi forts, militairement, qu'ils en avaient l'air. Les parades d'octobre reflétaient ni plus ni moins la réalité, voilà l'impression qu'on avait, et, pour les milliers d'experts militaires qui contemplaient à la télé ces images d'engins défilant devant le Kremlin, la principale question était : *Qu'est-ce qu'ils ne nous montrent pas ?* La guerre froide était encore une réalité tout à fait sérieuse dans ces années-là. Avant que les trolls n'éclatent[1].

– Tiens, dit Wallander. *Les trolls éclatent.* Mon vieux collègue Rydberg utilisait cette expression quand une piste d'enquête se révélait être un cul-de-sac.

Ils s'étaient arrêtés au bord d'un fossé où la passerelle de fortune s'était effondrée. Wallander dénicha une planche un peu moins pourrie que les autres et la replaça en travers du fossé pour leur permettre de le franchir.

– En réalité, reprit Nordlander, la défense russe n'avait sans doute rien d'invulnérable. Cette conclusion a mûri petit à petit chez ceux qui assemblaient comme un puzzle tous les fragments d'informations qui leur parvenaient *via* les réseaux d'espions, les avions U2 et les images télévisées ordinaires. La défense russe, à tous ses niveaux, était vétuste ; dans certains domaines, elle s'apparentait carrément à une coquille vide. Bien faite, mais vide. Ça ne veut pas dire que la menace nucléaire n'était pas réelle. Elle existait bel et bien. Mais l'armée soviétique, elle, était aussi pourrie que l'étaient

1. Expression courante pour signifier qu'une illusion tombe, ou qu'une peur infondée s'évanouit. D'après la légende, un troll qui lève les yeux vers le soleil explose instantanément et disparaît.

l'économie tout entière, la bureaucratie et les représentants du Parti qui ne croyaient plus en ce qu'ils faisaient. Et cela offrait naturellement beaucoup de sujets de méditation aux chefs militaires, à ceux du Pentagone, à ceux de l'OTAN et même à ceux de la modeste Suède. Quelles conséquences si jamais il devenait de notoriété publique que l'ours russe n'était en définitive, à peu de chose près, qu'un putois belliqueux ?

– La menace de l'apocalypse se serait éloignée, bien sûr.

Sten Nordlander répondit avec une pointe d'impatience :

– Les militaires n'ont jamais été de grands philosophes. Ce sont des gens pragmatiques. Chaque général ou amiral digne de ce nom cache presque toujours aussi un bon ingénieur. L'apocalypse n'était pas leur préoccupation première. Quelle était-elle, d'après toi ?

– Le coût de la défense ?

– Précisément. Pourquoi l'Occident devrait-il continuer sa course à l'armement si son ennemi principal n'existait plus ? On ne se trouve pas facilement un nouvel ennemi de cette envergure. La Chine, et l'Inde dans une certaine mesure, étaient naturellement des candidats en lice. Mais, à cette époque, l'équipement militaire de la Chine était encore à la traîne. La défense chinoise reposait sur le fait qu'elle pouvait aligner à chaque instant donné un nombre apparemment infini de soldats. Mais cela ne justifiait pas que l'Occident continue de mettre au point des armes sophistiquées uniquement conçues dans l'optique de l'épreuve de force avec les Russes. On était donc face à un très grand problème. Il n'était tout simplement pas opportun de divulguer ce qu'on savait. Il fallait s'arranger pour que les trolls n'approchent pas la lumière du soleil.

Ils étaient parvenus à une petite éminence d'où l'on pouvait voir la mer. Wallander et Linda, unissant leurs forces, y avaient transporté l'année précédente un vieux banc qu'elle avait eu pour presque rien à une vente aux enchères. Ils s'y assirent. Wallander rappela Jussi, qui obtempéra à contrecœur.

– Ce dont nous parlons se déroulait à l'époque où la Russie était encore un ennemi tout à fait réel, poursuivit Sten Nordlander. Ce n'était pas que sur les patinoires de hockey que nous autres, Suédois, étions persuadés de ne jamais pouvoir les battre. Nous croyions dur comme fer, comme nous l'avons d'ailleurs toujours fait, que l'ennemi viendrait toujours de l'Est, et que nous devions donc rester très vigilants quant à ce qu'ils fabriquaient dans la Baltique. Et c'est là que la rumeur a commencé à se répandre, à la fin des années 1960.

Sten Nordlander regarda autour de lui, comme s'il craignait qu'ils puissent être écoutés. Une moissonneuse-batteuse travaillait à plein régime du côté de la route de Simrishamn. Le bourdonnement lointain de la circulation parvenait par intermittence jusqu'en haut de la colline.

– Nous savions que les Russes avaient leur principale base navale à Leningrad. Ils en avaient aussi d'autres, plus ou moins secrètes, dans les pays baltes et en RDA. Nous n'étions pas les seuls en Suède à dynamiter la roche mère, les Allemands le faisaient déjà au temps de Hitler et les Russes ont continué après que la croix gammée a été remplacée en RDA par l'étoile rouge. La rumeur, donc, s'est répandue qu'il existait un câble de communication posé au fond de la Baltique, unissant Leningrad et les pays baltes, et que ce câble assurait l'essentiel de leurs communications. C'était l'époque où on commençait à trouver plus sûr de poser des câbles sous-marins plutôt que de multiplier les signaux radio haute fréquence, trop faciles à intercepter. Nous ne devons pas oublier que la Suède était très mêlée à tout cela. Un de nos avions de reconnaissance a été abattu au début des années 1950 et plus personne, de nos jours, ne doute du fait qu'il écoutait les Russes.

– Tu dis que ce câble était une rumeur ?

– Les Russes l'auraient déroulé au début des années 1960,

à l'époque où ils croyaient vraiment pouvoir se mesurer à l'Amérique et même la dépasser. N'oublie pas notre consternation quand le spoutnik s'est mis à tourner dans l'espace et qu'à notre surprise à tous, ce n'étaient pas les Américains qui l'avaient envoyé là-haut. Les Russes avaient de quoi être contents ; il y a eu une période où ils ont presque réussi à rattraper leur retard. Avec le recul, si on est cynique, on pourrait dire que c'est à ce moment-là qu'ils auraient dû frapper s'ils avaient voulu déclencher une guerre. L'apocalypse que tu évoquais tout à l'heure… Quoi qu'il en soit, il y avait un agent double dans les services est-allemands, un général multi-étoilé qui aurait pris goût à la dolce vita à Londres, et qui a dévoilé l'existence du câble à un homologue anglais. Cette information fut ensuite revendue à prix d'or par les Anglais à leurs amis américains, qui étaient toujours à mendier des informations. Le problème, c'était qu'on ne pouvait pas faire entrer les sous-marins américains les plus récents dans le détroit d'Öresund car les Russes les auraient aussitôt repérés. Il fallait donc des méthodes plus discrètes, mini-sous-marins et ainsi de suite. Mais on manquait d'informations précises. Où se trouvait ce câble ? Au milieu de la mer ? Ou bien avait-on choisi le chemin le plus court, en partant du golfe de Finlande, puis tout droit vers les États baltes ? Peut-être les Soviétiques étaient-ils encore plus rusés que ça et l'avaient-ils posé près de l'île suédoise de Gotland, où personne n'aurait imaginé sa présence ? On cherchait donc, avec l'arrière-pensée évidente de l'équiper du petit frère du cylindre d'écoute qu'on avait déjà placé à Kamchatka.

– Tu veux dire que c'est lui qui se trouverait sur la table de ma cuisine ?

– S'il s'agit bien de celui-là. Rien n'empêche qu'il y en ait eu plusieurs.

– C'est tellement étrange, dit Wallander. Aujourd'hui la superpuissance russe n'existe plus. Les États baltes sont à nouveau libres, les Allemands de l'Est réunis à ceux de l'Ouest.

Un système d'écoute tel que celui-ci n'aurait-il pas plutôt sa place dans un musée de la Guerre froide ?

– Peut-être. Je ne suis pas capable de répondre à ça. Je peux juste te dire ce que tu as en ta possession.

Ils continuèrent leur promenade. Ce fut seulement de retour dans le jardin que Wallander posa la question décisive :

– Où tout cela nous mène-t-il, concernant Håkan et Louise ?

– Je n'en sais rien. Pour moi, ça devient de plus en plus énigmatique. Que comptes-tu faire du cylindre ?

– Je vais prendre contact avec la brigade criminelle de Stockholm. Ce sont eux qui mènent cette enquête. Ce qu'ils décideront de faire ensuite, avec les services et avec l'armée, ne me concerne pas.

À onze heures, Wallander conduisit Sten Nordlander jusqu'à l'aéroport de Sturup. Ils se séparèrent devant le bâtiment jaune du terminal. Wallander proposa une fois de plus de lui rembourser le voyage, mais Sten Nordlander fit non de la tête.

– Je veux savoir ce qui s'est passé. Håkan est mon meilleur ami. Je pense à lui chaque jour. Et à Louise.

Il ramassa son sac et disparut. Wallander rentra chez lui.

Il se sentait à bout de forces en arrivant à Löderup et se demanda s'il était en train de retomber malade. Il décida de prendre une douche.

Son dernier souvenir fut d'avoir eu un peu de mal à tirer le rideau en plastique le long de son rail.

À son réveil, il était dans une chambre d'hôpital. Fixée au dos de sa main, une canule intraveineuse. Linda debout au pied du lit. Il n'avait aucune idée de ce qu'ils faisaient là tous les deux.

– Qu'est-ce qui s'est passé ?

Linda le lui dit, calmement, comme si elle lisait à haute

voix un rapport de police. Ses paroles n'évoquèrent rien à Wallander ; elles remplirent simplement un vide d'informations. Elle l'avait appelé vers dix-huit heures, puis à plusieurs reprises jusqu'à vingt-deux heures, en vain. Très inquiète, elle avait alors laissé Klara à Hans, qui était pour une fois à la maison, et pris la route de Löderup. Elle l'avait trouvé évanoui sous la douche. Trempé, gisant sur le carrelage. Elle avait appelé une ambulance. En l'interrogeant, le médecin n'avait pas tardé à comprendre que c'était un choc insulinique : le taux de glycémie, trop bas, l'avait envoyé dans les pommes.

– Je me rappelle que j'avais faim, dit Wallander lentement. Mais je n'ai rien mangé.

– Tu aurais pu mourir.

Il vit qu'elle avait les larmes aux yeux. Si elle ne s'était pas inquiétée, si elle n'avait pas pris sa voiture, il aurait parfaitement pu mourir là, sous la douche. Il eut un long frisson. Il aurait pu finir là, tout nu sur le carrelage.

– Tu fais n'importe quoi, papa. Un jour, ce sera la fois de trop. J'exige que Klara puisse continuer à fréquenter son grand-père pendant au moins quinze ans encore. Ensuite tu feras de ta vie ce que tu voudras.

– Je ne comprends pas comment ça a pu arriver. Ce n'est pas la première fois que mon taux de glycémie était trop bas.

– Ça, tu pourras le dire au médecin. Moi, je te parle d'autre chose. De ta responsabilité. Qui est de survivre.

Il se contenta de hocher la tête. Chaque parole lui coûtait. Une étrange fatigue lui résonnait dans tout le corps, comme si son corps était une enveloppe vide.

– Qu'est-ce qu'il y a dans la perfusion ? demanda-t-il.

– Je ne sais pas.

– Combien de temps vais-je rester ici ?

– Aucune idée.

Elle se leva. Il vit soudain sa fatigue à elle, et comprit comme au travers d'un brouillard qu'elle était peut-être auprès de lui depuis très longtemps.

– Rentre chez toi, dit-il. Ça va aller.

– Oui. Ça va aller. Pour cette fois.

Elle se pencha et le regarda au fond des yeux.

– Je te transmets le bonjour de Klara. Elle aussi, elle est contente de savoir que ça va aller.

Wallander se retrouva seul dans la chambre. Il ferma les yeux. Il voulait dormir. Par-dessus tout, il voulait se réveiller avec le sentiment que ce qui s'était produit n'était pas sa faute.

Mais plus tard ce jour-là, il apprit de la bouche de son médecin traitant, le docteur Hansén – bien qu'en congé, il avait pris la peine de venir jusqu'à l'hôpital –, que le temps où il pouvait se contenter d'une surveillance sporadique de son taux de glycémie était révolu. Wallander était son patient depuis près de vingt ans et il savait que les justifications et les excuses n'avaient aucune prise sur ce médecin désespérément non sentimental et bien décidé à le rester. Le docteur Hansén répéta plusieurs fois qu'il était libre de jouer les funambules mais que, dans ce cas, la prochaine fois pourrait bien avoir des conséquences qui n'étaient pas encore de son âge.

– J'ai soixante ans, protesta Wallander. Je suis vieux.

– Il y a deux générations, oui, on était vieux à soixante ans. Mais plus de nos jours. Le corps vieillit, ça on n'y peut rien. N'empêche que tu as normalement encore quinze à vingt ans à vivre.

– Que va-t-il arriver maintenant ?

– Tu restes ici jusqu'à demain, le temps que mes confrères s'assurent que ton taux de glycémie s'améliore et que tu n'as pas de séquelles. Puis tu pourras rentrer chez toi et continuer à mener ta vie de pécheur.

– Je ne pèche pas, répliqua Wallander, vaguement outré.

Le docteur Hansén était son aîné de quelques années et il avait été marié six fois. Il était de notoriété publique à Ystad que les pensions alimentaires versées à ses ex-femmes l'obligeaient à travailler pendant ses vacances dans des cliniques norvégiennes au fin fond du Finnmark où personne n'aurait eu l'idée de mettre les pieds à moins d'y être absolument contraint.

– C'est peut-être ça qui te manque ? Un petit péché rafraîchissant ? Une fredaine, une escapade de commissaire en goguette ?

Ce fut seulement après le départ de Hansén qu'il comprit qu'il avait frôlé la mort. Pour de vrai. Un court instant ce fut la panique – une peur de mourir plus forte que jamais auparavant, du moins dans une situation non professionnelle. Mais il y avait la peur du policier et celle de l'être humain. Ce n'était pas la même.

Il se rappela pour la énième fois l'épisode où, très jeune policier en uniforme, il avait été poignardé à Malmö, à un cheveu de la grande ombre définitive. À présent, la mort avait une nouvelle fois soufflé sur sa nuque. Cette fois, c'était lui qui lui avait entrouvert la porte.

Ce soir-là, dans son lit d'hôpital, Wallander prit une série de résolutions – tout en sachant au moment même où il les formulait qu'il ne réussirait sans doute à en tenir aucune. Il s'agissait d'habitudes alimentaires, d'exercice physique, de centres d'intérêt plus diversifiés, d'une lutte renouvelée contre la solitude. Avant tout, il s'agissait de mettre à profit ses vacances, de ne pas travailler, de ne pas continuer à chercher les parents de Hans ; de se mettre réellement en congé, de se reposer, de dormir, de faire de longues promenades sur la plage, et de jouer avec Klara.

Il échafauda un projet. Au cours des cinq années à venir, il parcourrait à pied toute la côte scanienne, de la crête de Hallandsås jusqu'à la frontière du Blekinge. Au moment même où le projet naissait en lui, il douta fort de le mettre un jour en pratique. Mais cela le soulageait de développer une rêverie avant de la laisser peut-être filer et s'estomper discrètement.

Quelques années plus tôt, lors d'un dîner chez Martinsson,

il avait eu l'occasion de discuter avec un professeur de lycée à la retraite, qui lui avait raconté avoir fait le célèbre chemin de pèlerinage jusqu'à Saint-Jacques-de-Compostelle. Wallander avait immédiatement pensé qu'il le ferait, lui aussi, en divisant le parcours en plusieurs étapes, sur une période de cinq ans par exemple. Il s'était même mis à s'entraîner en portant un sac à dos rempli de grosses pierres, mais, comme par hasard, il en avait trop fait trop vite et il s'était déclenché une épine calcanéenne au pied gauche. Le pèlerinage avait cessé avant même d'avoir commencé. À présent il était guéri, grâce entre autres à de douloureuses injections de corticoïdes dans le talon. Mais peut-être une suite de randonnées bien préparées le long des plages scaniennes était-elle encore du domaine du possible ?

Le lendemain, il fut autorisé à rentrer chez lui. Il alla chercher Jussi, qui avait été pris en charge une fois de plus par les voisins, et refusa la proposition de Linda de venir lui préparer à dîner. Il sentait qu'il devait affronter sa situation sans l'aide de sa fille. S'il était seul, eh bien, il était seul. Voilà ce qu'il lui répondit. C'était à lui de se débrouiller pour ne pas gâcher au moins ses propres vacances.

Avant de se coucher ce soir-là, il écrivit un long e-mail à Ytterberg. Il ne dit rien de sa maladie, annonça seulement qu'il devait prendre un peu de vacances car il était surmené, et qu'il avait l'intention de ne pas s'occuper du tout de Håkan et de Louise von Enke pendant ces jours-là. Il écrivait en conclusion :

Pour la première fois, je mesure mes limites et mon âge. Je ne l'avais encore jamais fait jusqu'à présent. Je n'ai plus quarante ans. Le temps perdu ne reviendra pas. Je dois m'y résigner. Je crois que c'est une illusion que je partage avec beaucoup de monde ; celle de croire qu'on peut, contre toute évidence, se baigner deux fois dans le même fleuve.

Il se relut, appuya sur la touche « envoyer/recevoir » et éteignit ensuite l'ordinateur. Au moment de se coucher, il entendit un roulement de tonnerre au loin.

L'orage approchait, mais en attendant la nuit d'été était encore claire.

20

Le lendemain, le front orageux s'était éloigné sans avoir touché Löderup. Wallander se leva à huit heures, plutôt en forme. Il ne faisait pas chaud, mais il décida d'emporter malgré tout son petit déjeuner jusqu'à la table blanche du jardin. Pour fêter le début de ses vacances, il coupa quelques roses et les posa sur la table. Il venait de s'asseoir quand son téléphone sonna. Linda voulait savoir comment il allait.

– J'ai eu droit à mon avertissement. Là, tout de suite, tout va bien. Je garde mon téléphone à portée de main.

– C'est justement ça que je voulais te dire.

– Comment allez-vous ?

– Klara a un rhume d'été. Hans a pris une semaine de congé, incroyable mais vrai.

– De son plein gré ?

– De *mon* plein gré. Il n'ose pas protester, car j'ai posé un ultimatum.

– Ah oui ? Lequel ?

– Le travail ou moi, bien sûr. Klara n'est pas négociable.

Wallander finit son petit déjeuner en pensant que la ressemblance entre Linda et son grand-père paternel était de plus en plus frappante. C'était le même ton de voix pointu, la même attitude ironique et moqueuse. Mais aussi ce penchant irascible qui rôdait en permanence juste sous la surface.

Wallander posa les pieds sur une chaise, se laissa aller, bâilla, ferma les yeux. Ses vacances avaient enfin commencé.

Quand le téléphone sonna à nouveau, il faillit ne pas répondre et écouter plus tard l'éventuel message. Puis il prit quand même le combiné.

– C'est Ytterberg, je te réveille ?

– Pour ça, il aurait fallu m'appeler plus tôt.

– Nous avons retrouvé Louise von Enke. Elle est morte.

Wallander en eut le souffle coupé. Il se leva avec précaution.

– J'ai tenu à t'appeler tout de suite, poursuivit Ytterberg. Nous pourrons garder le secret encore une heure peut-être, mais d'ici là il va falloir prévenir son fils et ta fille. Il n'y a pas d'autre famille, il me semble, à part le cousin en Angleterre.

– Je peux prévenir Hans et Linda. Et Signe. Et le personnel de Niklasgården.

– Merci. Mais si c'est trop difficile pour toi, ce que je pourrais comprendre, je peux m'en charger.

– Non, non. Donne-moi juste l'essentiel.

– On l'a trouvée par une coïncidence absurde. Hier soir, une femme a disparu d'une maison de retraite sur l'île de Värmdö. Elle n'a pas toute sa tête et elle a l'habitude de partir en balade ; on lui avait mis un bracelet GPS pour la retrouver facilement, mais elle avait réussi à s'en débarrasser. Bref. La police a dû organiser une battue. On a récupéré la vieille dame, tout allait bien de son côté, mais ensuite on s'est aperçu que deux des policiers qui avaient participé à la battue s'étaient égarés. Tu imagines une chose pareille ? Et leurs portables étaient déchargés. Il a donc fallu lancer une nouvelle recherche. On a fini par les retrouver ; mais sur le chemin du retour, on a aussi trouvé quelqu'un d'autre.

– Louise…

– Oui. Son corps gisait au bord d'un sentier, à trois kilomètres environ de la route la plus proche. Le chemin dessert une coupe claire. J'en reviens.

– Elle a été tuée ?

– Non. Ça ressemble à un suicide. Pas de traces de violence. Un flacon de somnifères vide à côté d'elle. Si le flacon était plein quand elle les a pris, elle a dû en avaler une centaine. Maintenant il faut attendre le rapport d'autopsie.

– Comment était-elle ?

– Allongée en position fœtale. Jupe et chemisier gris, manteau, mi-bas. Ses chaussures alignées à côté. Et son sac à main contenant ses papiers et ses clés. Un animal était venu la renifler, mais sans plus.

– Tu peux me dire où, exactement, sur Värmdö ?

Ytterberg le lui expliqua.

– Je t'envoie un croquis par e-mail, si tu veux.

– Je veux bien. Aucune trace de Håkan ?

– Rien.

– Pourquoi est-elle allée choisir un endroit pareil ? Une coupe de forêt...

– Je ne sais pas. On ne peut pas dire que ce soit un bel endroit pour mourir, au milieu des feuilles mortes et des souches toutes rabougries... Je t'envoie la carte. Je t'appelle dès qu'il y a du nouveau.

– Comment vont tes vacances ?

– Ce ne sera pas la première fois que mes vacances auront été repoussées.

Le croquis arriva après quelques minutes. Wallander pensa que c'était une expérience qu'il partageait avec tous les policiers qu'il connaissait – le malaise profond au moment d'annoncer à quelqu'un la mort d'un proche. Ça ne pourrait jamais devenir un geste routinier.

Quel que soit le moment où elle survenait, la mort dérangeait toujours.

Et là, il s'agissait de la mère du compagnon de sa fille.

En composant le numéro, il vit que sa main tremblait. Ce fut Linda qui décrocha.

– Encore toi ? On s'est parlé à l'instant. Tu es sûr que ça va ?

– Je vais bien. Tu es seule ?

– Hans est en train de changer Klara. Je ne t'ai pas dit que je lui avais fixé un ultimatum ?

– Si. Écoute-moi bien maintenant. Assieds-toi.

À sa voix, elle comprit que c'était grave. Il n'était pas du genre à dramatiser pour rien.

– Je suis assise.

– Louise est morte.

– Quoi ?

– Elle se serait apparemment suicidée. On l'a trouvée cette nuit ou ce matin au bord d'un sentier de forêt sur l'île de Värmdö.

Silence. Puis :

– C'est vraiment vrai… ?

– Je ne peux que te répéter ce que vient de me dire Ytterberg.

– Mais c'est terrible. Et Håkan ?

– Rien. Comment penses-tu que Hans va prendre la nouvelle ?

– Je n'en sais rien. Tu es vraiment sûr et certain ?

– Je ne t'aurais pas appelée si Louise n'avait pas été identifiée.

– Je voulais dire, tu es sûr que c'est un suicide ? Ça ne colle pas. Louise n'est pas comme ça.

– Va parler à Hans. S'il veut me joindre, je suis à la maison. S'il n'a pas le numéro d'Ytterberg, je peux le lui donner.

Wallander allait raccrocher mais Linda le retint.

– Où a-t-elle été pendant tout ce temps ? Et pourquoi aurait-elle subitement choisi de se donner la mort ?

– J'en sais aussi peu que toi. On se reparlera plus tard.

Wallander raccrocha et appela ensuite Niklasgården. Artur Källberg était en vacances, tout comme la belle femme de la réception, mais il put parler à une remplaçante. Elle ne savait rien de l'histoire de Signe von Enke, et il eut le sentiment désagréable de parler à un mur. Mais c'était peut-être un avantage dans cette situation.

Il eut à peine le temps de raccrocher que Hans le rappela. Il était bouleversé, en larmes. Wallander répondit patiemment à ses questions et promit de le prévenir dès qu'il aurait du nouveau. Linda prit le combiné.

– Je crois qu'il n'a pas encore bien réalisé, dit-elle à voix basse.

– Moi non plus.

– Qu'avait-elle pris ?

– Des somnifères. Ytterberg ne m'a pas dit lesquels.

– Louise ne prenait jamais de somnifères. Je le sais, elle me l'avait dit elle-même.

– Les femmes qui font une tentative de suicide choisissent en général les médicaments.

– Il y a un autre truc qui me chiffonne.

– Quoi ?

– Tu as bien dit qu'elle avait retiré ses chaussures ?

– D'après Ytterberg, oui.

– N'est-ce pas étrange ? À l'intérieur, j'aurais pu comprendre, mais dehors ? Dans la forêt ?

– Je ne sais pas.

– A-t-il dit de quel genre de chaussures il s'agissait ?

– Non, mais je ne lui ai pas posé la question.

– Tu dois tout nous dire.

– Et pourquoi diable chercherais-je à vous cacher quoi que ce soit ?

– Tu oublies parfois de préciser certains détails. Peut-être par un effet de sollicitude mal placée. Quand les journaux vont-ils apprendre la nouvelle ?

– D'un instant à l'autre. Allume ton téléviseur. Le télétexte a un temps d'avance, en général.

Wallander attendit, téléphone à la main. Elle revint après une minute.

– Ça y est. « Louise von Enke trouvée morte. Pas de trace du mari. »

– À plus tard.

Wallander alluma son propre téléviseur et constata que l'information était jugée importante. Mais si rien de neuf n'intervenait dans les heures à venir, la mort de Louise von Enke serait vite reléguée à l'arrière-plan.

Il essaya de consacrer le reste de cette journée à son jardin : il avait acheté un taille-haie en solde dans un centre de bricolage, mais force lui fut de reconnaître qu'il ne valait rien. Il tailla ses buissons et certains de ses vieux arbres fruitiers en partie desséchés, alors qu'il savait pertinemment qu'il ne fallait pas s'attaquer à eux en plein été. Ses pensées étaient sans cesse auprès de Louise. Il n'avait pas eu le temps d'apprendre à la connaître. Que savait-il d'elle, au fond ? Qui était-elle, cette femme discrète qui écoutait, un fin sourire aux lèvres, les conversations des autres sans jamais y participer ou presque ? Elle avait été professeur d'allemand, peut-être aussi d'autres langues, il ne s'en souvenait pas à l'instant et n'avait guère envie d'aller consulter ses notes.

Autrefois, elle avait donné naissance à une fille. Ils avaient aussitôt appris que celle-ci était lourdement handicapée et qu'elle le resterait. C'était leur première-née. Comment un événement pareil affecte-t-il une jeune mère ? Il tournait dans son jardin avec son misérable taille-haie et ne trouvait pas de réponse. Mais il n'éprouvait pas davantage un chagrin digne de ce nom. On ne pouvait pas plaindre les morts. Ce qu'éprouvait Hans, et Linda avec lui, il pouvait le comprendre. Il y avait aussi Klara, qui ne connaîtrait jamais sa grand-mère paternelle.

Jussi arriva en boitant ; une écharde s'était plantée dans un coussinet. Wallander alla chercher la pince à épiler. Puis il s'assit à la table du jardin, lunettes sur le bout du nez, et retira l'épine. Jussi lui témoigna sa reconnaissance en disparaissant aussitôt, tel un bolide, au fond du fossé le plus proche. Dans le ciel un planeur approchait à faible altitude. Wallander le suivit du regard, en plissant les yeux. La sensation des vacances refusait de se matérialiser en lui. Il ne cessait de voir le corps sans vie de Louise étendu au bord d'un chemin, dans un paysage en friche. Et, à côté d'elle, une paire de chaussures bien alignées.

Il balança le taille-haie au fond de la remise et s'allongea sur la balancelle. Le planeur avait disparu. Des tracteurs travaillaient dans les champs, la rumeur de la route lui parvenait de façon irrégulière. Il se redressa. C'était sans espoir. Il ne profiterait pas de ses vacances tant qu'il n'aurait pas vu l'endroit de ses propres yeux. Il devait une fois de plus retourner à Stockholm.

Wallander prit l'avion le soir même après avoir placé Jussi chez le voisin qui lui demanda gentiment, mais non sans ironie, s'il n'en avait pas par hasard assez de son chien. Il appela Linda de l'aéroport et lui annonça ce qu'il s'apprêtait à faire. Elle répondit qu'elle n'était pas franchement étonnée.

– Prends autant de photos que tu pourras. Il y a un truc qui ne colle pas dans cette histoire.

– Rien ne colle. C'est bien pour ça que j'y vais.

Son voyage fut gâché par deux enfants qui n'arrêtaient pas de crier dans la rangée de fauteuils derrière la sienne. Il dut se boucher les oreilles quasiment du début à la fin du vol. Arrivé à Stockholm, il prit une chambre dans un petit hôtel près de la gare centrale. Il venait de faire jouer la clé dans la serrure quand une violente averse éclata. Il vit par la fenêtre les passants se hâter le long de la rue ou s'abriter précipitamment. La solitude peut-elle être plus grande que ça ? pensa-t-il. Pluie, chambre d'hôtel, me voici. Soixante ans. Si je me retourne, il n'y a personne. Quant à Mona, elle doit être aussi seule que moi. Et sa solitude à elle est pire, vu qu'elle ne peut s'empêcher d'essayer de la noyer avec tout ce qui lui tombe sous la main.

Quand la pluie eut cessé, Wallander retourna à la gare et acheta un plan détaillé de la ville. Puis il réserva pour le lendemain, par téléphone, une voiture de location. Vu que c'était l'été, la demande était forte, et le modèle qu'on lui proposa était beaucoup plus cher que celui qu'il souhaitait. Mais il accepta. Le soir venu, il dîna dans la vieille ville, but du vin rouge et se rappela soudain un été, bien des années auparavant, juste après son divorce… Il avait rencontré une femme de Stockholm qui s'appelait Monika et qui était en visite à Ystad chez des amis. Ils s'étaient connus à une soirée dansante – morne, épouvantable – et avaient décidé de se revoir et de dîner ensemble à Stockholm. Ils n'avaient même pas fini les entrées qu'il prenait la mesure du désastre. Ça n'allait pas. Ils n'avaient rien à se dire, rien du tout, les silences entre eux se faisaient de plus en plus longs, et il avait fini par se soûler copieusement. Il adressa un toast silencieux à la mémoire de Monika : salut à toi, j'espère que ta vie s'est arrangée. Il était un peu gris en quittant le restaurant. Il erra quelque temps dans les ruelles, se retrouva enfin sur le pont de Skeppsbron et regagna ensuite son hôtel. Cette nuit-là, il rêva à nouveau de chevaux qui fonçaient au grand galop droit dans la mer. Au réveil, il chercha son glucomètre et se piqua le bout du doigt : 5,5. C'était ce qu'il fallait. La journée commençait bien.

Une lourde couverture nuageuse recouvrait la région de Stockholm lorsqu'il arriva vers dix heures sur l'île où l'on avait découvert le corps de Louise von Enke. Il pénétra dans la forêt et parvint après un certain temps à la friche déboisée où traînaient encore quelques bandes plastifiées de la police. Le sol était détrempé après la pluie, mais Wallander déchiffra les marques tracées par les collègues afin de marquer l'emplacement du corps.

Immobile, il écouta en retenant son souffle. La première impression était toujours décisive. Il pivota sur lui-même, un lent mouvement circulaire. L'endroit était un repli de terrain entouré de deux côtés par des blocs rocheux. Si elle l'avait choisi pour sa discrétion, elle avait bien choisi.

Puis il pensa aux fleurs. Les paroles de Linda, la première

fois qu'elle lui avait parlé de sa future belle-mère. Une femme qui adorait les roses, qui rêvait toujours d'un beau jardin, qui avait la main verte... Voilà ce qu'avait dit Linda, il s'en souvenait parfaitement. Cet endroit était aussi éloigné que possible d'un beau jardin. Était-ce pour cette raison qu'elle l'avait choisi ? Parce que la mort n'était pas belle, parce que la mort n'avait rien à voir avec les roses et un jardin amoureusement entretenu ? Il en fit le tour et le considéra sous différents angles. Elle avait dû effectuer la dernière partie du trajet à pied. En venant de l'endroit où il avait lui-même laissé la voiture de location. Mais comment était-elle arrivée jusque-là ? En bus ? En taxi ? Quelqu'un l'y avait-il conduite ?

Il s'approcha d'une ancienne tour de chasse qui se dressait au beau milieu de la coupe. Les marches étaient disjointes, il grimpa avec précaution. Là-haut, il trouva des mégots de cigarettes et des cannettes de bière vides. Une souris morte dans un coin. Il redescendit et poursuivit son exploration en essayant d'y voir la scène de son propre suicide. Un lieu triste et laid, encombré de vieilles souches, un flacon de somnifères... Il s'immobilisa pendant que lui revenaient les mots d'Ytterberg à propos d'*une centaine de somnifères*. Il n'avait pas mentionné de bouteille d'eau. Pouvait-on avaler autant de cachets sans liquide ? Il revint sur ses pas, marchant dans ses propres traces et à la recherche d'un détail qui lui aurait échappé lors de son premier passage. Il observait le sol mais aussi les pensées qui lui venaient à mesure ; surtout, il tentait d'imaginer celles de Louise. La femme silencieuse qui écoutait toujours avec bienveillance ce que les autres avaient à dire.

Ce fut à cet instant précis que Wallander s'aperçut réellement pour la première fois qu'il se tenait à la périphérie d'un monde dont il ignorait tout. Le monde de Håkan et de Louise von Enke. Ce qu'il vit et ressentit sur le moment, dans la friche, était assez diffus : pas une révélation, plutôt le sentiment de frôler une réalité qu'il n'avait aucun moyen d'appréhender.

Il quitta la forêt et l'île, retourna en ville, laissa la voiture dans Grevgatan et monta à l'appartement. En silence, il parcourut les pièces une à une. Puis il rassembla le courrier éparpillé sur le sol de l'entrée et récupéra dans le lot quelques factures afin de les remettre à Hans. La réexpédition du courrier ne fonctionnait manifestement pas encore. Il examina les autres enveloppes, à la recherche d'un détail insolite, mais rien ne retint son attention. L'appartement manquait d'air. Lui-même avait mal au crâne, sans doute à cause du mauvais vin rouge bu la veille au soir. Il ouvrit prudemment une fenêtre. Puis il alla regarder le répondeur. La lampe rouge clignotait. Il écouta un message d'une certaine Märta Hörnelius demandant *si Louise accepterait de faire partie d'un club littéraire qui démarrerait à l'automne autour de la littérature allemande classique.* C'était tout. Louise von Enke ne fera plus jamais partie du moindre club, pensa sombrement Wallander.

Il prépara du café à la cuisine, vérifia dans le réfrigérateur qu'il n'y avait pas de restes en train de moisir et se rendit ensuite dans la chambre où Louise possédait deux vastes penderies. Il n'accorda pas un regard à ses vêtements, se consacra uniquement aux paires de chaussures rangées sur l'étagère du bas. Il les porta dans la cuisine et les aligna sur la table. Quand il eut fini, il compta vingt-deux paires, plus deux paires de bottes en caoutchouc. La table n'avait pas suffi, il avait dû réquisitionner aussi le plan de travail et l'égouttoir. Il chaussa ses lunettes et commença à les examiner méthodiquement une par une. Il nota que Louise avait d'assez grands pieds et n'achetait que des chaussures de marque. Même les bottes en caoutchouc étaient d'une marque italienne dont Wallander se douta qu'elle n'était pas bon marché. Il ignorait ce qu'il cherchait. Mais Linda avait réagi tout comme lui au fait que Louise aurait ôté ses chaussures avant de mourir. Comme si elle voulait donner une impression d'ordre, pensa Wallander. Mais pourquoi ?

Il mit une demi-heure à inspecter sa collection. Puis il appela Linda sur son portable et lui parla de son excursion à Värmdö.

– Combien de paires de chaussures possèdes-tu ? demanda-t-il.

– Je n'en sais rien.

– Louise en a vingt-deux, en plus de celles qui sont au commissariat. C'est peu ou beaucoup ?

– Ça me paraît raisonnable. Louise faisait attention à elle.

– C'est tout ce que je voulais savoir.

– Tu n'as rien d'autre à me dire ?

– Pas pour le moment.

Il raccrocha malgré ses protestations et appela Ytterberg. À sa grande surprise, ce fut une voix d'enfant qui lui répondit.

– Ma petite-fille adore répondre au téléphone, expliqua Ytterberg quand il eut pris le combiné. Je l'ai emmenée au bureau aujourd'hui.

– Je ne vais pas te déranger longtemps. C'est juste une question qui me préoccupe.

– Tu ne me déranges pas. Je te croyais en vacances. J'ai mal compris ?

– Je suis en vacances.

– De notre côté, nous attendons encore le rapport des médecins légistes. C'est quoi, ta question ?

Wallander se rappela soudain son interrogation par rapport à la bouteille d'eau.

– En fait, j'en ai deux. La première est toute simple. Si elle a avalé tant de cachets que ça, elle a bien dû boire un liquide ?

– Il y avait près du corps une bouteille d'eau minérale à moitié vide. Je ne te l'ai pas dit ?

– Si, sûrement. Mais je n'étais peut-être pas assez attentif. C'était quelle marque, Ramlösa ?

– Loka, je crois. C'est important ?

– Pas du tout. Et puis il y a les chaussures. Peux-tu me les décrire ?

– Chaussures de dame marron, petits talons, neuves je crois.

– Est-ce que ça te paraît plausible qu'elle ait eu ces chaussures-là aux pieds pour aller dans la forêt ?

– Ce n'étaient pas précisément des escarpins.

– Mais elles étaient neuves ?

– Oui, c'est l'impression que j'ai eue.

– Alors je crois que c'est tout.

– Je te rappelle dès que j'ai le rapport des légistes. Mais c'est l'été, ils vont moins vite que d'habitude.

– Savez-vous comment elle s'est rendue sur Värmdö ?

– Non, pas encore.

– Bien. Je te remercie.

Wallander resta assis dans l'appartement silencieux à serrer son téléphone portable comme si ç'avait été son dernier bien terrestre. *Marron, petits talons, neuves. Pas précisément des escarpins.* Pensivement, il commença à ranger les chaussures à leur place dans les penderies.

Le lendemain de bonne heure, il reprit l'avion pour Ystad. L'après-midi, il rapporta le taille-haie au centre de bricolage en expliquant que, soldés ou pas, il ne fallait pas vendre des outils inutilisables. Il se fâcha, ce qui n'était pas dans ses habitudes, et comme l'un des responsables du magasin l'avait reconnu, on lui en donna un autre, de bien meilleure qualité, sans lui demander de payer le complément.

En rentrant chez lui, il vit qu'Ytterberg avait appelé. Il composa son numéro.

– Tu m'as mis des fourmis dans la tête, dit Ytterberg. Je n'ai pas pu m'empêcher d'aller regarder de nouveau ses chaussures. C'est bien ce que je te disais. Elles étaient neuves.

– Ce n'était pas la peine de te déranger pour moi !

– Ce n'est pas pour ça que je te rappelle, répondit Ytterberg sur un ton dégagé. Pendant que j'y étais, j'ai aussi jeté un coup d'œil à son sac à main. Et c'est là que j'ai découvert une sorte de doublure. Comme une poche secrète, tu vois ? Et là, j'ai trouvé quelque chose de très intéressant.

Wallander retenait son souffle.

– Des bobines, poursuivit Ytterberg. Deux bobines de microfilm avec des étiquettes. Rédigées en cyrillique. Je ne sais pas de quoi il s'agit, mais ça a suffi pour que je prenne mon téléphone et que j'appelle nos collègues des services.

Wallander avait du mal à comprendre ce qu'il venait d'entendre.

– Ça voudrait dire qu'elle transportait des documents secrets ?

– On n'en sait rien. Mais un microfilm est un microfilm, un double fond est un double fond. Je voulais juste que tu sois au courant. C'est peut-être mieux de garder ça pour nous jusqu'à nouvel ordre. Le temps de savoir de quoi il retourne. Je te rappelle.

Wallander raccrocha et alla s'asseoir au jardin. La chaleur était revenue. La soirée promettait d'être belle.

Lui, en revanche, commençait à avoir froid.

Troisième partie

Le sommeil de la Belle au bois dormant

21

Wallander n'avait pas la moindre intention de tenir sa promesse. Bien sûr qu'il en parlerait à Linda et à Hans. Entre le respect de sa famille et celui des services de renseignements, son choix était vite fait. Il leur répéterait, mot pour mot, ce qu'il venait d'apprendre. Il en allait de sa responsabilité vis-à-vis d'eux.

Mais dans un premier temps, après sa conversation avec Ytterberg, il resta longtemps assis. Sa réaction initiale avait été que ça n'allait pas du tout. L'idée était absurde. Louise von Enke, agent russe ? Impensable.

Mais pourquoi Ytterberg lui aurait-il raconté des bobards ? Il avait beau ne l'avoir rencontré que brièvement, son collègue de Stockholm lui inspirait confiance. Il ne lui aurait jamais fait part de cette découverte s'il n'avait été sûr de lui.

Wallander comprit qu'il ne servirait à rien de nier la réalité pour tenter de protéger Louise. Il fallait prendre la confidence d'Ytterberg au sérieux. Quelle que soit l'explication, qui se révélerait tôt ou tard, elle ne mettrait pas en cause son compte rendu mais, plutôt, les conclusions qu'il convenait d'en tirer.

Il se rendit en voiture chez Linda et Hans. Le landau était sous un pommier bien à l'ombre. Quant aux jeunes parents, il les trouva en train de boire leur café sur la balancelle.

Wallander s'assit sur une chaise de jardin et leur raconta ce qu'il venait d'apprendre. Leur incrédulité fut totale.

Pendant qu'il leur parlait, il s'était soudain mis à penser à Wennerström. Le colonel arrêté près de cinquante ans auparavant et qui avait vendu les secrets militaires suédois aux Soviétiques sur une très longue période. Associer Louise von Enke à cet homme cupide et plein de sang-froid lui était naturellement impossible.

– Je ne doute pas qu'il y ait une explication raisonnable à la présence de ces documents dans son sac, dit-il.

Linda secoua la tête. Elle regarda Hans, puis son père.

– Tu es vraiment sûr de ce que tu avances ?

– Sinon je ne serais pas venu jusqu'ici pour vous en parler.

– Ne t'énerve pas. On a le droit de s'interroger.

– Je ne m'énerve pas. Mais épargne-moi les questions inutiles.

Wallander et Linda comprirent en même temps qu'une dispute absurde allait éclater et se continrent de justesse. Hans n'avait apparemment rien remarqué.

Wallander se tourna vers lui. Il paraissait consterné.

– Est-ce que cela t'évoque quelque chose ? demanda-t-il prudemment. Tu la connaissais bien mieux que nous…

– Il y a peu de temps, répondit Hans, j'ai appris que j'avais une sœur dont j'avais toujours ignoré l'existence. Et maintenant ça ! J'ai l'impression de voir mes propres parents se transformer peu à peu en étrangers. Tu sais, quand on tient des jumelles dans le mauvais sens ? C'est comme si je les voyais s'éloigner. Alors que ma mère n'est plus là et mon père peut-être non plus…

– Il ne te revient aucun souvenir ? Des paroles échangées ? Des personnes qui seraient venues en visite ?

– La vérité, c'est que j'ai seulement mal au ventre.

Linda prit la main de Hans. Wallander se leva et se dirigea vers le pommier et le landau. Un bourdon tournoyait autour de la moustiquaire. Il la souleva avec précaution et contempla le bébé endormi. La même émotion qu'avec Linda quand elle était petite. La perpétuelle anxiété de Mona, et sa propre joie d'avoir un enfant.

Il revint s'asseoir.

– Elle dort, annonça-t-il.

– Moi, il paraît que je pleurais beaucoup, dit Linda.

– Oui, et c'était moi qui me levais la nuit pour m'occuper de toi.

– Ce n'est pas le souvenir qu'en a Mona.

– Mona ne s'est jamais tellement souciée de la vérité. Elle croit se souvenir de choses qu'elle a oubliées. C'est moi qui te promenais dans mes bras. Certaines nuits, je dormais à peine. Et le matin, je retournais au travail.

– Klara ne nous réveille quasiment jamais.

– Alors vous êtes des gens bénis. Pour parler franchement, tu étais épouvantable, parfois, avec tes pleurs.

– Et c'est toi qui me portais ?

– Parfois je me mettais du coton hydrophile dans les oreilles. Mais c'était bien moi. Tout le reste est mensonge, quoi qu'en dise Mona.

Hans posa sa tasse de café sur la table si fort qu'il en renversa une partie. Il ne paraissait pas avoir suivi leur échange, ou alors celui-ci lui semblait vraiment déplacé et il le leur faisait savoir.

– Où était ma mère pendant tout ce temps ? Et où est mon père ?

– Quelle est la première pensée qui te vient ?

C'était Linda qui l'interrogeait, tournant en un instant toute son attention vers lui. Wallander la regarda, surpris. Intérieurement, il avait formulé la même question. Mais elle avait été la plus rapide.

– Je ne sais pas… Quelque chose me dit que mon père est en vie. C'est curieux. C'est ça qui m'est venu, en apprenant que ma mère était morte.

Wallander prit la suite :

– Pourquoi ? Qu'est-ce qui te le fait penser ?

– Je ne sais pas.

Wallander n'était pas surpris. Il n'avait pas imaginé que Hans puisse avoir grand-chose à dire sur le moment. Et il avait aussi compris qu'il existait une grande distance entre les membres de la famille von Enke.

Il songea soudain que c'était là, malgré tout, un point de départ. Que savaient l'un de l'autre les époux von Enke ? Avaient-ils eu autant de secrets l'un vis-à-vis de l'autre qu'ils en avaient eus ensemble vis-à-vis de leur fils ? Où était-ce l'inverse ? Louise et Håkan avaient-ils été très proches au contraire ?

Impossible d'avancer pour le moment. Hans se leva et disparut vers la maison.

– Il doit appeler Copenhague, dit Linda. On venait de le décider quand tu es arrivé.

– Décider quoi ?

– Qu'il resterait à la maison aujourd'hui.

– Cet homme-là ne prend donc jamais de congés ?

– Il y a beaucoup d'inquiétude, beaucoup de turbulences – et là je parle à l'échelle mondiale. Hans est soucieux. C'est pour ça qu'il travaille sans arrêt.

– Avec des Islandais ?

Elle le fusilla du regard.

– Tu essaies de faire de l'ironie ? N'oublie pas que tu parles du père de ma fille.

– Quand il m'a fait visiter les locaux de son entreprise, il y avait des Islandais. Je me le suis rappelé. En quoi serait-ce de l'ironie ?

Linda agita la main comme pour clore la discussion. Hans revint s'asseoir sur la balancelle. Ils parlèrent un moment de l'enterrement de Louise. Wallander ne put leur dire quand le corps leur serait restitué après l'autopsie.

– C'est étrange, dit Hans. Hier j'ai reçu une grande enveloppe contenant des photographies de la fête des soixante-quinze ans de mon père. Quelqu'un les a prises et a eu l'idée de me les envoyer seulement maintenant. Il y en a au moins une centaine.

– Tu veux qu'on les regarde ? demanda Linda.

– Non, pas tout de suite.

Il paraissait très abattu.

– Je les ai rangées avec les listes d'invités et d'autres papiers relatifs à la fête. La copie de toutes les factures, entre autres...

Wallander, plongé dans ses pensées, n'avait que vaguement suivi leur échange. Soudain il se ranima.

– J'ai bien entendu ? Tu as parlé de listes d'invités ?

– La fête a été organisée avec le plus grand soin. Mon père n'est pas militaire pour rien. Il a coché le nom de ceux qui étaient venus, ceux qui s'étaient décommandés et ceux qui avaient enfreint toutes les règles de la politesse en ne se donnant même pas la peine de justifier leur absence.

– Comment se fait-il que ces listes soient en ta possession ?

– Mes parents ne connaissent pas grand-chose aux ordinateurs. Je les ai aidés à tout imprimer. Et mon père m'a chargé d'intégrer au fichier informatique tous les commentaires qu'il avait faits sur les listes papier, Dieu sait pourquoi. Mais voilà, je n'en ai pas eu l'occasion.

Wallander réfléchit en se mordant la lèvre. Puis il se leva.

– J'aimerais bien voir ces listes. Et les photos aussi. Je peux les rapporter chez moi si vous avez d'autres projets.

– On n'a pas « d'autres projets » quand on a un bébé. Tu avais oublié ce détail ? Elle ne va pas tarder à se réveiller. Et alors, c'en sera fini de cette paix céleste. D'ailleurs, il vaut mieux que tu rentres. Je crois que ce sera plus calme comme ça.

Hans alla dans la maison et revint avec quelques chemises plastifiées et l'enveloppe de photos. Linda raccompagna Wallander jusqu'à sa voiture. Ils entendirent le tonnerre gronder au loin. Il allait ouvrir la portière quand elle posa la main sur son épaule.

– Est-ce qu'ils ont pu se tromper ? Est-ce que ça peut être un meurtre ?

– Rien ne l'indique. Ytterberg est quelqu'un d'expérimenté. Il aurait réagi.

– Redis-moi comment elle était quand ils l'ont trouvée.

– Les chaussures près du corps, bien rangées. Elle était sur le côté, en position fœtale. Ses vêtements n'avaient pas été salis ou dérangés, ce qui indique a priori qu'elle s'est couchée là d'elle-même.

– Mais les chaussures…

– Il y a une vieille expression qu'on n'entend plus guère de nos jours. Quand quelqu'un meurt, on dit qu'il a « rangé ses chaussures »… Ça ne t'évoque rien ?

Linda eut un geste d'impatience.

– Comment était-elle habillée ?

Wallander essaya de se rappeler ce qu'avait dit Ytterberg.

– Jupe et chemisier gris, manteau, mi-bas…

Linda l'interrompit.

– Je n'ai jamais vu Louise porter de mi-bas. C'était soit des collants, soit rien.

– Tu es sûre ?

– À cent pour cent. Des chaussettes norvégiennes, oui, quand elle faisait du ski à l'occasion. Mais des mi-bas ? Jamais.

Qu'est-ce que cela pouvait signifier ? Wallander ne doutait pas de la vérité de ce que venait de dire Linda. Son sens de l'observation était rarement pris en défaut.

– Je communiquerai ta remarque aux collègues de Stockholm.

Elle s'écarta pour le laisser monter en voiture et referma doucement la portière.

– Louise n'était pas femme à se suicider, dit-elle quand il eut baissé sa vitre.

– Pourtant il semblerait bien qu'elle l'ait fait.

Linda secoua la tête sans un mot. Wallander comprit qu'elle lui signifiait quelque chose. À charge pour lui de l'interpréter ; il n'était pas nécessaire d'en parler dans l'immédiat. Il mit le contact et démarra. Parvenu à l'embranchement de la grand-route, il choisit soudain l'autre direction et, laissant Ystad derrière lui, suivit la côte vers Trelleborg. Il avait besoin de bouger. Sur l'aire de stationnement de Mossby Strand, il vit plusieurs mobile homes parmi les caravanes ordinaires. Il descendit sur la plage. Chaque fois qu'il venait à cet endroit, il retrouvait la sensation que ce bout de littoral, qui n'avait pourtant rien de remarquable, qui n'était même pas vraiment beau, était l'un des centres de sa vie. C'était là qu'il se promenait avec Linda du temps où elle était petite, là qu'il avait essayé de se réconcilier avec Mona quand elle lui avait annoncé son intention de divorcer, là que Linda lui avait appris, près de dix ans plus tôt, son admission à l'école de police de Stockholm. Surtout, c'était là qu'elle lui avait dit qu'elle portait Klara dans son ventre.

C'était aussi à cet endroit qu'un canot pneumatique s'était échoué vingt ans auparavant avec à son bord les corps de deux hommes anonymes, qu'on avait mis longtemps à identifier comme étant des citoyens lettons. Il se rappelait l'endroit avec précision ; il voyait encore ses collègues rassemblés autour du canot pneumatique rouge, le vent froid qui leur cinglait le visage, et Nyberg serrant les dents, essayant de comprendre ce qui avait pu arriver à ces deux hommes. Ils avaient été torturés et abattus – ce n'était pas une mort par noyade.

Wallander se mit en marche le long du rivage, déterminé à chasser la raideur de ses membres après tout ce temps passé assis sur une chaise ou dans un fauteuil. Il repensait aux paroles de Linda. Mais les gens se suicident, se dit-il à lui-même. Que nous y croyions ou pas, que cela nous surprenne ou non. Je pourrais lui citer plusieurs cas d'individus dont je n'aurais jamais imaginé qu'ils puissent attenter à leurs jours ; pourtant, le moment venu, ils l'ont fait sans hésiter. Dans la plupart des cas, après avoir soigneusement prémédité leur geste. Combien de pendus n'avons-nous pas détachés de leur corde, mes collègues et moi, combien de fois n'avons-nous pas rassemblé les restes après un coup de fusil en pleine figure ? Je pourrais compter sur les doigts d'une main les proches à qui on a annoncé la nouvelle et qui nous ont dit qu'ils n'étaient PAS surpris.

Wallander revint rompu de sa promenade. Il s'installa derrière le volant, ouvrit la grande enveloppe de papier kraft et regarda les photos en s'arrêtant au hasard sur telle ou telle. Il lui semblait reconnaître de nombreux visages ; d'autres en revanche ne lui évoquaient rien du tout. Il les rangea à nouveau dans leur enveloppe et rentra chez lui. Si ce matériau devait être utile à quoi que ce soit, il devrait s'y prendre méticuleusement. Pas à la sauvette dans sa voiture.

Le soir venu, il s'assit à la table de la cuisine. C'est par là que je dois commencer, pensa-t-il. Par les images d'une grande réception en l'honneur d'un homme qui célèbre son anniversaire en présence de sa femme et de son fils. Il examina lentement les photos, l'une après l'autre. Dans la mesure où les tables étaient presque toujours visibles à l'arrière-plan, il était possible d'évaluer à quel moment elles avaient été prises – avant, pendant ou après le repas. Cent quatre photos en tout, dont un grand nombre étaient floues. Sur soixante-quatre d'entre elles on reconnaissait soit Håkan, soit Louise, et, sur douze d'entre elles, ils figuraient l'un et l'autre. Sur deux, ils se regardaient ; elle un sourire aux lèvres, lui avec une expression grave. Wallander aligna ces dernières photos en les regroupant selon le moment où il pensait qu'elles avaient été prises. Il fut frappé par le grand sérieux de Håkan von Enke sur toutes, sans exception. Est-ce juste la mine habituelle d'un officier pas très marrant ? Ou bien cette gravité reflète-t-elle le souci dont il ne va pas tarder à me faire part ? Difficile à dire, mais il me semble quand même qu'il est déjà inquiet sur ces photos.

Contrairement à son mari, Louise souriait tout le temps. Il ne trouva qu'une exception. Mais sur la photo où elle ne souriait pas, il était clair qu'elle n'avait pas non plus conscience de la présence du photographe. Une seule photo où elle était sincère ? Ou une coïncidence ? Il passa à d'autres photographies rassemblant, celles-ci, plusieurs invités. Des personnes d'un certain âge, à l'air généralement bienveillant ; une impression d'aisance financière. On ne peut pas dire que ce soient des pauvres qui sont venus fêter Håkan von Enke. Ils ont les moyens de paraître satisfaits.

Wallander cessa de grommeler intérieurement, rangea les photos et passa aux deux listes d'invités. Il compta cent deux noms en tout, rangés par ordre alphabétique. Parmi eux, beaucoup de couples mariés.

Le téléphone sonna pendant qu'il examinait la première liste. C'était Linda.

– Je suis curieuse, dit-elle. Tu as trouvé quelque chose ?

– Rien que je ne sache déjà. Louise sourit, Håkan non. Il ne sourit donc jamais ?

– Pas très souvent. Mais le sourire de Louise n'était pas un masque. Elle était réellement ouverte aux autres. Je crois en revanche qu'elle était assez forte, de son côté, pour repérer les faux-semblants.

– Je viens juste de commencer à parcourir les listes. Cent deux noms, presque tous inconnus de moi. Alvén, Alm, Appelgren, Berntsius…

– Lui, je m'en souviens, coupa Linda. Sten Berntsius, officier de marine. J'ai assisté à un dîner désagréable, chez Håkan et Louise, où il était venu avec sa femme, une petite créature effarouchée qui passait son temps à piquer des fards, à ne rien dire et à boire trop de vin. Mais le mari, ce fameux Berntsius, était effroyable.

– Comment ?

– La haine vis-à-vis de Palme.

Wallander fronça les sourcils.

– Depuis combien de temps connais-tu Hans ?

– Depuis 2006.

– Si je ne m'abuse, en 2006, le meurtre de Palme remontait à vingt ans déjà.

– La haine a la vie dure.

– Tu ne veux tout de même pas me dire que tu as assisté à un dîner où les invités disaient du mal d'un Premier ministre assassiné il y a plus de vingt ans ?

– Si. Sten Berntsius a commencé à déblatérer en expliquant que Palme avait été un agent soviétique, un crypto-communiste, un traître à la patrie et je ne sais quoi encore.

– Comment ont réagi Louise et Håkan ?

– Je crois malheureusement que Håkan, au moins, était d'accord. Louise ne disait pas grand-chose. Elle essayait d'arrondir les angles mais tu penses bien que ça a créé une ambiance désagréable.

Wallander essaya de réfléchir. Pour lui, Olof Palme symbolisait avant tout l'un des échecs les plus tragiques de l'histoire de la police suédoise. En tant qu'homme politique, à vrai dire, il se souvenait à peine de lui. Un type à la voix tranchante et au sourire pas toujours très aimable – c'était à peu près tout. Il ne savait même pas si les souvenirs qu'il en gardait correspondaient à la réalité. S'il y avait un domaine dont il se désintéressait complètement, en ce temps-là, c'était bien la politique. Lui était pleinement occupé à tenter de mettre de l'ordre dans sa vie et à gérer sa mule de père par-dessus le marché.

– Palme était Premier ministre à l'époque où les sous-marins faisaient du cabotage dans nos eaux territoriales, dit-il. Est-ce cela qui a amené la conversation sur lui ?

– Non. Si je me souviens bien, il s'agissait surtout du marasme de l'armée suédoise, dont le déclin aurait commencé de son temps. Si la Suède n'était plus en état de se défendre, c'était à cause de lui, et ainsi de suite. D'après Berntsius, c'est une grave erreur de croire que la Russie restera toujours aussi pacifique qu'elle l'est aujourd'hui.

– Comment définirais-tu les opinions politiques du couple von Enke ?

– Ils étaient conservateurs, l'un et l'autre – pour employer un euphémisme. Mais Louise essayait de donner l'impression qu'elle méprisait tout ce qui avait trait à la politique. Or ce n'était pas vrai.

– Elle portait donc un masque, malgré tout ?

– Peut-être. Rappelle-moi si tu découvres quelque chose.

Wallander sortit nourrir son chien. Il lui trouva mauvaise mine, l'air morne, fatigué, le poil terne. Était-ce vrai, ce qu'on disait, que les chiens et leurs maîtres finissent par se ressembler ? Dans ce cas, la vieillesse avait déjà bien planté ses crocs en lui. Y était-il déjà ? Tout près du stade ultime, celui du petit vieux dont les forces s'amenuisent chaque jour un peu plus ? Il rejeta ces noires pensées et retourna à l'intérieur. Mais au moment de se rasseoir dans la cuisine, il comprit que ça ne rimait à rien. Comment ces listes d'invités ou ces photographies pourraient-elles éclairer la disparition de Håkan von Enke et la mort de Louise ? C'était absurde. Quelle que soit la réalité, il fallait s'y prendre autrement. Ce n'était pas une aiguille qu'il cherchait mais déjà, pour commencer, une botte de foin.

Wallander rassembla ce qui était éparpillé sur la table et emporta les chemises et l'enveloppe dans l'entrée. Il les rendrait à Hans le lendemain et ensuite il essaierait de ne plus penser à tout ça. En temps et en heure, il ferait le voyage avec Hans et Linda jusqu'à l'église de Kristberg, dans la province de l'Östergötland, avec vue sur le lac Boren. La famille von Enke y avait un caveau familial où serait descendu le cercueil de Louise. Hans lui avait raconté que ses parents avaient rédigé un testament commun où ils déclaraient ne pas vouloir être incinérés. Wallander s'assit dans son fauteuil de lecture et ferma les yeux. Et lui ? Qu'est-ce qu'il voulait ? Il n'avait pas de caveau familial évidemment ; pas même une concession au cimetière. Les cendres de sa mère avaient été dispersées dans un jardin du souvenir à Malmö. Son père, lui, était enterré dans l'un des cimetières d'Ystad. Wallander ignorait quels étaient dans ce domaine les désirs de sa sœur Kristina, qui vivait à Stockholm.

Il s'endormit dans son fauteuil et se réveilla en sursaut. Guetta les bruits qui lui parvenaient de la nuit d'été au-dehors. C'était le chien qui l'avait tiré du sommeil. Il se leva péniblement. Sa chemise était trempée, il avait dû rêver. Jussi n'avait pas l'habitude d'aboyer sans raison. Il se mit en marche et s'aperçut qu'il avait les jambes raides. Il les secoua pour activer la circulation ; puis il prêta de nouveau l'oreille. Jussi s'était tu, mais dès que Wallander apparut sur le seuil de la maison il se mit à sauter contre le grillage. Wallander regarda autour de lui. Peut-être un renard en maraude. Il traversa la cour. L'herbe embaumait. Pas de vent. Silence. Il gratta Jussi derrière l'oreille. Qu'est-ce qui t'a fait réagir ? lui demanda-t-il à voix basse. Une bestiole ? À moins que les chiens n'aient eux aussi des cauchemars… Il s'avança jusqu'au fossé et scruta les champs, yeux plissés. Partout des ombres, et vers l'est une faible lueur annonçant l'aube. Il regarda sa montre. Deux heures moins le quart. Il avait dormi près de quatre heures. Il frissonna dans sa chemise humide, retourna à l'intérieur et se mit au lit. Mais le sommeil refusa de se présenter. Il prononça une phrase à haute voix : *Kurt Wallander est couché dans son lit et il pense à la mort.* C'était la pure vérité. Il y pensait. Mais chez lui, ça n'avait rien de rare. Depuis ce jour où le coup de couteau était passé à un pauvre centimètre de son cœur, la mort l'avait toujours accompagné. Il la voyait chaque matin dans le miroir. Mais à présent, dans son lit, incapable de dormir, il la sentait brusquement très proche. Il avait soixante ans, un diabète, un léger surpoids, il ne s'occupait pas suffisamment de sa santé, ne faisait pas assez d'exercice, buvait trop, ne respectait pas les horaires des repas. Régulièrement, il s'obligeait à observer une discipline qui ne tardait pas à s'effriter. Là, dans la grisaille d'avant l'aube, au fond de son lit, ce fut la panique. Il n'avait plus de marge de manœuvre. Il n'avait plus le choix. Soit il modifiait ses habitudes de façon radicale ; soit il allait mourir prématurément. Dans le premier cas, il pouvait au moins prétendre à atteindre soixante-dix ans ; dans l'autre, il devait se résoudre à ce que la mort le cueille à tout moment. Klara n'aurait alors plus de grand-père maternel – elle qui venait déjà d'être privée de sa grand-mère, voire de son grand-père paternels.

Il resta éveillé jusqu'à quatre heures du matin. La peur montait et refluait en alternance. Quand il s'endormit enfin, ce fut le cœur lourd de chagrin à la pensée qu'une si grande partie de sa vie était finie sans recours possible.

Il venait de se réveiller, peu après sept heures, avec la sensation de n'avoir presque pas dormi, quand le téléphone sonna. Il faillit ne pas décrocher. Sans doute Linda qui voulait satisfaire sa curiosité. Elle pouvait attendre. S'il ne décrochait pas, elle comprendrait qu'il dormait encore. Mais à la quatrième sonnerie, il sauta au bas du lit et, bravant la migraine, s'empara du combiné et reconnut la voix fraîche et énergique d'Ytterberg.

– Je te réveille ?

– Presque, dit Wallander. J'essaie d'être en vacances, mais je n'y arrive pas très bien.

– Je vais être bref. Tu devines sans doute ce que je tiens à la main. Le rapport préliminaire du légiste, le docteur Anahit Indoyan. J'ai dû bosser pour découvrir que c'était une femme.

– Quel nom étrange.

– Tout ce pays se remplit de noms étranges, dit sombrement Ytterberg. Je ne dis pas ça avec des arrière-pensées négatives. C'est plutôt comme une mauvaise habitude entêtée qu'il faut sans arrêt combattre. Celle de croire que le monde entier s'appelle Andersson.

– Tu oublies Wallander et Ytterberg. On ne doit pas être plus de quelques milliers à porter ces noms-là.

– Anahit Indoyan, reprit Ytterberg. D'après les informations que j'ai réussi à me procurer, par pure curiosité personnelle soit dit en passant, elle est arménienne. Et elle écrit un suédois impeccable. Elle a donc analysé les substances chimiques retrouvées dans le corps de Louise von Enke. Elle nous signale un détail qu'elle estime étrange.

Wallander était tout ouïe. Il l'entendit feuilleter un document.

– Il s'agit d'une préparation que l'on pourrait qualifier, en simplifiant, de somnifère, reprit Ytterberg. Elle en a identifié la plupart des composants. Mais il y en a certains qu'elle ne reconnaît pas. Elle ne peut pas nous dire de quelles substances il s'agit. Elle va persévérer. À la fin de son rapport, elle s'autorise une observation très intéressante. Elle croit trouver des ressemblances entre cette préparation et certaines autres qui avaient cours du temps de la RDA.

– Quoi ?

– Tu n'es peut-être pas bien réveillé, tout compte fait.

Wallander ne voyait pas le rapport.

– L'Allemagne de l'Est, dit Ytterberg. Le miracle sportif, si tu t'en souviens. Tous ces nageurs, ces nageuses, ces athlètes extraordinaires qui nous venaient de là-bas. Aujourd'hui on sait qu'ils étaient exposés à un bombardement chimique sans équivalent. Un troupeau de monstres dopés à mort, voilà ce qu'ils étaient en réalité. Et tout marchait ensemble : les laboratoires de la Stasi et ceux de l'administration sportive avaient partie liée. Ils collaboraient, ils partageaient le fruit de leurs expériences. Voilà pourquoi notre Anahit se permet ce rapprochement avec l'ex-RDA.

– Qui n'existe plus depuis vingt ans.

– Pas tout à fait, dit Ytterberg. Le mur de Berlin est tombé en 1989. Je m'en souviens parce que c'est l'automne où je me suis remarié.

Wallander essayait de réfléchir.

– C'est étrange, dit-il enfin.

– Je pensais bien que ça t'intéresserait. Tu veux que je t'envoie une copie du rapport au commissariat ?

– Je suis en vacances. Mais je passerai le chercher.

– Je te tiens au courant. Là tout de suite, je vais faire un tour en forêt avec ma femme.

Wallander reposa le combiné. Ce que venait de lui dire Ytterberg lui avait donné une idée.

Peu après huit heures, il était de nouveau au volant de sa voiture, direction le nord-ouest, mais son objectif, cette fois, ne dépassait pas les limites de la Scanie. C'était, près de Höör, une petite maison qui avait sûrement connu des jours meilleurs dans un passé très lointain.

22

Au passage, Wallander récupéra le rapport à l'accueil du commissariat. À la sortie de la ville, sur la route de Höör, il fit ensuite ce qu'il s'autorisait rarement : il prit une autostoppeuse. C'était une femme d'une trentaine d'années qui avait de longs cheveux bruns et un petit sac à dos sur l'épaule. Il ignorait pourquoi il s'était arrêté ; peut-être par curiosité. Au fil des ans, tous les auto-stoppeurs avaient peu à peu disparu des bords des routes et des abords des villes. Les cars et les avions *low cost* avaient rendu cette manière de voyager obsolète.

Pour sa part, il avait voyagé en stop deux fois dans sa jeunesse, à dix-sept ans, puis à dix-huit, malgré l'opposition de son père qui réprouvait ce genre d'aventure. Les deux fois, il avait réussi à aller jusqu'à Paris et à rentrer ensuite. Les moments d'attente désespérante sous la pluie, le sac à dos beaucoup trop lourd et les conducteurs qui l'ennuyaient avec leurs bavardages, tout cela s'attardait dans sa mémoire. Mais plus que tout, il se souvenait de deux instants. Le premier : il se trouvait sur la route de Gand, en Belgique, il pleuvait, il n'avait plus d'argent et il devait rentrer en Suède. Une voiture s'était arrêtée et l'avait emmené contre toute attente jusqu'à Helsingborg. Ce sentiment de bonheur, de pouvoir revenir en Suède ainsi d'un seul trait, il ne l'avait jamais oublié. Son autre souvenir était belge, lui aussi. Un samedi soir, en route vers Paris cette fois, il s'était retrouvé coincé dans une bourgade loin des grands axes. Il s'était payé une soupe dans un restaurant bon marché avant de partir à la recherche d'un viaduc sous lequel il pourrait dormir. Soudain, tandis qu'il marchait, il avait aperçu un homme au pied d'un monument, une trompette à la main. Pendant que lui-même passait son chemin, l'homme avait levé son instrument et sonné une retraite mélancolique. Il avait compris que c'était à la mémoire des morts des deux grandes guerres. L'instant l'avait touché, il l'avait gardé dans sa mémoire.

Celle qu'il prit en stop ce matin-là paraissait sortie d'une autre époque, elle aussi. Elle courut pour rattraper la voiture et monta à l'avant, apparemment satisfaite d'être conduite jusqu'à Höör; elle lui dit qu'elle allait dans le Småland. Elle dégageait une forte odeur de parfum et paraissait épuisée. Sa jupe, quelle tirait fréquemment pour couvrir ses genoux, était parsemée de taches provenant, pensa-t-il, d'un liquide quelconque. Déjà, au moment de freiner, il avait regretté son geste. Pourquoi prendre à bord une parfaite inconnue ? De quoi allaient-ils parler ? Mais elle garda le silence. Il fit de même. Une sonnerie résonna dans le sac à dos. Elle sortit son portable, lut ce qui s'inscrivait à l'écran, mais ne répondit pas.

– Ils gênent, dit Wallander en désignant l'appareil d'un geste. Ces téléphones.

– On n'est pas obligé de répondre si on n'en a pas envie.

Elle avait un accent scanien très prononcé. Il la devina originaire de Malmö et d'une famille ouvrière. Il essaya d'imaginer son métier, sa vie. Elle ne portait pas d'alliance. Un rapide coup d'œil à ses mains révéla aussi qu'elle se rongeait les ongles. Wallander renonça à l'idée qu'elle puisse être, par exemple, aide-soignante ou coiffeuse. Pas davantage serveuse. Quoi qu'il en soit, elle paraissait inquiète. Elle se mordait la lèvre inférieure, la mâchonnait presque.

– Ça fait longtemps que tu attends ?

– Un quart d'heure. J'ai dû descendre de la voiture d'avant. Le conducteur devenait trop insistant.

Elle parlait d'une voix posée, absente ; elle n'avait pas envie de discuter. Wallander résolut de ne plus l'importuner. Elle descendrait à Höör et ils ne se reverraient plus, voilà. Il joua en pensée avec différents prénoms et opta enfin pour Carola. Carola, surgie de nulle part et qu'il regarderait une dernière fois s'éloigner dans son rétroviseur.

Il lui demanda où elle voulait être déposée.

– Quelque part où il y a un café. J'ai faim.

Il s'arrêta devant un restoroute. Elle lui sourit, un sourire timide, le remercia et disparut. Wallander passa la marche arrière, manœuvra. Soudain il y eut un blanc. Il ne savait plus où il allait. Il était à Höör, il venait de déposer une autostoppeuse. Mais que faisait-il là ? Panique. Il s'efforça de se calmer. Ferma les yeux. Attendit que tout redevienne normal.

Il s'écoula plus d'une minute avant qu'il ne recouvre la mémoire. D'où venaient ces absences qui l'assaillaient à l'improviste sans qu'il puisse s'en défendre ? Qu'est-ce qui coupait ainsi le courant dans sa tête ? Pourquoi les médecins n'étaient-ils pas capables de lui dire ce qu'il avait ?

Il poursuivit son voyage. Cela faisait cinq ou six ans qu'il n'avait pas rendu visite à cet homme, pourtant il se rappelait parfaitement l'itinéraire. Celui-ci serpentait à travers un petit bois, passait devant une suite de prairies où paissaient des chevaux islandais, et disparaissait ensuite au fond d'une combe où apparut, conformément à son attente, la maison de briques rouges aussi mal entretenue que dans son souvenir. Le seul changement décelable était une boîte aux lettres flambant neuve montée à côté de la grille ouverte, devant laquelle on avait également aménagé une aire de manœuvre sans doute destinée au camion-poubelles et à la voiture de la Poste. Le nom *Eber* était tracé à la main en grandes lettres rouges à même la boîte. Wallander coupa le moteur mais resta assis. Il se rappelait fort bien sa première rencontre avec Hermann Eber. C'était dans le cadre d'une affaire de police, plus de vingt ans auparavant, 1985 ou 1986. Eber était entré illégalement en Suède. Il venait de RDA. Il demandait l'asile politique. Il avait d'ailleurs fini par l'obtenir. Wallander était celui qui l'avait interrogé la première fois, le soir où il s'était présenté au commissariat d'Ystad en expliquant qu'il venait de fuir son pays. Il se rappelait encore leur conversation tâtonnante en anglais, et sa propre méfiance pendant que Hermann Eber lui racontait qu'il était un officier de la Stasi – la police politique de RDA, avait-il explicité – et qu'il craignait pour sa vie s'il n'obtenait pas l'asile. Ensuite il n'avait plus eu affaire à lui. Mais par la suite, une fois l'asile accordé, Eber était venu au commissariat de sa propre initiative et avait demandé à voir Wallander. Il avait appris à parler suédois en un temps record et il venait à présent le remercier, lui expliqua-t-il après avoir été reçu dans son bureau. Me remercier de quoi ? avait voulu savoir Wallander. Eber lui avait alors dit sa surprise, lors de leur première rencontre, qu'un policier puisse se montrer aussi courtois avec le représentant d'un pays ennemi. Peu à peu, il avait compris que la propagande malveillante diffusée par la RDA n'avait pas d'équivalent dans les pays cibles. Il éprouvait le besoin, dit-il, de remercier quelqu'un, à titre symbolique. Et son choix était tombé sur Wallander. Suite à cette visite, ils avaient commencé à se fréquenter avec prudence. Il était apparu en effet que la grande passion de Hermann Eber était l'opéra italien. Le jour de la chute du Mur, Eber était chez Wallander, dans Mariagatan, les larmes aux yeux, à regarder l'Histoire se dérouler en direct à la télévision. Durant leurs longues conversations, Eber lui avait un peu raconté sa vie, par bribes. Sa défiance de plus en plus profonde vis-à-vis du système politique est-allemand, alors qu'il en était au départ un défenseur passionné. Sa haine de lui-même, qui avait grandi peu à peu. Il avait été l'un des ceux qui écoutaient, traquaient et persécutaient leurs concitoyens. Il avait été un privilégié du système ; il avait même eu l'honneur, lors d'un grand banquet, de serrer la main d'Erich Honecker. Longtemps fier de cette poignée de main avec le grand chef, il aurait préféré ensuite qu'elle n'ait jamais eu lieu. Pour finir, son dégoût de ses propres activités et son sentiment croissant que la RDA était condamnée ne lui avaient guère laissé d'autre issue que la fuite. S'il avait choisi la Suède, c'était parce que ce pays lui paraissait le plus facile d'accès : il suffisait de prendre une fausse identité et de monter à bord d'un des ferries à destination de Trelleborg.

Eber vivait encore dans l'effroi que son passé ne le rattrape. La RDA n'existait plus, mais ses victimes, oui. Il redoutait une possible vengeance. Rien jamais ne pourrait le guérir de cette peur. Avec les années, Eber était devenu de plus en plus farouche, et leurs rencontres de plus en plus sporadiques, jusqu'à cesser tout à fait.

Leur dernière entrevue remontait au jour où Wallander avait appris par la rumeur qu'Eber était malade. Un dimanche après-midi, il s'était donc rendu à Höör s'assurer par lui-même que tout allait bien. Eber n'avait pas changé. Un peu amaigri, peut-être. Il avait une dizaine d'années de moins que Wallander, mais il paraissait vieillir plus vite. Sur le chemin du retour, il avait beaucoup médité sur le destin de Hermann Eber et sur cette visite ratée, où ils étaient restés muets l'un en face de l'autre.

La porte de la maison de briques s'était entrouverte. Wallander sortit de sa voiture.

– C'est moi, cria-t-il. Juste ton vieil ami d'Ystad.

Hermann Eber apparut sur le perron. Il portait un survêtement hors d'âge – Wallander soupçonnait que c'était l'un des rares vêtements qu'il avait emportés lors de sa fuite. La cour était encombrée d'un invraisemblable bric-à-brac. Il se demanda fugitivement si Eber avait entouré sa maison de pièges.

En approchant, il le vit cligner les yeux comme s'il n'avait pas vu la lumière depuis longtemps.

– C'est toi, dit Eber. Combien de temps ça fait depuis la dernière fois ?

– Des années. Est-ce qu'on t'a dit que j'avais déménagé à la campagne ?

Hermann Eber fit non de la tête. Il était devenu presque chauve. Son regard errant confirma à Wallander que sa vieille peur ne l'avait pas quitté.

Eber indiqua une table de jardin à moitié pourrie. Wallander comprit qu'il ne voulait pas le laisser entrer. Hermann Eber n'était pas homme à s'occuper du ménage, mais jusque-là il ne lui avait jamais refusé l'accès de sa maison. Peut-être les choses sont-elles allées trop loin, pensa Wallander. Peut-être vit-il au milieu des détritus ? Il s'assit prudemment sur la chaise qui paraissait la moins branlante. Eber, lui, s'adossa au mur. Possédait-il encore cette acuité d'esprit qui le singularisait autrefois ? C'était un homme intelligent, même si le genre de vie qu'il menait pouvait porter à penser le contraire. Plus d'une fois, il l'avait surpris en arrivant à l'un de leurs rendez-vous hirsute et sale au point de sentir carrément mauvais. Il s'accoutrait de façon étrange ; il pouvait se présenter en vêtements d'été alors qu'on était en plein hiver. Mais cette apparence déroutante dissimulait un cerveau exceptionnellement lucide, ainsi que Wallander avait très vite pu le constater. Son analyse percutante de ce qu'était la RDA lui avait ainsi permis d'entrevoir un système social et une vision du politique dont il n'avait pas eu jusque-là la moindre idée.

Hermann Eber s'était toujours montré réticent quand on l'interrogeait sur son travail au sein de la Stasi. C'était encore un sujet difficile pour lui ; une douleur dont il n'avait pu se libérer. Mais en lui témoignant une grande patience, Wallander avait parfois réussi à le faire parler malgré tout. Eber lui avait ainsi révélé un jour, en toute simplicité, avoir servi un certain temps dans l'une des sections secrètes dont l'unique activité était de tuer les gens. C'est pourquoi

Wallander avait aussitôt pensé à lui quand Ytterberg lui avait parlé du rapport médico-légal.

Eber s'assit à son tour. Wallander nota qu'il ne sentait pas mauvais aujourd'hui. Au milieu de la cour encombrée, il y avait une pataugeoire remplie d'eau ; à côté, sur une petite table, une serviette, du savon, des limes à ongles et autres objets. Sans aucun doute Eber utilisait la pataugeoire pour se laver.

Quand il était apparu sur les marches du perron, il tenait à la main une feuille de papier. Des crayons munis de gomme dépassaient derrière ses oreilles. Depuis qu'il était en Suède, Eber gagnait sa vie en inventant des grilles de mots croisés pour divers journaux allemands. C'était sa spécialité : les mots croisés très difficiles, destinés aux amateurs les plus exigeants. D'après lui, créer une grille de mots croisés était un art en soi. Il ne s'agissait pas d'assembler des mots séparés par le plus petit nombre possible de cases noires, non, il devait y avoir *autre chose*, un thème subtil, par exemple des associations entre différents personnages historiques.

Wallander indiqua les papiers que Eber tenait toujours à la main.

– Tu t'en sors ?

– C'est la plus difficile que j'aie jamais faite. Une grille dont la clé est à chercher du côté de la philosophie classique.

– Le but, c'est quand même que les gens arrivent à les remplir, non ?

Hermann Eber ne répondit pas. Wallander devina que l'homme assis devant lui dans son survêtement taché nourrissait le rêve secret d'inventer une grille de mots croisés que nul ne saurait résoudre. Un instant, il se demanda si la peur n'avait pas malgré tout fini par le rendre fou. À moins que ce ne soit le fait de vivre dans ce trou où les hauteurs avoisinantes pouvaient sûrement être perçues comme des murs qui se rapprochaient.

Hermann Eber restait pour lui un inconnu.

– J'ai besoin de ton aide, dit-il en posant sur la table le rapport médico-légal.

Puis il lui raconta avec calme et méthode tout ce qui s'était produit.

Hermann Eber chaussa une paire de lunettes sales. Il parcourut le rapport pendant quelques minutes, puis se leva et disparut dans la maison. Un quart d'heure plus tard, il n'était toujours pas revenu. Wallander se demanda s'il était parti se coucher ou s'il était en train de se faire à manger en oubliant son visiteur assis sur la chaise de jardin branlante. Il continua d'attendre. L'impatience devenait désagréable. Il résolut de lui laisser encore cinq minutes.

Hermann Eber réapparut au même instant. À la main il tenait quelques documents jaunis et, sous le bras, un gros livre.

– Ce que tu vois là appartient à une autre vie. J'ai été obligé de chercher.

– Mais apparemment, tu as trouvé…

– Tu as bien fait de venir me voir. Je suis sans doute le seul à pouvoir te fournir ces informations. En même temps, tu comprendras que ça réveille beaucoup de mauvais souvenirs. J'ai commencé à pleurer pendant que je cherchais. Tu comprends ?

Wallander fit non de la tête. Il pensait qu'Eber exagérait. Son visage ne portait aucune trace de larmes.

– Je reconnais ce dont parle ce médecin, poursuivit Eber. Ça me tire d'un sommeil dont j'aurais préféré continuer à profiter tout le restant de ma vie. Le contraire de la Belle au bois dormant…

– Alors tu sais de quoi il s'agit ?

– Sans doute, oui. Les préparations chimiques auxquelles fait allusion le rapport sont celles que j'utilisais autrefois.

Il se tut. Il n'aimait pas être brusqué. Un jour, sous l'influence de quelques verres de whisky, il lui avait avoué que cela tenait au pouvoir qu'il exerçait dans le temps en tant qu'officier supérieur de la Stasi. Personne n'aurait osé le contredire ou l'interrompre à l'époque.

Eber serrait le gros livre entre ses mains comme s'il s'agissait d'un texte sacré. Il parut hésiter. Wallander attendit prudemment. Un merle vint se percher au bord de la pataugeoire. Eber fit aussitôt claquer son livre contre la table. Le merle s'envola précipitamment. Wallander se rappela qu'Eber souffrait d'une énigmatique phobie des oiseaux.

– Quelles étaient ces préparations ? risqua-t-il.

– Je m'en servais il y a mille ans. Je croyais qu'elles avaient disparu de ma vie. Et te voilà, par un beau jour d'été, qui viens me rappeler ce dont je voudrais ne pas me souvenir.

– Quoi donc ?

Hermann Eber soupira en grattant son crâne chauve. Wallander le savait : il s'agissait maintenant de ne pas lâcher prise. Autrement, Eber disparaîtrait dans l'une des innombrables entrées à son terrier, où il était capable de se perdre en d'interminables monologues sur les grilles de mots croisés.

– De quoi ne veux-tu pas te souvenir ?

Hermann Eber commença à se balancer sur sa chaise. Wallander faillit perdre patience.

– On ne s'occupe pas de savoir qui est mort, dit-il d'une voix tranchante. Je te demande si tu es en mesure d'identifier ces substances, un point c'est tout.

– J'y ai déjà eu affaire.

– Ça ne me suffit pas. Sois plus précis ! N'oublie pas ce que tu m'avais promis. Que tu me rendrais service le jour où j'en aurais besoin.

– Je n'ai rien oublié.

Eber secoua la tête. Wallander vit que la situation le tourmentait.

– Prends ton temps, dit-il. J'ai besoin de ton éclairage, de tes réflexions. Mais je ne suis pas pressé. Si tu veux, je peux revenir tout à l'heure.

– Non, non, reste ! Il me faut juste un moment pour

m'habituer. C'est comme si on m'obligeait à rouvrir un tunnel que j'aurais bouché avec mes mains, tu comprends ?

Wallander se leva.

– Je vais faire un tour. Je vais voir les petits chevaux islandais.

– Une demi-heure. Merci. Il ne m'en faut pas plus.

Hermann Eber essuya la sueur qui coulait sur son front. Wallander remonta à pied le chemin par lequel il était arrivé, jusqu'au pré. Les chevaux vinrent lui renifler les mains. Une image de Linda à douze ans surgit dans sa tête. Elle était rentrée de l'école en déclarant qu'elle voulait un cheval. C'était au cours de la période la plus difficile de son mariage, celle qui avait poussé Mona à demander le divorce. Wallander avait aussitôt pensé à son ami Sten Widén, l'entraîneur de chevaux de course. Dans sa vase écurie, il y avait toujours eu quelques chevaux de selle, et il autoriserait sûrement Linda à s'occuper de l'un d'eux. Mais Mona avait refusé. Scène. À la fin, Linda s'était enfermée dans sa chambre. Il n'avait que de vagues souvenirs de ce qui s'était passé ensuite. Mais elle n'avait jamais plus parlé de chevaux.

Au bout d'une demi-heure, Wallander revint vers la maison. Le vent s'était levé et de gros nuages approchaient par le sud. En ouvrant le portail défoncé, Wallander aperçut Eber immobile sur sa chaise. Un nouveau livre avait rejoint le premier : un agenda à la reliure marron. Eber se mit à parler dès que Wallander se fut assis. Quand il était bouleversé, sa voix devenait aiguë, presque perçante. Wallander s'était plusieurs fois imaginé non sans malaise ce que cela pouvait être de se faire interroger par Hermann Eber du temps où celui-ci était encore convaincu que la RDA était le paradis sur terre.

– Igor Kirov, commença Eber. Également connu en tant que « Boris » – c'était son alias, son nom d'artiste. Citoyen russe chargé d'assurer la liaison entre nous et l'une des sections spéciales du KGB à Moscou. Il est arrivé à Berlin-Est quelques mois avant la construction du Mur. Je l'ai rencontré personnellement à plusieurs reprises, mais je n'avais pas affaire à lui dans le travail. La rumeur ne laissait cependant aucune place au doute : « Boris » était un homme qui connaissait son affaire. Il ne tolérait pas la moindre irrégularité ni la moindre négligence. Ça n'a pas traîné : en quelques mois, plusieurs hauts fonctionnaires de la Stasi ont été mutés ou dégradés. Il était l'étoile russe montante, en quelque sorte : le cerveau redouté du KGB à Berlin-Est. Il lui fallut à peine six mois pour démanteler l'un des meilleurs réseaux travaillant pour la Grande-Bretagne. Trois ou quatre agents furent exécutés après un procès sommaire à huis clos. En temps normal, on les aurait échangés contre des agents soviétiques ou est-allemands emprisonnés à Londres. Mais « Boris » était allé voir Ulbricht en exigeant leur tête. Il voulait envoyer un avertissement à la fois aux Occidentaux et à ceux des nôtres qui, d'aventure, auraient envisagé une carrière d'agent double. Bref, « Boris » n'était pas là depuis un an que son nom était déjà une légende. On disait de lui qu'il vivait frugalement ; nul ne savait s'il était marié, s'il avait des enfants, s'il buvait ni même s'il jouait aux échecs. La seule chose qu'on pouvait affirmer avec certitude, c'est qu'il possédait une faculté extraordinaire de rendre de plus en plus efficace la coopération entre la Stasi et le KGB. À la fin de l'histoire, on est donc restés bouche bée et bras ballants. Toute la RDA aurait été bouche bée et bras ballants si la nouvelle avait été rendue publique. Ce qui ne fut jamais le cas.

– Que s'est-il passé ?

– Rien. Un beau jour, il n'était plus là, c'est tout. Un magicien qui se serait recouvert la tête d'un foulard et abracadabra ! Parti en fumée. Mais personne n'a applaudi. Le grand héros avait vendu son âme aux Anglais. Et aux Américains aussi, bien sûr. Comment il a fait pour leur cacher qu'il était personnellement responsable de l'exécution des agents britanniques, je l'ignore. Peut-être ne l'a-t-il même pas caché, d'ailleurs. Les services ne peuvent fonctionner qu'avec une grande dose de cynisme. Sa trahison représentait une humiliation retentissante, à la fois pour le KGB et pour la Stasi. Beaucoup de têtes ont roulé à cette occasion ; Ulbricht est parti pour Moscou et il en est revenu l'oreille basse, même si on ne pouvait pas lui reprocher personnellement de ne pas avoir réussi à démasquer « Boris ». Cette fois-là, il s'en est fallu d'un cheveu que Markus Wolf, le grand chef de la Stasi, ne tombe en disgrâce. Et ç'aurait sans doute été le cas s'il n'avait pas proféré – et fait exécuter dans la foulée – un ordre qui nous ramène à la raison de ta présence ici aujourd'hui. Un ordre qui fut aussitôt assorti de la plus haute priorité.

Wallander devinait la suite.

– « Boris » devait mourir ?

– C'est bien ça. Mais pas seulement : il fallait aussi donner l'impression qu'il avait été pris de remords. « Boris » allait donc laisser une lettre où il décrirait sa trahison, la qualifierait lui-même d'impardonnable et chanterait pour conclure la gloire de l'Union soviétique et de la RDA. Ensuite il se coucherait pour mourir. Avec une bonne dose de mépris de lui-même et une dose égale de nos somnifères spéciaux.

– Et alors ?

– Je travaillais à cette époque dans un laboratoire des environs de Berlin – pas très éloigné, curieusement, du lac de Wannsee où les nazis avaient décidé autrefois comment résoudre une fois pour toutes la « question juive ». Soudain, au labo, nous avons vu arriver un nouveau collègue.

Hermann Eber s'interrompit et indiqua l'agenda à la reliure marron.

– J'ai vu que tu l'avais remarqué en revenant tout à l'heure. J'ai dû faire des recherches pour retrouver son nom. Ma mémoire me trahit, ce qui n'est pas le cas en général. Et toi ? Comment ça va, de ce côté-là ?

– Bien, éluda Wallander. Continue.

Il crut sentir que Hermann Eber avait parfaitement perçu sa réticence. La sensibilité aux accents de la voix et à tout ce que celle-ci pouvait dissimuler ou plutôt trahir devait être très développée chez ceux que la moindre erreur d'appréciation, la moindre bourde pouvaient conduire devant un peloton d'exécution.

– Klaus Dietmar, dit Eber. Il arrivait tout droit de chez les nageuses. Ça je le sais avec certitude, même s'il n'a jamais été leur entraîneur officiel. Il était de ceux qui ont imaginé et réalisé le miracle sportif est-allemand. Un petit homme maigre, qui se déplaçait sans bruit et qui avait des mains de fille. Certains innocents, entre guillemets, pouvaient avoir l'impression qu'il s'excusait d'exister. Mais c'était un communiste fanatique qui adressait, j'en suis sûr, une prière à Walter Ulbricht tous les soirs avant d'éteindre sa lampe de chevet. Il est arrivé au labo pour prendre la tête de notre équipe dont la mission était de mettre au point une préparation qui tuerait Igor Kirov sans laisser d'autres traces que celles d'un somnifère ordinaire.

Hermann Eber se leva et disparut à nouveau vers les profondeurs de sa maison. Wallander ne put résister à la tentation et en profita pour aller jeter un coup d'œil par la fenêtre du mur pignon. Il avait deviné juste. La pièce n'était qu'un chaos sans nom. Pêle-mêle journaux, vêtements, assiettes sales et détritus remplissaient chaque surface et interstice disponibles. Un sentier piétiné se devinait au milieu des immondices. Wallander eut la sensation que la puanteur traversait la vitre. Il se rassit sur sa chaise. Le soleil avait disparu derrière un nuage. Eber revint, rajusta son pantalon de survêtement et reprit sa place en se grattant le menton comme si celui-ci le démangeait terriblement. Wallander eut le temps de penser que pour rien au monde il n'aurait voulu échanger sa place avec cet homme. En cet instant, il éprouvait une infinie reconnaissance d'être celui qu'il était.

– Ça a pris à peu près deux ans, dit Hermann Eber en

regardant ses ongles sales. Bon nombre d'entre nous estimaient qu'on consacrait beaucoup trop de moyens au cas d'Igor Kirov. Mais c'était une question de prestige. Il avait prêté serment dans l'église communiste et on n'allait pas l'autoriser à mourir dans le péché. Il ne nous a pas fallu très longtemps pour mettre au point une préparation proche, par sa composition, de certains somnifères qu'on pouvait trouver à cette époque en Angleterre. Le problème était de déjouer le dispositif de sécurité qui entourait Kirov jour et nuit. Et, plus difficile encore : de déjouer sa propre vigilance. Il savait ce qu'il avait fait, et il savait que les chiens étaient sur sa piste.

Hermann Eber fut pris d'une quinte de toux. Le bruit était impressionnant. Wallander attendit. Le vent soufflait, froid, sur sa nuque.

– Tout agent sait que le plus important est de changer sans cesse ses habitudes, reprit Eber quand il eut fini de tousser. Kirov en a omis une, et cette erreur lui a coûté la vie. Le lundi, sur le coup de quinze heures, il se rendait à un pub de Notting Hill pour regarder le foot à la télé en buvant un thé russe. Il arrivait à quatorze heures cinquante et s'en allait après la fin du match. Nos *escaladeurs de façade*, capables de pénétrer à peu près n'importe où et qui le surveillaient depuis un moment déjà, ont vite repéré le maillon faible : les deux serveuses du pub, parfois remplacées par des intérimaires, que nous pouvions à notre tour remplacer par les nôtres. L'exécution a eu lieu un samedi de décembre 1972. Les fausses serveuses lui ont apporté son thé empoisonné. Dans le rapport que j'ai lu, il était précisé que le dernier match vu par Kirov opposait Birmingham à Leicester. Score : 1-1. Il retourna chez lui et mourut une heure plus tard, dans son lit. Les services britanniques, au moins au début, n'ont pas douté qu'il s'agissait d'un suicide ; la lettre portait ses empreintes, c'était son écriture, et tout cela paraissait assez convaincant. On a pu entendre un énorme hourra du côté de nos services. Igor Kirov avait été rattrapé par son destin.

Hermann Eber se leva. Puis il parut changer d'avis, se rassit et commença à l'interroger sur la femme qui était morte. Wallander répondit de son mieux. Mais son impatience grandissait ; il ne voulait pas rester là à répondre aux questions d'Eber. Celui-ci parut saisir son irritation et se tut. Wallander reprit la main.

– Tu penses donc qu'elle aurait succombé au même mélange toxique qui a tué autrefois Igor Kirov ?

– Il semble bien que oui.

– Autrement dit, elle aurait été assassinée ?

– Si le rapport dit vrai, c'est possible.

Wallander secouait la tête, incrédule. Ça ne pouvait pas coller.

– La RDA n'existe plus, la Stasi non plus. Toi-même, tu es ici en Suède à imaginer des grilles de mots croisés.

– Les services existent toujours. Ils changent de nom, mais ils sont très actifs. Ceux qui croient qu'on espionne moins de nos jours n'ont rien compris. Et n'oublie pas que plusieurs des vieux maîtres sont encore en activité.

– Quels maîtres ?

Hermann Eber parut presque vexé.

– Quoi que nous ayons fait et quoi qu'on puisse dire de nous, nous étions des spécialistes. Nous connaissions notre affaire.

– Et pourquoi Louise von Enke aurait-elle été exposée à une chose pareille ?

– Ça, je ne peux évidemment pas te le dire.

– Mais tu es sûr de toi ?

– Aussi sûr que je peux l'être, d'après les informations que tu m'as fournies.

Wallander se sentait soudain à la fois fatigué, impatient et inquiet. Il se leva et serra la main d'Eber.

– Je reviendrai sûrement, dit-il en guise d'au revoir.

– C'est ce que j'avais cru comprendre. Dans notre monde, on se revoit aux moments les plus étranges.

Wallander reprit la voiture et rentra chez lui. Juste avant le rond-point signalant la sortie vers Ystad, la pluie se mit à tomber. Il pleuvait à verse quand il ouvrit sa portière et courut jusqu'à sa maison pendant que Jussi aboyait dans le chenil. Wallander s'assit dans la cuisine et regarda la pluie tambouriner contre les vitres. L'eau dégoulinait de ses cheveux.

Il ne doutait pas que Hermann Eber lui eût dit la vérité. Louise von Enke ne s'était pas suicidée. C'était un meurtre.

23

Wallander sortit du réfrigérateur un morceau de viande posé sur une assiette et la moitié d'un chou-fleur. Quand le repas fut prêt, il s'attabla avec le journal du soir qu'il avait acheté sur le chemin du retour en pensant qu'il avait toujours éprouvé une satisfaction profonde à manger en paix en feuilletant le journal. Mais cette fois, il eut à peine le temps de l'ouvrir qu'une photographie lui sauta littéralement au visage, sous un gros titre dramatique. C'était bien le visage de la jeune femme qu'il avait prise en stop le matin même. Avec un effarement croissant il lut que, la veille, cette jeune femme avait tué ses parents dans l'appartement familial de Södra Förstadsgatan, dans le centre de Malmö, et qu'elle était depuis lors en cavale. La police ne présentait aucune hypothèse quant au mobile. Mais il n'y avait pas de doute. C'était bien elle – elle ne s'appelait d'ailleurs pas du tout Carola, mais Anna-Lena. Un policier, dont Wallander croyait reconnaître le nom, décrivait ce double meurtre comme un cas de violence sans précédent, une rage qui avait tout emporté, un bain de sang dans le petit appartement où vivait la famille. La jeune femme était donc en fuite, on avait lancé un avis de recherche national. Wallander repoussa le journal et son assiette, essaya une fois encore de se persuader qu'il avait mal vu. Ce ne pouvait être elle. Puis il attrapa son téléphone et composa le numéro du domicile de Martinsson.

– Viens, dit-il. Chez moi, maintenant, tout de suite.

– Je prends un bain avec mes petits-enfants, dit Martinsson. Ça ne peut pas attendre ?

– Non. Ça ne peut pas attendre.

Trente minutes plus tard exactement, la voiture de Martinsson apparut au bout du chemin. Wallander se tenait devant la grille. La pluie avait cessé, les nuages s'étaient dispersés. Jussi, qu'il avait laissé sortir du chenil, se mit à sauter autour de Martinsson ; contre toute attente, il réussit à obtenir de lui qu'il se couche.

– Tu as fini par te faire obéir, observa Martinsson.

– Il faut le dire vite. Viens, on va à la cuisine.

Ils s'installèrent. Wallander lui montra la photo dans le journal.

– J'ai pris cette fille en stop jusqu'à Höör il y a quelques heures à peine. Elle m'a dit qu'elle continuait vers le Småland ; ce n'est sûrement pas vrai, mais bon. Avec des photos comme ça dans les journaux, elle a peut-être déjà été identifiée. Sinon, il faut concentrer les recherches à partir de Höör.

Martinsson fixait Wallander d'un regard incrédule.

– Je suis certain qu'on a parlé de ça l'an dernier. On a dit qu'on ne prenait jamais d'auto-stoppeurs, ni toi, ni moi.

– J'ai fait une exception ce matin.

– Sur la route de Höör ?

– J'ai un ami là-bas.

– À Höör ?

– Tu ne sais peut-être pas tout de moi. Pourquoi n'aurais-je pas un ami à Höör ? N'as-tu pas un ami aux Nouvelles-Hébrides ? Tout ce que je dis est vrai.

Martinsson acquiesça en silence et tira un carnet de sa poche. Son stylo-bille ne fonctionnait pas. Wallander lui en donna un autre et déplia un torchon sur son assiette, où s'étaient posées quelques mouches. Martinsson commença à noter – la tenue vestimentaire de la fille, ses paroles, l'horaire exact. Il avait déjà son téléphone à la main quand Wallander le retint.

– Tu diras que c'était un informateur anonyme, d'accord ?

– Plutôt qu'un policier bien connu d'Ystad qui a jugé bon d'aider une meurtrière en cavale ? J'y avais pensé, figure-toi.

– Je ne savais pas qu'elle était en cavale.

– Mais tu sais aussi bien que moi ce qu'écriront les journaux si par malheur la vérité sortait. Ça fera une info juteuse, c'est sûr, en plein désert estival en plus. Ils ne feront qu'une bouchée de toi…

Wallander écouta Martinsson parler au collègue et terminer en disant :

– C'était un coup de fil anonyme. Je ne sais pas comment le type s'est procuré mon numéro privé, mais il paraissait crédible et il n'avait pas bu.

Il raccrocha. Wallander n'était pas content.

– C'était vraiment nécessaire d'ajouter ça ? Tu en connais beaucoup, toi, qui ne sont pas sobres à l'heure du déjeuner ?

– Quand on la retrouvera, elle racontera qu'elle a été prise en stop par un inconnu. Elle ne sait pas que c'était toi, et personne d'autre non plus.

Wallander se rappela soudain une autre réplique de l'autostoppeuse.

– Elle m'a dit qu'elle avait été embarquée avant moi par un conducteur qui l'avait importunée. J'avais oublié de te le dire.

Martinsson regarda à nouveau la photo dans le journal.

– Meurtrière ou pas, elle est plutôt jolie. Tu n'as pas dit qu'elle portait une jupe jaune, courte ?

– Elle était *très* jolie, dit Wallander. À part qu'elle avait les ongles rongés. Moi, il n'y a rien qui me refroidit autant.

Martinsson le regarda avec un sourire amusé.

– Ça ne nous arrive plus jamais, dis donc. De parler des femmes qui croisent notre chemin. Dans le temps, on le faisait souvent.

Wallander lui proposa un café, mais Martinsson refusa. Après avoir suivi sa voiture des yeux en agitant la main,

Wallander retourna à son repas interrompu. Ce n'était pas bon, mais il fut rassasié. Puis il fit une longue promenade avec Jussi, tailla une haie à l'arrière de la maison avec son nouvel outil et ajouta un clou à sa boîte aux lettres qui pendait de guingois. Il ne cessait de penser à ce que lui avait raconté Hermann Eber. Il fut tenté d'appeler Ytterberg, mais résolut en définitive d'attendre le lendemain. Il avait besoin de réfléchir. Un suicide se transformait en assassinat, d'une manière qu'il ne comprenait pas du tout. Il était à nouveau rongé par la sensation qu'il aurait *omis de voir* quelque chose. Et pas seulement lui : tous ceux qui étaient impliqués dans l'enquête à un titre ou à un autre. Impossible de mettre le doigt dessus. C'était juste la vieille intuition, dont la fiabilité lui paraissait de plus en plus douteuse.

Vers dix-sept heures, Wallander tomba brutalement malade. En moins d'une demi-heure, il fut la proie d'une forte fièvre accompagnée de vomissements. Il soupçonna la viande, qu'il n'avait pas fait griller assez longtemps et qui était restée un certain temps la veille dans son coffre de voiture surchauffé. Il s'allongea sur le canapé devant la télé et se mit à zapper d'une chaîne à l'autre avec des interruptions précipitées pour se rendre aux toilettes. Quand le téléphone sonna vers vingt et une heures, il sortait juste d'une nouvelle crise. Il prit le combiné. C'était Linda, qui s'inquiéta tout d'abord, mais se calma en réalisant que le diabète n'y était pour rien.

– Ça ira sûrement mieux demain. Bois du thé.

– Je ne peux pas. Je ne garde rien.

– Bois de l'eau alors.

– Et je fais quoi, à ton avis ?

– Tu manges trop peu de légumes.

– Quel rapport ?

– Je passerai te voir demain. Tu deviens geignard, exactement comme grand-père.

Wallander se recroquevilla une fois de plus sur le canapé, se releva presque aussitôt pour retourner vomir, dormit une heure et crut que ça allait mieux avant de courir à nouveau aux toilettes. Il continua de zapper faiblement, sans trouver la force de s'intéresser à quoi que ce soit. Pour finir, il s'arrêta sur une chaîne qui montrait de la boxe asiatique. Un petit Thaïlandais d'apparence fluette fit tomber un énorme Hollandais d'un coup de pied à la tête parfaitement ajusté. Wallander crut sentir la douleur dans son propre crâne. Vers minuit il s'endormit ; il se réveilla en sursaut après avoir rêvé de Hermann Eber et de Louise von Enke. Il était cinq heures du matin. Son estomac allait mieux ; mais il était épuisé et avait la migraine. Il se prépara un thé qu'il put, cette fois, absorber. Par la fenêtre, il voyait Jussi, immobile, patte levée, à l'affût. Il avait dû apercevoir du mouvement dans un champ, mais Wallander, lui, ne pouvait voir l'objet de sa fascination. Peut-être une biche aventurée hors des bois à la faveur du matin ? Ce qu'il avait sous les yeux ressemblait à une scène que son père aurait pu transformer en un thème répété à l'infini. *Chien en arrêt à l'aube*. Au lieu de cela il avait choisi un paysage de forêt auquel il ajoutait de temps à autre, avec une précision monotone, un coq de bruyère.

Wallander repensa à son rêve. Il se trouvait dans la maison-poubelle d'Eber. Louise, perchée sur une échelle, accrochait des rideaux jaunes. Il lui demandait où elle s'était tenue cachée pendant toutes ces semaines d'absence. Louise tombait alors de l'échelle, morte sur le coup. Hermann Eber arrivait parmi les détritus, vêtu d'un uniforme militaire allemand, il était très jeune et sa bouche n'était qu'un trou édenté. Il disait quelques mots que Wallander ne comprenait pas. C'était là qu'il s'était réveillé, avec son sentiment d'inquiétude et d'impuissance. Ce n'était plus son estomac qui le tourmentait, mais Louise. Une modification introduite par la mort de Louise. Jusque-là, il avait tenu pour acquis que le personnage principal était Håkan. Mais si c'était Louise ? C'est par là que je dois commencer, pensa-t-il. Je vais tout reprendre en changeant la perspective. S'il voulait avoir une chance de réfléchir clairement il devait cependant se reposer d'abord, au moins quelques heures. Il se déshabilla et se glissa dans son lit. Une araignée rampait au plafond, le long d'une poutre. Il sombra dans le sommeil.

Vers huit heures, il venait de prendre un petit déjeuner léger quand il aperçut par la fenêtre la voiture de Linda. Elle freina à côté de la boîte aux lettres. Elle avait Klara avec elle et entra dans la maison en lui criant de ne pas s'approcher à moins d'un mètre pour ne pas les contaminer. Wallander s'irrita du fait qu'elle soit venue si tôt. Pour une fois qu'il était de congé, il voulait profiter de son début de matinée en paix.

Ils s'assirent au jardin.

– Comment ça va ?

– Beaucoup mieux.

– Qu'est-ce que je te disais ?

– Oui, parlons-en, de ce que tu disais. Que je mangeais trop peu de légumes. Tu ne sais rien de ce que je mange, alors tais-toi.

Linda soupira et ne prit même pas la peine de répondre. Wallander s'aperçut soudain qu'elle avait des mèches bleues dans les cheveux.

– C'est quoi, ce bleu ?

– Je trouve ça beau.

– Et Hans ?

– Hans aussi.

– Permets-moi d'en douter. Pourquoi ne peut-il pas s'occuper de la petite si tu as tellement peur de mes microbes ?

– Il était obligé de travailler aujourd'hui.

Il vit une ombre passer sur son visage.

– Qu'est-ce qui le tracasse ?

– Des mouvements dans le secteur global.

– Je ne comprends même pas de quoi tu parles. *Des mouvements dans le secteur global*, et puis quoi encore. Je croyais qu'il s'occupait de transactions boursières.

– C'est bien ça. Produits dérivés, options, *hedge funds*.

Wallander leva les mains.

– Je n'ai pas besoin d'en savoir plus puisque je n'y comprends rien de toute manière.

Il alla chercher un verre d'eau. Klara gigotait dans l'herbe, ravie.

– Comment va Mona ? demanda-t-il en revenant.

– Elle ne répond plus au téléphone. Et quand je sonne chez elle en sachant qu'elle est là, elle ne m'ouvre pas.

– Autrement dit, elle boit ?

– Je ne sais pas. Là, tout de suite, je n'ai pas la force de m'occuper d'un deuxième enfant. Celle-ci me suffit.

Un avion qui s'apprêtait à atterrir à Sturup passa à basse altitude. Quand le bruit se fut éloigné, Wallander lui parla de sa visite chez Hermann Eber. Il lui restitua leur conversation, et les réflexions qu'elle avait suscitées. Il inclinait à présent à croire que Louise avait été assassinée. L'énigme s'approfondissait. De quelle manière cette femme silencieuse avait-elle pu être liée à l'ancienne RDA ? Et comment ce lien, à supposer qu'il existe, avait-il pu conduire à sa mort ?

Wallander se tut. Klara s'était mise à ramper autour des jambes de Linda. Celle-ci hocha la tête.

– Il y avait bien un lien entre Louise et l'ex-RDA, dit-elle pensivement. Je croyais t'en avoir parlé.

– Tu m'as juste dit qu'elle était professeur d'allemand.

– Ce à quoi je pense remonte à très longtemps. Avant la naissance de Hans, avant même celle de Signe. Ce n'est d'ailleurs pas grand-chose. Et tu devrais plutôt en parler avec Hans.

– Voyons tout de même.

– Louise est allée là-bas à quelques reprises au début des

années 1960 en compagnie d'un groupe de jeunes plongeuses suédoises, dans le cadre d'un échange sportif. Louise leur servait d'interprète, je pense. Si j'ai bien compris, elle était elle-même une ancienne plongeuse émérite. Je n'en sais pas beaucoup plus, sinon que ça se passait à Berlin-Est et à Leipzig. Ces visites ont connu une fin abrupte. D'après Hans, pour une raison bien précise.

– Laquelle ?

– Håkan. Ce n'était pas bon pour sa carrière que son épouse ait des contacts dans ce qui était à l'époque considéré comme un pays ennemi. L'un des satellites les plus effrayants de la Russie – tu imagines bien quelle pouvait être l'attitude des militaires suédois vis-à-vis de la RDA.

– Tu es certaine de ce que tu dis ?

– Louise se soumettait toujours à la volonté de son mari. Je crois que la situation était intenable. Au début des années 1960, Håkan se préparait à occuper un poste stratégique dans l'état-major de la marine.

– Sais-tu comment elle a réagi ?

– Non.

Klara se mit à pleurer. Elle avait dû se piquer à quelque chose. Wallander, qui supportait mal ses cris, alla voir Jussi le temps que ça se tasse.

– Et moi, quand je pleurais, petite, qu'est-ce que tu faisais ? demanda Linda en le voyant revenir.

– J'avais les oreilles plus solides à l'époque.

Ils contemplèrent en silence la petite qui inspectait un pissenlit accroché entre deux cailloux.

– J'ai réfléchi évidemment, dit soudain Linda. J'ai fouillé ma mémoire, j'ai essayé de me rappeler les conversations, les attitudes ; leur manière d'être vis-à-vis l'un de l'autre et vis-à-vis de l'entourage. J'ai essayé de soutirer des informations à Hans. Après tout, il croit peut-être que je sais certaines choses alors qu'il n'en est rien. Il y a deux jours, j'ai eu l'impression qu'il ne m'avait pas dit toute la vérité.

– À quel sujet ?

– L'argent.

– Quel argent ?

– Il y en a beaucoup plus qu'il ne me l'a dit. Håkan et Louise menaient une existence, disons, aisée. Pas de luxe tape-à-l'œil, pas d'excès. Mais ils auraient pu mener grand train s'ils l'avaient voulu.

– De quel ordre de grandeur parlons-nous ?

– Ne m'interromps pas ! J'y viens. Laisse-moi raconter les choses à mon propre rythme. Le problème, dans tout ça, c'est que Hans ne m'en a pas parlé. Ça m'énerve, et je sais que je vais devoir aborder le sujet avec lui tôt ou tard.

– Tu veux me dire que l'argent pourrait bien être au centre de l'affaire, malgré tout ?

– Non, mais je n'aime pas qu'il joue sur des ambiguïtés. Bon, je préfère qu'on en reparle une autre fois.

Wallander leva les mains et ne posa plus de questions. Linda s'aperçut soudain que Klara avait commencé à manger le pissenlit. Elle voulut lui nettoyer la bouche, ce qui déclencha de nouveaux hurlements. Wallander résolut d'être stoïque et resta assis. Jussi, abandonné, marchait de long en large derrière son grillage en contemplant la scène. Ma famille, pensa Wallander. Tout le monde est là, à part ma sœur Kristina et mon ex-femme qui se tue à l'alcool.

La crise fut bientôt passée ; Klara repartit en mission exploratrice pendant que Linda se balançait sur sa chaise.

– Je ne te garantis pas que la chaise tienne le coup, l'avertit Wallander.

– Les vieux meubles de grand-père… Et quand bien même elle se casse, je survivrai. Le pire qui pourra m'arriver, c'est de m'écrouler dans ton parterre de fleurs plein de mauvaises herbes.

Wallander ne répondit pas. Il s'irritait de la manière qu'avait Linda de scruter tous ses faits et gestes et de souligner les moindres défaillances qu'elle constatait.

– Je me suis réveillée ce matin avec une question qui n'a plus voulu me sortir de la tête, dit-elle. Ça n'a rien à voir avec Louise et Håkan. Je ne comprends pas comment j'ai pu ne jamais vous la poser pendant toutes ces années. Ni à toi, ni à maman. Peut-être parce que la réponse me faisait peur ? Personne n'a envie d'être né par accident, après tout.

Wallander fut aussitôt sur ses gardes. Il était très rare qu'elle emploie le mot « maman » pour parler de Mona. Il ne se rappelait pas davantage qu'elle l'ait jamais appelé papa depuis qu'elle était adulte – sinon dans un moment de colère, ou alors par dérision.

– Ne t'inquiète pas, dit-elle. Je vois bien que tu t'inquiètes déjà. Je voudrais juste savoir comment vous vous êtes rencontrés. *La rencontre de mes parents.* Aussi incroyable que ça puisse paraître, je ne le sais pas.

– J'ai la mémoire qui flanche, parfois, c'est vrai. Mais pas là-dessus. Nous nous sommes rencontrés en 1968, à bord d'un bateau qui faisait la liaison Copenhague-Malmö. Un ferry. De ceux qui vont lentement, tu sais bien, pas les rapides. C'était un soir, tard.

– C'était il y a pile quarante ans…

– Nous étions très jeunes. Elle était assise à une table, c'était bondé, j'ai demandé si je pouvais m'asseoir près d'elle et elle a dit oui. Je t'en dirai plus une autre fois, si tu veux bien. Là, tout de suite, je ne suis pas prêt à remuer le passé. Revenons à la question de l'argent. De quelles sommes parles-tu ?

– Quelques millions. Mais tu n'y échapperas pas. Je veux savoir ce qui s'est passé après l'arrivée du ferry à Malmö.

– Sur le moment, rien du tout. Je te promets que je te raconterai la suite un jour. Tu veux me dire qu'ils avaient mis de côté plusieurs millions de couronnes ? D'où venait cet argent ?

– Économies.

Il fronça les sourcils. Cela faisait beaucoup d'argent. Pour sa part, il n'aurait jamais pu rassembler une somme pareille, même en rêve.

– C'est possible d'économiser autant ? Ne s'agirait-il pas plutôt de fraude fiscale ou autre ?

– Pas d'après Hans.

– Mais tu me disais qu'il ne voulait pas en parler.

– Il faut dire que, jusqu'à ces derniers mois, l'argent de ses parents ne concernait qu'eux. Ils en faisaient ce qu'ils voulaient.

– Et qu'en faisaient-ils ?

– Ils demandaient à Hans de le placer. Prudemment. Pas de folies.

Wallander réfléchit. Ce qu'il venait d'entendre pouvait être d'une importance décisive. Au cours de toute sa vie de policier, il s'était sans cesse vu rappeler que l'argent était la cause des pires crimes que les êtres humains étaient capables de commettre les uns envers les autres. Aucun thème ne se répétait aussi souvent, sous des formes aussi variées.

– Qui s'occupait des affaires ? Louise ? Håkan ? Les deux ensemble ?

– Hans le sait.

– On va devoir en parler avec lui.

– Pas « on ». Moi. Si j'ai du nouveau, je te le dirai.

Klara bâilla dans l'herbe. Linda fit signe à Wallander, qui se leva, prit la petite dans ses bras et la déposa doucement sur la balancelle. Klara lui sourit.

– J'essaie de me voir dans tes bras, dit Linda. Mais je n'y arrive pas.

– Pourquoi ?

– Je ne sais pas. Je ne dis pas ça par méchanceté.

Un couple de cygnes apparut, survolant les champs. Ils suivirent le double trait blanc traversant le ciel, et le bruit sifflant de leurs ailes.

– Comment est-ce possible qu'on ait pu vouloir tuer Louise ? Ces histoires de documents russes dans son sac à main… Ça ne tient pas debout.

– Ce n'étaient pas des documents russes. C'étaient des documents suédois. Destinés aux Russes.

Au lieu de s'énerver contre son ton sentencieux, elle se contenta de hocher la tête. Elle demanda, pensive :

– Où est Håkan ? Est-il mort ou vivant ?

– Pour moi, il est en vie. Je dis cela sans aucune logique. Ce n'est pas même mon expérience qui parle. C'est juste une intuition.

– C'est lui qui a tué Louise ?

– Rien ne permet de l'affirmer.

– Rien ne permet non plus de l'infirmer.

Wallander acquiesça en silence. C'était bien cela. Elle suivait ses pensées à la trace.

Linda rentra chez elle une demi-heure plus tard.

Le soir, Wallander fit une promenade avec Jussi. Il s'arrêta pour uriner au bord d'un fossé. Le champ, devant lui, venait d'être moissonné. Le parfum était intense.

Soudain, ce fut comme s'il voyait au moins une chose très clairement. Quel que soit l'enchaînement des faits, cela avait débuté avec Håkan von Enke, et s'achèverait avec lui. Louise n'était qu'un maillon.

Mais il ne savait pas ce que cela signifiait. Il rentra chez lui plus soucieux qu'auparavant. Un seul fait lui paraissait incontestable : un soir, dans la véranda d'une salle de réception de Djursholm, l'inquiétude de Håkan von Enke avait été réelle.

Tout commence là, pensa-t-il. Tout commence par l'homme inquiet.

Il ne pouvait pas en être autrement.

24

Une nuit en juillet.

Wallander resta assis, le stylo en l'air. Il trouvait que le début de sa lettre ressemblait au titre d'un mauvais film suédois des années 1950. Ou peut-être d'un roman nettement meilleur écrit quelques décennies auparavant. Comme il y en avait dans la bibliothèque de ses parents, quand il était petit. Dans la collection de livres ayant appartenu au grand-père maternel, mort longtemps avant sa naissance.

Pour le reste, la description était correcte. On était en juillet et il faisait nuit. Wallander était au lit quand il s'était soudain rappelé que l'anniversaire de sa sœur Kristina tombait dans deux jours. Or il avait pris l'habitude d'écrire son unique lettre de l'année à cette occasion et de la lui expédier avec tous ses meilleurs vœux. Il s'extirpa donc du lit, il n'avait pas sommeil de toute façon, et c'était une bonne excuse pour ne pas rester là à se retourner comme une crêpe entre les draps. Il s'assit dans la cuisine devant une feuille, armé du stylo-plume qui avait été le cadeau de Linda pour ses cinquante ans. Il ne changea pas les premiers mots de sa lettre. Et il n'ajouta presque rien. Une fois qu'il eut fini de décrire la joie que lui procurait l'existence de Klara, il ne lui sembla pas avoir grand-chose à raconter. Ses lettres devenaient plus courtes d'année en année ; quand est-ce que ça s'arrêterait ? Il se relut et trouva l'effet d'ensemble assez misérable, mais il n'avait décidément rien à ajouter. Le contact avec Kristina avait connu son point culminant au cours des dernières années de vie de leur père. Après cela, ils ne s'étaient presque plus revus. Sauf quand Wallander, exceptionnellement, se rendait à Stockholm et prenait, plus exceptionnellement encore, l'initiative de l'appeler. Ils étaient très différents l'un de l'autre et, par-dessus le marché, ils n'avaient pas du tout la même image de leur enfance. Quand ils se voyaient, le silence ne tardait pas à s'installer entre eux et ils se regardaient alors, perplexes et prudents, pendant que se formulait la question muette : n'avions-nous vraiment rien de plus à nous dire ?

Wallander ferma l'enveloppe et retourna se coucher. La fenêtre était entrebâillée. Au loin il entendait des bruits de fête, de la musique. Le gémissement du vent qui passait dans l'herbe. Il avait eu raison de quitter Mariagatan. Ici, à la campagne, il percevait des sons qu'il n'avait jamais entendus avant. Et des odeurs, ça aussi.

Il resta longtemps éveillé à repenser à sa visite au commissariat, plus tôt dans la soirée. Il ne l'avait pas préméditée. Mais en constatant que son ordinateur ne fonctionnait plus, vers vingt et une heures, il avait pris sa voiture jusqu'à Ystad. Pour éviter de croiser des collègues de service, il était passé par le sous-sol ; il avait pianoté le code d'accès et rejoint son bureau sans croiser quiconque. Un échange houleux se déroulait dans l'un des bureaux qu'il dépassa à pas de loup. L'un des interlocuteurs était très ivre. Wallander se félicita de ne pas être celui qui menait l'interrogatoire.

Juste avant son départ en congé, il avait consenti un gigantesque effort pour faire baisser la hauteur des piles de dossiers sur sa table. Du coup, son bureau lui paraissait presque accueillant. Il jeta sa veste sur le fauteuil des visiteurs et alluma l'ordinateur. En attendant, il prit les deux dossiers qu'il avait enfermés à clé dans un tiroir. L'un portait le nom de Louise, l'autre celui de Håkan. Il avait écrit leurs prénoms au feutre, et le feutre avait bavé. Il mit de côté le premier et se concentra sur le second. En parallèle, il pensait à la conversation qu'il avait eue quelques heures auparavant avec Linda. Celle-ci l'avait appelé une fois Klara endormie et Hans parti acheter des couches-culottes dans un magasin qui fermait tard, et lui avait rendu compte des réponses de Hans concernant l'argent de ses parents, le lien de sa mère avec l'ex-RDA, etc. Elle avait demandé à Hans s'il y avait d'autres choses qu'il aurait omises de lui dire. Il s'était montré vexé de cette marque de défiance, selon lui. Il avait fallu un long moment pour le convaincre qu'il ne s'agissait pas de ça, mais uniquement de la gravité des faits. Sa mère avait peut-être été assassinée après tout. Hans s'était calmé et avait répondu de son mieux.

Wallander tira de la poche arrière de son pantalon un papier replié qu'il lissa. Il y avait noté l'essentiel des propos de Linda.

Lorsque Hans avait pris ses nouvelles fonctions à Copenhague, ses parents lui avaient demandé de devenir leur banquier privé. À l'époque, il s'agissait d'un peu moins de deux millions de couronnes – il y en avait à présent un peu plus de deux millions et demi. Ils lui avaient dit que cet argent provenait de leurs économies et d'un héritage du côté de Louise. Hans ignorait la part respective des économies et de l'héritage. Celui-ci venait d'une certaine Hanna Edling, décédée en 1976, propriétaire de quelques boutiques de mode dans l'ouest de la Suède. Ils avaient acquitté l'impôt – même si Håkan avait tendance à vitupérer une fois l'an l'ISF imposé par les sociaux-démocrates qu'il jugeait pour sa part confiscatoire. À présent l'impôt sur la fortune venait d'être supprimé, et Hans regrettait de ne pas pouvoir l'annoncer lui-même à son père – il l'avait dit avec un chagrin manifeste, avait précisé Linda.

– Ses parents avaient une position spéciale vis-à-vis de l'argent. Hans l'a résumée comme ceci : *l'argent, c'est quelque chose qui existe, mais dont on ne parle pas.*

– Ce serait bien si c'était vrai, répondit Wallander. En attendant, c'est vraiment une attitude typique de la classe dominante.

– Ce *sont* des représentants de la classe dominante. Tu le sais, alors ce n'est pas la peine de revenir là-dessus.

Deux fois par an, Hans leur présentait les bénéfices et les pertes éventuelles. Exceptionnellement, il arrivait à Håkan, en lisant le journal, de tomber sur des propositions d'investissement intéressantes et de passer un coup de fil à son fils. Mais il ne cherchait jamais à savoir si celui-ci avait suivi son conseil. Quant à Louise, il était encore plus rare qu'elle intervienne de façon directe dans ces questions de placements. Mais l'année précédente, elle avait demandé à retirer deux cent mille couronnes en une seule fois. Hans s'en était étonné, car il était très rare que l'un ou l'autre ait besoin d'une somme aussi importante. C'était alors Håkan qui en faisait la demande, par exemple quand ils s'apprêtaient à partir en croisière ou à séjourner sur la Côte d'Azur. Il avait donc interrogé sa mère. Mais celle-ci lui avait simplement ordonné d'effectuer le retrait, un point c'est tout.

– En plus, elle a demandé à Hans de ne pas en parler à Håkan. C'est très étrange car, tôt ou tard, il s'en serait forcément aperçu.

– Pas nécessairement, dit Wallander avec hésitation. Peut-être voulait-elle lui faire une surprise ?

– Peut-être, mais Hans a dit aussi que c'est la seule fois de sa vie qu'il avait senti comme une menace dans la voix de sa mère. Et cette menace était dirigée contre lui.

– C'est le mot qu'il a employé ? Une menace ?

– Oui.

– N'est-ce pas curieux ? Un mot si fort ?

– J'ai eu l'impression qu'il cherchait vraiment le mot juste.

Wallander nota *menace* sur son papier. Si c'était vrai, ça laissait entrevoir un nouvel aspect de la femme au perpétuel sourire.

– Qu'a-t-il dit concernant la RDA ?

Linda souligna qu'elle avait déjà plusieurs fois tenté de raviver les souvenirs de Hans. Mais il n'en avait pour ainsi dire pas. Juste une très vague image de sa mère revenant de Berlin-Est avec des jouets en bois pour lui, alors qu'il était tout petit. C'était tout. Il ne se rappelait même pas combien de jours elle était partie ni qu'on lui eût jamais expliqué la raison de ce voyage. À cette époque, les von Enke avaient une employée de maison prénommée Katarina, avec qui il passait plus de temps qu'avec ses parents. Håkan était en mer ; Louise enseignait l'allemand à l'École française et dans un autre lycée de Stockholm, il ne se souvenait plus lequel. Peut-être y avait-il eu parfois, à la table du dîner, des invités qui parlaient l'allemand. Il avait un très vague souvenir d'hommes en uniforme qui chantaient des chansons à boire dans une langue étrangère.

– Et voilà, conclut Linda. Il ne se souvient de rien d'autre. Soit il n'y avait rien, soit Louise a mené ses aventures berlinoises en secret. Mais pourquoi aurait-elle fait ça ?

– Oui, dit Wallander. Les Suédois n'ont jamais été interdits de séjour à Berlin. Nous étions en affaires avec eux comme avec tous les autres. En revanche, les Berlinois ne pouvaient pas venir chez nous. C'est bien pour ça que le Mur a été construit.

– C'était avant ma naissance. Je me souviens de la chute du Mur, pas de sa construction.

La conversation s'était arrêtée là. Wallander entendit une porte claquer dans le couloir. Il se mit à relire tout ce qu'il avait rassemblé concernant la disparition des von Enke. Son expérience lui disait que Håkan von Enke était maintenant porté disparu depuis si longtemps qu'il était vraisemblablement mort lui aussi. Il persistait pourtant à le considérer comme vivant jusqu'à preuve du contraire.

Après un moment, il repoussa le dossier et se laissa aller

dans son fauteuil. Peut-être Håkan savait-il déjà, lors de la conversation dans le salon aveugle de Djursholm, qu'il ne tarderait pas à disparaître ? Essayait-il de me faire passer un message ?

Wallander se redressa avec impatience. Il tournait en rond. Tout ça avançait bien trop lentement à son goût. Il se connecta à Internet et commença à chercher, sans bien savoir ce qu'il espérait trouver. C'était un pianotage au hasard, et pourtant non. Il écuma toute l'information officielle fournie par le site de la Marine royale. Pas à pas, il suivit la trace de la carrière de Håkan von Enke. Une trajectoire rectiligne, sans accélérations insolites. Des membres de sa promotion avaient fait une carrière bien plus rapide que lui. Après environ une heure, Wallander s'arrêta sur une photo qui venait d'apparaître à l'écran. Elle avait été prise lors d'une réception donnée par le ministère des Affaires étrangères pour un groupe d'attachés militaires étrangers. On y voyait un certain nombre de jeunes officiers, parmi lesquels Håkan von Enke. Celui-ci souriait au photographe. Un sourire ouvert et plein d'assurance. Wallander contempla son visage. J'essaie de mieux discerner l'homme inquiet que j'ai croisé à Djursholm. Qui est-il vraiment ?

Un coup frappé à la porte le fit tressaillir. Il n'eut pas le temps de dire « Entrez » que la porte s'ouvrit. C'était Nyberg, blouson bleu ciel sur le dos et casquette sur la tête, qui s'immobilisa, interdit, en apercevant Wallander.

– Je croyais qu'il n'y avait personne, dit-il. J'ai l'habitude de faire le tour avant de m'en aller et d'éteindre les lampes qui restent allumées pour rien. On voit la lumière sous les portes. C'est idiot, je sais. Mais il paraît qu'il ne faut pas gaspiller l'énergie.

– Pourquoi frappes-tu si tu crois qu'il n'y a personne ?

Nyberg ôta sa casquette et se gratta la tête. Un geste mille fois répété, pensa Wallander. Il a toujours fait ça, depuis que je le connais. Dès qu'il est préoccupé, il se gratte. Et moi ? Qu'est-ce que je fais ?

– Je ne peux pas vraiment te répondre, dit Nyberg. C'est une habitude, je suppose. On frappe avant d'entrer. Et d'ailleurs, je croyais que tu étais en vacances.

– C'est vrai. C'est juste que je n'arrive pas à lâcher la disparition des beaux-parents de Linda.

Nyberg hocha la tête. Wallander avait eu l'occasion de parler de l'affaire deux ou trois fois avec lui. Il avait toujours respecté la clairvoyance de son collègue, même si celui-ci n'avait pas toujours un caractère facile. Ses colères étaient célèbres au commissariat ; d'un autre côté, Wallander ne courait plus guère le risque de se retrouver dans sa ligne de mire. C'était plutôt son équipe de la police technique, ainsi que les légistes, qui vivaient dans la crainte perpétuelle de ses accès de fureur.

Nyberg était resté sur le seuil, casquette à la main.

– On t'a peut-être dit que je partais à la retraite à Noël ?

– Non, je ne le savais pas.

– Je trouve que ça suffit. En ce qui me concerne.

Wallander était très surpris. Il s'était bêtement imaginé que Nyberg serait toujours là, en service, jour après jour, à genoux sous le soleil ou sous la pluie à farfouiller dans la boue à la recherche d'indices. Nyberg avait certes été marié dans une lointaine préhistoire et il avait même des enfants. Pour autant, il était toujours l'homme seul à la casquette verte, qui piquait des colères mémorables, mais qui était en même temps le plus compétent des professionnels.

– Qu'est-ce que tu vas faire alors ?

Ce fut tout ce qu'il trouva à dire.

– Je vais déménager, répliqua Nyberg avec une gaieté subite. Très loin d'ici.

– Où ? En Espagne ?

Nyberg le regarda comme s'il avait proféré une insanité. Wallander se demanda une fraction de seconde s'il n'allait pas y avoir droit malgré tout, et se prépara à parer l'orage.

– Et que veux-tu que j'aille faire en Espagne ? À part transpirer ? Non, je pars dans le Nord. J'ai acheté une vieille maison, un peu abîmée mais belle, à la limite du Härjedalen et du Jämtland. Le premier voisin est à des kilomètres. Sinon, il n'y a que des arbres, aussi loin que porte le regard.

– Mais tu es d'ici ! Né à Hässleholm, si je ne m'abuse, un pur Scanien. Qu'est-ce que tu vas chercher dans les forêts de là-haut ?

– La paix. En plus, il paraît qu'il y a moins de vent là-bas.

– Tu ne supporteras pas tous ces arbres. Toi qui as l'habitude de voir jusqu'à l'horizon.

– C'est un désir que j'ai toujours eu, dit Nyberg avec simplicité. Celui de vivre dans les forêts. Quand j'y suis allé pour chercher ma future maison, je me suis tout de suite senti chez moi. C'est comme ça, c'est tout. Et toi ? Tu vas continuer combien de temps encore ?

Wallander haussa les épaules.

– Sais pas. C'est difficile pour moi d'imaginer une vie loin de ce bureau.

– Pas pour moi, dit Nyberg avec insouciance. Moi, je vais passer mon permis de chasse et je vais écrire mes Mémoires.

Wallander n'en crut pas ses oreilles.

– Toi, tu vas écrire un livre ?

– Et pourquoi pas ? J'ai pas mal de choses à raconter. Et de nos jours, les gens s'intéressent à mon métier comme ils ne l'ont jamais fait.

Wallander comprit que c'était sérieux. Et Nyberg était sûrement assez têtu pour écrire ce livre et pour le faire publier, en plus.

– Tu vas parler de moi dans ton bouquin ?

– Ne t'inquiète pas, dit Nyberg toujours aussi badin. Toi, tu t'en sortiras à bon compte. Mais ce ne sera pas le cas de tout le monde, tu vas voir. Et je vais écrire des tartines sur le recrutement imbécile de chefs qui n'ont pas la moindre notion du travail sur le terrain. N'oublie pas d'éteindre en partant.

Wallander ne put s'empêcher de le retenir.

– Juste une question. J'ai remarqué que tu te grattais toujours le crâne quand tu avais besoin de réfléchir. Qu'est-ce que je fais, moi ?

– Tu te frottes le nez. Parfois tu as les narines toutes rouges, à force.

Nyberg hocha la tête une dernière fois et s'en alla. Wallander pensa qu'il le regretterait. Et d'ailleurs, il devait lui aussi très bientôt envisager sérieusement sa propre situation. Combien de temps pourrait-il raisonnablement continuer à exercer ce métier ? Et que ferait-il ensuite ? Déménager dans la forêt ? Sûrement pas ; la simple idée lui donnait des frissons. Et encore moins rédiger ses Mémoires. Pour ça, il n'avait ni la patience ni les mots.

Laissant ces questions sans réponse, il entrouvrit la fenêtre et reprit ses recherches sur Internet. Il essaya de faire appel à son imagination pour découvrir des voies inattendues, des sources d'information différentes ; il lut des topos sur l'ex-RDA, sur les manœuvres navales dans le sud de la Baltique dont lui avaient parlé Sten Nordlander ainsi que Håkan von Enke. Il se pencha aussi longuement, une fois de plus, sur les incidents liés aux sous-marins au début des années 1980. De temps à autre, il notait un nom, un événement, une réflexion. Mais rien qui fût de nature à modifier l'image qu'il avait de Håkan von Enke. Il fit un détour par le site de l'École française, Franska Skolan, mais ne trouva rien concernant Louise. Il pensa que Linda s'était choisi pour beaux-parents les plus parfaits exemples de respectabilité bourgeoise qui se puissent imaginer. Du moins en apparence.

Il était près de minuit quand il commença à bâiller. Sa navigation sur la Toile l'avait conduit à la périphérie d'événements qui pouvaient se révéler intéressants, sans plus. Soudain, il s'immobilisa. Il se rapprocha de l'écran. Il venait de tomber sur un article paru dans un tabloïd au début de l'année 1987. Un journaliste avait déniché des informations concernant une salle de réception privée de Stockholm régulièrement fréquentée par des officiers de marine. Leurs fêtes ou réunions – cela remplissait apparemment les deux fonctions – étaient entourées du plus grand secret ; seuls quelques privilégiés étaient conviés à y participer et aucun des officiers contactés par l'auteur de l'article n'avait souhaité s'exprimer sur le sujet. En revanche, l'une des femmes qui travaillaient là-bas comme serveuses l'avait fait. Elle s'appelait Fanny Klarström et n'hésitait pas à décrire l'arrogance effarante des officiers et leurs propos haineux, entre autres à l'endroit du Premier ministre assassiné Olof Palme. Elle n'en pouvait plus, déclarait-elle, et c'est pourquoi elle avait donné sa démission. Parmi les habitués de ces réunions se trouvait Håkan von Enke.

Wallander imprima les deux feuillets de l'article, sous lequel figurait une photo de Fanny Klarström qui devait avoir une cinquantaine d'années à l'époque. Il se pouvait donc qu'elle soit encore en vie. Il nota le nom du journaliste. Il plia la copie de l'article et la rangea dans sa poche.

Ces rumeurs de réunions secrètes n'avaient rien d'inhabituel ; on en parlait aussi au sein de la police. Pour sa part, il n'y avait cependant jamais été invité. Son seul souvenir dans ce registre remontait au jour où Rydberg avait proposé qu'ils se paient une fois par mois un bon repas bien arrosé au restaurant du château de Svaneholm, tous les deux. Mais ils ne l'avaient jamais fait.

Wallander éteignit l'ordinateur et quitta son bureau. Parvenu au bout du couloir, il s'arrêta et retourna éteindre la lumière. Il fila par le même chemin qu'à son arrivée et en profita pour prendre quelques chemises et serviettes sales dans son casier avec l'intention de les laver chez lui.

Il s'arrêta sur le parking et inspira l'air de la nuit à pleins poumons. Il avait encore de longues années devant lui. Son envie de vivre était très forte.

Rentré chez lui, il alla se coucher et rêva de Mona – un rêve agité. Malgré cela, il se réveilla en forme et se dépêcha de se lever, soucieux de ne pas gaspiller cette énergie imprévue. Il n'était pas huit heures quand il s'assit à côté du téléphone pour pister l'auteur de cet article sur les fêtes secrètes vieilles de vingt ans qui avaient réuni des officiers de marine parmi lesquels Håkan von Enke. Après quelques tentatives auprès des renseignements, il jeta un regard de reproche à son PC qui refusait toujours de s'allumer. Qui allait-il déranger à présent, Linda ou Martinsson ? Il choisit le second. Une de ses petites-filles décrocha. Wallander n'eut pas le temps de mener une conversation sensée avec la jeune personne à l'autre bout du fil ; Martinsson s'empara gaiement du combiné.

– Tu viens de parler à Astrid, dit-il. Elle a trois ans, des cheveux carotte et elle adore arracher mes cheveux à moi, enfin, les rares qui me restent.

– Mon ordinateur est en panne. Je peux te demander un service ?

– Je peux te rappeler dans quelques minutes ?

Il le rappela cinq minutes plus tard. Wallander lui donna le nom du journaliste, Torbjörn Setterwall. Martinsson l'identifia en deux clics.

– Trois ans trop tard, dit-il.

– Pardon ?

– Torbjörn Setterwall est décédé. Suite à un étrange accident d'ascenseur, apparemment. Il avait cinquante-quatre ans. Marié, trois enfants. Comment meurt-on dans un ascenseur ?

– J'imagine que la cabine tombe d'un coup. Ou alors on est écrasé dessous.

– Désolé de ne pas pouvoir t'aider mieux que ça.

– J'ai un deuxième nom, dit Wallander. Mais ce sera plus difficile, je pense, et le risque est plus grand que la personne soit décédée.

– C'est quoi, ton nom ?
– Fanny Klarström.
– Journaliste ?
– Serveuse.
– On va voir. Comme tu dis, ça va peut-être être plus difficile. Mais Klarström, ce n'est pas ce qu'on voit de plus ordinaire, comme nom. Fanny non plus, d'ailleurs.

Wallander attendit. Il entendait Martinsson fredonner tout en pianotant sur son clavier. On dirait qu'il est de bonne humeur pour une fois... Espérons que ça dure.

– Je te rappelle, dit Martinsson. Ça va me prendre un petit moment.

Vingt minutes plus tard, il le rappela et lui annonça que Fanny Klarström avait quatre-vingt-quatre ans et qu'elle habitait Markaryd, dans le Småland, où elle avait un appartement dans une résidence pour personnes âgées du nom de Lillgården.

– Comment fais-tu ? Tu es sûr que c'est la bonne personne ?
– Absolument certain.
– Comment est-ce possible ?
– Je lui ai parlé.

Wallander en resta bouche bée.

– Je l'ai appelée, et elle m'a dit qu'elle avait effectivement travaillé comme serveuse pendant près de cinquante ans.
– Incroyable. Un jour, il faudra que tu m'expliques comment tu arrives à faire ces trucs-là, ça me dépasse.
– Essaie l'annuaire en ligne.

Wallander nota l'adresse et le numéro de téléphone de Fanny Klarström. D'après Martinsson, elle avait la voix d'une personne très âgée, mais avec la tête bien vissée sur les épaules.

Après cette conversation, il alla dehors. Le soleil brillait dans un ciel bleu azur. Des milans suspendus dans les courants d'air ascendants guettaient leurs futures proies tapies dans les champs et les fossés. Wallander pensait à Nyberg et à l'attirance que celui-ci, à l'en croire, avait toujours éprouvée pour les forêts profondes. Que désirait-il, lui, en dehors de ce qu'il avait déjà ? Rien, au fond. Peut-être avoir les moyens de partir vers le sud en hiver, quand il faisait vraiment trop froid en Suède. Un petit appartement en Espagne peut-être ? Il repoussa aussitôt cette idée. Il ne se plairait jamais là-bas, entouré d'inconnus dont il n'apprendrait jamais à parler correctement la langue. D'une manière ou d'une autre, la Scanie serait son étape ultime. Il resterait dans sa maison le plus longtemps possible. Quand il ne le pourrait plus, il espérait juste une chose : que ça aille vite. Ce qu'il redoutait pardessus tout, c'était une vieillesse réduite à n'être qu'une attente prolongée de la fin – un temps où les gestes ordinaires de la vie ne seraient plus possibles.

Il prit une décision. Celle de se rendre à Markaryd et de rencontrer Fanny Klarström. Il ne savait pas trop ce qu'il espérait tirer d'une conversation avec elle. Mais l'article avait éveillé sa curiosité. Il ouvrit son vieil atlas d'école et vit que Markaryd n'était qu'à quelques heures de route d'Ystad.

Il informa Linda de son projet, au téléphone. Après l'avoir écouté attentivement, elle déclara qu'elle voulait l'accompagner. Il s'emporta. Comment, à son avis, Klara allait-elle supporter un voyage en voiture par la chaleur qu'il faisait ?

– Hans est à la maison. Il peut s'occuper de sa fille.

– Dans ce cas…

– Tu ne veux pas que je vienne, je l'entends à ta voix.

– Pourquoi dis-tu ça ?

– Parce que c'est vrai.

C'était vrai. Wallander s'était préparé à un voyage en solitaire vers les forêts du Småland. Cela faisait partie de ses joies simples : rouler sans compagnie. Il aimait s'accorder cette liberté, être seul dans la voiture, avec ses propres pensées, la radio éteinte et la possibilité de s'arrêter où bon lui semblait. Linda l'avait percé à jour.

– On est fâchés alors ? demanda-t-il prudemment.

– Non. Mais parfois tu es un peu trop bizarre à mon goût.

– On ne choisit pas ses parents. Si je suis bizarre, c'est un trait de caractère que j'ai hérité de ton grand-père – qui était vraiment bizarre, lui, pour le coup.

– Bonne chance. Tu me raconteras. D'ailleurs, je tiens à te le dire, sans vouloir te flatter : tu ne t'avoues pas facilement vaincu.

– Et toi ?

Elle rit.

– Jamais. Je ne sais même pas comment ça s'écrit.

Il était onze heures quand Wallander prit la route. Vers treize heures il arriva à Älmhult et déjeuna au self d'Ikea, dans la bousculade. La longue file d'attente le rendit nerveux. Il mangea beaucoup trop vite. Après, il se trompa de route et arriva à Markaryd une heure plus tard que prévu. Il s'arrêta à une station-service où on lui indiqua comment trouver la résidence de Lillgården. En sortant de la voiture, il eut l'impression d'être revenu à Niklasgården. Il se demanda si l'homme qui avait prétendu être l'oncle de Signe avait renouvelé sa visite. Il s'en assurerait dès qu'il en aurait le temps.

Un homme âgé vêtu d'un bleu de travail se tenait penché sur une tondeuse à gazon renversée et retirait à l'aide d'un bâton des touffes d'herbe agglutinées autour des pales. Wallander l'interrogea : savait-il où était l'appartement de Fanny Klarström ? L'homme se redressa et s'étira. Son accent du Småland était si prononcé que Wallander eut du mal à saisir sa réponse :

– Rez-de-chaussée au bout du couloir.

– Comment va-t-elle ?

L'homme le dévisagea.

– Fanny est vieille et fatiguée, dit-il. Et toi, qui es-tu ?

Wallander lui montra sa carte de police et le regretta au même instant. Pourquoi exposer Fanny à la rumeur qu'un policier était venu la voir ? Mais trop tard. L'homme en bleu examina attentivement sa carte.

– Que tu étais de Scanie, ça, je l'ai tout de suite entendu à ton accent. C'est Ystad, alors...

– Comme tu peux le voir.

– Et tu es venu jusqu'ici. Jusqu'à Markaryd.

– Ce n'est pas pour une affaire de police, en réalité, dit Wallander en prenant son ton le plus aimable. C'est plutôt une visite personnelle.

– Tant mieux pour Fanny. Personne ne vient jamais la voir.

Wallander indiqua la tondeuse.

– Tu devrais mettre un casque.

– Je n'entends rien, de toute façon. Je me suis abîmé les oreilles dans ma jeunesse. À la mine.

Wallander entra dans le bâtiment et prit le couloir qui partait sur sa gauche. Un vieil homme, debout à une fenêtre, regardait droit devant lui. Wallander jeta un coup d'œil en passant à ce qu'il pouvait voir dehors. L'arrière d'une vieille remise. Wallander frissonna. Il continua jusqu'à la porte du fond, qui portait une plaque joliment peinte de fleurs aux couleurs pastel.

Il faillit s'en aller. Puis il sonna.

25

Fanny Klarström lui ouvrit aussitôt ; comme si elle se tenait là depuis mille ans à l'attendre. Elle le regarda avec un grand sourire. Je suis le visiteur tant espéré, eut-il le temps de penser avant qu'elle ne l'entraîne dans la pièce et ne referme la porte derrière lui.

Il eut la sensation d'entrer dans un monde disparu.

Fanny Klarström dégageait un parfum de feu de bois d'aulne. Il se souvenait de cette odeur, qui remontait pour lui à la brève période où il avait été scout. Un jour, sa patrouille était partie en randonnée. Ils avaient dressé le camp au bord d'un lac, celui de Krageholm, où Wallander avait vécu plus tard dans sa vie un certain nombre d'expériences sinistres, et ils avaient rassemblé du bois d'aulne et allumé un feu. Mais y avait-il des aulnes au bord des lacs scaniens ? Wallander se promit de répondre une autre fois à cette question.

Fanny Klarström avait des cheveux bleus permanentés avec soin. Il vit aussi qu'elle était discrètement maquillée comme dans l'attente d'une visite. Son sourire dévoilait de jolies dents régulières, qu'il admira avec une pointe d'envie car il était clair qu'elle ne portait pas de dentier. Pour sa part, il avait soigné sa première carie à l'âge de douze ans et après, ç'avait été un combat permanent pour tenter d'améliorer son hygiène dentaire sur l'ordre de dentistes qui ne cessaient de le sermonner. Il avait encore la plupart de ses dents, mais son dernier dentiste en date lui avait dit qu'elles risquaient de se déchausser bientôt s'il ne les brossait pas mieux que cela. À quatre-vingt-quatre ans Fanny Klarström, elle, avait le sourire étincelant d'une jeune fille. Elle ne lui demanda pas qui il était ni pourquoi il était venu, elle l'invita simplement à entrer dans le petit séjour aux murs couverts de photos encadrées. Des plantes, de toutes sortes, occupaient les étagères et les rebords des fenêtres. Un bol de cerises ornait la table basse. Aucune trace de poussière. Celle qui habite ici, pensa Wallander, est une personne vivante au plus haut point. Il s'assit sur le canapé et accepta le café qu'elle lui proposa.

Pendant qu'elle s'affairait dans la petite cuisine, il fit le tour du salon en regardant les photos. Sur une photographie de mariage datant de 1942, Fanny Klarström était en compagnie d'un homme bien peigné, engoncé dans son costume. Wallander crut reconnaître le même homme un peu plus loin, cette fois revêtu d'une combinaison de travail à bord d'un bateau photographié depuis le quai. Wallander comprit peu à peu que Fanny Klarström n'avait eu qu'un seul enfant. En entendant le tintement d'un plateau, il se rassit.

Fanny Klarström avait conservé l'acquis d'une longue vie de travail : elle le servit d'une main sûre, sans répandre la moindre goutte. Elle s'assit face à lui dans un fauteuil défraîchi. Un chat gris, jusque-là invisible, sauta sur ses genoux. Le café était fort, Wallander avala de travers et se mit à tousser à en avoir les larmes aux yeux. La quinte passée, elle lui tendit une serviette en tissu. Il s'essuya les yeux, non sans avoir noté que la serviette portait l'inscription « Hôtel Billingen ».

– Je devrais peut-être commencer par présenter l'objet de ma visite, dit-il.

– Les gens gentils sont toujours les bienvenus.

Elle s'exprimait avec un net accent de Stockholm. Wallander se demanda ce qui avait bien pu la pousser à finir ses jours dans un coin perdu tel que Markaryd.

Wallander posa la copie de l'article sur la nappe brodée. Elle ne prit pas la peine de le lire, se contentant de jeter un regard aux deux photos – son propre portrait, et le groupe des officiers immortalisé lors d'une de leurs fêtes. Elle reconnaissait l'article, c'était évident. Wallander ne voulait cependant pas se montrer trop direct. Il l'interrogea donc poliment sur toutes les photos qui ornaient les murs et elle, en retour, n'hésita pas à lui raconter sa vie en quelques phrases.

En 1941, Fanny, qui s'appelait encore Andersson, avait rencontré un jeune marin du nom d'Arne Klarström.

– On a vécu une grande passion, dit-elle. On s'est rencontrés sur le ferry de Djurgården, en revenant du parc d'attractions de Gröna Lund. Au moment de débarquer à Slussen, je me suis cassé la figure et il m'a aidée à me relever. Que se serait-il passé si je n'avais pas trébuché ? On peut dire que je suis vraiment *tombée* sur le grand amour. Qui a duré pile deux ans. On s'est mariés, j'ai été enceinte, Arne a hésité jusqu'au bout en se demandant s'il devait oui ou non continuer le convoyage. On oublie combien de marins suédois ont trouvé la mort au cours de ces années-là, même si nous n'étions pas directement impliqués dans la guerre. Mais Arne se croyait invulnérable et moi, je ne pouvais même pas imaginer qu'il puisse lui arriver quelque chose. Notre fils Gunnar est né le 12 janvier 1943, à six heures et demie du matin. Arne était à la maison. Il a donc pu voir son fils. Neuf jours plus tard, son bateau a sauté sur une mine en mer du Nord. On n'a rien retrouvé, ni bateau ni équipage.

Elle se tut et jeta un regard aux photographies.

– Et voilà, poursuivit-elle après un silence. J'étais seule avec un amour perdu et un fils. J'ai bien essayé de trouver un autre homme. J'étais encore jeune après tout. Mais personne ne pouvait se comparer à Arne. Il était celui qu'il était, mort ou vivant. C'était mon homme. Je n'ai jamais pu le remplacer.

Soudain, sans un bruit, elle fondit en larmes. Wallander

sentit sa gorge se nouer. Il poussa discrètement vers elle la serviette qu'elle lui avait glissée un peu plus tôt.

– J'aimerais avoir quelqu'un avec qui partager mon chagrin, dit-elle. C'est peut-être pour ça que la solitude me pèse tant quelquefois. Jusqu'à laisser entrer un inconnu juste pour avoir quelqu'un avec qui pleurer.

– Ton fils ? interrogea prudemment Wallander.

– Il habite Abisko. C'est loin. Une fois par an, il vient me voir, parfois seul, parfois avec sa femme et certains de ses enfants. Il m'a proposé d'aller vivre là-bas. Mais c'est trop loin, trop au nord. Les vieilles serveuses ont les pieds qui enflent, elles ne supportent pas le froid.

– Que fait-il à Abisko ?

– Un truc avec la forêt. Je crois qu'il compte les arbres.

Abisko était-il loin de la forêt où Nyberg avait l'intention de s'installer ? Wallander soupçonnait que oui. Abisko, n'était-ce pas en Laponie ?

– Mais toi, dit-il, tu as choisi de t'installer à Markaryd.

– J'ai vécu ici quelques années de mon enfance avant que ma famille ne parte vivre à Stockholm. Moi, je ne voulais pas partir. Je suis revenue pour prouver que mon entêtement tenait le coup. En plus, ce n'est pas cher. Avec mon métier, je n'ai pas franchement amassé une fortune.

– Tu as été serveuse toute ta vie ?

– Oui. Tasses, soucoupes, verres, assiettes, couverts, dans un sens, dans l'autre, ça n'arrêtait jamais. Restaurants, hôtels – une fois même le dîner au palais royal en l'honneur des Prix Nobel de l'année, c'était en 1954. Je me rappelle avoir eu le grand privilège de servir Ernest Hemingway. Il m'a lancé un regard. J'ai failli lui adresser la parole, mais évidemment je ne l'ai pas fait. Arne était mort depuis longtemps, Gunnar entrait dans l'adolescence.

– Il t'est aussi arrivé de servir lors de réceptions privées…

– Oui, j'aimais varier les plaisirs. Et puis, je ne savais pas me taire. Quand un maître d'hôtel ne se conduisait pas comme il faut – je protestais. Je le faisais au nom des camarades, ce n'était pas juste pour moi, et il m'arrivait d'être renvoyée. En ce temps-là, j'étais une syndicaliste militante.

– Parlons de cet article, dit Wallander qui estimait le moment venu.

Elle chaussa les lunettes qui pendaient à un cordon autour de son cou, parcourut rapidement les feuillets, les reposa sur la table et lui sourit.

– Laisse-moi préciser tout de suite que ça payait bien. Une seule soirée comme celle-là, à servir ces officiers désagréables, pouvait rapporter jusqu'à l'équivalent d'un mois de salaire. Certains étaient tellement ivres en partant qu'ils éparpillaient les billets de cent dans leur sillage. Une fois additionnés, ça faisait pas mal d'argent.

– Où était-il situé, cet établissement ?

– Dans le quartier d'Östermalm – ce n'est pas dit dans l'article ? Le propriétaire était un ancien du parti nazi de Per Engdahl. À part ses opinions politiques détestables, c'était un bon cuisinier. Il avait été le chef attitré de quelques officiers allemands réfugiés en Argentine. Il avait bien gagné sa vie là-bas, en préparant les plats qu'on lui demandait et en disant « *Heil Hitler !* » quand il le fallait, et c'est comme ça qu'il a pu s'acheter ce local à son retour en Suède à la fin des années 1950. Tout ce que je te raconte, je le tiens de source sûre.

– Qui ?

Elle hésita avant de répondre.

– Quelques personnes qui ont quitté le mouvement d'Engdahl.

Wallander comprit qu'il n'avait pas encore une image complète du passé de Fanny Klarström.

– Est-ce que j'ai bien compris ? Tu t'intéressais à la politique, pas seulement au syndicalisme…

– J'étais communiste. D'une certaine manière, je le suis toujours. L'idée d'un monde solidaire, c'est peut-être la seule idée à laquelle je crois ; la seule vérité politique qu'on ne peut pas mettre en cause, d'après moi.

– Est-ce que ça jouait dans le choix que tu faisais de tes employeurs ?

– Là, en l'occurrence, c'est le parti qui me l'avait demandé. Ce n'était pas sans importance de savoir de quoi parlaient ces représentants de l'état-major de la marine quand ils se croyaient seuls. Et comment m'auraient-ils soupçonnée ? Avec mes cinquante balais et mes jambes enflées, jamais ils n'auraient pu imaginer que j'avais aussi un cerveau, et encore moins que je puisse m'en servir…

Wallander essayait d'évaluer ce qu'il venait d'entendre.

– Les propos que tu surprenais là-bas, comment dire… Y avait-il un risque qu'ils soient utilisés à des fins illégales ?

Les larmes n'étaient plus qu'un souvenir, et elle le considérait à présent d'un regard amusé.

– Je ne comprends pas bien cette tendance que vous avez dans la police à toujours dire les choses de façon compliquée. Je discutais avec mes camarades, c'est tout. De la même manière que d'autres recueillaient le son de cloche qu'on pouvait entendre, par exemple, chez les employés de magasin ou les conducteurs de tram. Nous étions considérés comme des traîtres potentiels. Et pas que par la droite, permets-moi de te le dire ! Les sociaux-démocrates nous détestaient presque autant – des espions et des traîtres, tous autant que nous étions ! Mais ça ne correspondait à aucune réalité, bien sûr. Contrairement à ce que tu as l'air de sous-entendre.

– Oublions ça. Mais, comme tu l'as fait remarquer toi-même, je suis de la police. J'ai besoin de poser des questions.

– Tout cela remonte à plus de vingt ans de toute manière. Quoi qui ait pu être dit ou fait, c'est prescrit, et sans intérêt.

– Pas complètement. L'Histoire n'est pas figée. Elle nous suit.

Fanny Klarström ne fit pas de commentaire. Tout en revenant au sujet principal, à savoir l'article, il pensa qu'elle avait besoin de parler à quelqu'un, que ce besoin avait été réprimé pendant longtemps et que la conversation risquait fort de se prolonger.

Voyait-il son propre avenir en elle ? L'ombre vieillissante, solitaire, qui attrape par le collet le premier quidam qui passe par là et le retient auprès d'elle tant qu'elle peut ?

Fanny avait bonne mémoire. Elle se rappelait la plupart des hommes en uniforme figurant sur la photo – ou plutôt sur sa photocopie grisâtre que lui soumettait Wallander. Ses commentaires étaient d'une acuité terrible, et Wallander comprit que, pour elle, chaque mot blessant était pleinement justifié. Ainsi un certain capitaine de frégate Sunesson débitait toujours des histoires grivoises « pas drôles, juste lourdes ». Il faisait partie des plus virulents, de ceux qui n'hésitaient pas à proposer ouvertement différentes méthodes pour liquider « l'agent russe », à savoir le Premier ministre en exercice, Olof Palme.

– J'ai un souvenir sinistre de ce Sunesson. Quand ils se sont réunis deux jours après l'assassinat du Premier ministre, il s'est levé et a porté un toast. Il se réjouissait, a-t-il dit, qu'Olof Palme ait enfin eu la bonne idée de mourir au lieu de s'entêter à pourrir la vie des bons Suédois. Je m'en souviens parfaitement. J'ai failli lui renverser une saucière sur la tête. C'était une soirée horrible.

Wallander indiqua Håkan von Enke, sur la photo.

– Et lui ?

– C'était loin d'être le pire. Ne buvait pas trop, parlait rarement. En fait, il se contentait surtout d'écouter. C'était aussi l'un de ceux qui me traitaient le mieux. Il me *voyait*, si je peux m'exprimer ainsi.

– Mais la haine de Palme ? La peur des Russes ?

– Ça, ils la partageaient tous. Tous pensaient que la Suède devait intégrer l'OTAN, que c'était une honte de prétendre rester à l'écart. Beaucoup d'entre eux étaient aussi d'avis que la Suède devait acquérir l'arme nucléaire, et que le plus tôt serait le mieux. Si seulement on pouvait en équiper un certain nombre de sous-marins il deviendrait possible de défendre nos frontières. Toutes les conversations portaient sur le combat entre Dieu et le Diable.

– Où le Diable venait de l'Est ?

– Oui, et où Dieu le Père avait pour nom USA. Dès les années 1950, on parlait beaucoup du fait que les avions américains traversaient notre espace aérien sans que nos stations-radar ne donnent l'alerte. Il y avait des accords secrets entre l'état-major et le gouvernement là-dessus ; les aviateurs US avaient carte blanche. Nos aiguilleurs du ciel avaient certains codes spécifiques qu'utilisaient les Américains. Ils n'avaient plus qu'à décoller de leurs bases aériennes en Norvège et mettre le cap sur l'Union soviétique. Je me souviens que nous en parlions entre camarades, et que ça nous mettait très en colère.

– Et les sous-marins ?

– On en a beaucoup parlé aussi.

– Celui de Karlskrona en 1980 et ceux de Hårsfjärden en 1982 ?

Sa réponse le surprit.

– C'étaient deux choses complètement différentes.

– Comment cela ?

– Karlskrona, c'était un sous-marin russe. Savoir ce qui se cachait dans le détroit de Hårsfjärden, c'est une autre paire de manches.

– Que veux-tu dire ?

– Il leur arrivait de trinquer à la santé du pauvre capitaine, quel était son nom déjà ?

– Gouchtchine.

– Mais oui. Pauvre Gouchi, disait-on. Tellement ivre qu'il a foncé droit sur nos rochers. On avait capturé le bon sous-marin, n'est-ce pas ? Il ne régnait plus aucun doute quant au fait que c'étaient les Russes qui jouaient à cache-cache dans les eaux suédoises. Mais deux ans plus tard, au moment de l'incident de Hårsfjärden, ils n'ont jamais porté le moindre toast au moindre capitaine russe. Tu vois ce que je veux dire ?

– Que ce n'était pas un sous-marin russe ?

– Il n'y a aucune preuve. Pas la moindre.

Fanny Klarström continua à parler avec feu, et de manière très informée, de choses dont Wallander, lui, ne savait presque rien. Des notions telles qu'« équilibre de la terreur » et « non-alignement » restaient pour lui des formules sans réel contenu. Ses connaissances en histoire étaient très limitées ; il le savait et n'avait jamais cherché à s'en cacher, parce que cela ne l'intéressait pas vraiment, en réalité. Mais à présent, il écoutait avec attention les propos de Fanny Klarström.

– Chez nos militaires, la cause était entendue : l'ennemi, c'était le Russe. Quand ces officiers se rencontraient, à les entendre, on aurait cru que nous étions déjà en guerre contre l'Union soviétique. Que les États-Unis puissent constituer une menace aussi sérieuse contre notre intégrité territoriale, cela ne traversait l'esprit de personne.

– Quelle était la véritable raison d'être de ces soirées ?

– Bien manger, bien boire, dire du mal des politiques qui n'hésitaient pas à « brader notre souveraineté nationale ». Ces mots-là revenaient toujours. Ils pensaient évidemment aux sociaux-démocrates, qui incarnaient à leurs yeux l'ennemi intérieur. Communiste, c'était l'insulte suprême. Ils faisaient toujours l'amalgame. Palme, par exemple, était un social-démocrate convaincu, tout le monde le savait ; mais dans ces cercles-là, on le traitait toujours de communiste.

Fanny Klarström se leva, malgré les protestations de Wallander, pour aller refaire du café à la cuisine. Il avait déjà mal au ventre à force d'en boire. Quand elle revint, il rendit compte de la vraie raison de sa présence à Markaryd.

– Les journaux ont parlé de cette double disparition, dit-elle quand il eut fini. Le mari et la femme…

– La femme, Louise, a été retrouvée morte près de Stockholm.

– La pauvre ! Que s'est-il passé ?

– On croit qu'elle a pu être assassinée.

– Pourquoi ?

– On ne le sait pas encore.

– Et le mari… Ce serait donc lui, là, sur la photo ?

– Håkan von Enke. Si tu te souviens de quoi que ce soit, je serais content de l'entendre.

Elle réfléchit en fixant la photo du regard.

– C'est difficile de se souvenir de lui, dit-elle enfin. Peut-être d'ailleurs cela révèle-t-il quelque chose à son sujet ? Il ne se faisait pas beaucoup remarquer. Il n'était pas de ceux qui buvaient et braillaient à tous crins. À vrai dire, il ne parlait pas beaucoup. Ce qui me revient, en pensant à lui, c'est l'image d'un homme toujours souriant.

Wallander fronça les sourcils. Pouvait-elle se tromper du tout au tout ?

– Tu en es sûre ? Mon impression à moi est qu'il ne sourit pour ainsi dire jamais.

Elle fit la moue.

– En tout cas, ce n'était pas un va-t-en-guerre. Plutôt un représentant de la petite minorité qui essayait parfois de faire entendre la cause de la paix. Je m'en souviens dans la mesure où cela m'intéressait.

– Quoi donc ?

– La paix. Je faisais partie de ceux qui ont demandé que la Suède renonce a priori à l'arme nucléaire dès les années 1950.

– Håkan von Enke parlait donc de paix ?

– Dans mon souvenir. Mais ça fait longtemps.

– Autre chose ?

Il vit qu'elle faisait un réel effort. Il fit mine de goûter son café sans le boire vraiment et grignota une biscotte. Soudain, il sentit un plombage se détacher ; il eut aussitôt mal à la dent. Il récupéra l'amalgame dans une serviette en papier et le rangea dans sa poche. On était en plein été, son dentiste était sûrement en vacances et il tomberait sur un répondeur qui lui suggérerait de s'adresser aux urgences. Il songea avec irritation que son corps se déglinguait, un bout par-ci, un bout par-là. Le jour où il s'agirait d'un gros morceau, c'en serait fini de lui.

– L'Amérique ! s'exclama Fanny Klarström.

L'incident lui avait fait forte impression. Comment avait-elle pu l'oublier ?

– C'était l'une des dernières fois que je suis allée travailler là-bas. Il y avait eu des demandes de la part de ces messieurs, apparemment. À l'avenir, on souhaitait voir plutôt des serveuses plus jeunes, aux jupes plus courtes et aux jambes plus fines. À moi, ça ne me faisait rien, vu que je ne les supportais plus. Ils se réunissaient toujours le premier mardi du mois. On était en 1987, au début du printemps. Je m'en souviens parce que je m'étais cassé le petit doigt de la main gauche – ça m'avait handicapée un bon moment – et que je reprenais le service ce jour-là, après mon arrêt de travail. C'était en mars. Après le repas, le café et le cognac étaient toujours servis dans un salon plutôt sombre, plein de fauteuils en cuir et de rayonnages de livres. Je m'en souviens parce que j'ai toujours aimé lire. Une fois, au début, j'étais arrivée en avance et j'étais allée regarder les livres, par curiosité, avant de commencer à dresser la table. J'ai eu un choc en découvrant que c'étaient des faux. Des dos de livres peints en trompe-l'œil, tu comprends ? Le propriétaire, ou son décorateur, avait dû récupérer le lot dans un dépôt d'accessoires de cinéma, va savoir. Mon respect pour ces gens-là en a encore pris un coup…

Elle se redressa bien droite dans son fauteuil, comme pour s'obliger à se concentrer et à ne pas perdre le fil.

– Ça se passait donc dans ce salon. L'un des officiers a commencé à parler d'espionnage. J'étais en train de servir le cognac – et pas n'importe lequel, je peux te le dire. Le thème des espions n'avait rien de rare. Wennerström, en particulier, était un de leurs sujets de prédilection. Dès qu'ils avaient assez bu, plusieurs se portaient même volontaires pour le liquider définitivement. Je me souviens d'un amiral – von Hartman, peut-être ? un nom comme ça – qui voulait l'étrangler à petit feu, sans se presser, avec une corde de balalaïka. Soudain Håkan von Enke a pris la parole. Il a demandé pourquoi personne ne paraissait se soucier du fait que des agents états-uniens puissent être également actifs en Suède. La riposte a été violente. Ça a dégénéré en dispute vraiment moche. Plusieurs des officiers présents ont mis en cause son patriotisme. Tout le monde était plus ou moins ivre, sauf peut-être Håkan von Enke lui-même. Quoi qu'il en soit, il était à la fin tellement en colère qu'il s'est levé et qu'il est parti. Tout simplement. Ce n'était encore jamais arrivé, de tout le temps où j'avais servi là-bas. Je ne sais pas s'il est revenu le mois suivant, car ça coïncidait avec le moment où ils ont embauché la nouvelle vague de serveuses jeunes et jolies. La scène m'a marquée, parce que c'était précisément ce que nous n'avions jamais cessé de penser, mes camarades et moi. Si les Russes avaient des espions en Suède, ce qui était le cas, les Américains de leur côté ne restaient pas inactifs. Mais ces hommes, qui étaient sans exception des militaires de haut rang, refusaient de l'admettre. Ou alors ils faisaient semblant.

Elle se leva pour le resservir, mais Wallander posa aimablement la main sur sa tasse. Quand elle se rassit, il nota ses jambes enflées, en effet, et ses varices. Il lui semblait la voir, dans cette salle de réception, et puis dans ce petit salon enfumé, au milieu des officiers.

– Voilà ce dont je me souviens, dit-elle. Si ça peut te servir à quoi que ce soit, c'est une autre affaire.

– Sûrement, oui, dit Wallander.

Elle ôta ses lunettes et le regarda attentivement.

– Il est mort, lui aussi ?

– Nous n'en savons rien.

– Est-ce que c'est lui qui l'a tuée ?

– Nous n'en savons rien. Tout est possible.

– C'est comme ça que ça se passe en général, soupira-t-elle. Les hommes tuent leur femme. Parfois ils disent qu'ils ont voulu se suicider tout de suite après. Mais ils ne le font pas. Peut-être parce qu'ils n'osent pas ?

– Oui. Ça arrive souvent que les hommes se montrent lâches le moment venu.

Elle se remit à pleurer, au grand dam de Wallander. Les larmes ruisselaient en silence sur ses joues. À nouveau il sentit sa gorge se nouer. La solitude n'est pas belle à voir, pensa-t-il. Cette femme, au milieu de toutes ses photographies muettes, sans autre compagnie qu'elles…

– Ça ne m'arrivait jamais de pleurer comme ça dans le temps, dit-elle en s'essuyant les yeux. Mais plus je vieillis, plus il me revient, mon mari. De plus en plus souvent. Je crois qu'il m'attend, là-bas dans les profondeurs, il m'attire à lui. J'irai bientôt le rejoindre. J'ai la sensation d'en avoir fini avec ma vie. Pourtant elle continue. Un vieux cœur fatigué qui bat, et qui bat. Après l'automne un autre printemps viendra, mais ce ne sera plus le nôtre.

– On dirait un poème.

– Je sais. La mamie fait de la poésie sans le vouloir.

Elle se mit à rire.

Wallander se leva et la remercia. Elle insista pour le raccompagner jusqu'à sa voiture, malgré ses jambes qui la faisaient souffrir, impossible de le cacher. L'homme à la tondeuse avait disparu.

– L'été attise la nostalgie, dit-elle en lui serrant la main. Mon mari est mort depuis plus de soixante ans, pourtant j'ai un désir intense de le voir, comme quand nous venions de nous rencontrer, tout au long de ces deux années qui nous ont été accordées pour être ensemble. Un policier peut-il comprendre cela ?

– Mais oui, dit Wallander. Oui, absolument.

Elle suivit la voiture du regard en agitant la main. Encore quelqu'un que je ne reverrai jamais, pensa-t-il en laissant derrière lui l'agglomération de Markaryd et la mélancolie suscitée par cette visite chez Fanny Klarström. Il repensait sans cesse à son commentaire sur les hommes qui tuent leur femme et qui sont ensuite trop lâches pour retourner leur arme contre eux. Que Håkan von Enke puisse porter la responsabilité de la mort de Louise, voilà l'une des premières pensées qu'il avait eues après sa conversation avec Hermann Eber. Il n'y avait aucun mobile, aucune preuve, aucune trace – juste une possibilité parmi bien d'autres. Mais ces paroles de Fanny Klarström l'obligeaient à revenir à cette hypothèse. Et pendant qu'il traversait les sombres forêts du Småland, il essaya d'imaginer un lien causal qui aurait relié la mort de Louise à son mari.

Il arriva chez lui sans avoir avancé d'un iota.

Cette nuit-là, il resta longtemps éveillé dans son lit en pensant à Fanny Klarström.

26

Wallander dormait encore quand le téléphone émit sa sonnerie grelottante. C'était le vieil appareil de son père, qu'il avait récupéré pour des raisons sentimentales en vidant la maison paternelle avant de la vendre. Il laissa sonner. Mais à la fin, il alla quand même répondre et reconnut alors la voix d'une des nouvelles qui travaillaient à l'accueil du commissariat. Ebba, qui avait toujours été là du plus loin qu'il s'en souvienne, était désormais à la retraite. Son mari et elle avaient déménagé à Malmö afin de se rapprocher de leurs enfants. Wallander ne se rappelait pas le nom de la nouvelle, peut-être Anna, il n'en était pas sûr.

– J'ai une femme ici qui me demande ton adresse, dit-elle. Je ne la lui donne qu'avec ton accord. Elle vient de l'étranger.

– Bien sûr, dit Wallander. Toutes les femmes que je connais viennent de l'étranger.

Il ne l'entendit pas sourire. Il profita de ce qu'il était à côté du téléphone pour composer un autre numéro. À la troisième tentative, un dentiste accepta de le recevoir une heure plus tard.

Quand il revint de sa visite chez le dentiste, il était presque midi. Il allait se préparer à déjeuner quand on frappa à la porte. Elle avait beau avoir changé, il la reconnut tout de suite. Quand l'avait-il vue pour la dernière fois ?

Baiba. Baiba Liepa, de Riga, de Lettonie.

Mais c'était bien elle.

– Incroyable. Comment… La femme qui a demandé mon adresse au commissariat ce matin… C'était donc toi ?

– Je ne voulais pas te déranger.

– Comment pourrais-tu me déranger ?

Il l'attira à lui, l'embrassa et sentit en l'étreignant qu'elle était réellement très amaigrie, ce n'était pas juste une impression visuelle. Plus de quinze ans s'étaient écoulés depuis leur liaison aussi brève qu'intense. Leur dernier contact remontait à dix ans, peut-être même plus. Il était ivre. Il l'avait appelée en pleine nuit. Puis il avait eu des remords et décidé de ne plus jamais chercher à la joindre. À présent elle était devant lui et toutes les émotions ressurgissaient d'elles-mêmes. Elle avait été la grande passion de sa vie. Cette rencontre avait mis en perspective sa longue histoire avec Mona. Avec Baiba, il avait connu une sensualité dont il n'avait pas cru auparavant qu'elle pouvait exister. Il avait été prêt à commencer une nouvelle vie avec elle. Il désirait qu'ils se marient, mais elle avait refusé. Elle ne voulait pas refaire sa vie avec un policier et risquer de devenir veuve une seconde fois.

Il la fit entrer. Ils étaient debout, face à face, dans le séjour. Il avait encore du mal à réaliser que c'était elle. Que Baiba était chez lui. Que Baiba était revenue. De très loin, à la fois dans le temps et dans l'espace.

– Je n'aurais jamais cru qu'on se reverrait, dit-il.

– Tu ne m'as jamais rappelée.

– Non. C'est vrai.

Il la conduisit jusqu'au canapé et s'assit à côté d'elle. Soudain il eut le pressentiment que ça n'allait pas du tout. Elle était trop pâle, trop maigre, peut-être aussi y avait-il une fatigue, une pesanteur dans ses gestes qu'il ne lui connaissait pas.

Elle le devina, comme elle l'avait toujours fait, et prit sa main.

– Je voulais te revoir. On croit que c'est terminé, avec quelqu'un, qu'on ne le reverra plus. Un jour, on se réveille et on sait que rien n'est fini. Les gens qui ont été importants, on ne s'en libère jamais tout à fait.

– Pourquoi maintenant ?

– Je prendrais volontiers une tasse de thé.

Puis, comme si elle se ravisait :

– Tu es sûr que je ne te dérange pas ?

– J'ai un chien. C'est tout.

– Comment va ta fille ?

– Tu ne te souviens pas de son prénom ?

Elle se rembrunit et Wallander se rappela soudain combien elle pouvait être ombrageuse.

– Linda, dit-elle. Comme aurais-je pu l'oublier ? C'est ta fille, Kurt.

– Je croyais peut-être que tu avais effacé tout ce qui me concernait.

– Il y a un trait de caractère que je n'ai jamais apprécié chez toi. C'est ta façon de toujours dramatiser les choses sérieuses. Comment pourrait-on « effacer » quelqu'un qu'on a aimé ?

Wallander se leva.

– Je vais à la cuisine. Je vais faire du thé.

– Je viens avec toi.

Quand elle se leva et qu'il vit l'effort que cela lui coûtait, il comprit qu'elle était malade.

Dans la cuisine, elle remplit la casserole d'eau et la posa sur la gazinière comme si elle était chez elle. Il sortit les tasses héritées de sa mère, qui étaient d'ailleurs tout ce qui lui restait d'elle. Quand le thé fut prêt, ils s'assirent.

– C'est beau chez toi, dit-elle. Je me souviens que tu parlais d'aller vivre à la campagne. J'avoue que je n'y croyais pas.

– Moi non plus. Et encore moins que j'aurais un chien.

– Comment s'appelle-t-elle ?

– C'est un mâle. Il s'appelle Jussi.

Le silence retomba. Il l'observait à la dérobée. À la lumière vive qui entrait par la fenêtre de la cuisine, ses traits paraissaient vraiment très creusés.

– Je n'ai jamais quitté Riga, dit-elle de façon inattendue. Par deux fois, j'ai réussi à obtenir un meilleur logement. Je crois que je ne pourrais jamais vivre à la campagne. Enfant, j'ai été placée quelques années chez mes grands-parents maternels. Pour moi, la campagne lettone restera toujours associée à cette vie de pauvreté. C'est peut-être une image fausse aujourd'hui mais moi, elle ne me quitte pas.

– Tu travailles toujours à l'université ?

Elle ne répondit pas tout de suite. But son thé à petites gorgées, reposa sa tasse.

– J'ai une formation d'ingénieur au départ, tu t'en souviens peut-être. Quand on s'est rencontrés, je traduisais des textes pour l'École polytechnique. Plus maintenant. Maintenant je suis malade.

– Qu'est-ce que tu as ?

Elle répondit d'une voix égale, comme si ce n'était pas très sérieux :

– La mort. J'ai un cancer. Mais je n'ai pas envie d'en parler maintenant. Tu permets que j'aille m'allonger un peu ? Je prends des antalgiques, mais ils sont tellement forts qu'ils m'endorment.

Elle se dirigeait déjà vers le canapé du séjour, mais Wallander la fit entrer dans sa chambre, où il avait par chance changé les draps quelques jours auparavant. Il les lissa avant qu'elle ne s'allonge. Sa tête disparaissait presque dans l'oreiller. Elle eut un faible sourire, comme si un souvenir la frappait.

– N'ai-je pas déjà dormi dans ce lit ?

– Si, si. Je l'ai depuis longtemps.

– Alors j'en profite pour dormir un petit peu. Juste une heure. Au commissariat, ils m'ont dit que tu étais en vacances.

– Dors tant que tu voudras.

Il se demanda si elle l'avait entendu ou si elle dormait déjà. Pourquoi vient-elle me voir ? pensa-t-il dans un sursaut d'indignation. Je n'ai plus la force de supporter toute cette misère, les femmes malades, celles qui se suicident à petit feu, les belles-mères assassinées… Il regretta aussitôt cette pensée, s'assit prudemment au pied du lit et la regarda. Le souvenir de son amour pour elle lui revint et le bouleversa si fort qu'il se mit presque à trembler. *Je ne veux pas qu'elle meure. Je veux qu'elle vive. Peut-être serait-elle prête aujourd'hui à vivre avec un policier ?*

Il sortit s'asseoir au jardin. Après un moment, il alla libérer Jussi. La voiture de Baiba était une vieille Citroën avec des plaques lettones. Il alluma son portable, vit que Linda avait cherché à le joindre et la rappela. Elle parut contente de l'entendre.

– Je voulais seulement te dire que Hans vient de toucher un bonus de trois cent mille couronnes. Ça veut dire qu'on va pouvoir agrandir la maison.

– Il l'a vraiment mérité, cet argent ? demanda Wallander sur un ton grincheux.

– Et pourquoi non ?

Il lui raconta alors que Baiba était chez lui en visite.

– Extraordinaire ! Comment va-t-elle ?

– Elle est très fatiguée. Au moment où je te parle, elle dort.

– Ça me ferait plaisir de la revoir.

– On verra, éluda Wallander.

– Baiba. Ça alors !

– Oui.

– Quand je pense que Mona parlait d'elle comme de ta « prostituée lettone ».

Wallander devint fou de rage.

– Ta mère est parfois vraiment quelqu'un d'épouvantable. La vérité, c'est que Baiba a toutes les qualités qui manquent justement à Mona, par bien des côtés. Quand t'a-t-elle dit cela ?

– Comment veux-tu que je m'en souvienne ?

– Je vais l'appeler et lui dire de ne plus jamais reprendre contact avec moi.

– Qu'est-ce que tu y gagneras ? Elle était jalouse, j'imagine. On dit n'importe quoi dans ce cas-là.

Wallander admit à contrecœur qu'elle avait raison. Il se calma. Puis, sans pouvoir s'en empêcher, il confia à Linda que Baiba était malade. Gravement malade. Linda comprit tout de suite.

– Elle est venue te dire au revoir ? Que c'est triste !

– Oui. C'est ce que j'ai pensé, moi aussi. En la voyant, j'ai été tout d'abord surpris, et heureux. Mais ça n'a duré que quelques minutes. J'ai l'impression d'être encerclé par la mort et le malheur.

– N'oublie pas que tu as Klara.

– Il ne s'agit pas de ça. C'est la sensation de la vieillesse qui rôde et qui cherche à me serrer dans ses griffes. À la mort de papa, je me suis retrouvé en première ligne. Klara est la dernière, moi je suis le premier. Tu comprends ?

– Si elle est venue jusque chez toi, ça veut dire que tu es très important pour elle. C'est la seule chose qui compte.

– Viens, dit Wallander, revenant sur sa réticence première. Viens la voir, ça lui fera plaisir. Et à moi aussi. Après tout, Baiba a été la seule femme de ma vie.

– En dehors de Mona ?

– Cela va sans dire.

Linda réfléchit.

– J'ai une amie à la maison. Rakel, tu te souviens peut-être d'elle ? Elle est dans la police aussi, mais à Malmö. Klara s'entend bien avec elle.

– Quoi, tu viendrais sans la petite ?

– Oui, je préfère. J'arrive.

Il était quinze heures quand la voiture de Linda tourna dans la cour. Elle dut piler net pour ne pas emboutir la Citroën de Baiba. Wallander s'inquiétait toujours de sa manie de conduire trop vite. D'un autre côté, il était soulagé chaque fois qu'elle ne prenait pas sa moto. Il le lui disait, d'ailleurs, et la réponse de Linda se limitait en général à un soupir d'impatience.

Baiba était réveillée. Elle avait bu un peu d'eau et une deuxième tasse de thé. Wallander l'avait vue, à son insu, s'administrer une injection dans la cuisse. Il avait entrevu sa nudité et senti monter en lui une vague de désespoir devant tout ce qui ne pouvait être vécu une deuxième fois.

Baiba s'attarda un long moment dans la salle de bains. Quand elle en ressortit, elle paraissait moins fatiguée. Ce fut un grand instant, un instant remarquable pour lui que celui où Baiba et Linda s'embrassèrent, après toutes ces années. Soudain, il croyait revoir la Baiba qu'il avait rencontrée en Lettonie tant d'années auparavant.

Linda lui parlait comme si elles s'étaient vues la veille. Wallander se sentait gêné, mais heureux en même temps de les voir ensemble. Si Mona, en dépit de la colère qu'il ressentait vis-à-vis d'elle, avait été là et si Linda était venue avec Klara – alors les quatre femmes les plus importantes de sa vie et même, d'une certaine manière, les seules femmes de sa vie, auraient été réunies. Un grand jour, pensa-t-il, au beau milieu de l'été, et de la vieillesse qui approche de son pas sournois.

En apprenant que Baiba n'avait rien mangé, Linda envoya Wallander à la cuisine préparer une omelette. Il fut content de s'éloigner un peu. Le rire de Baiba lui parvenait par la fenêtre ouverte, éveillant des souvenirs encore plus forts. Il en eut les larmes aux yeux et pensa qu'il devenait sentimental. Ça n'avait jamais été le cas avant, sauf quand il avait bu.

Ils mangèrent au jardin, en se déplaçant avec le soleil. Wallander écoutait Linda interroger Baiba sur les changements intervenus en Lettonie. Linda n'était jamais allée là-bas. Un court instant une famille est recréée, pensa-t-il. Bientôt, ce sera fini. Et la question la plus difficile : qu'est-ce qui reste ?

Linda resta une bonne heure avec eux avant de devoir prendre congé pour rentrer s'occuper de sa fille. Elle avait apporté une photographie de Klara, qu'elle montra à Baiba.

– Elle ressemblera peut-être à son grand-père, dit celle-ci.

– Dieu nous protège.

Linda sourit à Baiba.

– Il ne faut pas croire ce qu'il dit. Son désir le plus cher, c'est que Klara lui ressemble.

Elle se leva et l'embrassa en lui disant « À bientôt ».

Baiba ne répondit pas, elle se contenta de la serrer dans ses bras.

Après le départ de Linda, Baiba et Wallander se rassirent au jardin. Sans l'avoir prémédité, ils parlèrent de leur vie. Baiba avait beaucoup de questions, et il y répondit de son mieux. Elle aussi vivait seule, apprit-il. Une dizaine d'années auparavant, elle avait entamé une relation avec un homme, médecin de profession ; mais elle y avait renoncé après six mois. Elle n'avait pas eu d'enfants. Wallander ne put déceler avec certitude si elle en éprouvait du regret.

– J'ai eu une bonne vie, dit-elle avec conviction. Quand les frontières se sont enfin ouvertes, j'ai pu voyager. Je vivais chichement, j'écrivais dans les journaux, j'ai commencé à conseiller des entreprises qui souhaitaient s'installer en Lettonie. Mon meilleur client est d'ailleurs une banque suédoise, qui est à présent la plus importante des banques étrangères installées chez nous. J'ai pris l'habitude de faire deux voyages par an ; j'en sais infiniment plus aujourd'hui sur le monde dans lequel je vis. J'ai eu une belle vie. Solitaire, mais belle.

– Mon tourment à moi a toujours été de me réveiller seul, dit Wallander en se demandant en même temps si c'était vrai.

Baiba sourit.

– Ce n'est pas parce que j'ai vécu seule, à part le court épisode avec mon médecin, que je me suis toujours réveillée seule. On n'est pas obligé de mener une vie monacale sous prétexte qu'on n'a pas de liaison officielle.

Wallander sentit aussitôt sa jalousie s'éveiller en imaginant des hommes inconnus dans le lit de Baiba. Mais il ne dit rien, bien sûr.

Baiba commença sans transition à évoquer sa maladie. De façon sobre et factuelle, comme toujours quand elle abordait un sujet grave :

– Au départ, je sentais juste une fatigue inhabituelle. Mais j'ai deviné assez vite que ça cachait quelque chose de plus menaçant. Les médecins, eux, ne me trouvaient rien. Surmenage, disaient-ils, vous n'avez plus vingt ans, etc. Mais je n'y croyais pas. J'ai fini par rendre visite à un spécialiste dont j'avais entendu parler, qui pratique en Allemagne, à Bonn, et qui travaille sur les cas que d'autres médecins ont échoué à diagnostiquer. Après quelques jours de tests et d'analyses, ce spécialiste m'a annoncé que j'avais une forme rare de tumeur au foie. Je suis revenue à Riga avec ma sentence de mort telle un tampon invisible dans mon passeport. J'admets volontiers que j'ai abusé de tous les contacts dont je disposais. C'est comme ça que j'ai pu être opérée très rapidement. Mais il était trop tard, la tumeur s'était déjà propagée. Il y a trois semaines, j'ai appris qu'il y avait à présent aussi des métastases au cerveau. Il s'est écoulé moins d'un an depuis le diagnostic. Je sais que je ne vivrai pas jusqu'à Noël. J'essaie de profiter du temps qu'il me reste pour faire ce qui me tient le plus à cœur. Il y a certains endroits du monde que j'ai voulu découvrir et certaines personnes que j'ai voulu revoir une dernière fois. Tu en fais partie. Peut-être même es-tu celui que je voulais revoir plus que n'importe qui d'autre.

Wallander se mit soudain à sangloter de façon incontrôlée. Elle prit sa main, ce qui l'embarrassa encore davantage. Il se leva et partit derrière la maison. Quand il eut rassemblé ses esprits, il revint s'asseoir.

– Je ne voulais pas t'apporter du chagrin, dit-elle. J'espère que tu comprends pourquoi je suis venue.

– Je n'ai jamais oublié ce temps-là. J'ai tellement voulu qu'il revienne. Maintenant que tu es là, il faut que je te pose la question : as-tu jamais eu des regrets ?

– De ne pas t'avoir épousé comme tu me le demandais ?

– Oui. C'est une question qui me poursuit.

– Jamais. C'était la bonne décision, et elle reste valable.

Wallander resta silencieux. Il la comprenait. Pourquoi aurait-elle envisagé sérieusement de se remarier alors que son mari, policier lui aussi, venait d'être tué ? Pourquoi se remarier avec un étranger, en plus, dont elle ne parlait pas la langue, et quitter son pays pour lui ? Wallander se rappelait combien il avait insisté, essayant sans relâche de la persuader de venir. Mais si les rôles avaient été inversés, comment aurait-il réagi ? Quel aurait été son choix à lui ?

Le silence se prolongea. Enfin Baiba se leva, caressa la tête de Wallander et disparut dans la maison. Il supposa qu'elle allait se faire une nouvelle piqûre. Ne la voyant pas revenir, il rentra à son tour. Il la trouva endormie sur son lit. Tard dans la soirée, elle se réveilla et, après la première confusion du réveil, lui demanda si elle pouvait passer la nuit chez lui avant de prendre le ferry vers la Pologne pour ensuite rentrer chez elle, à Riga.

– C'est une trop longue route à faire seule en voiture, dit Wallander. Tu sais quoi ? Je te raccompagne. Je te ramène chez toi. Je pourrai toujours prendre l'avion après.

Elle refusa. Elle voulait rentrer seule, comme elle était venue. Wallander insista, ce qui eut pour seul effet de l'énerver. Elle haussa le ton. Il lâcha aussitôt l'affaire et s'excusa. Puis il s'assit sur le bord du lit et prit sa main.

– Je sais ce que tu penses, dit-elle. Tu te demandes pour combien de temps j'en ai. Mais je te rassure : si j'avais le moindre pressentiment que l'heure était proche, je ne passerais pas la nuit chez toi. Je ne serais même pas venue te voir.

Mais je crois avoir encore quelques mois devant moi. Quand je sentirai que ça vient, je n'insisterai pas. J'ai accès à tout, comprimés, piqûres. J'ai l'intention de mourir avec une bouteille de champagne à mon chevet. Je porterai un toast. Que m'ait été accordée, malgré tout, cette aventure étonnante de naître, de vivre et puis de disparaître une fois de plus dans l'obscurité.

– Tu n'as pas peur ?

Wallander se maudit ; il se serait volontiers coupé la langue. Comment pouvait-il poser une question pareille à quelqu'un qui était sur le point de mourir ? Mais elle ne s'en formalisa pas. Il se dit, avec un mélange de désespoir et de gêne, qu'elle était habituée depuis longtemps à sa maladresse, à son côté lourdaud, et elle savait, du moins il l'espérait, que ça n'avait rien avoir avec de la malveillance.

– Non, dit-elle, je n'ai pas peur. Il me reste trop peu de temps, je ne peux pas le gaspiller. La peur ne ferait qu'aggraver mon cas.

Puis elle se leva du lit et voulut visiter la maison. Devant la bibliothèque, elle marqua un arrêt en reconnaissant un livre sur la Lettonie qu'elle lui avait offert.

– L'as-tu jamais ouvert ? demanda-t-elle avec un sourire.

– Souvent, dit Wallander.

C'était la pure vérité.

Après coup, il se souviendrait de cette soirée et de cette nuit avec Baiba comme d'une chambre où toutes les horloges se seraient arrêtées. Elle était au lit, couverte d'un drap, s'administrant de temps à autre une nouvelle injection. Elle n'avait presque rien voulu manger. Elle désirait qu'il reste auprès d'elle. À un certain moment il se mit au lit, lui aussi. Ils veillaient, parlaient ; quand elle était trop fatiguée, ils gardaient le silence. Parfois il découvrait qu'elle s'était simplement endormie. Wallander s'assoupissait alors lui aussi, mais se réveillait en sursaut après quelques minutes, tant il était peu habitué à sentir la présence d'un autre être humain si près de lui.

Elle lui parla de toutes les années écoulées depuis leurs derniers échanges ; de l'évolution ahurissante qu'avait connue son pays, la Lettonie.

– Nous ne savions rien. Tu te rappelles les Bérets noirs qui n'hésitaient pas à tirer aveuglément dès que les circonstances s'y prêtaient ? Aujourd'hui je peux avouer que je ne croyais pas, à l'époque, que les Soviétiques nous lâcheraient un jour. J'imaginais que l'oppression se renforcerait au contraire. Le pire, c'était de ne jamais savoir à qui on pouvait se fier. Le voisin espérait-il la liberté ou la craignait-il ? Faisait-il partie de ceux qui rendaient des comptes au KGB ? Ce KGB. Comme une gigantesque oreille qui était partout, à laquelle nul n'échappait. Aujourd'hui je sais que je me trompais et j'en suis heureuse, bien sûr. En même temps, personne ne sait quel sera le sort de la Lettonie. Le capitalisme et la démocratie ne résolvent pas tous les problèmes laissés par le socialisme d'État et l'économie planifiée. Je crois bien que nous vivons actuellement très au-dessus de nos moyens.

– Ne parle-t-on pas du « tigre balte » ? L'essor de la Lettonie, de l'Estonie et de la Lituanie n'est-il pas aussi spectaculaire que celui des pays de l'Asie du Sud-Est ?

Elle secoua la tête.

– Nous vivons avec de l'argent emprunté. À la Suède, en particulier. Je ne prétends pas être une économiste. Mais je suis certaine que les capitaux prêtés par les banques suédoises à la Lettonie ont été assortis de garanties très insuffisantes. Et ça ne peut finir que d'une manière.

– Mal ?

– Très mal. Pour les banques suédoises, entre autres.

Wallander repensa au temps de leur liaison. C'était au début des années 1990. Il se rappelait la peur qui semblait habiter tout un chacun, à Riga. Il y avait tant de choses, dans ce qui s'était passé alors, qu'il n'avait jamais vraiment comprises. En surface, un grand changement politique avait transformé l'Europe de façon spectaculaire et aussi, dans son sillage, le rapport de forces entre les États-Unis et l'Union soviétique. Avant de se rendre à Riga pour tenter d'élucider l'affaire des morts découverts à bord du canot échoué, il n'avait jamais réfléchi au fait que trois des plus proches voisins de la Suède vivaient sous l'occupation d'une puissance étrangère. Comment se faisait-il que tant de gens de sa génération, nés après la Seconde Guerre mondiale, n'avaient jamais sérieusement compris que ce qu'on appelait la guerre froide en était vraiment une, de guerre, avec son cortège de pays occupés et de peuples opprimés ? À bien des égards, il avait pu sembler longtemps que le Vietnam était plus proche de la Suède que ne l'étaient l'Estonie, la Lettonie ou la Lituanie.

– C'était difficile à comprendre, même pour nous, dit Baiba tard dans la nuit, alors que les premières lueurs de l'aube changeaient déjà la couleur du ciel. Derrière chaque Letton se cachait un Russe, ainsi que nous avions coutume de le dire. Mais derrière chaque Russe à son tour, il y avait encore quelqu'un d'autre.

– Qui ?

– Tout ce que faisaient les Russes, même chez nous en Lettonie, était orienté par ce que faisaient les États-Unis ailleurs dans le monde.

– Derrière chaque Russe, il y avait donc un Américain ?

– On peut le dire ainsi. Mais on ne saura réellement ce qu'il en était que le jour où les historiens russes dévoileront la véritable histoire de ce temps-là.

Leurs retrouvailles inattendues prirent fin de façon tout aussi inattendue au beau milieu de cet échange tâtonnant sur une époque révolue. Wallander s'endormit ; la dernière fois qu'il avait regardé sa montre, il était cinq heures du matin. Quand il se réveilla, il était six heures et Baiba avait disparu.

Il se précipita dans la cour, mais sa voiture n'était plus là. Il trouva seulement une photographie, maintenue en place par une pierre, sur la table du jardin. Elle avait été prise au mois de mai 1991 devant le monument de la Liberté à Riga. Wallander se souvenait de cet instant. Un passant avait accepté de les prendre en photo. Ils souriaient, serrés l'un contre l'autre, Baiba la tête inclinée vers son épaule à lui. Sous la photo, elle avait glissé un bout de papier, une page arrachée à un agenda, où elle n'avait rien écrit ; juste dessiné un cœur.

Wallander décida sur-le-champ de prendre la route d'Ystad et le ferry vers la Pologne. Il avait déjà mis le contact quand il comprit que Baiba ne voulait pas qu'il fasse cela. Elle ne voulait pas qu'il la rattrape. Il retourna à l'intérieur et se recoucha dans le lit, où il pouvait encore sentir l'odeur de son corps.

Il s'endormit, épuisé. En se réveillant quelques heures plus tard, il repensa à ce qu'elle avait dit. Elle lui donnait en quelque sorte une piste de réflexion par rapport à Håkan et à Louise von Enke. *Derrière chaque Russe il y avait encore quelqu'un d'autre.*

Qui ? pensa-t-il. Qui était derrière qui ? Il l'ignorait, mais la question pouvait être importante. Il n'allait pas la lâcher.

Il ressortit dans la cour et alla chercher la grande échelle dont le ramoneur était pratiquement seul à se servir. Il grimpa sur le toit en emportant ses jumelles. Une fois installé là-haut, il fit la mise au point et bientôt il put distinguer le ferry blanc qui faisait route vers la Pologne. Avec à bord celle qui représentait la période la plus intense et la plus heureuse de sa vie et qui ne reviendrait jamais. Son chagrin et sa douleur dépassaient ce qu'il était capable de supporter.

Quand le camion-poubelles arriva, il était toujours là-haut. Mais les éboueurs ne le virent pas, perché telle une corneille sur le faîte de sa maison.

27

Wallander regarda s'éloigner le camion-poubelles. Le ferry de Pologne avait disparu, englouti par un banc de brouillard qui atteignait à présent la côte scanienne. Ses propres pensées l'effrayaient. Après cette longue nuit, Baiba avait profité de son sommeil pour s'en aller, direction le ferry et l'éternité. À supposer que l'éternité existe. Mais Baiba était en tout état de cause plus proche que lui du grand saut dans le vide. Elle avait bien parlé de quelques mois, pas davantage.

Soudain il lui sembla se voir avec une clarté absolue. Un homme qui savait faire une seule chose, mais alors à la perfection : s'apitoyer sur son sort. Un personnage de part en part pathétique. Tout ce qui lui importait vraiment, c'était que Baiba allait peut-être mourir, mais pas lui.

Enfin il redescendit du toit et partit se promener avec Jussi. Une promenade qui ressemblait bien plutôt à une fuite. Il avait fini par se raisonner. Il était celui qu'il était. Un homme compétent dans son travail, et même un peu plus que ça. Toute sa vie, il s'était efforcé de faire partie des forces positives à l'œuvre dans le monde et s'il n'y avait pas réussi, eh bien, il n'était pas le seul. Que pouvait-on faire, en tant qu'être humain, sinon s'efforcer ?

Le ciel s'était couvert. Il marchait avec Jussi en guettant l'arrivée de la pluie par-dessus des champs moissonnés et d'autres qui attendaient de l'être. Il s'était fixé pour objectif d'essayer d'avoir une pensée neuve tous les cinquante pas. Un jeu auquel il jouait avec Linda quand elle était petite. Mais le jeu était devenu sérieux quelques années auparavant, à l'époque où il tentait d'identifier un tueur qui s'en était pris à un groupe de jeunes gens déguisés pour la fête de la Saint-Jean. Cette enquête avait été source pour lui d'une grande angoisse, d'un sentiment grandissant d'avoir perdu sa faculté de *lire* une scène de crime et les rares indices dont il disposait malgré tout. Le jeu d'enfant avait alors resservi : il avait *marché* vers la solution au cours des différentes phases de l'enquête. À présent, il essayait d'utiliser la méthode d'une autre façon : pour nourrir ses réflexions sur lui-même, sa propre vie, et le courage de Baiba face à l'inévitable – courage qui lui manquait très certainement pour sa part. Il suivait les chemins de traverse et les talus des fossés, ne marchait pas vite, laissait Jussi courir à son gré.

Il était en nage quand il s'assit enfin au bord d'une petite mare où traînaient des pièces d'outils agricoles rouillées. Jussi flaira l'eau, but, et se coucha ensuite à ses pieds. Les nuages étaient moins nombreux ; il n'y aurait pas de pluie, tout compte fait. Au loin il entendit des sirènes de véhicules d'intervention – des voitures de pompiers, plus précisément, ce n'était pas une sirène d'ambulance, ni les collègues. Il ferma les yeux et tenta d'apercevoir le visage de Baiba. Les sirènes approchaient, elles étaient à présent derrière lui, sur la route de Simrishamn. Il se retourna. Les jumelles qu'il avait emportées sur le toit étaient toujours pendues à son cou. Les sirènes étaient maintenant toutes proches. Il se leva. Se pouvait-il qu'il y eût le feu chez l'un de ses voisins ? Pourvu que ce ne soit pas chez les Hansson. Elin était impotente et Rune, son mari, avait du mal à se déplacer sans sa canne. En levant ses jumelles, il découvrit avec épouvante que les deux voitures de pompiers venaient de s'arrêter dans sa propre cour. Il se mit à courir, Jussi devant lui. À un moment il s'arrêta, hors d'haleine, et reprit ses jumelles, s'attendant à voir des flammes jaillir du toit où il avait été assis un peu plus tôt ou de la fumée sortir à grosses volutes par les vitres brisées. Mais rien. Juste les voitures, dont les sirènes entre-temps s'étaient tues, et les pompiers qui circulaient entre la cour et la maison.

Quand il arriva enfin, le cœur cognant à se rompre, il reconnut Peter Edler, le chef des pompiers, qui caressait Jussi – car son chien était arrivé à la maison bien avant lui. Les pompiers s'apprêtaient à repartir. Edler grimaça un sourire en apercevant Wallander. Il avait à peu près son âge, des taches de rousseur plein la figure et un léger accent du Småland. Il leur arrivait régulièrement de se croiser en lien avec telle ou telle enquête. Wallander avait le plus grand respect pour lui en tant que professionnel et il appréciait aussi son humour pince-sans-rire.

– Un de mes hommes savait que c'était toi qui habitais ici, dit Edler sans cesser de caresser Jussi.

– Qu'est-il arrivé ?

– C'est plutôt à moi de te poser la question.

– Ça brûle ?

– Ben non. Mais ç'aurait pu.

Wallander le dévisagea sans comprendre.

– Je suis sorti me promener avec le chien il y a une demi-heure à peu près, dit-il.

– Viens voir.

La puanteur qui accueillit Wallander, à peine entré dans la maison, était épouvantable. Ça sentait le caoutchouc brûlé. Edler le conduisit dans la cuisine, où les pompiers avaient laissé une fenêtre ouverte pour aérer. Sur l'une des plaques, il vit une poêle à frire et, à côté, un dessous-de-plat carbonisé. Edler fit mine de renifler la poêle, qui fumait encore.

– Œufs sur le plat ? Saucisses et pommes de terre ?

– Des œufs.

– Tu es sorti sans couper le gaz. En plus tu avais laissé traîner un dessous-de-plat. Un peu négligent, pas vrai ? Il faut se ressaisir, commissaire.

Edler secoua la tête. Ils ressortirent dans la cour. Les pompiers avaient regagné leurs véhicules et n'attendaient plus que leur chef.

– Ça ne m'était jamais arrivé, dit Wallander.

– Oui, oui.

Edler regarda autour de lui comme s'il admirait la vue.

– Tu as fini par t'installer à la campagne, tout compte fait. Honnêtement, je ne croyais pas que tu franchirais le pas. C'est beau, ici.

– Et toi ? Toujours en ville ?

– Oui, et toujours au même endroit. Gunnel voudrait qu'on s'installe à la campagne, nous aussi, mais je refuse. Au moins tant que je travaillerai.

– Combien de temps encore ?

Edler fit la grimace en frappant son casque contre sa cuisse, comme une arme.

– Tant que je pourrai. Tant qu'on me laissera continuer. Trois, quatre ans. Après, je ne sais pas. Je ne suis pas capable de rester chez moi à remplir des grilles de mots croisés.

– Tu pourrais peut-être en inventer, dit Wallander qui pensait à Hermann Eber.

Edler lui jeta un regard perplexe, mais n'insista pas et lui demanda plutôt, avec un intérêt sincère, quels étaient ses propres projets d'avenir. On aurait presque dit qu'il espérait que les perspectives de Wallander soient aussi sombres que les siennes.

– Je réussirai peut-être à me maintenir quelques années. Puis ça sera fini aussi pour moi. On pourrait s'associer, qu'est-ce que tu en dis ? Former un tandem qui parcourrait les campagnes en expliquant aux gens comment se prémunir contre les cambriolages et les incendies ? On l'appellerait par exemple, euh, « Halte au feu et Cie ». Qu'en dis-tu ?

– On peut se prémunir contre les cambriolages ?

– Pas vraiment. Mais on peut enseigner aux gens des

méthodes simples pour rendre les voleurs un peu plus circonspects à l'idée de s'introduire chez eux.

– Tu crois vraiment à ce que tu dis ?

– J'essaie. Mais les voleurs sont comme les enfants. Ils apprennent vite.

Edler secoua la tête face à cette comparaison douteuse de Wallander et grimpa dans sa voiture.

– Éteins tes plaques à l'avenir, dit-il en guise d'au revoir. Mais c'est une bonne idée que tu as eue d'installer une alarme incendie. Sinon, ç'aurait pu mal finir. Ta maison est du genre à brûler rapidement. Tu aurais connu le cauchemar d'une ruine fumante au cœur de l'été.

Wallander ne répondit pas. C'était Linda qui avait insisté pour qu'il ait cette alarme. Elle la lui avait offerte, pour Noël, et avait veillé à ce qu'elle soit effectivement installée ensuite.

Il s'apprêtait à démarrer sa tondeuse quand il vit arriver Linda en voiture. Cette fois non plus, elle n'avait pas emmené Klara. Elle avait l'air d'être dans tous ses états. Elle avait sans doute croisé les pompiers.

– Que faisaient les pompiers sur ton chemin ?

Bingo.

– Ils se sont perdus, mentit Wallander. Ils venaient pour un problème de surtension dans le réseau électrique de la grange du voisin.

– Quel voisin ?

– Hansson.

– Lequel est-ce ?

– Pourquoi ? Tu ne sais pas où se trouve sa ferme, de toute façon.

Elle était à quelques pas de lui, tenant à la main son petit sac à dos habituel. Elle le regarda. Puis elle lui balança le sac à la tête, de toutes ses forces. Il l'évita de justesse. Le sac lui heurta tout de même l'épaule. Il le ramassa, hors de lui.

– Ça va pas, non ?

– Je n'y crois pas ! Que je sois obligée de supporter tes mensonges !

– Je ne te mens pas.

– Les pompiers étaient ici ! C'est ton voisin qui me l'a dit. Il t'a vu dans la cour en train de discuter avec eux.

– J'avais oublié d'éteindre une plaque.

– Tu dormais ?

Wallander désigna les champs qu'il avait traversés en courant si vite, un peu plus tôt, qu'il en avait encore mal aux jambes.

– Je me promenais avec Jussi.

Sans un mot, Linda lui arracha son sac des mains et entra dans la maison. Wallander faillit prendre sa voiture. Partir, tout bonnement, fiche le camp. Linda n'allait pas lui lâcher la grappe. Le danger où il s'était mis, sa négligence sans bornes, blablabla. Elle resterait en colère, et ça le rendrait furieux lui aussi. Il l'était presque déjà. Il ignorait ce qu'elle avait fourré dans son sac à dos, mais ça lui avait fait mal. Il sentit sa colère monter d'un cran. C'était la première fois qu'elle l'agressait physiquement.

Linda ressortit de la maison.

– Tu te souviens de quoi on parlait il y a quelques semaines ? Le jour où il pleuvait à verse, quand je suis venue ici avec Klara ?

– Comment veux-tu que je me souvienne de tout ce qu'on se dit ?

– On disait que, quand elle serait un peu plus grande, elle pourrait venir passer du temps chez toi.

– Parlons calmement, s'il te plaît. Tu m'as fait installer un détecteur d'incendie. Nous savons à présent qu'il fonctionne. La maison n'a pas brûlé. J'ai oublié d'éteindre une plaque. Ça ne t'arrive jamais ?

– Jamais depuis la naissance de Klara.

C'était sorti tout seul.

– Je ne pense pas que ça m'arrivait non plus quand tu étais petite.

La crise n'eut pas lieu. Ils étaient aussi bons ferrailleurs l'un que l'autre, et aucun des deux n'avait la force de porter le coup de grâce. Linda s'assit sur une chaise de jardin ; Wallander resta debout, encore sur ses gardes, au cas où elle s'enflammerait de nouveau. Mais quand elle le regarda, ce fut avec une expression interrogative et inquiète.

– Tu commences à avoir des oublis ?

– J'ai toujours été comme ça. Jusqu'à un certain point. On pourrait peut-être dire plutôt que je suis distrait.

– Je veux dire : plus qu'avant ?

Il s'assit, fatigué de dire trop souvent des choses qui n'étaient pas vraies.

– Je crois, oui. Parfois j'ai même des trous – comme des blocs entiers de temps qui disparaissent, tu vois ? Comme de la glace qui fond.

– Que veux-tu dire ?

Wallander lui raconta son expérience sur la route de Höör sans dire un mot pour autant de l'auto-stoppeuse.

– Tout à coup, je ne savais plus du tout ce que j'allais faire là-bas. L'effet, comment dire, d'être dans une pièce éclairée où quelqu'un, soudain, éteindrait la lumière sans prévenir. Je ne sais pas combien de temps je suis resté comme ça – dans le noir. Comme si je ne savais plus qui j'étais.

– Ça t'était déjà arrivé avant ?

– Pas à ce point. Mais je suis allé voir une spécialiste à Malmö. D'après elle, je suis juste surmené et je me prends encore pour un type sportif de trente ans.

– Ça ne me plaît pas. Va voir un autre médecin.

Il hocha la tête sans répondre. Elle se leva, entra dans la maison et revint avec deux verres d'eau. Wallander lui demanda prudemment, comme si cette pensée venait de lui traverser l'esprit, si on avait retrouvé la jeune femme de Malmö qui avait tué ses parents.

– Elle a été arrêtée à Växjö, d'après ce que j'ai entendu dire. Quelqu'un l'a prise en stop et a eu des soupçons. Juste avant d'arriver en ville, il a proposé de lui offrir un café et il a appelé la police. Elle avait un couteau sur elle ; elle a essayé de se l'enfoncer dans le cœur, mais elle n'a pas réussi.

– Est-ce qu'il t'est déjà arrivé de souhaiter ma mort ?

Il était soulagé que sa contribution à la fuite de la jeune femme n'ait pas été divulguée, apparemment, parmi les collègues. Martinsson avait tenu parole.

– Bien sûr que oui, répondit-elle dans un éclat de rire. Plein de fois. La dernière remonte à tout à l'heure. J'espère que le vieux ne va pas vivre jusqu'à devenir complètement sénile, voilà ce que j'ai pensé. Tous les enfants souhaitent la mort de leurs parents de temps à autre. Et toi ? Combien de fois as-tu souhaité ma mort ?

– Jamais.

– Et tu veux que je te croie ?

– Oui.

– Si ça peut te consoler, j'ai eu plus souvent à l'esprit Mona que toi, dans cet ordre d'idées. En attendant, je redoute plus que tout le jour où vous ne serez plus là. D'ailleurs, Hans et moi avons réussi à persuader Mona d'entreprendre une cure de désintoxication.

Jussi, qui avait aperçu un lièvre dans un champ, se mit à aboyer dans le chenil. Ils observèrent en silence ses tentatives pour sauter hors de sa cage. Puis le lièvre disparut et Jussi se tut.

– Je suis venue pour une autre raison, dit-elle soudain.

– Quoi, il est arrivé quelque chose à Klara ?

– Klara va très bien. Hans est à la maison avec elle. Je l'oblige à prendre ses responsabilités, et je crois qu'il l'apprécie. Klara, c'est vraiment l'antidote, je veux dire l'antipode absolu de l'univers stressé de la finance.

– C'était quoi, alors ?

– Je suis allée à Copenhague hier soir. Avec deux amies.

Pour écouter l'idole de ma jeunesse, Madonna. Le concert était fabuleux. Après on a dîné. Et après j'ai dormi dans une belle chambre à l'hôtel d'Angleterre – ne fais pas cette tête, l'entreprise de Hans a un rabais chez eux. Comme j'étais de bonne humeur et que je n'avais pas sommeil, je me suis baladée un moment sur Ströget[1]. Il y avait beaucoup de monde, je me suis assise sur un banc, et c'est là que je l'ai vu.

– Qui ?

– Håkan.

Wallander crut avoir mal entendu. Il la dévisagea fixement, mais c'était bien cela qu'elle avait dit, il le voyait bien, aucune hésitation.

– Raconte.

– J'ai vu son visage un instant à peine. Mais c'était sa démarche, sa façon d'avancer à petits pas rapides, la tête dans les épaules.

– Qu'as-tu vu, exactement ?

– Je m'étais assise sur un banc à l'un des carrefours de Ströget, une petite place, je ne me souviens plus de son nom. Lui arrivait de la direction du canal de Nyhavn et il remontait la rue. Il m'avait déjà dépassée quand je l'ai reconnu. D'abord sa nuque, puis sa démarche, enfin son pardessus.

– Quel pardessus ?

– Le sien.

– Il y a des milliers de pardessus qui se ressemblent.

– Pas celui que Håkan met au printemps. C'est un truc bleu marine, pas très épais, un genre d'imperméable pour marin, je ne peux pas te le décrire mieux que ça. Mais c'est bien Håkan que j'ai vu.

– Qu'as-tu fait ?

– Imagine ! Un concert de Madonna, les copines, le dîner, la soirée d'été, pas de bébé qui pleure, pas de mari. Et voilà

1. Rue commerçante piétonnière du centre de Copenhague.

soudain que je me retrouve face à Håkan. J'étais sous le choc. J'ai mis quelques secondes à identifier ce que je venais de voir et à me convaincre que j'avais bien vu. Quand je me suis précipitée, il était déjà trop tard. Il y avait plein de gens dehors, des rues transversales, des taxis, des restaurants. J'ai remonté Ströget jusqu'à Rådhuspladsen et retour. Mais je ne l'ai pas revu.

Wallander vida son verre d'eau. L'histoire paraissait invraisemblable, pourtant il savait que Linda avait un regard aigu et qu'elle se trompait rarement en identifiant quelqu'un.

– Revenons en arrière, dit-il. Si j'ai bien compris, il était déjà passé devant le banc où tu étais assise quand tu l'as repéré. Tu dis que tu as vu son visage l'espace d'un instant. Il s'est donc retourné ?

– Oui. Il a regardé par-dessus son épaule.

– Pourquoi ?

Elle fronça les sourcils.

– Comment veux-tu que je le sache ?

– C'est une question très simple. Guettait-il la présence de quelqu'un ? Était-il inquiet ? Avait-il entendu quelque chose ? Paraissait-il détendu au contraire ? Il y a une foule de réponses possibles.

– Je crois qu'il voulait s'assurer qu'il n'était pas suivi.

– Tu le crois ?

– Je ne peux pas en être certaine. Mais c'est l'impression que j'ai eue.

– Paraissait-il effrayé ?

– Je ne peux pas répondre à cela.

Wallander réfléchit.

– A-t-il pu te reconnaître ?

– Non.

– Comment le sais-tu ?

– Dans ce cas, il aurait regardé dans ma direction. Il ne l'a pas fait.

– Tu en as parlé à Hans ?

– Oui. Ça l'a mis dans tous ses états. Il était carrément en colère, il a dit que je me faisais des idées.

– Tu as pensé qu'il rencontrait peut-être son père en cachette ?

Elle hocha la tête mais ne répondit pas.

Le soleil disparut derrière un nuage et ils entendirent un roulement de tonnerre. Ils allèrent à l'intérieur. Wallander aurait voulu qu'elle reste déjeuner, mais elle devait rentrer, dit-elle. Elle allait partir quand l'orage éclata. La cour, sous la pluie battante, ne tarda pas à se transformer en un champ de boue. Wallander résolut de commander quelques sacs de gravier. Il en avait assez de patauger dans la gadoue à la moindre averse.

– Je suis sûre de moi, répéta-t-elle. C'est lui que j'ai vu. En vie, à Copenhague.

– Ça change tout, dit Wallander.

Linda hocha la tête. Ils savaient l'un comme l'autre qu'on ne pouvait pas exclure que Håkan ait tué sa femme. Mais il s'agissait de ne pas aller trop vite en besogne. Pouvait-il avoir une autre raison de se cacher ? Craignait-il pour sa propre vie ? Ou était-ce autre chose ? Était-il en fuite ?

Ils attendirent la fin de l'orage en silence, chacun plongé dans ses pensées. Le déluge cessa aussi brusquement qu'il avait commencé.

– Que faisait-il à Copenhague ? demanda enfin Wallander. Il y a une réponse qui vient tout de suite à l'esprit.

– Oui. Qu'il venait voir son fils. Peut-être pour un problème d'argent ? Mais moi, je suis convaincue que Hans ne me ment pas.

– Je n'en doute pas. Mais qui te dit que leur rencontre a déjà eu lieu ? Si ça se trouve, il le verra demain.

– Dans ce cas, il me le dira.

– Peut-être, dit Wallander pensivement.

– Pourquoi non ?

– Conflit de loyauté, par exemple. Que se passera-t-il si son père lui demande de ne rien révéler de leur rencontre ? Même à toi ? Et s'il motive ça par un argument que Hans n'osera pas contester ?

– S'il me cache quelque chose, je m'en apercevrai.

– Et moi, j'ai appris qu'il ne faut pas croire qu'on sait ce que pensent ou imaginent les autres.

– Que dois-je faire ?

– Rien pour l'instant. Ne pose pas de questions à Hans. Je vais communiquer tes observations à Ytterberg.

Il la raccompagna jusqu'à sa voiture. Elle le tenait par le bras pour ne pas glisser.

– Tu devrais arranger un peu ta cour. Tu as pensé à mettre du gravier ?

– Eh oui, figure-toi.

Elle était prête à démarrer quand soudain elle baissa sa vitre et se mit à parler de Baiba.

– C'est vrai qu'elle va mourir ?

– Oui.

– Quand est-elle partie ?

– Ce matin de bonne heure.

– Ça t'a fait quoi de la revoir ?

– Elle était venue me dire adieu. L'effet que ça m'a fait, je crois que tu peux l'imaginer sans mon aide.

– Ça a dû être terrible.

Wallander lui tourna le dos et partit derrière la maison. Il ne voulait pas pleurer – non qu'il eût peur de se montrer faible devant elle, il ne s'agissait pas de cela. C'était vis-à-vis de lui-même. Il refusait de penser à sa propre mort, qui était au fond la seule chose qui l'effrayait vraiment. Il resta caché. Enfin il l'entendit démarrer. Elle avait compris qu'il préférait être seul.

En revenant dans la cuisine, il s'assit non pas à sa place habituelle, celle où il prenait ses repas, mais en face.

Il pensait à ce qu'elle lui avait raconté sur la réapparition de Håkan von Enke.

Retour à la case départ.

Comme s'il avait fait un tour complet avant d'en revenir, d'une certaine manière, là où tout avait commencé.

28

Wallander grimpa l'échelle instable qui menait au grenier. Une odeur de moisi le frappa aux narines. Il se rendait bien compte qu'il allait devoir refaire sa toiture d'ici un an. Deux, dans le meilleur des cas.

Il savait à peu près où il avait rangé la boîte qu'il cherchait. Mais son attention fut d'abord attirée par un carton qui portait le logo d'une entreprise de déménagement de Helsingborg et qui, il le savait, contenait sa collection de 33 tours. Pendant toutes les années passées à Mariagatan, il avait eu une platine tourne-disque. Mais celle-ci avait fini par se détraquer et il n'avait pas réussi à la faire réparer. La platine avait pris le chemin de la décharge lors du grand ménage précédant son déménagement ; mais les disques, il les avait gardés. Il s'assit à même le sol et feuilleta les vieux albums. Chaque pochette représentait un souvenir, parfois très vif, parfois réduit à un papillotement de visages, d'odeurs, d'émotions. Au cours de sa prime adolescence, il avait été un fan des Spotnicks. Il avait gardé leurs quatre premiers albums et il lui suffisait encore de lire les titres au dos pour se les rappeler tous sans exception. Les guitares électriques résonnaient à l'intérieur de lui. Il y avait aussi dans le carton un disque de Mahalia Jackson qu'il avait reçu un jour, contre toute attente, de l'un des *chevaliers de la soie*, ces colporteurs qui venaient chez eux, dans son enfance, acheter les toiles de son père. Non pas qu'ils se soient occupés de revendre des disques en plus des tableaux. C'était juste que Wallander avait ce jour-là porté les châssis jusqu'à la voiture, et le type lui avait offert l'album en remerciement. Le gospel lui avait fait forte impression. *Go down Moses*, pensa-t-il en revoyant intérieurement son premier électrophone, où le haut-parleur était incrusté dans le couvercle et grésillait avec un bruit de racloir.

Soudain il tomba sur un disque d'Édith Piaf. Il reconnut son visage photographié en noir et blanc sur la pochette. Celui-là était un cadeau de Mona. Mona détestait les Spotnicks, leur préférant les Streaplers et Sven-Ingvars[1] ; mais ce qu'elle aimait par-dessus tout, c'était cette petite chanteuse française. Pas plus que Wallander, elle ne comprenait un traître mot aux paroles ; mais sa voix les bouleversait l'un et l'autre.

Après Piaf, il y avait un disque de John Coltrane. D'où le tenait-il ? Il ne s'en souvenait pas. En le sortant de sa pochette, il vit qu'il était quasi neuf ; intérieurement il n'entendait pas une seule note du saxophone de Coltrane.

En dernier, il y avait deux opéras, *La Traviata* et *Rigoletto*. Contrairement au disque de John Coltrane, ceux-ci étaient presque hors d'usage à force d'avoir été joués.

Il s'attarda, hésitant à emporter le carton en bas et à acheter une nouvelle platine. Mais à la fin, il le repoussa. La musique qu'il écoutait aujourd'hui existait sur cassette ou sur CD. Il n'avait plus besoin de ces disques vinyle qui gondolaient et crépitaient à qui mieux mieux. Ils appartenaient au passé ; mieux valait les laisser là où était leur vraie place, dans la pénombre du grenier.

Il trouva la boîte qu'il était venu chercher, l'emporta au rez-de-chaussée et la posa sur la table de la cuisine. Elle

1. Groupes de pop-rock suédois des années 1950, encore actifs au XXIe siècle.

contenait tous les anciens Lego de Linda du temps où elle était petite. Il l'avait gagnée à une loterie.

L'idée lui venait de Rydberg. C'était un soir de printemps, tard, dans la cuisine de celui-ci, vers la fin de sa vie. Ystad et ses environs avaient été le théâtre d'une série de braquages commis par un homme masqué armé d'un fusil à canon scié. Dans l'idée de trier les événements et peut-être avec l'espoir de leur découvrir une structure, Rydberg était allé chercher un jeu de cartes pour symboliser l'itinéraire du braqueur. Le braqueur lui-même, Wallander s'en souvenait, était incarné par le valet de pique. Plus tard, quand il avait essayé d'adapter à son propre usage la méthode rydbergienne, il avait choisi d'utiliser des briques de Lego. Il n'avait jamais avoué ce détail à Rydberg.

Il éparpilla une poignée de Lego sur la table. Puis il distribua les rôles, les dates, les lieux, les événements. Un pompier à casque rouge devint Håkan, une petite fille que Linda appelait autrefois Cendrillon devint Louise. Il disposa sur le côté une rangée de briques ordinaires, comme des soldats en ordre de marche, et qui représentaient autant de questions sans réponse. Qui s'était fait passer pour l'oncle de Signe von Enke ? Pourquoi son père était-il revenu d'entre les ombres ? Où avait-il été ? Pourquoi se cachait-il ?

Il se rappela qu'il devait contacter Niklasgården. Il attrapa le téléphone et composa le numéro ; on lui apprit que personne n'avait rendu visite récemment à Signe, pas plus son père qu'un hypothétique oncle.

Il resta assis, une brique au creux de la main. Quelqu'un ne dit pas la vérité, pensa-t-il. Parmi tous ceux avec qui j'ai parlé de Håkan et de Louise, il y en a un qui ment, ou qui ne dit pas tout.

Le téléphone sonna. Il se leva et l'emporta au jardin. Linda se lança sans préambule dans ce qu'elle avait à lui annoncer.

– J'ai interrogé Hans. Je l'ai presque menacé. Il n'était pas content. Tellement pas content qu'il est parti de la maison. Je lui demanderai pardon quand il reviendra.

– Mona n'a jamais fait ça.

– Quoi ? Partir de la maison ou demander pardon ?

– Oh, elle partait souvent. Peu importe la situation, c'était toujours l'argument suprême. La porte qui claque. Mais elle ne s'excusait jamais en rentrant.

Linda rit. Un rire tendu, pensa Wallander. Ils se sont disputés plus violemment qu'elle ne veut bien me le dire.

– Tu sais que d'après Mona c'était tout le contraire. Toi qui claquais la porte et qui ne t'excusais jamais.

– Je croyais que nous étions d'accord sur le fait que Mona raconte beaucoup de salades.

– Toi aussi, tu en racontes. Aucun de mes parents n'est vraiment sincère.

Wallander se mit en colère.

– Et toi ? Tu l'es peut-être ? Vraiment sincère ?

– Non. Je n'ai jamais dit ça.

– Alors viens-en au fait !

– Je te dérange ?

Wallander choisit aussitôt, non sans un certain plaisir, de mentir.

– Je suis en train de me préparer à manger.

– Dehors ? J'entends des oiseaux…

– Je fais un barbecue.

– Tu détestes les barbecues.

– Tu ne sais rien de ce que je déteste ou pas. Qu'est-ce que tu voulais me dire ?

– J'ai interrogé Hans. Il maintient qu'il n'a pas été en contact avec son père. D'autre part, il n'y a eu aucun mouvement récent sur les comptes en banque de la famille, excepté les retraits courants effectués par Louise avant sa disparition. Hans s'occupe de leur courrier. Il n'y a eu aucun retrait depuis lors.

Wallander comprit soudain que la question était très importante. Il enchaîna, développa l'idée.

– De quoi Håkan a-t-il vécu pendant tout ce temps ? Il surgit à Copenhague, mais ne retire pas d'argent et ne prend pas contact avec son fils. Il n'a pas besoin d'argent. Cela peut laisser entendre que quelqu'un l'aide. Ou alors, qu'il dispose d'un ou de plusieurs comptes en banque à l'insu de Hans.

– Hans a beaucoup de relations dans le monde de la banque. Il s'est renseigné. Il n'a rien trouvé. Cela dit, il y a de multiples façons de cacher de l'argent.

Ce point, pensa Wallander, méritait vraiment qu'on s'y attarde. Mais Klara, entendit-il, s'était mise à pleurer.

– Il faut que j'y aille, dit Linda.

– J'ai entendu. Nous pouvons donc oublier l'hypothèse de rencontres secrètes entre Hans et son père ?

– Oui.

Il posa le téléphone, s'assit sur la balancelle et se balança doucement en repoussant le sol du bout du pied. Intérieurement, il voyait Håkan von Enke à Copenhague : il marchait vite, s'arrêtant pour se retourner avant de reprendre sa marche. Puis il n'était plus là ; avalé par la foule, ou par une ruelle adjacente.

Wallander se réveilla en sursaut. Il pleuvait, son pied nu qui traînait dans l'herbe était couvert de gouttes. Il se leva et rentra dans la maison. Quand il eut refermé la porte derrière lui, il s'immobilisa. Il croyait soudain discerner un motif, encore très vague mais susceptible malgré tout de jeter une lumière sur l'endroit où se cachait Håkan von Enke depuis sa disparition. *Une planque*, pensa Wallander. *Au moment de disparaître, il savait déjà ce qu'il allait faire.* Au départ de sa promenade, dans Valhallvägen, il avait bifurqué et il avait gagné cet endroit où il était certain que nul ne le trouverait. Wallander avait aussi le sentiment que Louise n'avait pas été informée de quoi que ce soit, son angoisse à la disparition de son mari avait été authentique. Aucun indice nouveau ; juste cette intuition qui l'habitait.

Il alla à la cuisine. Le sol en pierre était froid sous ses pieds. Il se déplaçait lentement, comme s'il craignait que sa vision ne disparaisse s'il faisait un geste trop brusque. Les Lego étaient sur la table. Il s'assit. Une planque, pensa-t-il à nouveau. Un plan minutieux. Un commandant de sous-marin est quelqu'un qui a appris à organiser son existence et à faire preuve de discipline. Wallander essayait de se représenter sa cachette. Il avait curieusement le sentiment de pouvoir la deviner – et même d'avoir été à un moment, sans le savoir, tout près de cet endroit.

Se penchant sur la table, il aligna une nouvelle rangée de personnages. C'était l'entourage de Håkan et de Louise. Leur fille, Signe. Sten Nordlander. Steven Atkins, dans sa maison près de San Diego. Mais aussi ceux qui figuraient à la périphérie de leur cercle. Il aligna les bonshommes un à un, en réfléchissant à la question centrale : qui avait pu aider von Enke et lui procurer tout ce dont il pouvait avoir besoin et, en premier lieu, l'argent ?

C'est ça que je cherche, pensa-t-il. Ytterberg raisonne-t-il comme moi ? Joue-t-il avec des Lego d'un autre genre ? Il prit son téléphone et fit son numéro. Il pleuvait de plus en plus fort, les gouttes crépitaient contre les vitres. Ytterberg répondit. Il était dehors, dans la rue, la communication était mauvaise.

– Je suis à la terrasse d'un restaurant, en train de payer l'addition, je peux te rappeler ?

Il le rappela vingt minutes plus tard, depuis son bureau de Bergsgatan.

– Moi, dit-il en réponse à la question de Wallander, je fais plutôt partie de ceux qui aiment bien reprendre le travail après un congé.

– Moi, c'est le contraire. Revenir, ça veut dire retrouver un bureau surchargé de dossiers laissés par les collègues avec de joyeux petits Post-it m'annonçant que c'est leur tour d'être en vacances.

Il commença par rendre compte de son entrevue avec Hermann Eber. Ytterberg l'écouta et posa plusieurs questions. Puis il lui fit part de la réapparition de Håkan von Enke en répétant tout ce que lui avait dit Linda.

– Ta fille a-t-elle pu se tromper ?

– Non. Mais je comprends que tu t'interroges.

– Pas le moindre doute alors ? C'était lui ?

– Je connais ma fille. Si elle dit que c'était lui, c'était lui. Pas un avatar, pas un sosie, non. Håkan von Enke en personne.

– Que dit ton gendre ?

– Que son père n'était en tout cas pas venu à Copenhague pour le voir. Il n'y a pas de raison de douter de sa parole.

– C'est étrange qu'il n'ait pas cherché à voir son fils.

– Ça, je n'en sais rien. Mais je ne crois pas que Hans soit bête au point de raconter des bobards à Linda.

– Linda sa compagne ? Ou Linda ta fille ?

– Linda la mère de son enfant, je dirais. Si on peut compartimenter les choses comme ça.

Ils discutèrent un moment des implications possibles. Pour Ytterberg, cette réapparition signifiait surtout qu'il fallait envisager de quelle manière Håkan von Enke pouvait être lié à la mort de Louise.

– Je ne sais pas ce que tu as pensé jusqu'ici, dit Ytterberg. Mais pour ma part, je croyais bien au fond de moi qu'il était mort lui aussi. En tout cas depuis qu'on a retrouvé le corps de sa femme.

– J'ai hésité, dit Wallander. Mais si j'avais été chargé de l'enquête, j'aurais sans doute pensé comme toi.

Puis il rendit compte brièvement de ses réflexions autour d'une possible cachette de von Enke :

– On peut aussi supposer, si l'on se base sur ce qu'on a trouvé dans le sac à main de Louise, qu'ils ont pu travailler ensemble. Ce ne serait pas la première fois, dans ce pays, qu'on aurait affaire à un couple d'espions, l'un des deux étant moins impliqué que l'autre, mais collaborant quand même avec lui.

– Tu penses à Stig Bergling et à sa femme ?

– Tu en connais d'autres ?

Wallander s'irrita du ton condescendant d'Ytterberg. Si quelqu'un, dans son propre commissariat, s'était autorisé une repartie ironique comme celle-là, il ne l'aurait pas supporté. Il aurait explosé de rage. En l'occurrence, il laissa tomber. Ytterberg ne se rendait sans doute pas compte de l'effet qu'il produisait parfois.

– Y a-t-il du nouveau concernant les microfilms ?

– Nos collègues secrets sont très inquiets. Ils ont demandé qu'on leur transmette le moindre petit papier de notre maigre dossier. Je suis convoqué demain matin chez un certain Holm, capitaine de vaisseau, qui joue apparemment un rôle important au sein du renseignement militaire. Il m'en dira peut-être plus.

– Je serai curieux de connaître les questions qu'il t'aura posées.

– Pour déduire ce qu'il sait à partir des questions qu'il ne *m'aura pas* posées ?

– C'est ça.

– Je te rappelle.

Wallander hésita un instant. Puis il versa à nouveau les Lego dans leur boîte et prit la décision de ne plus penser à Håkan von Enke ce jour-là. Il était en vacances, après tout. Il dressa une liste de courses et prit sa voiture jusqu'à Ystad, mais au moment de passer à la caisse du supermarché, il découvrit qu'il avait oublié son portefeuille. Il dut laisser ses sacs sur place, le temps de se rendre au commissariat et d'emprunter cinq cents couronnes à Nyberg, croisé dans le couloir. Nyberg avait un gros bandage autour de la tête.

– Qu’est-ce qui t’arrive ?
– Je suis tombé de vélo.
– Tu ne mets pas de casque ?
– Non, hélas.

Nyberg n’avait pas envie de parler. Wallander s’engagea à le rembourser dès le lendemain, retourna au supermarché et rentra chez lui. Le soir venu, il regarda un documentaire sur la montagne de détritus qui ne cessait de grandir dans le monde ; il se coucha de bonne heure, feuilleta un journal et s’endormit vers vingt-trois heures trente. Plus tard, le cri d’un oiseau de nuit le réveilla, peut-être était-ce une chouette, mais il se rendormit bien vite.

À son réveil, il se rappela l’oiseau ; puis il se leva car il n’avait plus sommeil. Il était six heures, la brume recouvrait les champs. Par la fenêtre de sa chambre, il pouvait voir Jussi assis immobile derrière son grillage, le regard fixé au loin.

Jamais il n’aurait pu imaginer dans sa jeunesse que telle serait sa vie à l’âge de soixante ans. Debout au petit matin, à regarder par la fenêtre le brouillard se lever sur un paysage scanien, dans une maison à lui, avec un chien ; et avec une fille qui venait de donner naissance à sa première petite-fille. Cette pensée le rendit mélancolique. Il s’en débarrassa en allant prendre sa douche.

Après le petit déjeuner, il vérifia que les plaques de cuisson étaient bien éteintes avant de sortir avec Jussi, qui partit telle une fusée à travers les lambeaux de brume. Il se sentait en forme, rien ne lui paraissait spécialement difficile, sa vitalité était intacte. Il se mit soudain à courir sur le chemin, en défi à la paresse qui l’alourdissait depuis des mois. Il courut jusqu’à l’épuisement. Le soleil chauffait déjà ; il ôta sa chemise trempée, aperçut son gros ventre, en fut dégoûté et décida, comme tant de fois auparavant, de commencer un régime.

Tandis qu’il revenait vers la maison, le téléphone sonna dans sa poche. Une voix de femme, très lointaine, presque inaudible, s'exprimant dans une langue étrangère. La communication fut coupée après quelques secondes. Wallander pensa que ce pouvait être Baiba. Il avait cru reconnaître sa voix, malgré la mauvaise qualité de la transmission. Mais le téléphone resta silencieux, alors il se remit en marche, rentra chez lui, reprit une douche et s'installa ensuite au jardin avec un café.

La journée s'annonçait belle. Il décida de partir pour une excursion solitaire. Cela faisait partie de ses très bons moments, dans la vie, que de faire la sieste lové en rond au milieu des dunes après un pique-nique. Il alla chercher le panier, une relique de la maison de son enfance. Sa mère y rangeait ses pelotes de laine, ses aiguilles et ses chandails en cours. Wallander y fourra des tartines, une Thermos, deux pommes et quelques exemplaires du *Policier suédois* qu'il n'avait pas encore lus. Il était onze heures quand il vérifia une fois de plus que les plaques étaient éteintes avant de fermer sa porte à clé. Il prit la route de Sandhammaren et, une fois là-bas, dénicha au milieu des dunes et des arbustes un coin abrité du vent. Quand il eut mangé et feuilleté ses journaux, il s'enroula dans une couverture et s'endormit.

Ce fut la sensation du froid qui le réveilla. Le soleil avait disparu derrière les nuages, le fond de l'air était frais et il s'était débarrassé de la couverture pendant son sommeil. Il s'y enroula à nouveau, pliant sa veste en guise d'oreiller. Le soleil finit par revenir. Il se rappela soudain un rêve qui remontait à de longues années. Un rêve récurrent, mais fugitif, où une femme noire sans visage l'entraînait dans un jeu érotique. Mis à part un épisode épouvantable lors d'un voyage aux Caraïbes où, ivre mort, il avait ramené un soir une prostituée dans sa chambre d'hôtel, il n'avait jamais eu de relation avec une femme à la peau sombre. Et il n'en éprouvait pas non plus le désir. Et voilà que cette femme noire était apparue dans ses rêves, avant de disparaître quelques mois plus tard comme elle était venue.

Des nuages d'orage menaçaient à l'horizon. Wallander rassembla ses affaires et retourna à la voiture. Parvenu à Kåseberga, il fit un détour par le port pour acheter du poisson fumé. Il venait de rentrer chez lui quand son téléphone sonna à nouveau. C'était la même voix qu'au matin, mais la réception était bien meilleure et il entendit tout de suite que ce n'était pas Baiba. La femme s'exprimait en anglais avec un fort accent étranger.

– Kurt Wallander ?

– C'est moi.

– Je m'appelle Lilja. Savez-vous qui je suis ?

– Non.

Il entendit soudain qu'elle pleurait.

– C'est Baiba, dit-elle.

– Qu'est-ce qu'il y a ? Oui, je connais Baiba.

– Elle est décédée.

Wallander était debout, tenant à la main le sac en plastique du port de Kåseberga.

– Baiba ? Mais elle était chez moi il y a deux jours.

– Je sais. C'était mon amie.

Wallander sentait son cœur battre à se rompre. Il s'assit, avec le téléphone, sur le tabouret à côté de la porte d'entrée. Elle continuait de lui parler, bouleversée, confuse, et il comprit petit à petit ce qui s'était passé. Baiba revenait de Suède, elle n'était plus qu'à quelques dizaines de kilomètres de Riga quand sa voiture avait quitté la route et était allée se fracasser contre un mur de pierre. Elle était morte sur le coup, son amie insistait sur ce point, elle le répéta plusieurs fois comme si c'était là une façon de ne pas précipiter Wallander dans un abîme de chagrin. En vain, bien sûr. Le désespoir qui l'envahit – il n'avait jamais rien éprouvé de tel auparavant.

Soudain, avant qu'il ait pu noter le numéro de téléphone

de Lilja, la communication fut interrompue. Il resta assis sur le tabouret de l'entrée, attendant qu'elle le rappelle. Quand il comprit qu'elle ne parvenait pas à le joindre, il se leva et alla à la cuisine. Le sac contenant le poisson fumé était resté dans l'entrée. Il n'avait aucune idée de ce qu'il allait faire. Il alluma une bougie et la plaça sur la table. Baiba avait dû rouler sans s'arrêter, pensa-t-il, du terminal des ferries à travers la campagne polonaise, puis la Lituanie, ensuite la Lettonie jusqu'à Riga – enfin presque. S'était-elle endormie au volant ? Ou savait-elle ce qu'elle faisait ? Avait-elle choisi de mourir ? Wallander savait que les accidents de la route impliquant une seule personne pouvaient être, étaient même souvent, des suicides déguisés. Il se souvenait d'une ex-employée administrative du commissariat, divorcée, alcoolique, qui avait choisi cette issue quelques années plus tôt. Mais il ne croyait pas que Baiba fût du genre à commettre un acte pareil. Une femme qui décide de prendre sa voiture et de faire la tournée de ses amis et amants pour leur dire adieu ne va pas mettre en scène un accident. Baiba était fatiguée, elle s'était assoupie, elle avait perdu le contrôle, il n'y avait pas d'autre explication.

Il ramassa son téléphone pour appeler Linda, parce qu'il ne se sentait pas la force de rester seul avec ce qui venait de se produire. À certains instants, il était tout simplement obligé d'avoir quelqu'un auprès de lui. Il composa le numéro mais raccrocha avant la première sonnerie. C'était trop tôt, il n'avait encore rien à lui dire. Il jeta le téléphone sur le canapé et alla voir Jussi. Il le fit sortir du chenil, s'assit à même le sol de la cour et le caressa longtemps. En entendant le téléphone sonner, il se précipita à l'intérieur. Lilja. Elle était un peu calmée. En l'interrogeant, il eut une image plus claire des faits. Il y avait une autre question en suspens. Il la lui posa :

– Comment avez-vous eu mon numéro de téléphone ?

– Baiba me l'avait demandé.

– Que vous a-t-elle demandé ?

– Que je vous appelle après sa mort pour vous l'annoncer. Mais je ne pensais pas que ça irait aussi vite. Baiba était certaine de passer Noël.

– À moi, elle a dit qu'elle était certaine de ne pas vivre jusqu'à Noël.

– Elle ne disait pas tout à fait la même chose aux uns et aux autres. Je crois qu'elle voulait nous faire partager l'incertitude dans laquelle elle-même vivait chaque jour.

Lilja était une vieille amie et collègue de Baiba. Elles se connaissaient depuis l'adolescence, lui expliqua-t-elle.

– Baiba m'avait parlé de vous il y a longtemps. Un jour elle m'a appelée en disant : « Ça y est, mon ami suédois est arrivé. Je l'emmène au café de l'hôtel Latvija cet après-midi. Passe au café, tu le verras. » J'y suis allée, je vous ai vu.

Wallander n'en revenait pas.

– Baiba m'a parlé de vous, dit-il poliment. Si je comprends bien, nous ne nous sommes jamais rencontrés…

– Non. Mais je vous ai vu. Baiba a toujours eu beaucoup d'estime pour vous. À cette époque-là, elle vous aimait.

Elle fondit à nouveau en larmes. Wallander attendit. Le tonnerre grondait au loin – c'était vraiment un été à orages. Il l'entendit tousser, puis se moucher.

– Et maintenant ? demanda-t-il quand elle se fut excusée.

– Je ne sais pas.

– Qui sont ses proches ?

– Sa mère, ses frères, ses sœurs.

– Sa mère doit être âgée… Je ne me souviens pas d'avoir jamais entendu Baiba parler de sa mère.

– Elle a quatre-vingt-quinze ans, mais toute sa tête. Elle a été informée de sa mort. Elles avaient une relation difficile, depuis toujours.

– Pourrez-vous me dire quand auront lieu les obsèques ?

– Je vous le promets.

– Vous a-t-elle parlé de sa dernière visite en Suède ?

– Oui.

– Que vous a-t-elle dit ?
– Presque rien.
– Elle a bien dû dire quelque chose sur moi ?
– Presque rien. Vous savez, nous avions beau être amies, Baiba ne laissait personne l'approcher vraiment.
– Je sais. Je la connaissais aussi. Pas de la même manière que vous, bien sûr.

Après cette conversation, il s'allongea sur son lit et regarda le plafond, où une tache d'humidité était apparue quelques mois auparavant. Il resta ainsi très longtemps avant de s'asseoir à la table de la cuisine.

Peu après vingt heures, il appela Linda et lui annonça la nouvelle. Il le fit avec la plus grande difficulté. Son désespoir était à peine supportable.

29

Les funérailles de Baiba Liepa furent célébrées dans une chapelle du centre de Riga le 14 juillet, à onze heures du matin. Wallander était arrivé la veille à bord d'un vol en provenance de Copenhague. Dès sa descente d'avion il trouva aux lieux un air familier, même si le terminal avait été reconstruit et que les appareils de l'armée soviétique qui s'alignaient en 1991 sur le tarmac n'étaient plus là. Par les vitres du taxi, il vit une ville très différente de celle dont il gardait le souvenir. Certes, dans les faubourgs, il y avait encore ici et là des fermes délabrées avec des porcs farfouillant dans les tas de fumier. Et dans la ville elle-même, les vieux bâtiments étaient toujours là. Mais les panneaux avaient été remplacés, les façades repeintes, les trottoirs réparés. La différence la plus saisissante, c'étaient les gens, leur allure, leurs vêtements, et les voitures qui patientaient aux feux rouges et à l'entrée des parkings du centre-ville.

Une pluie tiède tombait sur Riga le jour de l'arrivée de Wallander. Lilja – Blooms de son nom de famille – l'avait appelé comme promis pour lui communiquer la date, l'heure et le lieu de la cérémonie. Il n'avait posé qu'une question : sa présence ne risquerait-elle pas d'être jugée déplacée ?

– Et pourquoi ?

– Il y a peut-être des choses que j'ignore ?

– Tout le monde ici sait qui vous êtes. Baiba parlait de vous. Vous n'étiez pas un secret.

– Tout dépend de ce qu'elle disait de moi.

– Pourquoi êtes-vous si inquiet ? Je croyais que vous vous aimiez. Je croyais que vous alliez vous marier. Nous le croyions tous.

– Elle n'a pas voulu.

Il perçut sa surprise au téléphone.

– Ah bon ? Nous pensions que la rupture venait de vous. Baiba n'a rien dit, et nous avons mis un long moment à comprendre que c'était fini entre vous. Elle n'a jamais voulu en parler.

C'était Linda qui l'avait persuadé de se rendre à Riga. Quand il lui avait annoncé la mort de Baiba au téléphone, elle était aussitôt venue chez lui. Si émue qu'elle en avait les larmes aux yeux. Grâce à cela, il avait pu pleurer ouvertement, lui aussi. Il était resté longtemps à lui raconter ses souvenirs du temps où Baiba et lui étaient ensemble.

– Le mari de Baiba, Karlis, a été tué. Meurtre politique, à une époque où les tensions étaient très fortes entre les Russes et les Lettons. Je suis allé à Riga pour participer à l'enquête suite à cet assassinat. Mais je ne soupçonnais alors pas les fractures, pour ne pas dire les abîmes, qui existaient dans ce pays. C'est à ce moment-là que j'ai vu pour la première fois à quoi ressemblait le monde de la guerre froide en réalité. Cela fait dix-sept ans.

– Je me souviens de ce voyage, dit Linda. Je suivais des cours au lycée pour adultes à l'époque, je ne savais pas ce que j'allais devenir. Même si, au fond, j'aurais dû admettre déjà que je voulais faire partie de la police.

– Dans mon souvenir, tu parlais de tout sauf de ça.

– Ça aurait dû éveiller tes soupçons.

– Je n'ai rien soupçonné non plus au sujet de Baiba quand Karlis Liepa a débarqué au commissariat d'Ystad.

Wallander s'en souvenait comme si c'était hier. L'arrivée du collègue letton, sa manie de fumer des cigarettes à la chaîne, suscitant les véhémentes protestations de tous les policiers non fumeurs du commissariat. À part cela, Karlis Liepa était un homme taciturne, excessivement discret – Wallander s'était bien entendu avec lui. Un soir, alors qu'une tempête de neige faisait rage sur Ystad, il l'avait ramené chez lui à Mariagatan et lui avait offert un whisky. À sa grande joie, il avait découvert que le major Liepa était un amateur d'opéra presque aussi passionné que lui. Ils avaient écouté un enregistrement de *Turandot* avec Maria Callas pendant que la neige tourbillonnait, chassée par le vent le long des rues désertes de la ville.

Où était ce disque maintenant ? Il ne figurait pas parmi ceux qu'il avait retrouvés la veille au grenier.

Ce fut Linda qui lui fournit la réponse :

– Tu me l'as offert à l'époque où je rêvais de devenir comédienne. J'avais l'idée de faire un one woman show sur le destin tragique de Maria Callas. Tu t'imagines ? S'il y a quelqu'un à qui je ne ressemble pas, c'est bien à une petite Grecque.

– Aux nerfs fragiles, compléta Wallander.

– C'était quoi, au fait, le métier de Baiba ? Elle enseignait, il me semble, mais quoi ?

– Quand je l'ai rencontrée, elle traduisait des textes techniques de l'anglais. Mais elle était ingénieur au départ. Elle avait plusieurs cordes à son arc.

– Il faut que tu ailles là-bas et que tu assistes à son enterrement. Fais-le pour toi.

Ce ne fut pas facile, mais elle finit par le convaincre. Elle veilla aussi à ce qu'il s'achète un costume neuf, l'accompagnant jusqu'au magasin, à Malmö. Quand il sortit de la cabine en déclarant que le prix de ce costume qu'elle l'avait obligé à essayer le laissait sans voix, elle lui expliqua que c'était un vêtement de qualité qu'il conserverait le restant de ses jours.

– Les gens se marient de moins en moins, dit Linda. Par

contre, à ton âge, le nombre d'enterrements augmente, alors il te faut un costume sombre, un point c'est tout.

Il marmonna une réponse inaudible et paya le costume. Linda ne lui demanda pas de répéter ce qu'il avait dit.

Après avoir payé le taxi, il porta sa petite valise jusqu'à la réception de l'hôtel Latvija. Le café où Lilja Blooms l'avait vu en compagnie de Baiba n'existait plus ; ce fut la première chose qu'il remarqua. On lui donna la chambre 1516. En sortant de l'ascenseur, il eut la sensation que c'était précisément celle qu'il avait occupée lors de sa première visite à Riga. Les chiffres 5 et 6 figuraient sur la porte, il en était certain. Il l'ouvrit et entra. La chambre ne ressemblait pas du tout à son souvenir. Mais la vue depuis la fenêtre était la même : une belle église dont il ne se rappelait pas le nom. Il défit ses bagages et suspendit son costume neuf à un cintre. La pensée que c'était dans cet hôtel, peut-être même dans cette chambre, qu'il avait rencontré Baiba pour la première fois, lui causa une douleur quasi physique.

Il alla se rafraîchir le visage dans la salle de bains. Il n'était pas plus de midi et demi. Il n'avait aucun projet, à part peut-être se promener. Il voulait pleurer Baiba et se souvenir d'elle telle qu'elle était quand il l'avait connue.

Soudain il lui vint une pensée à laquelle il n'avait encore jamais osé se confronter. Son amour pour Baiba avait-il été plus fort que son amour pour Mona ? Malgré le fait que celle-ci fût la mère de Linda ? Il ne le savait pas. Il ne serait jamais certain de la réponse.

Il sortit, erra dans la ville, déjeuna au restaurant alors qu'il n'avait pas vraiment faim. Le soir venu, il s'assit dans l'un des bars de l'hôtel. Une fille d'une vingtaine d'années s'approcha et lui demanda s'il voulait de la compagnie. Il ne répondit même pas ; se contenta d'un signe négatif de la tête.

Juste avant que le restaurant de l'hôtel ne ferme, il dîna

d'un plat de pâtes auquel il toucha à peine. Il but du vin rouge et constata au moment de se lever de table qu'il était ivre.

Il avait plu pendant qu'il dînait mais le ciel était à présent dégagé. Il alla chercher sa veste et sortit dans le soir d'été humide. Il se rendit sur la place de la Liberté où Baiba et lui s'étaient laissé photographier autrefois. Quelques jeunes munis de skate-boards occupaient la grande dalle au pied du monument. Il passa son chemin et revint à l'hôtel tard dans la soirée. Il s'endormit sur le lit après avoir juste ôté ses chaussures.

Au matin, un coup frappé à la porte l'arracha au sommeil et il pensa dans sa confusion que c'était Baiba. Mais en allant ouvrir, il vit une jeune femme. Il sentit aussitôt monter la colère ; il détestait que de jeunes prostituées puissent surgir ainsi à n'importe quelle heure du jour ou de la nuit, ça le mettait terriblement mal à l'aise. Il allait lui claquer la porte au nez quand quelque chose dans le regard de la fille le fit hésiter.

– Kurt Wallander ? Vous connaissiez ma mère, je crois.

Wallander fronça les sourcils, encore hésitant, mais la laissa entrer. Baiba avait-elle eu une fille dont il ignorait l'existence ? Soudain, il se demanda, effaré, si elle pouvait être de lui. Mais non, c'était impossible. Baiba le lui aurait dit. Il se laissa tomber sur le bord du lit et fit signe à la fille de s'asseoir dans le fauteuil. Blonde, dix-huit ou dix-neuf ans, habillée avec simplicité, pas de maquillage.

– Je m'appelle Vera. Je suis la fille d'Inese.

Alors il comprit. Inese, l'amie de Baiba, qu'il avait rencontrée lors de sa première visite à Riga. Elle était passée le prendre plusieurs fois pour lui faire rencontrer un groupe clandestin de résistance qui sollicitait son aide. Elle était morte sous ses yeux lors de la fusillade qui avait suivi l'irruption des forces spéciales dans le local qui leur servait de QG.

Il pouvait encore la voir. Écroulée, en sang, sur une chaise renversée.

– Oui, dit-il. J'ai rencontré ta mère. Nous ne nous connaissions pas bien. Elle était l'amie de Baiba.

– Lilja m'a dit que vous viendriez pour la cérémonie. Je ne veux pas vous déranger. J'avais simplement envie de vous voir, parce que vous avez connu ma mère et que moi, je n'ai pas de souvenirs d'elle. J'avais deux ans quand elle est morte.

– Je me souviens qu'elle était très belle, dit Wallander. Et aussi que c'était une femme courageuse et forte.

– Est-il vrai que vous étiez là quand ils l'ont tuée ?

Elle avait formulé sa question à toute vitesse. Wallander hocha la tête, mais ne répondit pas.

– J'interroge tous ceux qui ont pu la rencontrer. Il y a toujours un détail qui change, ou alors j'apprends des choses que je ne savais pas avant.

– Ça fait tellement longtemps. Je ne sais même plus faire la part entre ce que je me rappelle vraiment et ce que je crois seulement me rappeler.

Il s'efforça cependant de lui restituer de son mieux les fragments, les souvenirs isolés dont il croyait être certain, de la façon la plus honnête possible. Mais au moment de décrire la fin d'Inese, il dit simplement qu'elle était morte sur le coup.

Elle posa d'autres questions, mais il lui avait tout dit, n'avait rien de plus à lui offrir. Vera se leva, lissa sa jupe blanche. Un instant, Wallander crut voir une ressemblance entre elle et sa mère. Mais sa mémoire pouvait le trahir.

– Qui est ton père ? demanda-t-il.

– Je ne sais pas. Maman avait dit à Baiba qu'elle me le dirait quand je serais plus grande. Mais Baiba n'était pas au courant. Inese ne l'avait dit à aucune de ses amies. Des fois, je m'imagine qu'il était soviétique.

– Pourquoi ?

– Parce que ma mère n'a jamais parlé de lui, à personne. Elle en avait peut-être honte.

Elle lui serra la main.

– Merci pour la conversation. J'ai vu que vous vouliez me claquer la porte au nez. Vous pensiez que je venais proposer mes services.

– Je ne sais pas ce que j'ai pensé.

– Lilja passera à dix heures. Elle m'a demandé de vous le dire. Elle vous accompagnera jusqu'à la chapelle.

Il lui ouvrit la porte et la regarda s'éloigner en direction des ascenseurs. Puis il enfila son costume de deuil et descendit prendre son petit déjeuner. Il n'avait absolument pas faim.

À l'aéroport de Kastrup, il avait acheté deux demi-bouteilles de vodka. Il en avait glissé une dans la poche intérieure de sa veste. Dans l'ascenseur, il dévissa la capsule et avala une rasade.

Wallander attendait à la réception quand Lilja Blooms franchit les portes vitrées. Elle l'identifia aussitôt et s'avança vers lui. Il s'en étonna, puis se rappela qu'elle l'avait déjà vu à son insu au café Latvija.

Lilja était petite, ronde, les cheveux très courts, presque ras. Il ne l'avait pas du tout imaginée ainsi. Pour lui, elle devait ressembler à Baiba. En la saluant, il s'aperçut qu'il était embarrassé sans savoir pourquoi.

– La chapelle n'est pas loin, dit-elle. Dix minutes à pied. J'ai le temps de fumer une cigarette dehors.

– Allons-y.

Ils étaient devant l'hôtel, au soleil, Lilja avec des lunettes noires et une cigarette allumée, quand elle lui dit soudain avec le plus grand sérieux :

– Elle était ivre.

Wallander mit un instant à comprendre de qui elle parlait.

– Baiba ?

– Oui. C'est ce qu'a montré l'autopsie. Un taux élevé d'alcool dans le sang quand elle a quitté la route.

– J'ai du mal à le croire.

– Moi aussi. Tous ses amis s'interrogent. Mais comment savoir ? Que savons-nous de la façon dont raisonne une personne condamnée ?

– Quoi, elle aurait foncé exprès dans ce mur ?

– On n'aura jamais la moindre certitude, alors ça ne sert à rien de ruminer là-dessus. Tout ce qu'on sait, c'est qu'elle n'a pas freiné. Il n'y a aucune trace de freinage. Et on a le témoignage d'un automobiliste qui roulait derrière elle à un moment donné et qui a reconnu sa voiture après l'accident. Elle ne roulait pas très vite, mais elle zigzaguait, a-t-il dit.

Wallander essayait d'imaginer la scène – les derniers instants de la vie de Baiba. Accident ou suicide ? Il ne pouvait être sûr de rien. Une autre pensée le traversa. La mort de Louise von Enke pouvait-elle aussi avoir été accidentelle, tout compte fait ?

Il ne poursuivit pas cette idée jusqu'à son terme. Lilja avait éteint sa cigarette et proposé qu'ils se mettent en route. Il s'excusa en disant qu'il devait déposer sa clé à la réception. Il en profita pour se rendre aux toilettes et boire un coup de vodka. Il se regarda dans le miroir. Un homme vieillissant, inquiet de ce qui l'attendait au cours de la petite portion de vie qu'il lui restait à vivre.

Ils arrivèrent à la chapelle et pénétrèrent dans la pénombre, rendue plus sombre encore par le soleil éclatant du dehors. Wallander mit un long moment à s'y accoutumer.

Soudain, il imagina que l'enterrement de Baiba Liepa était une répétition générale de son enterrement à lui. Cela lui fit si peur qu'il faillit sortir. Il n'aurait jamais dû venir à Riga. Il n'avait rien à faire en ce lieu.

Mais il resta assis et réussit, en grande partie grâce à l'alcool qu'il avait bu, à maîtriser ses larmes, même confronté au chagrin ouvert de Lilja Blooms assise à côté de lui. Le cercueil ressemblait à une île au milieu de la mer – un écrin secret contenant le corps d'une femme qu'il avait aimée.

Pour une raison insondable, l'image de Håkan von Enke lui apparut. Il la repoussa, exaspéré.

Il commençait à être ivre. C'était comme si la cérémonie ne le concernait pas du tout. Quand ce fut fini et que Lilja Blooms s'avança pour embrasser la mère de Baiba, il s'esquiva et quitta discrètement la chapelle. Il partit sans se retourner, se rendit tout droit à l'hôtel et demanda au réceptionniste de téléphoner pour changer son billet d'avion. Son vol était prévu pour le lendemain, mais il voulait rentrer le plus vite possible. Quand on lui apprit qu'il y avait une place sur un vol pour Copenhague en fin d'après-midi, il boucla sa valise et quitta l'hôtel en taxi, toujours dans son costume de deuil, inquiet à l'idée que Lilja Blooms ne se mette en tête de le rattraper et de le retenir. Il attendit près de trois heures, assis sur un banc derrière le terminal, jusqu'au moment de franchir les contrôles.

Dans l'avion, il continua de boire. En sortant du taxi devant chez lui, il faillit tomber. Jussi était chez le voisin comme d'habitude, et il résolut d'aller le chercher seulement le lendemain.

Il s'effondra sur son lit et dormit d'un sommeil très profond jusqu'au matin neuf heures. Il éprouvait un remords intense d'avoir fui ainsi sans même dire au revoir à Lilja. Il allait être obligé de l'appeler et de présenter une excuse valable. Mais que pourrait-il lui dire ?

Wallander avait la migraine. Pas le moindre antalgique dans la maison, il avait fouillé l'armoire à pharmacie et tous les tiroirs de la cuisine. Comme il ne se sentait pas la force d'aller jusqu'à Ystad, il profita de ce qu'il allait chercher Jussi pour demander à sa voisine si elle pouvait le dépanner. Elle lui donna un verre d'eau avec deux comprimés, plus quelques autres à rapporter chez lui.

Une fois rentré, il enferma Jussi dans le chenil. Le voyant rouge du répondeur clignotait. Sten Nordlander avait cherché à le joindre. Il le rappela sur son portable.

– Il y a trop de vent, cria Nordlander. Je te rappelle. Il faut juste que je trouve un coin abrité.

– Je suis à la maison.

– Dans dix minutes, ça te va ?

– Oui.

– À tout à l'heure.

Il s'assit à la cuisine pour attendre. Jussi tournait dans sa cage, très occupé à détecter d'éventuelles visites de souris ou d'oiseaux en son absence. De temps à autre il levait la tête vers la fenêtre de la cuisine. Wallander agitait alors la main, mais Jussi ne réagissait pas, il ne pouvait pas voir aussi loin ; il savait juste que Wallander était là. Celui-ci ouvrit la fenêtre. Jussi se dressa aussitôt contre la clôture en remuant la queue.

Le téléphone sonna. Cette fois, la transmission était bonne.

– Je suis sur une petite île, un rocher plutôt, près de Möja. Tu connais ?

– Non.

– C'est au bout du bout de l'archipel de Stockholm. Très beau.

– Tu as bien fait de chercher à me joindre, dit Wallander. J'aurais dû te prévenir avant. Il s'est passé quelque chose. Håkan s'est montré.

– Quoi ?

Il lui raconta l'incident en peu de mots.

– C'est extraordinaire, dit Sten Nordlander. Tu sais, au moment de débarquer sur ce rocher, je pensais à lui.

– Pour une raison particulière ?

– Il aimait les îles. Un jour, il m'a parlé d'un rêve qu'il

avait, étant jeune, celui de visiter les îles de toutes les mers du monde.

– L'a-t-il réalisé ?

– Je ne le crois pas. Louise n'aimait pas trop ni l'avion ni le bateau.

– Ah bon ? Et ce n'était pas un problème entre eux ?

– Pas à ma connaissance. Il était très attaché à elle, et elle à lui. Les rêves ont une valeur en soi ; on n'est pas obligé de les convertir en pratique.

Ils convinrent que Nordlander le rappellerait quand il serait de retour sur le plancher des vaches.

Wallander posa doucement son téléphone sur la table. Puis il resta immobile. Il avait la sensation de savoir où était Håkan von Enke. Sten Nordlander lui avait montré dans quelle direction chercher.

Il n'avait pas la moindre preuve. Pas même un indice digne de ce nom. Pourtant il était sûr de lui.

Il pensa soudain à un livre qu'il avait vu sur l'étagère de Signe von Enke. *La Belle au bois dormant.* Ça fait longtemps que je sommeille, pensa-t-il. J'aurais dû me réveiller plus tôt.

Il se faisait vraiment vieux. Pour être à ce point aveugle qu'il ne voyait pas ce qui était sous son nez.

Jussi se mit à aboyer. Wallander alla lui porter son repas.

Il partit le lendemain de très bonne heure. La voisine parut surprise de le voir revenir avec Jussi.

Elle lui demanda combien de temps il comptait s'absenter cette fois. Il lui dit la vérité.

Il ne le savait pas. Il n'en avait pas la moindre idée.

30

Le bateau qu'il réussit à louer était un hors-bord en plastique de six mètres équipé d'un moteur Evinrude 7CV. Le loueur lui prêta aussi une carte marine. Wallander avait choisi le bateau pour sa taille, qui lui permettrait de le manœuvrer à la rame sans aide ; il pensait que ce serait nécessaire. Au moment de signer le contrat, il montra sa carte de police. Le loueur réagit vivement.

– Tout va bien, le rassura Wallander. Il me faudrait aussi une nourrice d'essence. Je serai peut-être de retour dès demain, ou alors dans un jour ou deux. Quoi qu'il arrive, tu as mon numéro de carte de crédit.

– Il s'est passé quelque chose ?

– Rien du tout, sinon que je vais faire une surprise à un ami qui fête ses cinquante ans.

Wallander n'avait pas préparé ce mensonge. Il était tellement habitué à inventer des prétextes que ceux-ci se présentaient désormais d'eux-mêmes.

Le hors-bord était coincé entre deux bateaux à moteur plus puissants, dont un Storö. Il n'y avait pas de bouton électrique, mais le moteur démarra dès que Wallander eut tiré la ficelle. Le loueur, qui avait l'accent finlandais, l'avait précédemment assuré de sa fiabilité.

– Je m'en sers moi-même pour aller pêcher. Le problème, c'est juste qu'il n'y a plus de poissons. Mais j'y vais quand même.

Il était seize heures. Wallander était arrivé à Valdemarsvik une heure plus tôt, et il avait déjeuné dans ce qui semblait être l'unique restaurant du bourg avant de partir à la recherche du loueur de bateaux qui était en fait situé tout à côté. Wallander avait préparé un sac à dos contenant, entre autres choses, deux lampes torches et un pique-nique. Il avait aussi emporté des vêtements chauds même si, là tout de suite, le soleil d'après-midi cognait fort.

En montant vers l'Östergötland, il avait essuyé plusieurs averses. L'une avait été si violente qu'il avait dû s'arrêter sur une aire de stationnement, juste avant Rönneby. Il écoutait la pluie tambouriner contre le toit et dégouliner sur le pare-brise en se demandant s'il avait vu juste. Son intuition l'avait-elle trahi ? Ou avait-il interprété correctement la situation ?

Il était resté là près d'une demi-heure, seul avec ses pensées. Puis, brusquement, la pluie avait cessé et il avait fini par arriver à Valdemarsvik. À présent, le ciel était dégagé et il n'y avait presque pas de vent. L'eau de la baie était à peine ridée par une brise légère.

Ça sentait la glaise, l'argile. Il s'en souvenait depuis sa précédente visite.

Wallander démarra. Le loueur resta longtemps à le regarder s'éloigner avant de retourner à son bureau. Wallander avait résolu de quitter la longue baie de Valdemarsvik en profitant de la lumière du jour. Puis il se mettrait au mouillage quelque part en attendant le crépuscule d'été. Il avait essayé, sans succès, de calculer dans quelle phase se trouvait la lune. Il aurait pu appeler Linda. Mais il ne voulait pas révéler où il allait, ni pourquoi. Une fois sorti de la baie, il appellerait Martinsson. À supposer qu'il appelle quelqu'un. La mission qu'il s'était pour ainsi dire confiée à lui-même ne dépendait pas du clair de lune. Mais il voulait savoir ce qui l'attendait.

Quand il commença à apercevoir la haute mer entre les

îlots, il ralentit et étudia la carte plastifiée que lui avait passée le loueur. Il fit le point, puis choisit un endroit bien situé, à proximité de son but, où il pourrait attendre la nuit. Mais en approchant, il découvrit qu'il était déjà pris. Plusieurs bateaux étaient au mouillage près des rochers. Il continua donc et trouva enfin un îlot, un simple rocher planté de quelques arbres, où il put accoster à la rame après avoir remonté le moteur. Il enfila sa veste, s'adossa à un arbre, sortit sa Thermos et se versa un café. Puis il appela Martinsson. Cette fois encore, ce fut une gamine qui répondit, peut-être la même que la dernière fois.

– Tu as de la chance, dit Martinsson, qui venait de prendre le combiné. Ma petite-fille devient ta secrétaire.

– La lune, dit Wallander.

– Qu'est-ce qu'elle a ?

– Laisse-moi finir avant de poser des questions.

– Excuse, mais je ne peux pas laisser les petits tout seuls trop longtemps.

– Je comprends. Je ne te dérangerais pas si ce n'était pas important. Tu as un calendrier ? Dans quelle phase est-elle ?

– Quoi, la lune ? Tu te lances dans des aventures astronomiques maintenant ?

– Peut-être. Alors ?

– Un instant.

Martinsson posa le téléphone. Il avait entendu à la voix de Wallander qu'il n'obtiendrait rien.

– C'est la nouvelle lune, dit-il en revenant. Un tout petit croissant de rien du tout. À moins que tu ne sois ailleurs qu'en Suède.

– Non. Merci. Je t'expliquerai.

– J'ai l'habitude d'attendre.

– Quoi ?

– Les explications. Celles de mes enfants en particulier. Mais c'était surtout quand ils étaient plus jeunes et qu'ils ne faisaient jamais ce que je leur disais de faire.

– Linda était pareille, dit Wallander en essayant de paraître intéressé.

Il le remercia encore une fois puis rangea son téléphone. Il mangea deux tartines et s'allongea ensuite, une pierre plate en guise d'oreiller.

Les douleurs arrivèrent de nulle part. Il était allongé et regardait le ciel où criaillaient quelques mouettes quand il sentit soudain un élancement aigu dans le bras gauche, se diffusant en direction de la poitrine et de l'estomac. Il crut d'abord que c'était un caillou pointu ou quelque chose de ce genre. Puis il comprit que ça venait de l'intérieur, et pensa que ce qu'il avait toujours redouté venait enfin de se produire. Un accident cardio-vasculaire.

Il resta absolument immobile, raide, terrifié, retenant son souffle, craignant qu'une nouvelle inspiration n'épuise la capacité de son cœur à battre.

Le souvenir de la mort de sa mère lui revint d'un coup. C'était comme si ses derniers instants se rejouaient là, devant lui. Elle n'avait que cinquante ans. Elle n'avait jamais travaillé hors du foyer. Elle avait lutté pour faire vivre la maisonnée avec un mari lunatique aux revenus toujours incertains et leurs deux enfants, Kurt et Kristina. Ils vivaient à Limhamn à l'époque ; ils avaient pour voisins une autre famille, que le père de Wallander ne supportait pas. Le père de l'autre famille était cheminot. Il n'avait jamais fait de mal à quiconque mais un jour, par pure amabilité, il avait demandé au père de Wallander si ça ne lui ferait pas du bien de peindre de temps en temps un autre motif que son éternel paysage de forêt, juste comme ça, pour changer. Wallander avait surpris la conversation. Le voisin cheminot, qui s'appelait Nils Persson, avait cité en exemple sa propre vie professionnelle. Après une longue période où il n'avait fait que l'aller-retour entre Malmö et Alvesta, il se réjouissait d'être mis sur l'express qui reliait Malmö à Göteborg et qui poussait même parfois jusqu'à Oslo. Le père de Wallander était naturellement entré dans une rage folle et avait coupé les ponts du jour au lendemain. Et la mère de Wallander, tout aussi naturellement, avait alors dû jouer les intermédiaires et arrondir les angles pour que les relations de voisinage restent à peu près supportables.

Sa mort était survenue brutalement un après-midi, au début de l'automne 1962. Elle était dehors dans leur petit jardin, en train d'étendre le linge. Wallander venait de rentrer de l'école et mangeait des tartines dans la cuisine. En se retournant il l'avait vue, par la fenêtre, les mains remplies de pinces à linge et de taies d'oreiller. Il avait fini sa tartine. Quand il s'était retourné la fois suivante, elle était à genoux, les mains crispées sur la poitrine. Il avait cru tout d'abord qu'elle avait perdu quelque chose, puis il l'avait vue tomber sur le côté, lentement, comme si elle résistait jusqu'au bout à sa propre chute. Il s'était précipité dehors en criant son nom, mais trop tard. Le médecin avait par la suite évoqué un AVC massif. Même à l'hôpital, avait-il dit, on n'aurait pas pu la sauver.

Il revoyait la scène à présent – une succession d'images papillotantes, frénétiques – tout en essayant de repousser les douleurs qui l'assaillaient. Il ne voulait pas finir sa vie prématurément comme sa mère. Surtout il ne voulait pas mourir là, tout seul, sur un îlot de la Baltique.

Il se mit à prier en silence, en colère. Ses prières ne s'adressaient pas à un Dieu, plutôt à lui-même. Résister, ne pas se laisser entraîner dans le silence. Et il remarqua pour finir que les douleurs n'augmentaient pas, et que son cœur battait toujours. Il s'obligea à rester calme, à agir raisonnablement, à ne pas céder à la panique. Prudemment, il se redressa en position assise. Puis il tâtonna au sol jusqu'à trouver le téléphone qu'il avait posé à côté du sac à dos. Il commença à composer le numéro de Linda, puis se ravisa. Que pourrait-elle faire ? S'il s'agissait réellement d'un AVC, il devait appeler le 112.

Mais quelque chose le retint. Peut-être la sensation que la douleur diminuait ? Il tâta son pouls et constata qu'il était régulier. Il fit prudemment pivoter son bras gauche et trouva une position où la douleur s'atténuait, une autre où elle était plus forte. Cela ne correspondait pas aux symptômes de l'infarctus aigu. Il décida de prendre son pouls. 74 battements par minute. Son pouls normal se situait entre 66 et 78 ; rien à signaler donc de ce côté-là. C'est le stress, pensa-t-il. Mon corps simule le danger qui me guette si je ne me calme pas, si je persiste à me croire irremplaçable et si je ne prends pas de sérieuses vacances.

Il se rallongea. La douleur continuait de décroître, même si elle restait présente en sourdine, comme une menace.

Une heure plus tard, il osa se dire qu'il n'avait pas eu d'AVC. Juste un avertissement. Peut-être devrait-il rentrer chez lui, appeler Ytterberg et lui faire part de ses conclusions. En définitive, il décida de rester. Il était venu jusque-là, alors il voulait savoir s'il avait eu raison ou pas. Quel que soit le résultat, il laisserait Ytterberg prendre la suite. Il n'aurait plus besoin de s'en occuper.

Un soulagement immense l'envahit. C'était comme une ivresse de vie, telle qu'il n'en avait pas éprouvé depuis des années. Il avait envie de se mettre debout et de hurler droit vers la mer. Mais il resta assis, contre le tronc, regarda les bateaux qui passaient, respira l'odeur marine. Il faisait encore chaud. Il se rallongea en se couvrant de sa veste et s'endormit. Il se réveilla après un petit quart d'heure. La douleur avait presque entièrement disparu. Il se leva et fit le tour de l'îlot. Côté sud, la paroi rocheuse était presque verticale. Il dut faire effort pour la contourner, au ras de l'eau.

Soudain, il se ratatina. Une faille s'ouvrait dans le rocher à vingt mètres environ devant lui. Un bateau était au mouillage devant, et un youyou avait été tiré sur les galets. À l'abri de la faille, un homme et une femme faisaient l'amour. Il s'écrasa contre la paroi mais ne put résister à la tentation de regarder. Ils étaient jeunes, une vingtaine d'années tout au plus. Il resta comme hypnotisé par leurs corps nus jusqu'au moment où il réussit à s'arracher à sa vision et à retourner sans bruit par où il était venu. Quelques heures plus tard, alors que le crépuscule tombait enfin, il vit le bateau s'éloigner avec le youyou en remorque. Il se leva et agita la main. Le garçon et la fille lui rendirent son salut.

D'une certaine manière, il les enviait. Mais ce n'était pas une envie sombre. Il n'avait jamais éprouvé le désir de retrouver sa jeunesse. Ses premières expériences érotiques avaient été, comme celles de presque tout le monde sans doute, incertaines, mal assurées, déconfites, souvent à la limite de la gêne pure et simple. Il avait toujours écouté avec un certain scepticisme les récits de conquête de ses camarades. Mona était la première avec laquelle il avait accédé à une vraie jouissance. Les premières années, ils avaient partagé une sexualité qu'il n'aurait jamais crue possible. Avec quelques rares autres femmes, il avait connu des expériences intenses, mais pas autant qu'avec Mona au début de leur relation – la grande exception étant naturellement Baiba.

Il ne lui était cependant jamais arrivé de coucher avec quelqu'un sur un rocher en pleine mer. Son plus grand défi, dans ce style-là, avait été la fois où, légèrement ivre, il avait attiré Mona dans les toilettes du train… Mais ils avaient été interrompus par des coups rageurs frappés à la porte. Mona avait trouvé cela affreusement embarrassant. Très en colère, elle l'avait fait jurer de ne plus l'entraîner dans des aventures pareilles.

Il n'avait jamais réessayé. Vers la fin de leur longue vie conjugale, le désir avait presque disparu chez l'un comme chez l'autre, même s'il était réapparu chez lui avec une violence extraordinaire quand elle lui avait annoncé son intention de divorcer. Mais elle avait refusé de l'accueillir. Définitivement.

Soudain, il crut voir sa vie de façon très claire. Quatre décisions, pas plus, pensa-t-il. La première quand j'ai fait le choix de devenir policier en bravant l'opposition d'un père dominateur. La deuxième quand j'ai tué un homme et failli abandonner le métier que j'avais choisi. La troisième quand j'ai quitté Mariagatan, quand j'ai emménagé à la campagne et que j'ai eu Jussi. La quatrième, peut-être, quand j'ai enfin accepté que Mona et moi, nous ne vivrions plus jamais ensemble. Ça a sans doute été l'épreuve la plus difficile. Mais j'ai assumé mes choix. Je n'ai pas tergiversé jusqu'à découvrir un jour qu'il était trop tard. Ce que j'ai fait, je le dois à moi et à moi seul. Quand je vois l'amertume chez beaucoup de gens de mon entourage, je suis content de ne pas être à leur place. Malgré tout, j'ai essayé d'être responsable de ma vie, de ne pas la laisser dériver simplement au fil de l'eau.

Les moustiques arrivèrent en même temps que la nuit. Il avait heureusement pensé à prendre un stick de protection ; il se le passa sur la peau et se serra ensuite dans son anorak en relevant la capuche. On entendait de moins en moins de moteurs de bateau. Un voilier solitaire glissait en silence vers le large.

Peu après minuit il quitta son îlot, entouré par les moustiques qui lui bourdonnaient aux oreilles. Il suivait les silhouettes de plus en plus sombres des îles bordant la route qu'il s'était tracée avec l'aide de la carte. Il avançait lentement, vérifiant régulièrement qu'il n'avait pas dévié de son cap. En approchant du but, il ralentit encore, puis coupa les gaz. Le vent s'était levé mais n'était guère plus qu'une brise nocturne. Il releva le moteur, sortit les avirons et commença à ramer. Par intervalles il se reposait et scrutait la pénombre. Il ne distinguait pas la moindre lumière. Cela lui causait du souci ; ça ne correspondait pas à ses prévisions.

Il rama jusqu'au rivage. Le bateau racla les galets quand il le tira au sec. Puis il l'attacha à un bouquet d'aulnes qui poussaient au bord. Il avait préparé ses lampes torches. Il en avait une dans la poche, l'autre à la main.

Il cherchait à présent, parmi les restes de pique-nique et les vêtements de rechange, son arme de service. Il avait hésité jusqu'au bout, mais pour finir il l'avait emportée, avec un chargeur. Sans savoir vraiment pourquoi. Il ne pensait pas s'exposer à un danger physique.

Mais Louise est morte, pensa-t-il. Et Hermann Eber m'a convaincu qu'elle a été tuée. Je dois partir de l'hypothèse que Håkan peut être coupable, même si rien ne le confirme pour l'instant.

Il engagea le chargeur et vérifia qu'il avait mis le cran de sûreté. Il alluma sa lampe ; le filtre bleu dont il l'avait équipée était bien en place. Sa lumière serait difficile à déceler.

Il écouta dans l'obscurité. La rumeur de la mer dominait tous les autres sons. Il rangea le sac à dos, éclaira les aulnes et s'assura que le bateau était solidement amarré. Puis il se mit en route. Les fourrés poussaient très épais au bord de l'eau. Après quelques mètres, il marcha droit sur une toile d'araignée porte-croix ; l'énorme bestiole s'accrocha à son anorak et il se mit à gesticuler. Les serpents, il pouvait les supporter ; les araignées, non. Renonçant à se frayer un chemin par le sous-bois, il choisit de longer plutôt le rivage à la recherche d'un passage moins touffu. Après une cinquantaine de mètres, il arriva à un endroit où se dressaient les restes d'une vieille cale de radoub. Comme il n'était jamais encore venu sur l'île – l'ayant seulement aperçue de loin depuis un autre bateau –, il avait du mal à se repérer. Surtout qu'ils étaient passés à l'ouest, alors que lui l'abordait par le côté est, dans l'espoir qu'il serait désert.

Le téléphone sonna dans une de ses poches. Il fit tomber la lampe et chercha fébrilement l'appareil pour l'éteindre. Les sonneries se succédaient pendant qu'il fouillait ses vêtements en se maudissant à voix basse. Il compta au moins six sonneries avant de l'éteindre enfin. Sur l'écran, il vit que c'était

Linda qui cherchait à le joindre. Il activa le mode silencieux, rangea le téléphone dans une poche équipée d'une fermeture Éclair. À ses oreilles, les sonneries avaient retenti comme un véritable signal d'alarme. Il prêta l'oreille. Mais rien ne se voyait ni ne s'entendait dans le noir. À part la mer.

Prudemment, il progressa jusqu'à distinguer les contours de la maison plongée dans l'obscurité. Posté derrière un chêne, il la scruta. Mais rien. Pas le moindre rai de lumière. Je me suis trompé, pensa-t-il. Il n'y a personne. Ma conclusion n'était tout simplement pas la bonne.

Puis, soudain, il crut distinguer une faible lueur entre le bord inférieur d'une fenêtre et le store baissé par-dessus. En approchant, il vit également une lueur aux autres fenêtres.

À pas de loup, il contourna la maison. Elle était équipée comme pour un couvre-feu. Comme en temps de guerre. Comme s'il fallait tromper la vigilance de l'ennemi. Et l'ennemi, pensa Wallander, c'est moi.

Il s'approcha, colla l'oreille contre le mur de planches et écouta. Il perçut un murmure de voix entrecoupé de notes de musique. Un téléviseur ou une radio.

Il se retira parmi les ombres et essaya de prendre une décision. Il ne s'était pas projeté au-delà de cet instant. Que faire à partir de là ? Attendre le matin et frapper à la porte pour voir qui lui ouvrirait ?

Il hésita. Sa propre indécision l'irritait. Que craignait-il exactement ?

Il n'eut pas le temps de répondre. Une main s'était posée sur son épaule. Il sursauta, fit volte-face. Il avait beau savoir pourquoi il était venu, il fut quand même surpris de reconnaître le visage de Håkan von Enke. Il était mal rasé ; ses cheveux avaient poussé ; il portait un jean et une veste de survêtement.

Ils se regardèrent en silence, Wallander avec sa torche électrique à la main, Håkan von Enke pieds nus sur la terre mouillée.

– J'imagine que tu as entendu sonner mon téléphone, dit enfin Wallander.

Håkan von Enke secoua la tête. Il paraissait effrayé, mais triste aussi.

– J'ai une alarme. Je viens de passer dix minutes à essayer de savoir qui avait accosté.

– Ce n'était que moi.

– Oui, dit Håkan von Enke. Ce n'était que toi.

Ils entrèrent dans la maison. Ce fut alors seulement, à la lumière, que Wallander découvrit que Håkan von Enke portait lui aussi une arme. Un pistolet passé dans la ceinture de son pantalon. L'autre fois, à Djursholm, il l'avait eu sous sa veste.

De qui a-t-il peur ? De qui se cache-t-il ?

La rumeur de la mer ne s'entendait plus. Wallander contemplait l'homme qui avait choisi de se rendre invisible pendant si longtemps. L'un et l'autre gardaient le silence.

Puis ils commencèrent à parler. Lentement, comme s'ils s'approchaient l'un de l'autre avec d'infinies précautions.

Quatrième partie

Le mirage

31

Ce fut une longue nuit. Au cours de cet échange tâtonnant avec le fuyard, Wallander eut plusieurs fois la sensation de vivre la suite de la conversation qu'ils avaient eue six mois plus tôt dans une pièce sans fenêtres près de Stockholm. Ce qui se dévoilait à présent le surprenait, mais expliquait l'inquiétude qu'il avait perçue ce soir-là chez Håkan von Enke.

Il ne se faisait pas du tout l'effet d'un Stanley qui aurait retrouvé son Livingstone. Il avait deviné juste, c'était tout. Son intuition lui avait une fois de plus montré la voie. Quant à von Enke, à supposer qu'il ait été pris de court par ce débarquement inattendu, il n'en laissait rien paraître. Le vieux commandant donnait là une preuve de son sang-froid, pensa-t-il. Peu importent les circonstances, il n'était pas homme à se laisser démonter.

Le cabanon de chasse, qui semblait rudimentaire vu de l'extérieur, ne l'était pas du tout une fois le seuil franchi. Il n'y avait pas de cloisons : rien qu'un grand espace avec une cuisine ouverte. Un petit appentis y avait été ajouté pour abriter la salle de bains ; c'était la seule partie équipée d'une porte. Un lit était placé à un angle de la pièce. Spartiate, pensa Wallander. Il ressemblait moins à un lit qu'à une couchette, de celles dont tous se contentent à bord d'un sous-marin, y compris le capitaine. Le milieu de la pièce était occupé par une grande table couverte de livres, de dossiers, de papiers. Il y avait aussi une étagère avec une radio ; un fauteuil ancien tendu de rouge sombre et, à côté du fauteuil, une table plus petite supportant un téléviseur et un tourne-disque.

– Je ne croyais pas qu'il y aurait l'électricité sur l'île, dit Wallander.

– On a ouvert la roche à la dynamite et on a caché une génératrice au fond. On ne l'entend pas. Même par calme plat.

Håkan von Enke faisait chauffer le café, debout devant la cuisinière. Dans le silence, Wallander essaya de se préparer à la conversation qui allait suivre. Maintenant qu'il avait enfin retrouvé l'homme qu'il cherchait depuis si longtemps, il ne savait soudain plus quoi lui demander. Tout ce qu'il avait pensé auparavant lui faisait l'effet d'un fouillis de conclusions brouillonnes.

– Si je me souviens bien, dit von Enke, tu ne prends ni lait ni sucre ?

– C'est ça.

– Malheureusement, je n'ai pas de brioche à te proposer. Tu as faim ?

– Non.

Håkan von Enke dégagea une partie de la grande table. Wallander vit que la plupart des livres traitaient soit de stratégie militaire, soit de géopolitique. L'un d'eux, qui paraissait avoir été beaucoup feuilleté, s'intitulait ni plus ni moins *La Menace sous-marine*.

Il goûta son café ; il était très fort. Von Enke, lui, s'était préparé du thé. Wallander regretta son choix.

Il était une heure moins dix du matin. Håkan von Enke s'assit et soupira.

– Tu as beaucoup de questions, j'imagine. Il n'est pas certain que je puisse, ou que je veuille, répondre à toutes. Mais avant cela, je dois moi aussi t'en poser quelques-unes. La première : es-tu venu seul ?

– Oui.

– Quelqu'un sait-il où tu es ?
– Personne.
Von Enke hésitait visiblement à le croire.
– Personne, répéta Wallander. C'était mon idée. Je n'en ai pas parlé à qui que ce soit.
– Pas même à Linda ?
– Pas même à Linda.
– Comment es-tu arrivé ?
– Avec un petit hors-bord. Si tu veux, je te donne le nom du loueur. Mais il ne savait pas où j'allais. J'ai dit que je voulais surprendre un vieil ami qui fêtait son anniversaire. Il n'a aucune raison de ne pas me croire.
– Où est ce bateau ?
Wallander indiqua une direction par-dessus son épaule.
– De l'autre côté de l'île. Au sec.
Håkan von Enke contemplait sa tasse de thé en silence. Wallander attendit.
– Je ne suis pas vraiment surpris qu'on me trouve. Mais j'avoue que je ne pensais pas que ce serait toi.
– Alors ? Qui t'attendais-tu à voir, tout à l'heure ?
Håkan von Enke secoua la tête, il ne voulait pas répondre. Wallander décida de laisser la question en suspens.
– Comment as-tu fait ?
Le visage et la voix de von Enke étaient marqués par une grande lassitude. Ce devait être éprouvant d'être en fuite, même si on n'était pas en mouvement d'un endroit à un autre. Wallander décida de lui dire la vérité.
– Quand j'ai rendu visite à Eskil Lundberg sur Bokö, on est passés devant l'île sur le chemin du retour, et il a dit que ce cabanon était l'endroit parfait pour qui souhaitait disparaître un moment. Tu es au courant que je suis allé chez lui. Cette réflexion de Lundberg s'est gravée en moi. Elle ne m'a pas quitté, et quand j'ai appris un peu plus tard que tu nourrissais un amour spécial pour les îles, j'ai compris que tu pouvais être ici.

– Qui a parlé de moi et de mes îles ?

Wallander résolut de laisser Sten Nordlander en dehors de l'affaire. Il existait une autre source qu'il ne serait pas possible de vérifier.

– Louise, dit-il.

Von Enke hocha la tête en silence. Puis il se redressa de toute sa hauteur, comme s'il se préparait à ce qui allait suivre.

– Nous pouvons procéder de deux manières, dit Wallander. Soit tu me racontes à ton rythme. Soit tu réponds à mes questions.

– Suis-je accusé de quoi que ce soit ?

– Non. Mais Louise est décédée, et tu fais partie des suspects. C'est automatique.

– Bien sûr, je comprends.

Suicide ou meurtre ? pensa Wallander très vite. Pour Håkan, apparemment, la réponse ne fait aucun doute. Il comprit qu'il devait avancer prudemment. L'homme qui lui faisait face était malgré tout quelqu'un dont il ne savait presque rien.

– Raconte, dit-il. Je t'interromprai si nécessaire pour te demander des éclaircissements. Tu peux commencer par Djursholm. Ton anniversaire.

Håkan von Enke secoua énergiquement la tête. Sa fatigue paraissait envolée. Il se leva, alla remplir sa tasse à la bouilloire et y ajouta un nouveau sachet de thé. Il resta debout, sa tasse à la main.

– Ce serait prendre les choses par le mauvais bout, dit-il enfin. Je dois remonter au commencement. Il n'y en a qu'un. Un seul point de départ, qui est simple, mais entièrement vrai. J'aimais ma femme Louise par-dessus tout au monde. Dieu me pardonne ce que je vais dire maintenant, mais je l'aimais plus que mon fils. Louise était la lumière de mes jours. La regarder approcher, voir son sourire, l'entendre bouger dans une pièce voisine…

Il se tut et regarda Wallander avec une expression à la fois intense et provocante. Il exigeait une réaction.

– Oui, dit Wallander. Je te crois. C'est sûrement vrai, ce que tu dis.

Ensuite seulement Håkan von Enke commença son récit :

– Nous devons remonter loin dans le passé. Je ne vais pas tout te raconter en détail. Cela prendrait trop de temps, et d'ailleurs ce n'est pas nécessaire pour que tu comprennes. Mais nous devons revenir aux années 1960 et 1970. J'étais un officier d'active et, entre autres missions, j'assumais par périodes le commandement de l'un de nos dragueurs de mines les plus performants. Louise, elle, enseignait l'allemand et, dans ses moments de loisir, elle s'occupait de jeunes plongeuses qui étaient à l'époque les espoirs de l'équipe de Suède dans cette discipline. C'est ainsi qu'elle a eu l'occasion, en qualité d'interprète, de se rendre en Europe de l'Est, principalement en RDA, qui était considérée comme une pépinière de talents. Nous savons aujourd'hui que les prouesses de ces athlètes tenaient à un entraînement enragé, quasi esclavagiste, et à un dopage intensif minutieusement orchestré. À la fin des années 1970, j'ai intégré le commandement opérationnel suprême de la marine suédoise. Cette charge impliquait beaucoup de travail, y compris à la maison. Plusieurs soirs par semaine, je rapportais dans ma serviette des documents, dont certains étaient classés secret-défense. J'avais une armoire où je rangeais sous clé mon fusil et mes cartouches car j'aime chasser, surtout le chevreuil ; à l'occasion je participe aussi aux grandes chasses annuelles à l'élan. Je rangeais donc ma serviette dans cette armoire avant d'aller me coucher, ou alors avant de sortir quand Louise et moi allions au théâtre ou avions un dîner en ville.

Il s'interrompit, retira avec précaution le sachet de thé de sa tasse et le posa sur une soucoupe avant de reprendre.

– Quand remarque-t-on que quelque chose n'est pas tout à fait normal ? À quel moment les signes imperceptibles deviennent-ils perceptibles ? J'imagine qu'en tant que policier, tu es souvent confronté à des situations où tu perçois ces signaux diffus. Un matin, en ouvrant l'armoire, j'ai senti – je peux encore éprouver cette sensation : j'allais prendre ma serviette de cuir marron quand ma main a été arrêtée dans le geste de saisir la poignée... L'avais-je vraiment laissée dans cette position la veille au soir ? Ce n'était presque rien, je l'ai dit. Peut-être l'angle que formait la poignée par rapport au corps de la serviette... Mon hésitation a duré cinq secondes, pas plus. J'ai repoussé le soupçon. J'avais l'habitude de vérifier que les papiers étaient tous là avant de m'en aller. Ce matin-là n'a pas fait exception à la règle. Par la suite, je n'y ai plus pensé. J'estime être un bon observateur, doué d'une solide mémoire. Enfin, je devrais sans doute parler au passé. En vieillissant, toutes nos facultés se dégradent peu à peu. On ne peut qu'observer les dégâts, impuissant. Tu es bien plus jeune que moi, mais tu en as peut-être déjà fait l'expérience ?

– Les yeux, dit Wallander. Tous les deux ans, je suis obligé de m'acheter de nouvelles lunettes de lecture. Et il me semble que mon ouïe n'est plus ce qu'elle était.

– L'odorat, c'est encore le sens qui se défend le mieux, je trouve. Chez moi, c'est le seul qui soit intact. Le parfum des fleurs est aussi net à mes narines qu'il l'a toujours été.

Ils se turent. Wallander entendit comme un froissement dans le mur derrière lui et dressa l'oreille.

– Les souris, dit Håkan von Enke qui avait perçu sa réaction. Quand je suis arrivé sur l'île, il faisait encore froid et, par moments, le bruit était carrément infernal. Mais, comme nous le disions à l'instant, bientôt je ne les entendrai même plus.

– Je ne veux pas interrompre ton récit, dit Wallander. Mais le matin de ta disparition, es-tu venu ici directement ?

– On est venu me chercher.

– Qui ?

Von Enke secoua la tête, il ne voulait pas répondre. Wallander n'insista pas.

– Je reviens à mon armoire. Quelques mois plus tard, il m'a semblé de nouveau que la serviette avait été très légèrement déplacée. J'ai pensé une fois de plus que je me faisais des idées. Les papiers n'avaient pas été dérangés. Mais cela me causait du souci. Les clés de l'armoire se trouvaient sous un pèse-lettre, sur mon bureau. La seule personne à savoir où je rangeais les clés était Louise. J'ai fait ce qu'on doit faire quand on a un soupçon.

– Quoi ?

– Je l'ai interrogée. Elle prenait son petit déjeuner à la cuisine.

– Qu'a-t-elle répondu ?

– Elle a nié. Elle m'a demandé pourquoi diable elle s'intéresserait à l'armoire où je rangeais mon fusil. Je crois que cela ne lui plaisait pas, de savoir cette arme dans l'appartement, même si elle n'en avait jamais rien dit. Je me souviens que j'avais honte, ce matin-là, en descendant jusqu'à la voiture qui attendait dans la rue pour me conduire au quartier général de l'état-major. Mes fonctions de l'époque me donnaient droit à un chauffeur. Chez nous, c'était toujours un appelé.

– Qu'est-il arrivé ensuite ?

Wallander voyait bien que ses questions dérangeaient von Enke et que celui-ci préférait décider seul le tempo du récit. Il leva les mains en signe d'excuse. Il n'allait plus l'interrompre.

– J'étais convaincu que Louise m'avait dit la vérité. Mais la sensation persistait. Cette gêne, au moment de récupérer ma serviette le matin... Contre ma volonté, j'ai commencé à disséminer de petits pièges. Par exemple, je rangeais exprès un papier au mauvais endroit, ou je laissais un cheveu dans la serrure, ou une trace de gras sur la poignée. Le plus compliqué, dans l'histoire, c'était naturellement la question du motif. Pourquoi Louise s'intéresserait-elle à mes papiers ? Je ne pouvais pas imaginer que ce puisse être par curiosité, ou par jalousie. Elle savait qu'elle n'avait aucune raison d'être jalouse. Il m'a fallu au moins un an avant d'envisager pour la première fois l'impensable…

Von Enke fit une courte pause avant de poursuivre.

– Louise pouvait-elle avoir des contacts avec une puissance étrangère ? Cela me paraissait exclu pour une raison très simple. Les documents que je rapportais à la maison présentaient rarement un intérêt pour des services de renseignements. Mais mon inquiétude ne me lâchait pas pour autant. J'ai constaté que je ne faisais plus confiance à ma femme ; je la soupçonnais, sans autre indice que mes vagues suspicions et un cheveu qui ne se trouvait plus exactement dans la position où je l'avais placé la veille au soir. Pour finir – nous étions alors à la fin des années 1970 –, j'ai résolu d'en avoir le cœur net une fois pour toutes.

Il se leva et chercha un moment dans un coin de la pièce où s'entassaient des rouleaux de cartes. Puis il revint, déroula sur la table une carte marine de la Baltique centrale, qu'il cala aux quatre coins avec des galets.

– Automne 1979, dit-il. Août et septembre, plus précisément. Nous allions nous livrer à nos habituels exercices d'automne, qui impliquaient quasiment toute la flotte. J'étais devenu entre-temps membre de l'état-major et, à ce titre, je devais être présent en tant qu'observateur. Un mois environ avant le début de la manœuvre, alors que tous les horaires avaient été calés, les routes de navigation établies et les différents bâtiments placés dans leurs diverses zones d'exercice, j'ai échafaudé mon plan. J'ai rédigé un document que j'ai marqué moi-même *secret-défense* et je l'ai fait signer par le chef d'état-major – à son insu. Par le biais de ce faux document, j'incorporais dans les exercices un élément top secret : l'un de nos sous-marins allait effectuer une délicate opération de ravitaillement combustible avec un bateau piloté par radar. C'était une pure invention de ma part, mais parfaitement plausible. Dans le document, je décrivais de façon précise la position des bâtiments et l'heure à laquelle l'exercice aurait lieu. Je savais que le chasseur *Småland*, à bord duquel devaient se trouver les observateurs, croiserait tout près de cette position à l'heure dite. Je rapportai le document à la maison, l'enfermai pendant la nuit et le cachai au matin très soigneusement dans mon bureau avant de repartir pour le QG. Je fis de même au cours des jours suivants. La semaine d'après, j'enfermai le document dans un coffre bancaire que j'avais loué exprès à cette fin. J'avais auparavant hésité à le déchirer ; mais je pourrais en avoir besoin à titre de preuve. Les deux dernières semaines avant le début de la manœuvre furent les pires de mon existence. Devant Louise, je devais me comporter comme si de rien n'était alors que je concoctais dans le même temps un piège à son intention, qui nous détruirait l'un et l'autre si ce que je redoutais devait par malheur se révéler exact.

Il pointa l'index vers la carte. Wallander se pencha et vit qu'il montrait un point au nord-est de l'île Gotska Sandön.

– Voilà où devait avoir lieu la rencontre imaginaire entre le sous-marin et le bateau de ravitaillement fantôme. Un peu à l'écart de la zone d'intervention proprement dite. Nous étions observés de loin par des bâtiments russes ; c'était normal, nous suivions les manœuvres des forces du pacte de Varsovie de la même manière, c'est-à-dire poliment, en respectant une distance convenable. J'avais choisi cet endroit car je savais à quelle heure le chef d'état-major allait être déposé à Berga. Ensuite, notre chasseur passerait nécessairement par là, en route vers la zone, à l'heure où devait avoir lieu mon opération de ravitaillement fictive.

– Je ne voudrais pas t'interrompre, dit Wallander, mais est-il vraiment possible de tenir des horaires aussi précis alors que tant de bâtiments sont en jeu ?

– C'était l'un des objectifs de l'exercice. En cas de guerre, la ponctualité est un élément clé presque au même titre que l'argent.

Wallander tressaillit en entendant un bruit sec contre le toit. Håkan von Enke, lui, ne réagit pas.

– Ce n'est qu'une branche, dit-il. Parfois elles tombent. C'est un chêne mort. Je le couperais bien, mais il n'y a pas de tronçonneuse sur l'île. Le tronc est très épais. Je devine que ce chêne a pris racine vers 1850.

Il se tut, puis reprit son récit sur les événements de la fin du mois d'août 1979.

– Notre manœuvre d'automne fut pimentée par un petit incident imprévu. La Baltique, au sud de Stockholm, fut balayée par une tempête de sud-ouest dont les météorologues n'avaient pas anticipé la violence. Un sous-marin commandé par l'un de nos jeunes capitaines parmi les plus doués, Hans-Olov Fredhäll, a subi une avarie de gouvernail et a dû être remorqué jusqu'à Bråviken où il est resté à l'abri jusqu'à ce qu'on puisse le remonter vers Muskö. L'équipage n'a pas dû rigoler. Par grosse mer, ça peut tanguer assez violemment à bord des sous-marins. D'autre part, une corvette qui était au large de Hävringe a eu un problème de voie d'eau. L'équipage a dû être évacué sur un autre bâtiment, mais la corvette n'a pas sombré. À part ces deux incidents, l'exercice s'est déroulé normalement. Le jour de la phase finale de la manœuvre, le vent était un peu retombé. J'avoue que j'étais au plus mal et que je n'avais presque pas dormi les nuits précédentes, mais personne ne s'est apparemment inquiété de mon comportement. Comme prévu, nous avons déposé à Berga le chef d'état-major, qui était content de ce qu'il avait vu. Ensuite le commandant du *Småland* a soudain demandé de passer à la vitesse maximale pour vérifier que le bâtiment était en parfait état de marche. J'ai cru que nous passerions trop tôt l'endroit fatidique. Mais la houle a empêché le chasseur de dépasser la vitesse que j'avais anticipée. Je suis resté toute la matinée sur le pont. Personne n'a trouvé cela étrange dans la mesure où j'étais malgré tout membre de l'état-major. Le commandant avait passé le relais à son second, Jörgen Mattsson. Il était dix heures moins le quart quand celui-ci a brusquement baissé ses jumelles en m'indiquant une direction. Il pleuvait, et la brume réduisait la visibilité, mais je n'avais aucun doute quant à ce qu'il voulait me montrer. J'ai pris les jumelles qu'il me tendait. Deux chalutiers à bâbord, bardés d'antennes et de tout l'équipement que nous avions appris à reconnaître comme étant celui des bateaux de surveillance de la marine russe. Leur cale ne contenait sûrement pas le moindre poisson, mais des techniciens occupés à écouter nos communications radio. Je devrais peut-être préciser qu'on était en haute mer. Ils avaient le droit d'être là.

– Ils attendaient donc un sous-marin et un ravitailleur dernier cri ?

– Oui. Mais Mattsson ne pouvait évidemment pas le savoir. « Qu'est-ce qu'ils fabriquent ? Si loin de notre zone de manœuvre ? » Voilà ce qu'il m'a demandé, et je me souviens encore de ma réponse : « Ce sont peut-être de vrais pêcheurs. » Mais ça ne l'a pas fait rire. Il est allé chercher le commandant, qui nous a rejoints sur le pont. Le chasseur s'est mis à l'arrêt pendant que nous rapportions la présence des deux chalutiers. Un hélicoptère est venu et s'est arrêté un moment en vol stationnaire ; puis nous les avons laissés et avons poursuivi notre route. Moi, j'avais déjà quitté le pont et rejoint la cabine qui m'avait été attribuée pour la durée de l'exercice.

– Tu avais appris ce que tu ne voulais pas savoir ?

– J'en étais malade. Malade comme aucun roulis au monde n'aurait pu me rendre malade. J'ai vomi à peine entré dans la cabine. Puis je me suis allongé sur la couchette en pensant que rien ne serait plus jamais comme avant. Il n'y avait plus d'échappatoire. Le faux document était parvenu à leur connaissance par l'intermédiaire de ma femme Louise. Elle pouvait naturellement avoir un complice ; c'était même ce que j'espérais. Que Louise n'avait pas de lien direct avec la puissance étrangère. Qu'elle servait plutôt de petite main à un agent qui avait, lui, des contacts haut placés. Mais je n'osais plus vraiment y croire. J'avais examiné son emploi du temps sous toutes ses coutures. Il n'y avait personne qu'elle voyait de façon régulière. Je n'avais pas la moindre idée de la manière dont elle s'y prenait. Je ne savais même pas ce qu'elle avait fait de mon faux document. L'avait-elle photographié ? Recopié ? Ou simplement mémorisé ? Et comment avait-elle transmis l'information ? Et, question plus importante encore : où se procurait-elle les autres documents ? Le maigre contenu de mon armoire ne pouvait pas lui suffire. Avec qui collaborait-elle ? Je n'en savais rien, même après avoir consacré tout mon temps libre pendant plus d'un an à tenter de comprendre ce qui se passait. En tout cas, je ne pouvais plus nier l'évidence. J'étais là, allongé dans la cabine, le corps parcouru par la puissante vibration des machines. Coincé, acculé, contraint d'admettre que j'étais marié à quelqu'un que je ne connaissais pas. Ce qui signifiait que je ne me connaissais pas moi-même. Comment sinon aurais-je pu me tromper à ce point ?

Håkan von Enke se leva, ôta les galets des quatre coins de la carte marine et l'enroula sur elle-même. Après l'avoir rangée à sa place, il sortit du cabanon. Ce que Wallander venait d'entendre n'avait pas encore vraiment pénétré sa conscience. C'était trop grand. Il y avait aussi beaucoup trop de questions en suspens.

Von Enke revint et ferma la porte après avoir vérifié que la braguette de son jean était bien refermée.

– Tu me parles là d'événements vieux de vingt ans, dit Wallander. C'est long. Quel rapport avec ce qui nous occupe ?

Håkan von Enke parut soudain réticent, irrité, presque en colère.

– Qu'est-ce que j'ai dit au début de cette conversation ? J'ai dit que j'aimais ma femme. Rien ne pouvait modifier cela, quoi qu'elle ait fait et quoi qu'elle fasse.

– Tu as dû la mettre au pied du mur.

– Ah bon ?

– Elle avait trahi. Elle *t*'avait trahi, toi. Elle avait volé tes secrets. Tu n'as pas pu continuer à vivre avec elle sans lui dire ce que tu savais.

– Ah bon ?

Wallander avait du mal à en croire ses oreilles. Mais l'homme qui roulait sa tasse vide entre ses mains était convaincant.

– Tu veux me dire que tu ne lui as rien dit ?

– Jamais.

– C'est invraisemblable.

– C'est pourtant la vérité. J'ai cessé de rapporter des documents à la maison. Pas du jour au lendemain, non. J'ai été muté peu de temps après, il était donc normal que ma serviette soit à nouveau vide.

– Elle a dû se douter de quelque chose.

– Je n'ai jamais rien remarqué. Elle était exactement comme d'habitude. Après quelques années, j'ai commencé à penser que c'était un mauvais rêve. Mais je peux me tromper. Elle peut avoir compris que je l'avais percée à jour. Dans tous les cas de figure, nous partagions un secret sans être certain de ce que l'autre savait ou ignorait. Voilà ce qu'il en était, jusqu'au jour où tout a changé une fois de plus.

Wallander devina plus qu'il ne comprit à quoi il faisait allusion.

– Tu veux parler des sous-marins ?

– Oui. Des rumeurs avaient s'étaient mises à courir selon lesquelles le chef d'état-major soupçonnait l'existence d'un espion au sein même de la défense suédoise. Les premiers avertissements étaient arrivés par l'intermédiaire d'un transfuge russe. Celui-ci s'était mis à table, à Londres, en évoquant un agent suédois que les Russes estimaient grandement, très habile à se procurer les informations les plus sensibles, bref : un agent hors du commun.

Wallander secoua lentement la tête.

– C'est difficile à imaginer, dit-il. Ta femme était

professeur de lycée. Comment se serait-elle débrouillée pour se procurer quoi que ce soit si ce n'est par ton intermédiaire ?

– Le transfuge russe s'appelait Ragouline, je m'en souviens. Il y en avait beaucoup comme lui à cette époque, et nous avions parfois du mal à les distinguer. Il ne connaissait naturellement pas le nom, ni aucun détail au sujet de cet espion si apprécié des Russes. Sauf un. Et ce détail modifiait la donne de façon spectaculaire. Y compris pour moi.

– Alors ?

Von Enke reposa sa tasse. Comme s'il prenait son élan. En même temps, Wallander pensait à ce qu'avait dit Hermann Eber à propos d'un autre transfuge russe du nom de Kirov.

– C'était une femme, dit von Enke. Ragouline avait entendu dire que l'espion suédois était une femme.

Wallander garda le silence.

Les souris, elles, continuaient tranquillement de grignoter les murs du cabanon.

32

Il y avait, sur l'appui d'une fenêtre, un bateau en bouteille pas tout à fait terminé. Wallander remarqua l'objet après que Håkan von Enke fut sorti du cabanon pour la deuxième fois. Comme si l'aveu de la trahison de sa femme lui était insupportable, il s'était excusé avec brusquerie, les yeux brillants. Il avait laissé la porte ouverte. Dehors le jour se levait, éliminant le risque que quelqu'un découvre la lumière dans la maison. Lorsqu'il revint, Wallander admirait encore le minutieux ouvrage.

– C'est le *Santa Maria*, dit von Enke. Le bateau de Christophe Colomb. Ça m'aide à ne pas penser. L'art du bateau en bouteille m'a été enseigné par un chef mécanicien. Après, il s'est mis à boire, on n'a pas pu le garder à bord et il a commencé à faire le tour de la ville de Karlskrona en disant du mal de tout le monde. Ses mains ont beau trembler, le savoir-faire, curieusement, lui est resté. Pour ma part, je n'ai jamais eu le temps de me consacrer à ce loisir jusqu'à mon arrivée sur l'île.

– Une île sans nom, d'après ce que m'a dit Lundberg.

– Je l'appelle Blåskär. Il faut bien lui en donner un. Blåkulla et Blå Jungfrun sont déjà pris[1].

Ils se rassirent. Comme par un accord tacite, ils avaient décidé que le sommeil attendrait. Ils avaient entamé une

1. Respectivement : l'îlot bleu, la colline bleue et la vierge bleue.

conversation qu'il fallait mener à son terme. Wallander comprit que c'était à présent son tour et que Håkan von Enke attendait ses questions. Il commença par revenir à ce qui était pour lui le point de départ.

– Le soir de la fête de ton anniversaire, tu m'as parlé longuement. Pourquoi moi ? Je me le demande encore. Et tu n'es pas allé jusqu'au bout. Il y a beaucoup de choses que je n'ai pas comprises sur le moment, et que je ne comprends toujours pas.

– Il m'a semblé que tu devais être mis au courant. Mon fils et ta fille vont, avec un peu de chance, vivre le restant de leurs jours ensemble.

– Non. Ça ne suffit pas. Il y a une autre raison. Et le fait que tu ne m'aies pas dit toute la vérité m'a mis très en colère.

Von Enke le regardait sans comprendre.

– Ta fille, dit Wallander. Votre fille, à Louise et à toi. Signe, de Niklasgården. Tu vois, je sais même où elle est. Tu as caché son existence y compris à son propre frère.

Håkan von Enke s'était raidi dans son fauteuil et le dévisageait d'un regard fixe. On ne le déstabilise pas facilement, pensa Wallander. Mais là, oui, c'est fait.

– Je suis allé là-bas, poursuivit-il. Je l'ai rencontrée. Je sais que tu lui rendais visite régulièrement. Tu y es même allé la veille de ta disparition. Tu peux évidemment choisir de ne pas dire la vérité, cette conversation peut accroître encore la confusion au lieu de la dissiper. Le choix dépend de toi. J'ai fait le mien.

Wallander observait von Enke. Pourquoi paraissait-il hésiter ?

– Tu as raison, dit celui-ci pour finir. C'est juste que j'ai tellement l'habitude de faire comme si Signe n'existait pas.

– Pourquoi ?

– À cause de Louise. Elle ressentait une étrange culpabilité vis-à-vis de sa fille. Alors que le problème n'était pas lié à l'accouchement, ni à quoi que ce soit que Louise aurait fait, ou négligé de faire au contraire, au cours de sa grossesse. Nous ne parlions jamais d'elle. Signe n'existait tout simplement pas pour Louise. Mais pour moi, oui. J'ai beaucoup souffert de ne pas pouvoir parler d'elle à Hans.

Wallander gardait le silence. Håkan von Enke comprit soudain pourquoi.

– Tu lui as dit ?

Silence.

– Était-ce vraiment nécessaire ?

– Pour moi, à partir du moment où je savais, c'était impensable de ne pas lui dire qu'il avait une sœur.

– Comment l'a-t-il pris ?

– Il était bouleversé. Ça se comprend. Et il s'est senti trahi.

Håkan von Enke secoua lentement la tête.

– J'avais promis à Louise. Je ne pouvais pas rompre ma promesse.

– Il faudra que tu en parles avec Hans. Ce qui me conduit à une tout autre question : que faisais-tu à Copenhague voici quelques jours ?

La surprise de Håkan von Enke était réelle. Wallander sentit qu'en cet instant il avait le dessus. Comment exploiter cet avantage pour obliger l'homme assis en face de lui à dire la vérité ? Il restait beaucoup d'interrogations en attente.

– Comment le sais-tu ?

– Je ne répondrai pas à cette question.

– Pourquoi ?

– Parce que ça n'a pas d'importance dans l'immédiat. Et parce que c'est moi qui pose les questions.

– Dois-je comprendre qu'il s'agit d'un interrogatoire ?

– Non. Mais n'oublie pas qu'en choisissant de disparaître de la sorte, tu as exposé ton fils, et ma fille par association, à une angoisse extrême. Au fond, je suis hors de moi quand je pense à ce que tu as fait. Alors la seule attitude pour toi est de répondre à mes questions et de dire la vérité.

– Je vais essayer.

Wallander prit son élan.

– As-tu été en contact avec Hans ?

– Non.

– En avais-tu l'intention ?

– Non.

– Que faisais-tu à Copenhague ?

– J'allais chercher de l'argent.

– Mais tu viens de dire que tu n'avais pas été en contact avec Hans. J'ai cru comprendre que c'est lui qui gérait vos économies.

– Nous avions un compte à la Danske Bank. C'était juste entre Louise et moi, Hans n'était pas au courant. Après mon départ à la retraite, j'ai loué mes services de consultant à un fabricant de systèmes d'armement pour la marine. J'étais payé en dollars. Il s'agissait naturellement d'une forme d'évasion fiscale.

– De quelles sommes parlons-nous ?

– Je ne vois pas la pertinence de cette question. À moins que tu n'aies l'intention de me dénoncer au fisc ?

– Tu es soupçonné de choses plus graves. Mais réponds !

– Environ cinq cent mille couronnes suédoises.

– Pourquoi aviez-vous choisi une banque au Danemark ?

– La couronne danoise paraissait stable.

– Y avait-il une autre raison à ta visite à Copenhague ?

– Non.

– Comment y es-tu allé ?

– En train, à partir de Norrköping. Avant ça, un taxi. Eskil, que tu as rencontré, m'a conduit en bateau jusqu'à Fyrudden. Et il est venu me chercher à mon retour.

Wallander ne voyait pas de raison de mettre en doute ce qu'il venait d'entendre.

– Louise était donc informée de l'existence de cette caisse noire ?

– Elle y avait accès comme moi. Nous n'avions pas mauvaise conscience. À notre avis, la pression fiscale en Suède est scandaleuse.

– Pourquoi avais-tu besoin d'argent ?

– Parce que je n'en avais plus. L'argent file, même chez quelqu'un qui vit avec presque rien.

Wallander laissa provisoirement tomber le voyage à Copenhague et revint sur l'épisode de Djursholm.

– Quand nous étions dans la véranda, tu as découvert la présence de quelqu'un dehors. J'ai beaucoup ruminé cet instant. Qui était-ce ?

– Je ne sais pas.

– Mais sa vue t'a inquiété ?

– J'avais peur.

Von Enke avait élevé la voix. Wallander fut aussitôt sur ses gardes. Peut-être la longue cavale avait-elle malgré tout entamé le psychisme de Håkan von Enke bien au-delà de ce qu'il laissait apparaître. Il résolut d'avancer prudemment.

– Qui crois-tu que c'était ?

– J'ai déjà répondu, je ne le sais pas. D'ailleurs ça n'a aucune importance. Il était là. Sa simple présence était une mise en garde. C'est ce que je crois.

– Quelle mise en garde ? Essaie de ne pas m'obliger à te soutirer chaque réponse.

– D'une manière ou d'une autre, les contacts de Louise ont dû comprendre que je la soupçonnais. Elle le leur a peut-être confié elle-même. Il m'était déjà arrivé de me sentir surveillé. Mais jamais aussi nettement que ce soir-là à Djursholm.

– Tu veux dire que tu étais suivi ?

– Pas tout le temps. Mais ça m'est arrivé de le remarquer, oui.

– Depuis combien de temps ?

– Je l'ignore. Peut-être depuis très longtemps sans que j'en aie conscience. Depuis des années, si ça se trouve.

– Revenons à la pièce aveugle. Tu voulais que nous nous

retirions là-bas, tu voulais me dire des choses. Je ne sais toujours pas pourquoi tu m'as choisi pour confesseur.

– Ce n'était pas prémédité. Ça m'est venu sur le moment. Je me surprends parfois à prendre des décisions impulsives. J'imagine que ça t'arrive aussi ? Cette soirée pour mes soixante-quinze ans était sinistre ; une fête dont je ne voulais pas, au fond. J'ai été pris de panique, j'imagine.

– Après coup, j'ai pensé qu'il y avait un message caché dans tout ce que tu m'as raconté ce soir-là. Est-ce le cas ?

– Non. Je voulais simplement te le dire. Peut-être pour me faire une idée de toi, voir si j'oserais plus tard, éventuellement, te confier mon secret.

– N'avais-tu personne d'autre à qui parler ? Par exemple, Sten Nordlander, ton meilleur ami ?

– J'avais honte à la seule idée de lui dévoiler ma misère.

– Steven Atkins ? Lui, au moins, tu lui avais révélé l'existence de ta fille.

– J'étais ivre. Nous avions bu beaucoup de whisky. Par la suite j'ai regretté de le lui avoir dit. Mais comme il était ivre, lui aussi, j'ai pensé qu'il l'avait oublié. Je me suis trompé.

– Il croyait que j'étais déjà au courant.

– Que disent mes amis de ma disparition ?

– Ils sont très inquiets. Bouleversés. Le jour où ils apprendront que tu t'es tenu caché volontairement, ils seront très en colère, crois-moi. Je soupçonne que tu les perdras. Ce qui me conduit à la question du pourquoi. Pourquoi te caches-tu ?

– Je me sentais menacé. Le type de l'autre côté de la clôture n'était qu'un avant-goût. Je commençais à voir des ombres partout, où que j'aille. Ce n'avait pas été le cas auparavant. Je recevais des appels téléphoniques bizarres. Comme s'ils savaient à chaque instant où je me trouvais. Un jour, alors que j'étais au musée de la Marine, un gardien est venu me dire que j'étais appelé au téléphone. J'ai pris l'appel. Un homme m'a mis en garde en mauvais suédois. Il n'a rien précisé, juste que je devais faire attention. Ça devenait insupportable. Et puis cette ombre, dehors, ce soir-là… Je n'ai jamais éprouvé une telle peur, de ma vie. Il s'en est fallu d'un cheveu que je ne dénonce Louise à la police. J'ai envisagé d'écrire une lettre anonyme. À la fin, je n'ai plus eu la force de poursuivre. J'ai demandé à emprunter le cabanon. Eskil est venu me chercher devant le stade olympique, au départ de ma promenade du matin. Depuis lors, j'ai passé tout mon temps ici, si l'on excepte le voyage à Copenhague.

– Il me paraît encore complètement incompréhensible que tu n'aies pas fait part de ton soupçon à Louise. Surtout à partir du moment où ce soupçon s'était transformé en certitude. Comment pouvais-tu continuer de vivre avec elle ?

– Ce n'est pas vrai. Je lui ai parlé. Deux fois. La première, l'année de la mort de Palme. Les deux choses n'avaient naturellement aucun rapport entre elles. Mais la période était troublée. Nous parlions souvent avec mes collègues, autour d'un café, de cette rumeur persistante évoquant l'existence d'un espion parmi nous. C'était épouvantable. Grignoter des brioches en discutant d'un possible espion qui pouvait fort bien être ma propre épouse.

Wallander eut soudain une crise d'éternuements. Håkan von Enke attendit.

– À l'été 1986, reprit-il, nous sommes partis sur la Côte d'Azur avec un couple d'amis, le capitaine de frégate Friis et sa femme, avec qui nous avions l'habitude de jouer au bridge. Nous logions dans un hôtel de Menton. Un soir, nous avons dîné en tête à tête Louise et moi, car Friis et sa femme recevaient la visite de l'une de leurs filles. Ensuite, nous nous sommes promenés dans la ville. À un moment, je me suis arrêté net, en pleine rue, je lui ai fait face et je l'ai interrogée sans détour. Je ne m'y étais absolument pas préparé. La digue a lâché, pourrait-on dire. Je me suis planté devant elle et je lui ai posé la question. Était-elle un agent russe, oui ou non ? Elle a d'abord réagi par la colère. Elle a refusé de me répondre. Elle a même levé la main comme pour me frapper. Puis elle a retrouvé son sang-froid et m'a rétorqué avec calme que non, évidemment non. Comment pouvais-je penser une chose aussi absurde ? Et qu'aurait-elle donc eu à leur révéler ? Je me souviens qu'elle souriait en disant cela. Elle ne me prenait pas au sérieux et, du coup, je ne pouvais plus me prendre au sérieux moi-même. Je n'avais pas la force de croire qu'elle puisse avoir un tel don de dissimulation. Je lui ai demandé pardon, j'ai invoqué ma grande fatigue. Le reste de cet été-là, j'étais persuadé de m'être trompé. Mais à l'automne, les soupçons sont revenus.

– Que s'était-il passé ?

– Toujours pareil. Des documents dans l'armoire, la sensation que quelqu'un avait manipulé ma serviette.

– As-tu remarqué un changement chez elle après votre échange à Menton ?

Il réfléchit.

– J'étais naturellement aux aguets. Parfois il me semblait que oui, parfois non. Je n'ai toujours pas de certitude.

– Et la deuxième fois ?

– C'était l'hiver 1996. Dix ans plus tard exactement. Nous étions chez nous, dans notre appartement de Stockholm, nous prenions le petit déjeuner, dehors il neigeait. Soudain elle m'a interrogé sur quelque chose que je lui aurais dit, crié plutôt, dans mon sommeil. Je l'aurais accusée d'être une espionne.

– C'est vrai ?

– Je ne sais pas. Ça m'arrive de parler dans mon sommeil, paraît-il, mais je n'en ai aucun souvenir, bien sûr.

– Qu'as-tu répondu ?

– Je lui ai retourné son affirmation. Je lui ai demandé si ce que j'avais rêvé était vrai.

– Qu'a-t-elle répondu ?

– Elle m'a jeté sa serviette de table à la tête et elle a quitté la cuisine. Elle a mis dix minutes à revenir. Je m'en souviens, je regardais l'horloge. Elle s'est excusée, elle était à nouveau comme d'habitude et m'a expliqué, *une fois pour toutes*, pour reprendre son expression, qu'elle ne voulait plus entendre parler de ces bêtises. C'était absurde. Si je recommençais même une seule fois, a-t-elle dit, elle serait forcée de conclure que j'étais dérangé ou que je devenais sénile.

– Qu'est-il arrivé ensuite ?

– Rien. Mais mes inquiétudes ne se sont pas arrêtées là. Les rumeurs quant à l'agent, ou à l'agente plutôt, qui sévissait au sein de la défense suédoise – ces rumeurs ont persisté. Deux ans plus tard, c'en est venu au point où j'ai sérieusement cru que je perdais la raison.

– Pourquoi ?

– Un jour, j'ai été convoqué pour interrogatoire par les services de sécurité de l'armée. Je n'ai pas été mis en cause directement. Mais j'ai fait partie, pendant une période, de ceux qui étaient soupçonnés. La situation était grotesque. Je me souviens d'avoir pensé que si Louise vendait effectivement des secrets militaires aux Russes, elle s'était trouvé une couverture absolument idéale.

– Toi ?

– Oui. Moi.

– Et ensuite ?

– Les rumeurs allaient et venaient, parfois plus fort, parfois moins. Nous avons été nombreux à subir ces interrogatoires, même après notre départ à la retraite. Et comme je te le disais, j'ai acquis peu à peu le sentiment d'avoir été placé sous surveillance.

Von Enke se leva, éteignit les lampes qui brillaient encore et remonta deux stores, révélant une aube grise et, derrière les arbres, une mer tout aussi grise. Wallander s'approcha d'une fenêtre. Le vent s'était levé ; il décida d'aller vérifier l'amarrage. Håkan von Enke l'accompagna. Quelques eiders se balançaient sur les vagues pendant que les rayons du soleil dissipaient lentement la brume matinale. Le bateau était toujours au même endroit. Ils s'entraidèrent pour le tirer plus haut sur les galets.

– Qui a tué Louise ? demanda Wallander quand ils eurent fini.

Håkan von Enke se retourna et le regarda. Wallander s'imagina qu'il avait dû dévisager Louise à peu près de la même manière, autrefois, dans les rues de Menton.

– Je sais seulement que ce n'est pas moi. Mais que pense la police ? Que penses-tu, toi ?

– Le responsable de l'enquête me fait l'effet d'être compétent. Il ne détient pas la réponse. Pas encore, devrais-je dire. Nous ne sommes pas du genre à nous avouer vaincus.

Ils retournèrent en silence au cabanon, s'assirent de nouveau à la grande table et reprirent la conversation là où ils l'avaient laissée.

– Revenons-en au début, dit Wallander. Pourquoi a-t-elle disparu ? L'hypothèse la plus plausible pour nous, à l'extérieur, c'était que vous étiez complices.

– Non. J'ai appris sa disparition par les journaux.

– Elle ne savait donc pas où tu étais ?

– Non.

– Combien de temps avais-tu pensé t'absenter ?

– J'avais besoin d'être tranquille et de réfléchir. J'avais été menacé de mort. Je devais trouver une issue. Je n'avais pas le choix.

– J'ai rencontré Louise à plusieurs reprises. Elle était sincèrement, profondément inquiète de ce qui avait pu t'arriver.

– Elle t'a mené en bateau comme elle l'a fait avec moi.

– Ce n'est pas certain. Ne crois-tu pas qu'elle t'aimait autant que tu l'aimais ?

Von Enke ne répondit pas. Il se contenta de secouer la tête.

– Et alors ? demanda Wallander. Tu as trouvé l'issue ?

– Non.
– Tu as dû réfléchir, ruminer tant et plus depuis que tu es ici. Je te crois quand tu dis que tu aimais Louise. Pourtant tu n'as pas quitté ta cachette après l'annonce de sa mort, alors que ta vie à toi n'était plus menacée. Pour moi, ça ne colle pas.
– J'ai perdu près de dix kilos depuis qu'elle est morte. J'ai du mal à manger, je ne dors presque plus. J'essaie de comprendre ce qui s'est passé mais je n'y arrive pas. C'est comme si Louise était devenue une étrangère pour moi. Je ne sais pas qui elle a rencontré, je ne sais pas ce qui a causé sa mort. Je n'ai pas de réponse.
– T'a-t-elle jamais donné l'impression qu'elle avait peur ?
– Jamais.
– Je peux te dire quelque chose qui n'est pas dans les journaux. Que la police n'a pas encore divulgué.
Wallander lui fit part du soupçon concernant la préparation autrefois utilisée en RDA et qui aurait tué Louise.
– Tu avais sans doute raison depuis le début, dit-il. À un moment donné de sa vie, ta femme est entrée au service des renseignements soviétiques. Elle était la femme de la rumeur.

Von Enke se leva avec brusquerie et quitta le cabanon. Wallander attendit. Après un moment, pris d'inquiétude, il sortit à son tour. Il trouva von Enke couché dans une faille rocheuse, du côté de l'île qui donnait sur la haute mer. Wallander s'assit près de lui sur une grosse pierre.
– Tu dois revenir, dit-il. Rien ne s'éclaircira si tu continues de te terrer ici.
– Le même poison m'attend peut-être, moi aussi. Et si je meurs ? Quel bénéfice ?
– Aucun. Mais la police a les moyens de te protéger.
– Je dois m'habituer à l'idée que j'avais raison, en fin de compte. Je dois comprendre pourquoi elle a fait ça. Ensuite seulement je pourrai revenir.

– Tu ne devrais pas trop attendre, dit Wallander en se levant.

Il retourna au cabanon. Ce fut son tour de préparer du café. Il avait la tête lourde après cette longue nuit. Quand Håkan von Enke revint, il en avait déjà bu deux tasses.

– Parlons de Signe, si tu veux bien, dit-il. Quand je lui ai rendu visite, j'ai trouvé un cahier que tu avais dissimulé au milieu de ses livres.

– J'adore ma fille. Mais j'allais la voir en cachette. Louise n'a jamais su que j'y allais.

– Tu étais donc seul à lui rendre visite ?

– Oui.

– Tu te trompes. Après ta disparition, un homme y est allé au moins une fois. Il s'est présenté comme étant ton frère.

Håkan von Enke se figea.

– Je n'ai pas de frère. J'ai un cousin éloigné qui habite en Angleterre, c'est tout.

– Je te crois. Nous ne savons donc pas qui c'est. Ce qui signifie peut-être que tout est plus compliqué que nous ne l'imaginons toi ou moi.

Wallander vit soudain que Håkan von Enke n'était plus le même. Aucune information, au cours leur échange, ne l'avait autant inquiété que cette nouvelle : quelqu'un était passé voir Signe à Niklasgården.

Il était presque six heures du matin. La longue conversation nocturne était terminée. Ni l'un ni l'autre n'avaient la force de la poursuivre.

– Je vais y aller, dit Wallander. Jusqu'à nouvel ordre, je suis seul à savoir où tu es. Mais tu ne pourras plus rester ici très longtemps. D'autre part, je vais continuer à t'importuner avec mes questions. Réfléchis à l'identité de la personne qui est passée à Niklasgården. Quelqu'un a dû te suivre. Qui ? Pourquoi ? Notre échange ne va pas s'arrêter là.

– Dis à Hans et à Linda que je vais bien. Je ne veux pas qu'ils s'inquiètent. Dis-leur que je t'ai écrit.

– Je leur dirai que tu m'as téléphoné. Si je parle d'une lettre, Linda voudra aussitôt la voir.

Håkan von Enke le raccompagna jusqu'au hors-bord et l'aida à le mettre à l'eau. Avant de quitter le cabanon, Wallander lui avait demandé son numéro de téléphone et von Enke le lui avait donné en précisant que le réseau était très capricieux à Blåskär. Le vent s'était levé. Wallander commençait à se faire du souci pour le retour. Il grimpa à bord et abaissa le moteur.

– Je dois apprendre ce qui est arrivé à Louise, dit von Enke. Je dois savoir qui l'a tuée. Je dois savoir pourquoi elle a choisi cette vie-là. Pourquoi elle m'a trahi.

Le bateau démarra dès le premier essai. Wallander leva la main en guise de salut et mit le cap vers la baie. Juste avant de contourner la pointe de Blåskär, il se retourna. Håkan von Enke était encore debout sur le rivage.

En cet instant, Wallander eut le pressentiment que quelque chose clochait. Quoi ? Il l'ignorait. Mais la sensation était puissante.

Il fit le trajet en sens inverse, rendit le bateau au loueur, récupéra sa voiture et prit la direction de la Scanie. Sur une aire de stationnement de Gamleby, il s'arrêta et dormit quelques heures.

Quand il se réveilla, les membres endoloris et la bouche pâteuse, la sensation était encore là.

Comme un avertissement. Un truc qui n'allait pas du tout, et qu'il n'avait pas réussi à voir.

En freinant dans la cour de sa maison quelques heures plus tard, il ignorait toujours ce qui avait pu échapper ainsi à son attention.

Il pensait seulement que rien dans cette histoire n'était conforme aux apparences.

33

Le lendemain, Wallander rédigea un résumé de sa rencontre avec Håkan von Enke. Puis il examina tout le matériau rassemblé jusque-là. Louise continuait d'apparaître comme un total mystère. S'il était vrai qu'elle avait vendu des informations aux Russes, elle s'était dissimulée de façon vraiment très habile sous ce masque de bienveillance discrète qui n'offrait pas la moindre prise. Qui était-elle ? Peut-être faisait-elle partie de ces gens qui ne se laissent approcher et comprendre qu'après leur mort, et encore…

Le vent et la pluie balayaient ce jour-là la Scanie. Wallander regardait par la fenêtre la météo désespérante en pensant que cet été promettait d'être l'un des plus pourris qu'il ait jamais connus. Il s'obligea à une longue promenade avec Jussi. Il avait besoin de s'oxygéner le sang et de se vider la tête. Il éprouvait un violent désir de journées ensoleillées et calmes où il pourrait s'allonger des heures d'affilée dans son jardin sans plus penser à tout ça.

En revenant, il ôta ses vêtements trempés, enfila son vieux peignoir, s'assit près du téléphone et entreprit de feuilleter son répertoire téléphonique illisible, plein de numéros biffés et de rajouts anarchiques. Dans la voiture, la veille, il s'était rappelé un vieux camarade d'école du nom de Sölve Hagberg qui pourrait peut-être l'aider. C'était son numéro qu'il cherchait. Il l'avait noté le jour où ils s'étaient croisés quelques années auparavant par un pur hasard dans une rue de Malmö.

Enfant déjà, Sölve Hagberg était quelqu'un de spécial. Wallander se rappelait, avec un sentiment de honte, qu'il avait fait partie de ceux qui le harcelaient à cause de sa myopie et de son désir sincère de bien travailler à l'école. Mais toutes les tentatives pour déstabiliser le tâcheron avaient échoué. Les railleries, les bousculades, les coups de pied ne l'atteignaient pas.

À la fin de la scolarité, il n'avait plus eu de nouvelles de lui, jusqu'au jour où il avait découvert avec stupéfaction Sölve Hagberg parmi les candidats d'un jeu télévisé qui s'intitulait *Quitte ou double*. Plus étonnant encore, il concourait sur le thème de l'histoire de la marine suédoise. Sölve avait toujours été gros – ce qui n'était évidemment pas étranger au fait qu'ils aient jeté leur dévolu sur lui, à l'école. Mais entre-temps, constata Wallander en le voyant à la télé, il était devenu carrément obèse. On aurait dit qu'il entrait sur le plateau sur des roues invisibles. Il était chauve, portait des verres sans monture et parlait toujours le même dialecte scanien incompréhensible. Après un commentaire dégoûté sur son apparence, Mona était partie faire du café à la cuisine pendant que lui, Wallander, avait écouté Sölve répondre à toutes les questions de façon précise et circonstanciée, comme en se jouant. Il avait gagné. À aucun moment il n'avait eu même l'ombre d'une hésitation. L'histoire de la marine était un sujet qu'il maîtrisait réellement sur le bout des doigts. Son grand rêve avait été de faire son service militaire dans la marine et d'embrasser ensuite une carrière d'officier. Mais il avait été réformé d'entrée de jeu ; on l'avait renvoyé à sa chambre, à ses livres et à ses maquettes de bateaux. À présent il se voyait offrir, ou saisissait, plutôt, l'occasion d'une revanche.

Après l'émission, les journaux s'étaient brièvement intéressés à cet homme étrange, qui vivait encore à Limhamn, près de Malmö, et qui gagnait sa vie en donnant des conférences et en écrivant des articles pour des magazines, revues et annuaires relevant de telle ou telle institution militaire. Les articles avaient évoqué les impressionnantes archives qu'il stockait à son domicile, où l'on pouvait trouver des informations détaillées sur les officiers de la marine suédoise du XVIIe siècle à notre époque ; et ces informations étaient constamment mises à jour.

Wallander s'était soudain rappelé tout cela. Peut-être les archives de Sölve Hagberg contiendraient-elles des renseignements inédits sur Håkan von Enke ?

Il finit par dénicher le numéro, griffonné dans la marge, presque illisible, mais à la bonne page – celle de la lettre H. Ce fut une femme qui décrocha ; il se présenta, ajoutant qu'il désirait parler à Sölve.

– Sölve est mort.

Wallander en resta sans voix. Après un silence, la femme lui demanda s'il était toujours en ligne.

– Oui, oui. Je l'ignorais.

– C'était il y a deux ans. Une crise cardiaque. Il était à Rönneby, où il donnait une conférence devant un groupe d'anciens mécaniciens. Après il y a eu un déjeuner, et c'est là qu'il s'est effondré. « Entre le plat et le dessert », comme on me l'a expliqué ; drôle de façon de parler, non ?

– Je suppose que tu es sa femme…

– Asta Hagberg. Nous avons été mariés pendant vingt-six ans. Je lui disais qu'il devait perdre du poids et lui, tout ce qu'il trouvait à faire, c'était de mettre trois morceaux de sucre au lieu de quatre dans son café. Qui es-tu ?

Wallander s'expliqua, bien résolu à raccrocher le plus vite possible. Il était vraiment déçu.

– Je vois très bien qui tu es, dit-elle alors de manière inattendue. Je me souviens de toi. Tu faisais partie de ceux qui lui rendaient la vie impossible à l'école. Il avait noté tous vos noms, et il se tenait au courant de tout ce qui vous arrivait.

Et quand c'étaient des malheurs, il jubilait, et il n'en avait pas honte. Pourquoi appelles-tu ? Que veux-tu ?

– J'espérais qu'il me donnerait accès à ses archives.

Silence.

– Je peux peut-être t'aider. Mais je ne sais pas si j'en ai envie. Au lieu de le laisser tranquille, vous n'avez jamais arrêté de vous acharner sur lui. Pourquoi ?

– Je crois qu'on n'était pas très au clair sur ce qu'on fabriquait. Les enfants peuvent être cruels. Je n'étais pas une exception.

– Est-ce que tu le regrettes ?

– Oui. Bien sûr.

– Viens, dans ce cas. Sölve se doutait qu'il risquait de ne pas faire de vieux os, alors il m'a tout appris sur l'organisation de ses archives. Après moi, je ne sais pas ce qui arrivera. Passe quand tu veux, je suis toujours à la maison. Sölve m'a laissé de l'argent pour que je n'aie pas besoin de travailler.

Elle rit.

– Sais-tu comment il l'a gagné ?

– Je suppose qu'il était un conférencier très sollicité.

– Oui, mais il ne se faisait jamais payer pour ça. Essaie encore !

– Je renonce.

– Il jouait au poker. Les cercles clandestins. Ça fait partie des choses dont tu t'occupes, non ?

– Je croyais que ça se passait plutôt sur Internet maintenant.

– Pas pour Sölve. Lui, il fréquentait les clubs. Parfois il disparaissait pendant des semaines. Il lui est arrivé de perdre de fortes sommes, mais en général il rentrait avec une valise pleine de billets ; il me disait de les compter et de les porter à la banque. Lui, pendant ce temps, il allait se coucher, il était capable de dormir plusieurs jours de suite. La police est venue chez nous deux ou trois fois. Il y a eu aussi quelques descentes dans des clubs. Il a été arrêté, mais jamais condamné. Je crois qu'il avait un contrat avec la police.

– Que veux-tu dire ?

– À ton avis ? Je pense qu'il leur refilait des tuyaux. Par exemple, sur des types recherchés, qui se pointaient pour jouer avec l'argent d'un braquage. Personne n'aurait pu imaginer que le gros Sölve, le gentil Sölve, était en fait une balance. Alors tu viens ?

En notant l'adresse, Wallander constata que Sölve Hagberg était resté toute sa vie dans la même rue de Limhamn. Ils convinrent qu'il passerait vers dix-sept heures. Après avoir raccroché, il appela Linda, mais elle avait branché le répondeur. Il laissa un message et rédigea ensuite une liste de courses, non sans avoir jeté quantité de denrées périmées qui traînaient dans le réfrigérateur. Quand il eut fini, le frigo était pratiquement vide. Il allait partir quand Linda le rappela.

– Je reviens de la pharmacie, dit-elle. Klara est malade.

– Qu'est-ce qu'elle a ? C'est grave ?

– Arrête ! Ce n'est pas la peine de prendre cette voix, elle ne va pas mourir. Elle a mal à la gorge et un peu de fièvre, c'est tout.

– Tu as fait venir le médecin ?

– Je suis allée au dispensaire. En fait, je crois que tout va bien, à condition que tu ne t'énerves pas, parce que ça risquerait de m'énerver à mon tour. Où étais-tu ?

– Je ne veux pas te le dire pour l'instant.

– Une femme, autrement dit. Parfait.

– Non, pas de femme. Par contre, un coup de fil important. De Håkan.

Tout d'abord, ce fut comme si elle ne comprenait pas. Puis elle se mit à crier dans le combiné.

– Quoi ? Håkan t'a appelé ? Qu'est-ce que tu racontes ? Où est-il ? Comment va-t-il ? Qu'est-ce qui se passe ?

– Arrête de hurler. Je ne sais pas où il est, il n'a pas voulu m'en informer. Il m'a juste chargé de vous dire qu'il allait bien. Et à sa voix, en effet, ça avait l'air d'aller.

Wallander l'entendait respirer à l'autre bout du fil. Mentir à Linda le mettait excessivement mal à l'aise. Il regrettait la promesse faite à Håkan avant de quitter l'île. Je vais lui dire la vérité, pensa-t-il. Je ne peux pas trahir la confiance de ma fille.

– C'est dingue. Il ne t'a rien dit de plus ?

– Si. Qu'il n'était pour rien dans la mort de Louise. Il est aussi choqué que tout le monde. Il n'a pas été en contact avec elle depuis qu'il est parti.

– Il est complètement fou ou quoi ?

– Nous devons quand même nous réjouir qu'il soit en vie et en bonne santé. Mais il ne sait pas encore quand il pourra quitter l'endroit où il se cache. Voilà ce qu'il m'a chargé de vous transmettre.

– C'est ce qu'il a dit ? Qu'il se cachait ?

Wallander se mordit la langue, trop tard.

– Je ne me souviens pas de ses paroles exactes. J'étais estomaqué, tu l'imagines bien.

– Il faut que je parle à Hans. Il est à Copenhague.

– Cet après-midi, je ne serai pas là mais rappelle-moi ce soir. Je veux connaître la réaction de Hans.

– Il va être content, je pense.

Wallander raccrocha en se maudissant. Le jour où la vérité éclaterait, il pouvait s'attendre à essuyer les foudres de Linda.

Très énervé, il quitta la maison et partit en voiture faire ses courses à Ystad. Il acheta une casserole neuve dont il n'avait pas besoin et pensa que les produits alimentaires atteignaient des prix de plus en plus ahurissants. Puis il fit un tour dans le centre-ville. Dans un magasin de vêtements pour homme, il acheta une paire de chaussettes dont il n'avait pas besoin non plus, puis il rentra chez lui. La pluie avait cessé, le ciel était dégagé, le temps se réchauffait. Il essuya la balancelle et s'y allongea. À son réveil, il était seize heures. Il reprit sa voiture et se rendit à Limhamn. Il ne savait pas ce qui l'attendait, mais, une fois là-bas, il éprouva le mélange habituel de malaise et de nostalgie qui le frappait chaque fois qu'il revenait dans le quartier de son enfance. Laissant sa voiture près de la villa d'Asta Hagberg, il se rendit à pied jusque devant la maison où il avait grandi. La façade avait été ravalée ; une nouvelle grille entourait le terrain ; le bac à sable où il jouait autrefois avait été agrandi, et les deux bouleaux qu'il avait l'habitude d'escalader n'étaient plus là. N'empêche, les lieux lui étaient parfaitement familiers. Il s'était arrêté sur le trottoir et regardait quelques enfants qui jouaient. Ils avaient la peau sombre ; ils devaient être originaires du Moyen-Orient, ou alors d'Afrique du Nord. Une femme au visage encadré par un foulard, assise près de la porte d'entrée, tricotait tout en les surveillant. De la musique arabe lui parvenait par une fenêtre ouverte. J'ai habité ici, pensa-t-il. Dans un autre monde, dans un autre temps.

Un homme sortit et s'avança jusqu'à la grille. Lui aussi avait la peau mate. Il sourit à Wallander.

– Tu cherches quelqu'un ? demanda-t-il dans un suédois hésitant.

– Non. J'ai habité ici autrefois, il y a très longtemps. On avait un voisin qui était cheminot.

Il indiqua la fenêtre qui avait été autrefois celle de leur salle de séjour.

– C'est une bonne maison, dit l'homme. On s'y plaît. Les enfants aussi s'y plaisent. On n'a pas besoin d'avoir peur.

– C'est bien, dit Wallander. Les gens ne doivent pas avoir peur.

Il s'éloigna. La sensation de devenir vieux lui pesait. Il accéléra le pas pour se fuir.

Le jardin qui entourait la villa d'Asta Hagberg était mal entretenu. Quant à la femme qui lui ouvrit, elle était aussi grosse que l'avait été Sölve, dans le souvenir qu'il gardait de l'émission télévisée. Ses cheveux étaient mal peignés, sa jupe beaucoup trop courte, et elle transpirait abondamment. Il crut tout d'abord que le parfum capiteux qu'il percevait émanait d'elle. Mais non : la maison tout entière était parfumée. Aspergeait-elle les meubles ?

Elle lui proposa un café mais il refusa ; l'odeur suffocante lui donnait la nausée. En pénétrant dans le séjour, il eut la sensation d'accéder à la passerelle de commandement d'un navire. Partout des roues de gouvernail, des compas au boîtier de cuivre brillant ; il vit même des bateaux votifs suspendus au plafond, ainsi qu'un ancien hamac de marin. Asta Hagberg se glissa non sans mal dans un fauteuil pivotant dont Wallander devina qu'il provenait lui aussi d'un navire. Pour sa part, il prit place sur ce qu'il croyait être un canapé ordinaire. Puis il aperçut la petite plaque de cuivre signalant qu'il avait autrefois orné le paquebot transatlantique *MS Kungsholm*.

– Que puis-je faire pour toi ? demanda-t-elle en enfonçant une cigarette dans un fume-cigarette et en l'allumant.

– Håkan von Enke, dit Wallander. Ancien capitaine de sous-marin, à présent à la retraite.

Asta Hagberg fut prise d'une violente quinte de toux, et Wallander forma le vœu qu'elle ne meure pas devant lui. Elle avait de quoi, fumeuse et obèse comme elle l'était. Il lui prêtait à peu près son âge, la soixantaine.

Elle toussa jusqu'à en avoir les larmes aux yeux, puis, quand ce fut fini, continua tranquillement de fumer sa cigarette.

– Håkan von Enke, le célèbre disparu et sa femme Louise qui est morte, c'est bien cela ?

Il ne broncha pas.

– Je sais que Sölve a constitué des archives extraordinaires, dit-il. Peut-être contiennent-elles une information qui pourra m'aider à comprendre…

– Ton von Enke est bien évidemment mort lui aussi.

– Dans ce cas, c'est la cause de sa mort qui m'intéresse.

– Sa femme s'est suicidée. Cela laisse entendre que la famille avait de gros problèmes. N'est-ce pas ?

Elle s'approcha d'une table et souleva une nappe qui masquait un ordinateur. Wallander s'étonna de la facilité avec laquelle ses doigts boudinés pianotaient sur les touches. Après cinq minutes, elle recula sur son fauteuil en plissant les yeux vers l'écran.

– La carrière de Håkan von Enke a été normale à tout point de vue. Il est arrivé au niveau qu'on pouvait plus ou moins attendre de la part de quelqu'un comme lui. Si la Suède avait été en guerre, il aurait pu éventuellement gravir encore quelques échelons. Mais ce n'est pas sûr.

Wallander se leva et s'approcha. L'intensité capiteuse du parfum était telle qu'il s'efforçait de respirer par la bouche. Il regarda la photographie affichée sur l'écran, où von Enke paraissait avoir la quarantaine.

– C'est tout ?

– Du temps où il était élève officier, il a remporté certaines compétitions d'athlétisme à l'échelle de la Scandinavie. Bon tireur, bon athlète, bon coureur de cross…

– Et son épouse ?

Les doigts boudinés se remirent à danser, la toux revint, mais Asta Hagberg ne s'arrêta pas pour autant avant d'avoir fait surgir à l'écran une photo de Louise. Wallander devina qu'elle avait trente-cinq ans ou un peu plus. Elle souriait. Ses cheveux étaient permanentés, elle portait un collier de perles. Wallander lut le texte qui accompagnait le portrait. Rien de remarquable à première vue, là non plus. Asta Hagberg fit apparaître une autre page. Wallander découvrit alors que Louise était, par sa mère, originaire de Kiev. En 1905, Angela Stefanovitch avait épousé l'exportateur de charbon suédois Hjalmar Sundblad. Elle l'avait suivi en Suède et avait acquis la nationalité suédoise. Des quatre enfants d'Angela et Hjalmar, Louise était la dernière.

– Rien à signaler, dit Asta Hagberg.

– Sauf qu'elle est originaire de Russie.

– De nos jours, on parlerait plutôt de l'Ukraine. La plupart des Suédois ont une partie de leurs racines à l'étranger. Nous sommes un peuple de Finlandais, de Hollandais, d'Allemands, de Russes, de Français. L'arrière-grand-père paternel de Sölve était écossais, ma grand-mère avait du sang turc. Et toi ?

– Mes ancêtres étaient journaliers dans le Småland.

– Tu t'es renseigné sur ta généalogie ? De façon sérieuse ?

– Non.

– Le jour où tu le feras, tu auras toutes les chances de découvrir des choses inattendues et intéressantes, même si elles ne seront pas toujours agréables. J'ai un ami pasteur. À sa retraite, il est parti à la recherche de ses racines et il a vite découvert que deux personnes, dont il descendait en ligne directe, avaient été exécutées en l'espace de cinquante ans. Le premier a été décapité au début du XVIIe siècle pour une histoire de meurtre crapuleux. Le petit-fils de celui-là a été enrôlé dans l'une ou l'autre des innombrables armées allemandes qui écumaient l'Europe au milieu du XVIIe siècle et il a été pendu pour désertion. Après cette découverte, le bon pasteur a cessé de fouiller dans ses antécédents. On peut le comprendre.

Elle se leva au prix d'un grand effort et lui fit signe de la suivre dans une pièce voisine, où il découvrit une succession d'armoires à documents métalliques alignées le long des murs. Elle en déverrouilla une et en tira un compartiment rempli de dossiers.

– On ne sait jamais ce qu'on peut découvrir, dit-elle.

Elle finit par en prendre un et le déposa sur une table. Le dossier se révéla contenir un grand nombre de photographies. Wallander n'aurait su dire si elle cherchait quelque chose en particulier ou si elle piochait au hasard. Puis son attention s'arrêta sur un cliché en noir et blanc, qu'elle leva vers la lumière.

– Voilà… J'avais un vague souvenir d'avoir déjà vu cette photo. Elle n'est pas entièrement dénuée d'intérêt.

Elle la tendit à Wallander, qui fut sidéré en voyant ce qu'elle représentait. Le grand type maigre au nœud papillon impeccable et au grand sourire n'était autre que Stig Wennerström, cocktail à la main, en grande conversation avec un jeune officier du nom de Håkan von Enke.

– Quand a-t-elle été prise ?

– C'est noté au dos. Sölve était très pointilleux sur les indications de date et de lieu.

Wallander lut le texte dactylographié sur un bout de papier collé au dos de la photographie. *Octobre 1959, délégation de la marine suédoise en visite à Washington – réception chez l'attaché militaire Wennerström.* Il essaya de comprendre ce que cela signifiait. Si ç'avait été Louise, il aurait pu imaginer plus facilement le lien. Mais elle n'était pas là. À l'arrière-plan, il ne voyait que des hommes et une serveuse noire vêtue de blanc.

– Les épouses accompagnaient-elles leur mari lors de ces visites ?

– Seulement quand les huiles de l'état-major étaient en déplacement. Par exemple, la femme de Stig Wennerström l'accompagnait souvent. Mais, à cette époque, Håkan von Enke était très loin du sommet de la pyramide. Il voyageait probablement seul. Si Louise l'accompagnait, c'était lui qui payait son voyage. Et elle ne pouvait en aucun cas aller à une réception chez l'attaché militaire suédois.

– J'aurais bien aimé avoir plus de précisions là-dessus.

Asta Hagberg fut prise d'une nouvelle quinte de toux. Wallander s'approcha d'une fenêtre et l'entrouvrit. Le parfum l'incommodait terriblement.

– Ça va prendre un moment, dit-elle quand elle eut fini

de tousser. Il faut que je fasse des recherches. Mais Sölve a tout gardé, sur ce voyage comme sur tous les autres qui ont pu être faits par des représentants de la marine suédoise.

Il retourna au canapé du *MS Kungsholm*. Il l'entendait fredonner quelque part dans la villa pendant qu'elle cherchait la liste de ceux qui avaient participé aux déplacements en Amérique à la fin des années 1950. Cela lui prit presque quarante minutes. Wallander attendit avec une impatience croissante. Puis elle revint, l'air triomphal, un papier à la main.

– Mme von Enke était bien là. Elle est soigneusement notée en tant qu'« accompagnatrice », et quelques abréviations qui signifient sans doute que ce n'est pas le ministère de la Défense qui a payé son voyage. Si c'est important, je peux vérifier ce dernier point.

Wallander avait pris le papier. La délégation se composait de huit personnes, sous la férule du capitaine de vaisseau Karlén. Parmi les « accompagnatrices » figuraient Louise von Enke et Märta Auren, épouse du lieutenant-colonel Karl-Axel Auren.

– Peut-on faire une copie de cette page ? demanda Wallander.

– Je ne sais pas ce qu'« on » peut faire. Mais j'ai une photocopieuse au sous-sol. Combien t'en faut-il ?

– Une.

– J'ai l'habitude de demander deux couronnes par copie.

Elle disparut. Wallander pensa que le couple von Enke avait passé huit jours à Washington. Cela signifiait que Louise avait pu être contactée par quelqu'un. Mais était-ce plausible ? Déjà à cette époque ? À la fin des années 1950, certes, la guerre froide était en pleine expansion et les Américains voyaient des espions russes à chaque coin de rue. Une rencontre s'était-elle produite au cours de ce voyage ? Était-ce là que tout avait commencé ?

Asta Hagberg revint avec la copie et Wallander posa sur la table deux pièces d'une couronne.

– Je n'ai peut-être pas pu t'aider comme tu l'espérais…

– Le travail sur les personnes disparues est en général très long et très difficile. On progresse pas à pas.

Elle le raccompagna jusqu'à la porte. Il inspira avec soulagement l'air du dehors.

– N'hésite pas à m'appeler si tu as besoin d'autre chose. Je suis là.

Wallander acquiesça, la remercia et franchit la grille du jardin. Il avait repris sa voiture et s'apprêtait à quitter Limhamn quand il résolut d'en profiter pour rendre une autre visite. Il avait souvent voulu vérifier si ce qu'il avait laissé à Limhamn près de cinquante ans plus tôt était encore là. Après s'être garé devant le cimetière, il longea le mur jusqu'à l'angle ouest et se pencha. Quel âge avait-il à l'époque ? Dix ans ? Onze ? Il n'en était pas sûr. L'âge, en tout cas, d'avoir découvert un des grands secrets de l'existence : il était celui qu'il était, non interchangeable, quelqu'un qui avait une identité rien qu'à lui. Cette certitude avait suscité une grande tentation, celle d'imprimer sa marque en un lieu d'où elle ne disparaîtrait jamais. Le mur bas du cimetière, surmonté d'un grillage : voilà le sanctuaire qu'il s'était choisi. Un soir d'automne, il y était allé en catimini, après avoir caché sous son manteau un marteau et un gros clou. Limhamn était désert. La pierre était particulièrement lisse à cet endroit du mur. Pendant qu'une pluie froide lui dégoulinait dans le cou, il avait gravé ses initiales, KW, dans le mur.

Il les découvrit presque aussitôt. Les deux lettres s'étaient estompées au fil des années et des intempéries. Mais il y était allé fort. Sa marque était encore là. Un jour j'amènerai Klara, pensa-t-il. Je lui raconterai le soir où j'ai changé le monde. Même si c'était juste en gravant mes initiales dans un mur.

Il entra dans le cimetière et s'assit sur un banc à l'ombre d'un arbre. Il ferma les yeux et crut entendre sa propre voix d'enfant résonner dans sa tête. Sa voix d'avant la mue, telle qu'elle était avant que la réalité des adultes ne lui tombe dessus. Peut-être est-ce ici que je devrais me faire enterrer. Revenir au point de départ et me coucher dans la terre d'ici. Mon épitaphe est déjà gravée dans la pierre.

Il retourna à sa voiture. Avant de mettre le contact, il déroula à nouveau dans sa tête la conversation avec Asta Hagberg. Que lui avait-elle apporté ?

La réponse était simple : rien du tout. Louise était toujours aussi anonyme. Une femme d'officier, discrète, en retrait.

Mais l'inquiétude qui le poursuivait depuis sa rencontre avec Håkan von Enke sur son île – cette inquiétude ne le lâchait pas.

Je ne vois pas, pensa-t-il. Je devrais voir, mais je ne vois pas. Et je ne sais pas ce qui pourrait m'aider à comprendre enfin ce qui se passe.

34

Wallander reprit la route de Löderup. Le chagrin de la mort de Baiba lui pesait terriblement. Ça lui venait par vagues, avec le souvenir de sa visite inattendue. C'était ainsi. À travers la mort de Baiba, il voyait aussi la sienne.

En arrivant, et après avoir lâché Jussi pour le laisser courir à sa guise, il se versa un grand verre de vodka et le vida d'un trait, debout devant l'évier. Il le remplit à nouveau et l'emporta dans sa chambre, baissa les stores, se déshabilla, s'allongea nu sur le lit, le verre en équilibre sur son ventre tremblotant. Je peux faire un pas de plus, pensa-t-il. S'il ne me conduit à rien, je lâche tout, je laisse tomber. J'informe Håkan que j'ai l'intention de révéler sa cachette à Linda et à Hans. Si cela doit le pousser à se chercher un nouveau terrier, libre à lui. Je vais parler à Ytterberg, à Nordlander et à Atkins. Ensuite ce ne sera plus mon affaire. D'ailleurs, ce ne l'a jamais été. Bientôt l'été sera fini, j'aurai eu des vacances catastrophiques et je me retrouverai à nouveau derrière mon bureau à me demander où le temps a bien pu s'enfuir.

Il but la vodka, sentit la chaleur et l'agréable ivresse descendre et prendre leurs quartiers en lui. *Un pas de plus. Mais lequel ?* Il posa le verre vide sur la table de chevet et s'endormit. À son réveil, une heure plus tard, la question était résolue. À la faveur du sommeil, son cerveau avait formulé la réponse. Il la voyait très clairement. Qui sait ? pensa-t-il. Si ça se trouve, Hans pourra me fournir les informations nécessaires. C'est un jeune homme intelligent, peut-être pas très sensible. Mais les gens savent toujours beaucoup plus que ce qu'ils croient savoir. Au sujet de choses qu'ils ont observées et enregistrées à leur insu.

Il rassembla son linge sale et mit en route la machine à laver. Puis il sortit et rappela son chien. Un aboiement lui répondit de très loin, au bout du champ récemment moissonné par l'un de ses voisins. Jussi arriva ventre à terre ; il s'était vautré dans une substance puante. Wallander l'enferma dans le chenil, alla chercher le tuyau d'arrosage et le nettoya au jet. Jussi, queue basse, ne bougeait pas mais levait vers lui un regard implorant.

– Tu sens la merde, lui dit Wallander. Je ne peux pas laisser entrer dans ma maison un chien qui pue.

Il retourna à l'intérieur et s'assit dans la cuisine. Il nota par écrit les questions les plus importantes qui lui venaient à l'esprit et chercha ensuite le numéro de la ligne directe de Hans à Copenhague. Quand son appel fut transféré et qu'on lui annonça que Hans était pris toute la journée par des rendez-vous importants, il eut un accès d'impatience et ordonna à la standardiste de dire à l'intéressé que le commissaire Kurt Wallander d'Ystad attendait son appel dans moins d'une heure. Hans s'exécuta. Wallander venait d'ouvrir la machine à laver et de constater qu'il avait oublié d'ajouter du détergent quand le téléphone sonna. Il décrocha sans prendre la peine de masquer son irritation.

– Qu'est-ce que tu fais demain ? demanda-t-il à Hans.

– Je travaille. Pourquoi me parles-tu sur ce ton ?

– Pour rien. Quand peux-tu me voir ?

– Le soir. Je ne peux pas faire mieux, j'ai des rendez-vous qui s'enchaînent toute la journée.

– Déplace-les. Je serai à Copenhague à quatorze heures. Il me faut une heure de ton temps, pas plus, mais pas moins.

– Que se passe-t-il ?

– Je veux juste des réponses à quelques questions.

– Je préférerais vraiment qu'on se voie le soir.

– Je serai là à quatorze heures, dit Wallander. Et je prendrai volontiers un café.

Il raccrocha et remit le lave-linge en route après avoir mis beaucoup trop de lessive. Il pensa qu'il était puéril de punir ainsi la machine de sa propre distraction.

Puis il tondit son gazon, passa le râteau sur le gravier, s'allongea sur la balancelle et lut un livre consacré à Verdi, le compositeur, qu'il s'était offert pour Noël. Au moment de vider la machine à laver, il constata qu'il y avait eu un mouchoir rouge caché dans le blanc, et que ce mouchoir avait déteint. Pour la troisième fois, il mit en route la charge de linge. Puis il alla dans sa chambre, s'assit sur le bord du lit, se piqua le bout du doigt et lut le résultat. Ça aussi, il le négligeait. Le taux de glycémie était cependant acceptable : 8,1.

Pendant que la machine tournait, il s'allongea sur le canapé et écouta un enregistrement de *Rigoletto* qu'il avait acheté récemment. Il pensa à Baiba, eut les larmes aux yeux, rêva qu'elle était encore vivante. Mais elle avait disparu et ne reviendrait pas. Quand le disque fut fini, il fit décongeler un gratin de poisson et le mangea en buvant de l'eau. Il avait bien jeté un regard à la bouteille de vin posée sur le plan de travail, mais résista à la tentation de l'ouvrir. Les deux verres de vodka bus un peu plus tôt étaient déjà largement suffisants. Ce soir-là on repassait à la télévision *Certains l'aiment chaud*, qui avait été l'un de leurs films préférés, à Mona et à lui. Il l'avait vu tant de fois, pourtant il se surprit à rire.

Curieusement, il dormit plutôt bien cette nuit-là.

Linda le rappela le lendemain alors qu'il prenait son petit déjeuner. La fenêtre était ouverte, la journée s'annonçait belle. Wallander était nu sur sa chaise de cuisine.

– Qu'a pensé Ytterberg du coup de fil de Håkan ?

– Je ne lui en ai pas encore parlé.

Elle n'en crut pas ses oreilles.

– S'il y a quelqu'un qui devrait être mis au courant c'est pourtant lui.

– Håkan m'a demandé de n'en parler à personne à part vous.

– Ah bon ? Tu ne m'as pas dit ça, hier.

– J'ai peut-être oublié.

Elle perçut aussitôt le côté vague et fuyant de la réponse.

– Y a-t-il autre chose que tu aurais oublié de me dire ?

– Non.

– Dans ce cas, je propose que tu appelles Ytterberg. Tout de suite.

Il connaissait bien les inflexions de sa voix. Elle était en colère. Puis elle parut changer de sujet.

– Si je te pose une question honnête, me feras-tu une réponse honnête ?

– Oui.

– Qu'est-ce qui se cache derrière tout ça ? Si je te connais bien, tu as une opinion.

– Pas dans ce cas. Je suis perdu.

– Louise agent secret, en tout cas, ça ne tient pas debout.

– Je ne sais pas ce qui tient debout. On ne peut se baser que sur les faits.

– Si tu penses aux documents qu'on a trouvés dans son sac, la seule explication que je vois, c'est que quelqu'un les y a mis. À son insu.

Elle se tut, attendant peut-être qu'il lui dise qu'il était d'accord avec elle. Soudain, il entendit que Klara pleurait à l'arrière-plan.

– Que fait-elle ?

– Elle est dans son lit. Et elle ne veut pas y rester.

– Normal.

– Et moi ? Est-ce que je pleurais beaucoup ? Est-ce que je t'ai déjà posé la question ?

– Toi, en plus, tu avais des coliques. On en a déjà parlé,

tu ne te souviens pas ? Que c'était moi qui te portais la nuit, etc. Contrairement à ce que prétend Mona.

– Je me posais juste la question. Je crois qu'on se reconnaît dans ses enfants. Tu vas appeler Ytterberg ?

– Demain. Mais dans l'ensemble, tu étais une enfant sage.

– Ça s'est gâté à l'adolescence.

– Oui. C'est peu de le dire.

Après avoir raccroché, il resta assis. C'était l'un de ses pires souvenirs. Un souvenir qu'il autorisait d'ailleurs très rarement à remonter à la surface. À l'âge de quinze ans, Linda avait fait une tentative de suicide. Sans doute le classique appel au secours, être vue, être entendue, être aidée. Mais ça aurait pu mal se finir si Wallander n'avait pas, par chance, ouvert la porte de sa chambre. Il l'avait trouvée inerte sur son lit, les poignets tailladés. La terreur qu'il avait éprouvée en cet instant n'avait jamais eu d'équivalent, ni avant, ni plus tard. C'était encore à ce jour sa plus grande défaite : ne pas avoir compris à quel point sa fille allait mal, au cours de ces difficiles années d'adolescence.

Il se secoua pour dissiper le malaise. Si elle n'avait pas survécu, cette fois-là, il savait qu'il aurait lui aussi mis fin à ses jours.

Il repensait à leur conversation. La conviction intime de Linda que Louise n'aurait jamais pu se livrer à des activités d'espionnage le rendait pensif. Il ne s'agissait pas de preuves ou d'absence de preuves, mais précisément d'une conviction. Ce n'est pas possible, un point c'est tout. Mais si ça l'est quand même, pensa-t-il – non seulement possible, mais vrai –, comment cela a-t-il fonctionné ? Louise et Håkan avaient-ils pu travailler ensemble malgré tout ? Ou bien Håkan von Enke était-il un homme si froid et si manipulateur qu'il n'hésitait pas à invoquer son grand amour pour Louise afin que personne n'imagine la vérité, à savoir qu'il était responsable de sa mort et qu'il cherchait à présent à semer de fausses pistes ?

Il nota une phrase dans son carnet : *Conviction de Linda que Louise est innocente.* Au fond de lui, il n'y croyait pas. Louise avait un lien avec le drame. Il ne pouvait en être autrement.

Quelques minutes avant quatorze heures, il sonna à la porte vitrée des élégants bureaux situés tout près de Rundertårn, dans le centre de Copenhague. Une jeune femme aux formes aérodynamiques le laissa entrer et prévint Hans, qui apparut presque aussitôt. Il était très pâle et donnait l'impression de ne pas avoir dormi depuis longtemps. Ils passèrent devant une salle de réunion où se déroulait un échange houleux entre un homme d'une cinquantaine d'années, qui s'exprimait en anglais, et deux hommes blonds, plus jeunes, qui parlaient islandais. Leur altercation progressait par le truchement d'une interprète tout de noir vêtue.

– Ça chauffe, observa Wallander. Je croyais que les as de la finance parlaient toujours d'une voix feutrée.

– Nous disons volontiers que nous bossons dans le secteur des abattoirs.

Devant la mine de Wallander, il se hâta d'enchaîner :

– Il ne faut pas prendre ça au tragique, mais quand on s'occupe d'argent, c'est clair qu'on a, du moins symboliquement, du sang sur les mains.

– Qu'est-ce qui les met dans cet état ?

Hans secoua la tête.

– Des affaires. Je ne peux pas en dire plus.

Wallander n'insista pas. Hans le fit entrer dans une petite salle entièrement vitrée, qui paraissait être accrochée à la façade de l'immeuble. Même le sol était en verre. Wallander eut la sensation de se trouver dans un aquarium. Une femme tout aussi jeune que la réceptionniste entra et posa sur la table une cafetière et une assiette de brioches. Wallander aligna son carnet et son crayon à côté de sa tasse pendant que Hans les servait. Wallander nota que sa main tremblait.

– Je croyais que le temps des prises de notes était fini, dit Hans en s'asseyant. Je croyais que les policiers de nos jours n'étaient plus équipés que de magnétophones ou de caméras vidéo.

– Les séries télé ne donnent pas toujours une image très correcte de notre travail. Ça peut m'arriver d'enregistrer, bien sûr. Mais ceci n'est pas un interrogatoire. C'est une conversation.

– Par où veux-tu commencer ? Laisse-moi te préciser d'emblée que je n'ai qu'une heure à te consacrer. On a eu un mal de chien à refaire le planning.

– Il s'agit de ta mère, dit Wallander fermement. Aucun travail ne peut être plus important que ça, je suppose que tu es d'accord ?

– Ce n'est pas ce que je voulais dire.

– Peu importe ce que tu voulais dire. Venons-en aux faits.

Hans soutint son regard.

– Dans ce cas, je tiens à affirmer qu'il est impossible à mes yeux que ma mère ait agi en tant qu'espionne pour quelque puissance que ce soit. Ça ne l'empêchait pas de se comporter de façon parfois, disons, énigmatique.

Wallander haussa les sourcils.

– Il ne me semble pas t'avoir déjà entendu dire cela à son sujet. *Énigmatique ?* C'est nouveau…

– J'ai réfléchi depuis notre dernière conversation. Ma mère m'apparaît de plus en plus comme un mystère. Pas à cause d'hypothétiques activités. Mais à cause de Signe. Peut-on exposer quelqu'un à pire trahison ? Quand on y réfléchit ? Cacher à son propre fils le fait qu'il a une sœur ? Je me plaignais parfois d'être enfant unique. Surtout quand j'étais vraiment petit, avant d'aller à l'école. Mais jamais je n'ai senti la moindre hésitation dans sa voix. Avec le recul, je me dis qu'elle a répondu à mon regret d'enfant avec une dureté absolument glaciale.

– Et ton père ?

– Il n'était que rarement à la maison au cours de ces années-là. Du moins dans mon souvenir, mon père était presque toujours absent. Et quand il revenait, je savais que ça ne durerait pas et qu'il repartirait très vite. Il m'apportait toujours des cadeaux. Mais je n'osais pas me laisser aller à mon bonheur. Dès qu'on sortait ses uniformes de l'armoire pour les aérer et les brosser, je savais ce qui se préparait. Et le lendemain matin, il n'était plus là.

– Peux-tu m'en dire plus sur le côté énigmatique de ta mère ?

– C'est difficile à cerner. Parfois elle paraissait absente, si plongée dans ses pensées qu'elle se mettait en colère si je la dérangeais. Presque comme si je lui causais une douleur, comme si je l'avais piquée – je ne sais pas si c'est très compréhensible, mais c'est le souvenir que j'en ai. Parfois elle refermait son carnet, ou cachait ce qu'elle était en train d'écrire quand j'entrais dans son bureau. C'est plus clair comme ça ?

– Y avait-il des choses que ta mère ne faisait que lorsque ton père était absent ? Des changements d'habitudes notables ?

– Non, je ne crois pas.

– Tu réponds trop vite. Réfléchis !

Hans se leva et s'approcha de la baie vitrée. Par le sol transparent de cet étrange bureau, Wallander apercevait un musicien de rue qui jouait de la guitare sur le trottoir, un chapeau retourné posé devant lui. Pas une note de musique ne traversait les parois de verre. Hans revint s'asseoir.

– Peut-être, dit-il avec hésitation. Ce que je vais dire maintenant, je ne pourrais pas en jurer. Si ça se trouve, ces souvenirs ne correspondent à rien de tangible, mais allons-y. Quand mon père n'était pas là, il me semble que ma mère était plus souvent au téléphone et qu'elle fermait la porte, ce qu'elle ne faisait pas quand il était présent.

– Parler au téléphone ou fermer la porte ?
– Les deux.
– Continue !
– Il y avait des papiers sur les tables. Elle travaillait. Quand mon père était là, les tables étaient nettes et à la place des papiers, il y avait des vases de fleurs.
– Quels papiers ?
– Je ne sais pas. Parfois il y avait aussi des dessins.
Wallander tressaillit.
– Des dessins de quoi ?
– De plongeuses. Ma mère avait la main sûre.
– Comment ça, de plongeuses ?
– Oui. Différents plongeons, différentes phases d'un même plongeon, *salto allemand avec vrille*, tu vois bien, tous ces termes techniques.
– As-tu le souvenir qu'elle dessinait autre chose ?
– Elle a fait mon portrait quelquefois. Je ne sais pas où se trouvent tous ces dessins maintenant. Mais ils étaient bons.

Wallander divisa une brioche et trempa la moitié dans son café. Il regarda sa montre. Le musicien sous ses pieds continuait de jouer sa musique silencieuse.

– Je n'ai pas tout à fait fini, dit-il ensuite. Quelles étaient les opinions de ta mère ? Je veux dire, sur le plan politique, social, économique… Que pensait-elle de la Suède ?
– On ne parlait pas politique chez moi.
– Jamais ?
– Comment t'expliquer… L'un ou l'autre de mes parents était capable de dire par exemple : « L'armée suédoise ne défend plus rien. » L'autre pouvait alors répondre : « C'est la faute des communistes. » Ils n'avaient pas besoin d'en dire davantage. Et les répliques étaient interchangeables. Ils étaient conservateurs, naturellement, je crois que nous en avons déjà parlé. Il n'a jamais été question de voter pour autre chose que le parti modéré. Les impôts étaient trop élevés, la Suède accueillait trop d'immigrés, qui engendraient à leur

tour trop de désordre. Je crois qu'on peut dire qu'ils avaient exactement les opinions qu'on pouvait attendre d'eux.

– Jamais une réplique inattendue ?

– Dans mon souvenir, jamais.

Wallander acquiesça en silence et mangea la deuxième moitié de la brioche.

– Parlons un peu de la relation de tes parents entre eux. Comment la décrirais-tu ?

– Elle était bonne.

– Ils ne se disputaient jamais ?

– Non. Je crois qu'on peut dire qu'ils s'aimaient vraiment. Sur le moment je n'en avais pas conscience, mais rétrospectivement il est clair que je n'ai jamais eu, enfant, la crainte qu'ils se séparent. Cette possibilité-là n'existait tout simplement pas.

– Mais personne ne vit sans conflit ?

– Eux, oui. À moins qu'ils ne se soient disputés la nuit pendant que je dormais. Mais j'ai du mal à le croire.

Wallander n'avait pas d'autres questions ; il n'était pas prêt à capituler pour autant.

– Rien d'autre à ajouter concernant ta mère ? Pour être honnête, il me semble que tu sais étonnamment peu de chose sur elle.

– C'est vrai, répondit Hans avec ce que Wallander perçut comme une franchise douloureuse. Il n'y avait pas d'instants d'intimité entre nous. Aucune réelle proximité. Elle ne se départait jamais d'une certaine distance vis-à-vis de moi. Si je tombais et que je me faisais mal, elle me consolait, bien sûr. Mais je me rends compte que c'était – comment dire – presque gênant pour elle.

– Y avait-il un autre homme dans sa vie ?

Wallander n'avait pas prémédité cette question. Mais une fois formulée, elle lui parut couler de source.

– Non. Je ne pense pas qu'il y ait eu la moindre infidélité d'un côté ni de l'autre.

– Et avant leur mariage ?

– Vu qu'ils se sont rencontrés très jeunes, je ne crois pas qu'il y ait jamais eu quelqu'un d'autre. Pas sérieusement. Mais je peux me tromper.

Wallander rangea son carnet dans la poche de sa veste. Il n'avait pas pris la moindre note. Et pour cause : il en savait aussi peu que lorsqu'il était arrivé une heure auparavant. Il se leva. Mais Hans resta assis.

– Mon père t'a donc appelé… Il est en vie, mais il ne veut pas se montrer. C'est ça ?

Wallander se rassit. Le joueur de guitare, en bas, avait disparu.

– C'était bien lui qui m'a parlé, là-dessus je n'ai aucun doute. Ce n'était pas quelqu'un qui imitait sa voix. Il ne m'a donné aucune explication. Il voulait juste que vous sachiez qu'il était en bonne santé.

– Il n'a vraiment rien dit de l'endroit où il était ?

– Rien.

– Quelle a été ton impression ? Était-il en Suède ? Appelait-il d'un téléphone fixe ou d'un portable ?

– Je ne peux pas répondre à cela.

– Parce que tu ne le peux pas ou parce que tu ne le veux pas ?

– Parce que je ne le peux pas.

Wallander se leva à nouveau. Ils quittèrent la cage vitrée. En repassant devant la salle de réunion, dont la porte était à présent fermée, Wallander entendit que la discussion se poursuivait de plus belle à l'intérieur. Ils se séparèrent dans le hall d'accueil.

– Est-ce que je t'ai aidé ? demanda Hans.

– Tu as fait preuve de franchise. C'est la seule chose que je peux exiger de toi.

– Réponse diplomatique. Je ne t'ai donc pas donné ce que tu espérais.

Wallander écarta les bras : un geste de résignation. Les

portes coulissantes s'ouvrirent, il partit en agitant la main. L'ascenseur le ramena silencieusement au rez-de-chaussée. Il avait laissé sa voiture dans une rue latérale près de la place Kongens Nytorv. Comme il faisait très chaud, il ôta sa veste et déboutonna un peu plus le col de sa chemise.

Soudain, il eut la sensation d'être observé. Il se retourna. La rue était pleine de monde ; il n'identifia aucun visage connu. Cent mètres plus loin, il s'arrêta devant une vitrine et se plongea dans la contemplation de chaussures de luxe qu'elle contenait. Il jeta un regard discret vers la portion de rue qu'il venait de parcourir. Il vit un homme regarder sa montre, puis déplacer son imperméable de son bras droit à son bras gauche. Wallander crut l'avoir déjà aperçu la première fois. Il retourna à la contemplation de la vitrine. L'homme le dépassa ; il vit son reflet dans la vitre. Une méthode que lui avait enseignée Rydberg. *Il n'est pas nécessaire d'être derrière la personne qu'on file, on peut aussi bien marcher devant.* Wallander compta jusqu'à cent pas, puis s'immobilisa et se retourna. Personne ne se signala à son attention. L'homme à l'imperméable avait disparu. Arrivé à sa voiture, il regarda une dernière fois autour de lui, puis secoua la tête. Il avait dû se faire des idées.

Quittant le Danemark, il traversa l'interminable pont dans l'autre sens, s'arrêta pour manger au restaurant Fars Hatt[1] et prit ensuite le chemin de chez lui.

Il sortait de la voiture quand sa mémoire se déroba soudain ; il resta planté au milieu de la cour, complètement perdu, ses clés à la main. Le capot était chaud, il avait donc roulé. *Mais d'où venait-il ? Où avait-il été ?* La panique le submergea. Jussi aboyait et sautait derrière son grillage. Wallander regarda fixement son chien. Il regarda ses clés, puis sa voiture, comme si celle-ci pouvait lui fournir une

1. Littéralement : « le chapeau de mon père ».

explication. Il connut ainsi presque dix minutes d'épouvante avant que l'espèce de crampe mentale ne le lâche et qu'il se souvienne enfin de ce qu'il avait fait. *Hans. Copenhague.* Il était en nage. Ça ne s'arrange pas, pensa-t-il. Il faut que je sache ce qui m'arrive. Il faut que j'en aie le cœur net.

Il prit le courrier dans la boîte aux lettres et s'assit à la table du jardin, encore secoué par ce nouvel accès d'amnésie.

Ce fut bien plus tard, après avoir nourri Jussi, qu'il découvrit l'enveloppe cachée parmi les journaux et les publicités. Il n'y avait pas de nom d'expéditeur. Il ne reconnaissait pas l'écriture.

Quand il l'ouvrit, il vit que c'était une lettre manuscrite et qu'elle lui était adressée par Håkan von Enke.

35

La lettre avait été expédiée de Norrköping :

Il y a à Berlin un homme dont le nom est George Talboth. C'est un Américain qui a longtemps travaillé à l'ambassade des États-Unis à Stockholm. Il parle couramment le suédois, c'est un expert des relations entre la Scandinavie et l'Union soviétique et, désormais, entre la Scandinavie et la Russie. Je l'ai connu à la fin des années 1960, lors de sa première arrivée en Suède ; il accompagnait souvent l'attaché militaire américain de l'époque, Hotchinson, lors de diverses visites, à Berga entre autres. Nous nous entendions bien ; c'était un joueur de bridge, sa femme aussi, et nous avons commencé à nous fréquenter. Peu à peu, j'ai compris qu'il était lié à la CIA – bien qu'il n'ait jamais tenté, je le précise, de me soutirer la moindre information confidentielle. En 1974, ou peut-être était-ce en 1975, sa femme, Marilyn, est décédée d'un cancer. Pour George, ç'a été une catastrophe. Ils avaient une relation si possible encore plus proche que Louise et moi. Il nous rendait visite de plus en plus fréquemment. Il venait presque chaque dimanche, et souvent aussi pendant la semaine. En 1979 il a été muté à Bonn et, à sa retraite, il a choisi de rester en Allemagne, à Berlin en l'occurrence. Il continue peut-être à rendre divers services à son pays de façon disons « accessoire ». Je n'ai aucune information à ce sujet.

Je lui ai parlé au téléphone pour la dernière fois en décembre dernier. Il a soixante-douze ans, mais ses facultés intellectuelles sont intactes. Pour lui, il ne fait aucun doute que la guerre froide soit encore une réalité. La révolution née de l'effondrement de l'empire soviétique a été à bien des égards aussi bouleversante que celle de 1917. Mais selon George, elle n'a été qu'un épisode, un affaiblissement momentané. Aujourd'hui il lui semble voir son analyse confirmée, avec une Russie puissante dont les prétentions ne vont cesser de croître. Je me suis permis de lui écrire un mot en lui demandant de te contacter. Si quelqu'un peut t'aider à découvrir ce qui est arrivé à Louise, c'est lui. J'espère que tu ne te formaliseras pas du fait que j'essaie de te seconder dans ce qui m'apparaît comme ton effort sincère pour élucider ce drame.

Salutations respectueuses, Håkan von Enke.

Wallander posa la lettre sur la table de la cuisine. Que Håkan von Enke lui propose un contact, c'était plutôt positif. Pourtant la lettre ne lui plaisait pas. La sensation que quelque chose lui échappait revint, plus forte qu'auparavant. Il la relut, aussi lentement que s'il traversait un champ de mines. *Les lettres, il faut les décrypter*, disait Rydberg. Mais que pouvait lui apprendre celle-ci ? Wallander alla à son ordinateur et lança une recherche au nom de George Talboth. Il y en avait plusieurs, mais aucun ne pouvait être celui-là. Par jeu, il entra les trois lettres CIA et eut la surprise de tomber sur un institut culinaire. En plus de l'autre CIA, naturellement.

Quittant l'ordinateur, il alla vérifier son taux de glycémie et fut cette fois peu satisfait du résultat : 10,2. Trop élevé. Il n'avait pas été assez régulier, que ce soit pour la prise d'insuline ou pour celle des cachets de metformine. Une vérification dans le réfrigérateur montra d'ailleurs qu'il allait bientôt devoir renflouer son stock.

Il avalait chaque jour pas moins de sept comprimés différents pour son diabète, sa tension et son cholestérol. Cela ne lui plaisait guère ; il avait l'impression d'une défaite. À les en croire, plusieurs de ses collègues ne prenaient pas un seul médicament régulier. Rydberg, en son temps, avait méprisé avec superbe toutes les formes de préparations chimiques. Il ne prenait rien, même pour les migraines dont il souffrait de plus en plus. Wallander tomba dans une rumination morose. Chaque jour, pensa-t-il, je remplis mon corps d'une quantité de produits dont je ne sais rien du tout. Je fais confiance aux médecins et aux laboratoires sans jamais m'interroger sur ce qu'ils me prescrivent.

Même Linda n'était pas informée de l'existence de tous ces flacons. Elle ignorait carrément qu'il se faisait désormais des injections d'insuline. Il lui arrivait d'ouvrir le réfrigérateur quand elle était chez lui, mais il avait caché les paquets derrière quelques pots de chutney à la mangue, dont il savait qu'elle n'y touchait pas.

Il relut encore la lettre, n'y décelant que le contenu explicite. Håkan von Enke ne lui envoyait pas un message caché.

Vers dix-neuf heures, il reçut la visite imprévue d'Olofsson, son voisin le plus proche, celui qui gardait Jussi quand Wallander s'absentait. C'était un type grand, massif, qui n'avait plus une seule dent dans la bouche, à croire qu'il était en réalité un joueur de hockey et non un agriculteur scanien. Ce jour-là il dégageait une odeur de fourrage. Il venait se renseigner, dit-il, sur le petit bout de champ que possédait Wallander et qui était en friche ; pourrait-il envisager de le lui affermer ? Sa petite-fille allait recevoir un poney pour son anniversaire et il allait avoir besoin d'un pré pour l'année suivante. Wallander accepta tout de suite, et ne voulut pas entendre parler d'argent. L'aide qu'ils lui apportaient, sa femme et lui, en s'occupant si souvent de son chien était un dédommagement bien suffisant. Olofsson était un type bavard, et Wallander comprit qu'il ne partirait pas avant de s'être vu offrir un café. Ils parlèrent de la pluie et du beau temps et des taurillons qui avaient toujours tendance à s'échapper. Par curiosité, Olofsson l'interrogea sur différentes affaires criminelles dont avait parlé le journal *Ystads Allehanda*. Il était près de vingt-deux heures quand il souleva sa carcasse de la chaise et grimpa à nouveau sur son tracteur, après avoir scellé l'affaire du pré par une poignée de main. En retournant à l'intérieur, Wallander était épuisé. La lettre de Håkan von Enke était toujours dans la cuisine. Il commença à la relire encore une fois, puis laissa tomber. Il cherchait des choses qui n'existaient pas.

La nuit, il rêva de son père. Le vieux se tenait sur le bout de champ qu'il avait promis à Olofsson et tapotait son chevalet comme on caresse un cheval.

Il venait de se lever, peu après sept heures, quand le téléphone sonna. À cette heure-là ce ne pouvait être que Linda, surtout maintenant qu'il était en vacances. Il prit le combiné.

– Knut Wallander ?

C'était une voix d'homme. Son suédois était impeccable, mais Wallander décela malgré tout une pointe d'accent.

– Je suppose que vous êtes George Talboth. J'attendais votre coup de fil.

– On peut se tutoyer. Appelle-moi George, et je t'appelle Knut.

– Pas Knut. Kurt.

– Pardon. Kurt Wallander. Je m'emmêle facilement les pinceaux quand il s'agit des noms. Quand viens-tu me voir ?

Wallander fut surpris. Qu'avait dit exactement Håkan von Enke à ce Talboth ?

– Je n'avais pas l'intention de me rendre à Berlin, dit-il. À vrai dire, je n'ai appris ton existence qu'hier, par une lettre.

– Ah. Håkan m'a écrit que tu ferais sûrement le déplacement.

– Et toi ? Ne peux-tu pas venir en Scanie ?

– Je n'ai pas de permis de conduire et les avions et les trains m'ennuient.

Un Américain sans permis, pensa Wallander. Ce doit être un oiseau rare.

– Je peux peut-être t'aider, enchaîna George Talboth. Je connaissais Louise aussi bien que Håkan. Elle s'entendait bien avec ma femme Marilyn. Elles allaient souvent prendre le thé en ville. Marilyn me répétait leurs conversations.

– Et alors ?

– Louise parlait beaucoup de politique. Marilyn, elle, ne s'y intéressait pas tellement, mais elle écoutait.

Wallander fronça les sourcils. Hans n'avait-il pas dit l'exact contraire ? Que sa mère ne parlait jamais politique, sinon avec son mari, et que leur dialogue se réduisait alors à deux ou trois répliques interchangeables ?

Soudain l'idée de rendre visite à George Talboth à Berlin commença à lui plaire. Il n'était pas retourné à Berlin depuis la chute du Mur. Avant cela, il était allé deux fois à Berlin-Est avec Linda, dans les années 1980, à l'époque où Linda était folle de théâtre et l'avait persuadé qu'il fallait coûte que coûte aller voir le Berliner Ensemble. Il se rappelait encore les agents de la police des frontières est-allemande qui avaient ouvert à la volée la portière du wagon-lit en pleine nuit en exigeant de voir leurs passeports. Au cours de ces deux visites, ils avaient logé dans un hôtel de l'Alexanderplatz. Wallander s'était toujours senti mal à l'aise là-bas.

– D'accord, dit-il. Pourquoi pas ? Je peux prendre ma voiture…

– Tu logeras chez moi, dit George Talboth. J'habite le quartier de Schöneberg. Quand arrives-tu ?

– Quand puis-je venir ?

– Je suis veuf. Mes horaires seront les tiens.

– Après-demain ?

– Appelle-moi quand tu seras près de Berlin, je te guiderai à distance. Tu aimes la viande ou le poisson ?

– Les deux.

– Vin ?

– Rouge.

– Alors je sais tout ce que j'ai besoin de savoir. Tu as un crayon ?

Wallander nota le numéro de téléphone dans la marge de la lettre de Håkan von Enke.

– Sois le bienvenu, dit George Talboth. Si j'ai bien compris, ta fille est mariée au jeune Hans von Enke ?

– Pas tout à fait. Ils ont une fille ensemble. Klara.

– J'aimerais que tu apportes une photo de ta petite-fille.

Wallander raccrocha. Il avait des photos de Klara un peu partout dans la maison. Il en choisit deux qui étaient épinglées dans la cuisine et les posa sur la table, à côté de son passeport. Puis il prit son petit déjeuner tout en évaluant à l'aide de son atlas la distance qui séparait le port de Sassnitz de Berlin. Un coup de fil à la compagnie des ferries de Trelleborg lui précisa sur quels bateaux il restait de la place. Il choisit un horaire, le nota et se réjouit du voyage imminent. Je me souviendrai de cet été à cause des kilomètres parcourus, pensa-t-il. Comme quand Linda était petite et que nous profitions de mes congés pour aller au Danemark, mais aussi sur Gotland – et même une fois jusqu'à Hammerfest, dans le nord de la Norvège.

Le 23 juillet au matin, il prit la route de la côte en direction de Trelleborg, d'où partait le ferry vers le continent. À Linda, il avait seulement dit qu'il s'accordait quelques jours de vacances à Berlin. Elle n'avait pas posé de questions, ne s'était pas méfiée, lui avait simplement dit qu'elle l'enviait. À la télé, il avait vu que la canicule sévissait à Berlin comme dans toute l'Europe centrale.

Il avait aussi décidé de ne pas foncer tout droit par l'autoroute, mais plutôt de flâner un peu et de s'arrêter quelque part dans un petit hôtel. Il n'était pas pressé.

Il déjeuna à bord du ferry, à côté d'un routier bavard qui l'informa qu'il se rendait à Dresde avec quelques tonnes de nourriture pour chien.

– Pourquoi les chiens allemands devraient-ils manger suédois ? voulut savoir Wallander.

– Bof. C'est ça, le libre marché, non ?

Wallander sortit sur le pont. Il comprenait que tant de gens choisissent de travailler sur des bateaux. Comme Håkan von Enke, même si celui-ci avait passé sa vie sous la surface et pas dessus. Pourquoi devenait-on capitaine de sous-marin ? D'un autre côté, raisonna-t-il, beaucoup de gens se demandent sûrement comment on peut travailler dans la police. En tout cas, c'est une question que se posait mon père.

À l'arrivée, une fois quittée la ville de Sassnitz, il s'arrêta, changea de chemise, enfila un bermuda et des sandales. Un court instant, il se sentit heureux à l'idée qu'il pouvait maintenant s'arrêter, dormir et manger à son gré. C'*est à ça que ressemble la liberté*, se dit-il, en souriant de cette pensée pathétique. Un flic vieillissant à la dérive. En cavale, évadé de lui-même.

Il poussa jusqu'à Oranienburg avant de commencer à chercher un hôtel qui pourrait lui convenir. Celui pour lequel il se décida enfin s'appelait Kronhof et se trouvait en bordure de la ville. Le réceptionniste était un homme âgé avec une moustache en brosse très fournie. Comprenant que Wallander était suédois, il lui dit qu'il avait souvent pensé acheter une petite maison de vacances quelque part dans les forêts suédoises. *Herr* Wallander aurait-il un bel endroit à lui conseiller ?

– Le Småland, dit Wallander. Là-bas il y a des quantités de forêts et de maisons vides, dans les forêts, qui n'attendent que ça : un nouveau propriétaire.

On lui donna une chambre d'angle au troisième. Elle était vaste et encombrée d'un mobilier lugubre, mais Wallander était content. Il était au dernier étage, personne ne se promènerait au-dessus de sa tête pendant la nuit. Il se changea à nouveau, enfila un pantalon blanc à la place du bermuda ; puis il flâna deux heures dans la ville, prit un café, entra chez un antiquaire et retourna ensuite au Kronhof. Il était dix-sept heures. Il était affamé, mais résolut d'attendre un peu avant de dîner. Il s'installa sur le lit avec des mots croisés et n'eut le temps de trouver que quelques mots avant de s'endormir. À son réveil, il était dix-neuf heures trente. Il descendit, entra dans le restaurant de l'hôtel et choisit une table d'angle. Les clients étaient encore peu nombreux à cette heure. Une serveuse, qui lui rappelait d'une certaine façon Fanny Klarström, lui donna la carte. Il choisit une escalope viennoise et du vin. Les clients commençaient à affluer, la plupart semblaient se connaître. Au dessert, Wallander prit une crème au chocolat, tout en sachant pertinemment qu'il ne devait pas manger quelque chose d'aussi sucré. Il but un autre verre de vin et constata qu'il était pompette. Là, au moins, je ne risque pas d'oublier mon arme, pensa-t-il. Et je ne risque pas de me retrouver demain matin face à un Martinsson en colère.

À vingt et une heures il paya la note, remonta dans sa chambre, se déshabilla et se coucha. Mais impossible de s'endormir. Il se sentait agité sans raison, comme poursuivi. La sensation agréable du dîner en solitaire n'était plus qu'un souvenir. À la fin il renonça, se rhabilla et redescendit. Il y avait un bar à côté du restaurant de l'hôtel. Il s'y rendit et commanda un verre de vin. Quelques hommes plus âgés étaient accoudés au comptoir devant des bières. Les tables étaient vides, sauf une, non loin de la sienne, où une femme d'une quarantaine d'années buvait un verre de vin blanc tout en pianotant des messages sur son portable. Voyant qu'il la regardait, elle lui sourit. Il lui rendit son sourire. Ils levèrent leur verre en un toast muet. Puis elle continua de s'occuper de son téléphone. Wallander commanda un autre verre et en profita pour demander qu'on resserve aussi la dame. Elle le remercia de loin puis, rangeant son téléphone, se leva et vint le rejoindre en emportant son verre. Il lui expliqua dans son mauvais anglais qu'il était un Suédois en route vers Berlin. Ne sachant pas bien comment se prononçait Kurt en anglais, il lui dit qu'il s'appelait James.

– C'est un nom suédois ?

– Ma mère était irlandaise.

Il sourit de son propre mensonge et lui retourna la question. Isabel, dit-elle. La conversation s'engagea. Elle lui expliqua que d'ici quelques années, Oranienburg serait entièrement avalé par l'agglomération de Berlin. Wallander contemplait son visage. Elle lui faisait l'effet d'une femme marquée par la vie, sous son maquillage appuyé. Il se demanda soudain si elle pouvait être une professionnelle et si ce bar était son terrain de chasse. Mais sa tenue vestimentaire était tout sauf provocante. Et moi, pensa-t-il, je ne chasse pas les prostituées et je ne me laisse pas chasser par elles.

Alors qui était-elle, cette Isabel à qui il continuait d'offrir du vin blanc ? À l'en croire, elle était fleuriste, séparée de son mari, mère d'enfants adultes et vivait dans un appartement *sehr schön*, très joli, près d'un parc dont elle essaya de lui expliquer la direction. Mais Wallander ne s'intéressait ni au parc ni aux directions en général car il commençait à se sentir excité par elle, il l'imaginait déjà nue dans sa chambre d'hôtel. Où il avait d'ailleurs présentement l'intention de l'emmener. Il voyait bien qu'elle était ivre, et que lui-même ferait bien d'arrêter de boire. Il était près de minuit, le bar se vidait peu à peu, le barman appela les dernières commandes. Wallander demanda l'addition et glissa en même temps à Isabel qu'il pouvait, si elle le désirait, l'inviter pour un dernier verre dans sa chambre. C'était sa première allusion au fait qu'il logeait dans cet hôtel. Elle ne parut guère surprise, peut-être le savait-elle déjà. Existait-il des canaux de communication invisibles entre le bar et la réception ? Peu importe.

Il régla l'addition, laissa un pourboire trop généreux et, la prenant par le bras, traversa le hall désert et monta avec elle jusqu'à sa chambre. Il attendit d'avoir fermé la porte avant de lui annoncer la triste vérité, qui était qu'il n'avait rien à lui offrir. Il n'y avait pas de minibar ; l'hôtel ne possédait pas ce genre de raffinement, pas plus que de service en chambre. Mais, là encore, elle ne parut guère décontenancée. Elle savait manifestement ce qu'elle faisait en acceptant de le suivre, car elle se serra contre lui sans le laisser finir sa phrase, et lui, à ce contact, fut saisi d'une ardeur irrépressible. Sans savoir comment, il échoua sur le lit avec elle. Il ne se rappelait pas quand il avait couché pour la dernière fois avec une femme ; à travers le corps de cette Isabel, c'était comme s'il les retrouvait toutes, Baiba, Mona et d'autres pourtant oubliées depuis longtemps. Tout alla très vite, et elle dormait déjà quand il sentit l'envie le submerger de nouveau. Impossible de la réveiller cependant. Et faire l'amour à une femme endormie, qui ronflait en plus, c'était malgré tout au-dessus de ses forces. Il n'eut pas d'autre choix que de s'endormir, lui aussi ; ce qu'il fit, une main glissée entre les cuisses humides d'Isabel.

Sa main était au même endroit quand il se réveilla à l'aube, la tête endolorie et la langue collée au palais. Il décida aussitôt de fuir – tout ensemble, Oranienburg, la chambre et Isabel qui dormait encore. Il s'habilla en silence, en pensant qu'il ne devait pas prendre le volant dans l'état où il était. Mais rester lui paraissait impossible. Il attrapa sa valise et descendit à la réception, où un jeune homme dormait sur une banquette sous l'armoire vieillotte contenant les clés des chambres. Wallander le réveilla ; le jeune homme prépara l'addition, prit son argent et lui rendit sa monnaie. Wallander posa la clé sur le comptoir avec un billet de dix euros.

– Il y a une femme endormie dans ma chambre. Je suppose que ça ira ?

– *Alles klar*, dit le jeune homme en bâillant.

Wallander comprit que ça voulait dire : pas de problème. Il démarra en vitesse, retrouva la route de Berlin, puis s'arrêta sur le premier parking venu et se lova sur la banquette arrière pour dormir. Son remords était grand. Il essaya de se persuader que ce n'était pas si grave. Malgré tout, elle ne lui avait pas demandé de la payer. Et elle ne pouvait pas non plus l'avoir trouvé totalement repoussant.

Il se réveilla à neuf heures et continua vers Berlin. Quand il fut près de la ville, il s'arrêta devant un motel au bord de l'autoroute et appela George Talboth comme convenu. Celui-ci avait une carte sous les yeux et ne mit pas longtemps à saisir où était Wallander.

– Je serai là d'ici une petite heure, dit-il. Assieds-toi dehors en attendant, profite du beau temps.

– Comment vas-tu faire ? Je croyais que tu n'avais pas le permis.

– Ne t'inquiète pas pour ça.

Wallander acheta un gobelet de café et alla s'asseoir à l'ombre devant le restaurant du motel. Il se demanda si Isabel était réveillée maintenant, et si elle s'interrogeait sur les raisons de son départ précipité. Il ne se rappelait presque aucun détail de leur étreinte maladroite. Avait-elle même eu lieu ? Il ne s'en souvenait que par bribes confuses, et celles-ci ne lui causaient que de l'embarras.

Il alla chercher un autre café et acheta par la même occasion un sandwich sous cellophane. Il avait l'impression de mâcher une éponge, mais s'obligea à en avaler au moins la moitié avant de jeter le reste aux pigeons.

L'heure s'écoula. Toujours personne. Aucun étranger à la recherche d'un commissaire suédois. Encore un quart d'heure. Une Mercedes noire munie de plaques diplomatiques freina alors devant la réception du motel, et Wallander comprit que George Talboth était arrivé. Un homme en sortit, costume blanc, lunettes noires. Il regarda autour de lui puis, ayant repéré Wallander, s'avança vers lui en ôtant ses lunettes.

– Kurt Wallander ?

– C'est moi.

George Talboth mesurait près de deux mètres, il était très costaud et s'il lui avait serré le cou au lieu de la main, il aurait sûrement pu l'étrangler.

– Plus de trafic que prévu, dit-il. Désolé pour le retard.

– J'ai suivi ton conseil : j'ai profité du beau temps, je ne pensais pas à l'heure.

Talboth fit signe à la Mercedes, dont le chauffeur restait invisible. La voiture démarra et disparut.

– On me fournit l'aide dont j'ai besoin, dit-il en guise d'explication. On y va ?

Ils prirent place dans la Peugeot de Wallander. Talboth se révéla être un GPS vivant, qui l'orienta sans hésitation dans la circulation de plus en plus dense à mesure qu'ils approchaient de la ville. Une heure plus tard, ils parvenaient à Schöneberg et s'arrêtaient devant un bel immeuble. L'un des rares sans doute, pensa Wallander, à avoir survécu à la fin de la Seconde Guerre mondiale quand l'Armée rouge avait investi et conquis Berlin quartier par quartier. Talboth habitait au dernier étage un appartement de six pièces. La chambre qu'il proposa à Wallander était vaste et donnait sur un petit parc.

– Je te laisse, dit-il ensuite. J'ai quelques petites choses à faire, j'en ai environ pour deux heures.

– Je me débrouillerai.

– À mon retour, nous aurons tout le temps du monde. Il y a un excellent restaurant italien non loin d'ici. Nous pourrons bavarder. Jusqu'à quand restes-tu ?

– En fait, je pensais rentrer dès demain.

George Talboth secoua la tête avec énergie.

– Il n'en est pas question. On ne visite pas Berlin à la va-vite. Cette ville a vu tant d'épisodes de la tragique histoire de l'Europe…

– On en reparlera, éluda Wallander. Comme tu le disais à l'instant, même les vieux ont parfois de petites choses à faire.

George Talboth se satisfit de cette réponse, lui montra la salle de bains, la cuisine et l'imposant balcon, et quitta ensuite l'appartement. Wallander, posté derrière une fenêtre, le vit monter à l'arrière de la même Mercedes noire que tout à l'heure. Il alla à la cuisine, prit une bière dans le réfrigérateur et alla la boire sur le balcon. Sa manière à lui de dire adieu à la femme croisée la veille. Désormais elle n'existerait plus, sinon peut-être sous la forme d'une figure tenace qui hanterait ses rêves. Ça se passait comme ça en général. Il ne rêvait presque jamais des femmes qu'il avait aimées ; celles avec lesquelles il avait eu des expériences plus ou moins catastrophiques le visitaient souvent en revanche.

Il pensa qu'il avait tendance à se souvenir de ce qu'il aurait préféré oublier et à oublier ce dont il aurait voulu se souvenir. Il y avait quelque chose de profondément tordu dans sa façon de vivre. Il ignorait si c'était pareil pour tout le monde. À quoi rêvait Linda ? À quoi rêvait Martinsson ? À quoi ressemblaient les rêves de son blanc-bec arrogant de chef, Lennart Mattson ?

Il but une deuxième bière et se fit couler un bain. Après, une fois rhabillé, il se sentit en meilleure forme.

George Talboth revint deux heures plus tard, comme promis. Ils s'assirent sur le balcon, qui avait entre-temps glissé du soleil à l'ombre, et commencèrent à parler.

À un moment, le regard de Wallander tomba sur un galet posé sur la table du balcon. Il lui sembla le reconnaître.

36

Une question ne cessa de poursuivre Wallander au cours du temps qu'il passa en compagnie de George Talboth. Celui-ci avait-il perçu sa réaction à la vue du galet ? Ou pas ? En reprenant la route le lendemain, Wallander n'avait aucune certitude. Mais il avait cru comprendre que George Talboth était un observateur subtil. Ça va pour lui, pensa-t-il avec envie, ce cerveau-là ne connaît pas de panne ni de baisse de régime. Son air nonchalant ne doit pas être pris pour un défaut de vigilance.

La seule chose dont il pouvait être sûr, c'était que le galet qui avait disparu du bureau de Håkan von Enke se trouvait à présent sur la table du balcon de George Talboth. Le même, ou alors son exacte copie.

L'idée de copie pouvait aussi s'appliquer à l'homme lui-même. Dès l'instant où il l'avait aperçu devant le motel, il avait eu l'impression que George Talboth lui rappelait quelqu'un. Il avait un double, un sosie – pas nécessairement parmi les gens que connaissait Wallander ; plutôt quelqu'un qu'il aurait vu en une certaine occasion. Le soir, juste avant de partir au restaurant, il comprit enfin. Talboth ressemblait à Humphrey Bogart, en plus grand et en plus baraqué, et sans la cigarette au bec. Mais ce n'était pas seulement une histoire de physionomie : quelque chose dans la voix de Talboth évoquait pour Wallander des films tels que

Le Trésor de la Sierra Madre ou *L'African Queen*. Il se demanda si l'autre en était conscient, et devina que la réponse était oui. George Talboth paraissait conscient de tout ou presque.

Avant qu'ils ne s'installent sur le balcon, il se révéla aussi posséder plus d'un tour dans son sac. Ouvrant une porte de l'appartement, il montra à un Wallander ébahi un immense aquarium plein de poissons miroitants qui se déplaçaient par bancs entiers, sans bruit, derrière la vitre épaisse. Des bidons d'eau et des tuyaux de plastique occupaient le reste de la pièce. Mais ce qui étonna le plus Wallander, ce fut de distinguer, au fond de l'aquarium, un tunnel habilement construit où des trains électriques circulaient à toute vitesse en circuit fermé. Ce tunnel était transparent, comme du verre à l'intérieur du verre de l'aquarium. Pas une goutte d'eau ne pénétrait à l'intérieur. Les trains circulaient sans que les poissons semblent s'apercevoir de l'existence de cette mini-voie de chemin de fer sur le lit de leur océan artificiel.

– C'est une copie presque exacte du tunnel qui relie Douvres à Calais, lui expliqua Talboth. J'ai utilisé les dessins d'origine et emprunté certains détails de construction.

Wallander pensa soudain à Håkan von Enke, qui construisait des bateaux en bouteille sur son île. Il y a une parenté, pensa-t-il. Mais je ne sais pas ce qu'elle signifie.

– J'aime avoir les mains occupées, poursuivit Talboth. Ça ne vaut rien de faire fonctionner uniquement son cerveau, qu'en penses-tu ?

– Je ne sais pas. Mon père était doué de ses mains. Moi, je n'ai pas hérité de cette facilité.

– Que faisait ton père ?

– Il fabriquait des tableaux.

– Artiste peintre, alors. Pourquoi dis-tu qu'il les « fabriquait » ?

– Mon père était un peu spécial. Il n'a peint qu'un seul

tableau, à l'infini, pendant toute sa vie. Il n'y a pas grand-chose à en dire.

Talboth perçut la réticence de Wallander et n'insista pas. Ils observaient les mouvements ondoyants des poissons et la course effrénée des trains dans le tunnel. Wallander nota qu'ils ne se croisaient pas, à chaque fois, exactement au même endroit. Il y avait un décalage imperceptible. Il vit aussi que, sur une portion du trajet, ils empruntaient les mêmes rails. Il hésita, puis posa la question. Talboth acquiesça.

– Bien vu. J'ai inclus un petit effet de retardement.

Il prit sur une étagère un sablier que Wallander n'avait pas remarqué en entrant dans la pièce.

– Ce sablier contient du sable d'Afrique de l'Ouest. Plus exactement, de l'île de Bubaque, dans le petit archipel des Bijagos, au large de la Guinée-Bissau, un pays que la plupart des gens connaissent seulement de nom. C'est un vieil amiral anglais qui a décidé tout seul, à l'époque où l'on mesurait le temps à l'aide de sabliers, que ce serait là le sable idéal pour la flotte anglaise. Si j'avais retourné ce sablier à l'instant d'actionner le commutateur du circuit, tu aurais pu voir que l'un des deux trains rattrape l'autre après cinquante-neuf minutes. Je le fais parfois, pour vérifier que la coulée du sable n'a pas ralenti depuis la dernière fois, ou que le transformateur n'a rien perdu en tension.

Enfant, Wallander avait rêvé d'avoir son propre train de la marque Maerklin. Mais son père n'avait jamais eu les moyens de le lui acheter. Le train qu'il avait sous les yeux représentait encore pour lui une sorte de rêve inaccessible.

Ils s'installèrent sur le balcon. L'après-midi était brûlant. Talboth avait apporté une carafe d'eau glacée et des verres. Wallander, lui, avait réfléchi et était parvenu à la conclusion qu'il n'avait aucune raison de ne pas aller droit au but. Sa première question coulait de source.

– Qu'as-tu pensé en apprenant la disparition de Louise ?

Le regard clair de Talboth fixait Wallander.

– Je n'ai peut-être pas été entièrement surpris, dit-il.

– Pourquoi ?

Talboth haussa les épaules.

– Je ne vais pas revenir sur ce que tu sais déjà. Les soupçons de Håkan, sa certitude plutôt, concernant sa femme et ses activités. Crime de trahison contre la sécurité extérieure de l'État – est-ce qu'on peut dire cela ? Mon suédois n'est pas toujours fiable.

– Mais oui, dit Wallander. L'espionnage, à un certain niveau, relève en effet du crime de trahison. À moins de s'occuper de choses plus spécifiques, comme l'espionnage industriel.

– Håkan est parti parce qu'il n'en pouvait plus. Il s'est caché parce qu'il avait besoin de gagner du temps, besoin de réfléchir. Au moment de la disparition de Louise, il avait pris sa décision. Il allait communiquer les éléments dont il disposait aux services de renseignements de l'armée. Tout se passerait dans les règles. Il ne chercherait pas à préserver sa propre réputation. Il comprenait que ces révélations affecteraient aussi son fils Hans. Mais il n'y pouvait rien. C'était en dernière instance une question d'honneur. La disparition de Louise a été un choc. Elle a décuplé sa peur. Je lui ai parlé deux ou trois fois au téléphone. J'ai commencé à m'inquiéter pour lui car il paraissait souffrir d'une maladie de la persécution. Sa seule explication à l'absence de Louise était qu'elle avait deviné ses intentions. Il avait peur qu'elle ne découvre sa cachette. Ou, sinon elle, son employeur, quel qu'il soit, au sein des renseignements russes. Håkan était persuadé que Louise avait été, et était encore, si précieuse à leurs yeux qu'ils n'hésiteraient pas à le tuer pour la garder. Même si elle était trop âgée pour être tout à fait opérationnelle, il ne fallait surtout pas qu'elle soit démasquée. Il ne fallait pas qu'on découvre ce qu'ils savaient. Ou ne savaient pas.

– Qu'as-tu pensé en apprenant son suicide ?

– Je n'y ai jamais cru. Pour moi il était évident qu'on l'avait tuée.

– Pourquoi ?

– Je réponds par une autre question. Pourquoi se seraitelle suicidée ?

– La culpabilité, par exemple. Peut-être avait-elle pris la mesure de ce à quoi elle avait exposé son mari pendant toutes ces années ? Il peut y avoir un tas de raisons. Au cours de ma carrière, j'ai vu beaucoup de cas de gens qui se suicidaient pour bien moins que cela – si l'on en juge d'après les motifs apparents.

Talboth médita un instant la réponse de Wallander.

– Oui, bien sûr. Je m'aperçois que je ne t'ai pas tout dit, concernant Louise. Elle avait beau dissimuler des pans entiers de sa personnalité, je la connaissais bien. Elle n'était pas du genre à se suicider.

– Qu'est-ce qui te fait dire cela ?

– Certaines personnes ne se suicident pas. C'est tout.

Wallander secoua la tête.

– Mon expérience affirme le contraire. Mon expérience me dit que toute personne est capable de se suicider, pour peu que certaines circonstances soient réunies.

– Je ne vais pas te contredire. Je suis persuadé que ton expérience est tout sauf négligeable. Mais l'expérience qu'on acquiert après une longue vie auprès des services de sécurité américains n'est peut-être pas négligeable non plus.

– Nous savons aujourd'hui qu'elle a été assassinée. Et nous avons découvert sur elle du matériel de renseignement.

Talboth, qui avait levé son verre, fronça les sourcils et le reposa sans avoir bu. Wallander crut soudain deviner une autre qualité de vigilance chez lui.

– Je l'ignorais, dit-il simplement.

– Tu n'étais pas censé le savoir. Je ne devrais pas te le dire. Mais je le fais pour Håkan. Je pars du principe que cela restera entre nous.

– Je ne dirai rien. Le jour où l'on cesse d'être actif, on doit se débarrasser de tout ce qu'on sait. On ne doit rien garder. On vide sa mémoire comme d'autres vident leurs armoires ou leur bureau.

– Et si je te disais que Louise a sans doute été empoisonnée avec des méthodes en usage du temps de la RDA – que me répondrais-tu ?

Talboth hocha lentement la tête, puis leva son verre. Cette fois, il but.

– Ça arrive aussi au sein de la CIA, dit-il. On liquide quelqu'un, et on fait passer ça pour un suicide.

Wallander avait décidé de pousser son avantage le plus loin possible. Il attendit la suite. Talboth reprit la parole :

– Est-ce que ce peut être le fait des services suédois ?

– Ça ne se passe pas comme ça en Suède. Et il n'y a aucune raison de penser qu'elle ait été démasquée. Autrement dit, il nous manque un auteur et un mobile.

Le soleil venait de réapparaître au coin de l'immeuble d'en face. Talboth déplaça son fauteuil en osier pour rester à l'ombre. Il demeura silencieux un moment, en se mordant la lèvre inférieure.

– On croirait presque un drame inter-agents, dit-il soudain.

– Explique-toi.

– Être en poste en Suède, à l'époque, ce n'était pas du tout la même chose qu'être en poste derrière le rideau de fer. Celui qui était démasqué là-bas était presque toujours exécuté, à moins d'être vraiment très important et donc échangeable contre un agent de même envergure. Troc et tractations. Les espions perdent parfois la tête quand ils sont depuis trop longtemps sur le terrain, sans cesse prêts à l'éventualité d'une dénonciation. La pression est trop forte. Il arrive que certains agents s'en prennent à d'autres agents. La violence se retourne vers l'intérieur. Les succès de l'un peuvent faire de l'ombre à l'autre. La jalousie monte, la concurrence remplace la collaboration, la loyauté n'est plus de mise. Dans le cas de Louise, c'est une réelle possibilité. Pour une raison bien précise.

Ce fut au tour de Wallander de déplacer son fauteuil. Il se pencha et attrapa son verre d'eau, où tous les glaçons avaient fondu. Talboth poursuivit :

– Comme te l'a dit Håkan, les rumeurs de l'existence d'un « super espion » suédois ne datent pas d'hier. La CIA en était informée depuis belle lurette. Du temps où je travaillais à notre consulat de Stockholm, nous y consacrions même d'importants moyens. C'était un problème pour nous, et pour l'OTAN, que quelqu'un s'emploie à vendre aux Soviétiques des renseignements militaires suédois. La Suède possédait une industrie d'armement très en pointe sur le plan de l'innovation technique. Nous nous réunissions régulièrement pour faire le point, avec nos collègues suédois, bien sûr, mais aussi avec nos collègues anglais, français, norvégiens, pour ne citer que ceux-là. Nous savions avoir affaire à un agent d'une habileté exceptionnelle. Nous comprenions qu'il devait exister un *fournisseur*, c'est-à-dire un intermédiaire côté suédois. Quelqu'un qui transmettait l'information à l'agent qui la transmettait à son tour aux Russes. Nous étions étonnés de ne pas réussir à mettre la main dessus. Les Suédois avaient une liste de vingt noms, tous exclusivement des officiers issus des trois armées. Mais ils ne parvenaient à aucun résultat. Et nous étions incapables de les aider. Nous avions la sensation de traquer un fantôme. Un petit malin a alors eu l'idée de baptiser l'agent mystère « Diana ». Comme la fiancée de Superman. Je trouvais cela idiot. Tout d'abord parce que rien n'indiquait que ce fût une femme. Par la suite, on a compris que l'idiot avait eu un éclair de génie sans le savoir. La situation était donc celle-là. Jusqu'en mars 1987. Le 8 mars, pour être tout à fait exact. Ce jour-là, il s'est produit un événement qui a brutalement modifié la donne, discréditant un certain nombre d'officiers des renseignements suédois et nous obligeant tous à raisonner autrement. Håkan ne t'en a pas parlé, je pense.

– Non.

– Ça a commencé à Schiphol, l'aéroport d'Amsterdam, tôt le matin. Un homme s'est présenté à la police des frontières. Costume chiffonné, chemise blanche, cravate, sa petite valise à la main, son chapeau dans l'autre, son imperméable sur le bras. Il devait donner l'impression de sortir d'un autre monde – ou alors d'une scène de film en noir et blanc avec une musique de fond sinistre. Il a été reçu par un fonctionnaire de police qui était beaucoup trop jeune pour faire face à une telle mission. Mais la grippe sévissait, il avait dû remplacer un collègue au pied levé, etc. Et voilà que se présente devant lui cet homme, qui baragouine l'anglais et déclare qu'il demande l'asile politique aux Pays-Bas, muni d'un passeport russe établi au nom d'Oleg Linde. Nom inhabituel, peut-être, pour un Russe, mais c'était le bon. Il avait une quarantaine d'années. Une cicatrice le long du nez. Le jeune fonctionnaire, qui n'avait jamais auparavant rencontré un réfugié de l'Est, est allé chercher un collègue plus âgé, qui a pris la relève. Ce policier, je crois que son prénom était Geert, n'a même pas eu le temps de poser sa première question qu'Oleg Linde s'est mis à parler. J'ai lu les rapports d'interrogatoire si souvent que je les connais presque par cœur. Oleg Linde était colonel dans l'unité spéciale du KGB en charge de l'espionnage à l'Ouest, et il demandait l'asile dans la mesure où il ne voulait plus, disait-il, participer à l'effort pour retarder l'effondrement de l'empire soviétique. Ce fut sa première déclaration. Puis vint l'appât qu'il avait préparé. Il connaissait bon nombre d'agents soviétiques en poste dans les pays occidentaux. En particulier certains, très recherchés, qui avaient leur base aux Pays-Bas. Après cette révélation, il a été pris en main par les gens de la sécurité, conduit dans un appartement de La Haye – ironiquement situé juste à côté des locaux du Tribunal international – et là, pour reprendre l'expression des collègues néerlandais, on l'a « démonté ». Il ne leur a pas fallu longtemps pour établir qu'Oleg Linde avait de quoi étayer chacun de ses propos. Son identité fut tenue secrète, mais on commença aussitôt à annoncer aux collègues du monde entier qu'il y avait sur la table une belle pièce, une véritable *antiquité.* Voulait-on venir la voir ? Examiner l'objet ? Des rapports arrivaient de Moscou, disant que le KGB était sens dessus dessous ; tous là-bas couraient comme des fourmis désorientées dans une fourmilière que quelqu'un aurait dérangée du bout d'un bâton. Oleg Linde était l'un de ceux qui ne pouvaient tout simplement pas être autorisés à passer de l'autre côté. Et pourtant il l'avait fait, il avait réussi, et on craignait le pire. Moscou a compris qu'il était aux Pays-Bas quand leur réseau d'agents a été démantelé dans ce pays. Linde venait de lancer la *grande braderie,* comme nous le disions dans notre langage. Et il était bon marché. Tout ce qu'il réclamait, c'était un nouveau nom et une nouvelle identité. D'après ce que je sais, il est parti vivre sur l'île Maurice, dans un endroit qui porte le nom merveilleux de Pamplemousse, et il a gagné sa vie là-bas en tant que menuisier. Apparemment, le brave Oleg avait été ébéniste avant de se retrouver à travailler pour le KGB. Mais je ne suis pas très sûr de cette partie précise de l'histoire.

– Que fait-il maintenant ?

– Il se repose. Le grand repos éternel. Il est mort en 2006, d'un cancer. Sur l'île Maurice, il a rencontré une jeune femme qu'il a épousée et avec laquelle il a eu quelques enfants. Mais je ne sais rien de leur vie. Son histoire me rappelle d'ailleurs celle d'un autre transfuge, qu'on appelait « Boris ».

– J'ai entendu parler de lui, dit Wallander. Les Russes devaient trahir en pagaille au cours de ces années-là.

Talboth se leva et disparut vers les profondeurs de l'appartement. Deux camions de pompiers passèrent dans la rue, sirènes hurlantes. Talboth revint avec la carafe remplie à ras bord.

– C'est lui qui nous a dit que l'espion que nous cherchions depuis si longtemps en Suède était en réalité une femme, dit-il quand il se fut rassis. Il ne connaissait pas son nom, c'était une autre unité qui s'occupait d'elle – des gens du KGB qui travaillaient indépendamment des autres officiers, ainsi que ça se pratiquait avec les agents réputés particulièrement précieux. Mais il était certain qu'il s'agissait d'une femme. Elle n'était pas professionnellement active au sein de la Défense ni de l'industrie de l'armement ; ce qui signifiait qu'elle possédait un ou peut-être plusieurs fournisseurs. On n'a jamais su si elle espionnait pour raisons idéologiques, ou simplement pour affaires. Les services de renseignements préfèrent toujours la deuxième catégorie. La conviction idéologique provoque des dérapages ou, comme nous avons l'habitude de le dire : les fanatiques ne sont pas des gens très fiables. Notre branche d'activité est cynique par nature, et elle doit l'être pour rester efficace. Nous ne contribuons peut-être pas à améliorer le monde, mais nous ne le rendons pas pire qu'il n'est. Telle est, grossièrement résumée, notre position de principe. Et nous la justifions en affirmant que nous maintenons un équilibre de la terreur, ce qui est sans doute la pure vérité.

Talboth remua les glaçons dans la carafe à l'aide d'une longue cuillère.

– Les guerres de l'avenir, dit-il pensivement, tourneront autour de produits de base tels que celui-ci. Nos soldats mourront pour des flaques d'eau.

Il remplit son verre, presque avec tristesse, en faisant bien attention de ne pas en verser à côté. Wallander attendait.

– Nous ne l'avons jamais trouvée, reprit Talboth. Nous avons aidé les Suédois de notre mieux, mais elle n'a jamais été identifiée. Nous avons commencé à jouer avec l'idée qu'elle n'avait jamais existé. Mais les Russes apprenaient sans cesse des choses qu'ils n'auraient pas dû savoir. Si, par exemple, l'entreprise Bofors créait un détail innovant destiné à tel système d'armement, les Russes en étaient rapidement informés. Nous avons disséminé un nombre incalculable de pièges, mais nous n'avons jamais rien capturé.

– Et Louise ?

– Elle était inaccessible. Qui aurait eu l'idée de la soupçonner ? Un professeur de langues qui aimait le plongeon sportif…

Talboth s'excusa : il était l'heure pour lui de s'occuper de son aquarium. Wallander resta assis sur le balcon et commença à prendre quelques notes sur ce qu'il venait d'entendre. Mais il s'arrêta bien vite, ce n'était pas nécessaire, il s'en souviendrait de toute façon. Il alla dans la chambre qui lui avait été attribuée et s'allongea sur le lit, les mains croisées sous la nuque. Au réveil, il découvrit qu'il avait dormi deux heures. Il se leva d'un bond, comme pris en flagrant délit. Talboth fumait une cigarette sur le balcon. Wallander reprit place dans le même fauteuil que précédemment.

– Je crois que tu as rêvé, dit Talboth. En tout cas, tu as crié dans ton sommeil.

– Je fais parfois des cauchemars. Ça marche par périodes.

– Je ne connais pas ça. Je ne me souviens jamais de mes rêves. Heureusement.

Ils se rendirent à pied à la trattoria dont avait parlé Talboth à son arrivée. *Il Trovatore*. Ils burent du vin rouge au repas et parlèrent de tout sauf de Louise von Enke. Ensuite Talboth insista pour essayer diverses marques de grappa avant de déclarer, d'autorité, que Wallander était son invité. Celui-ci se sentait un peu gris en sortant du restaurant. Talboth alluma une cigarette et détourna le visage pour souffler la fumée.

– C'était il y a très longtemps, dit Wallander, qu'Oleg

Linde a parlé de cette femme suédoise. Il paraît peu probable qu'elle soit restée en activité jusqu'à nos jours.

– Ça dépend, dit Talboth.

– Si l'activité continuait, cela disculperait Louise.

– Pas nécessairement. Quelqu'un peut avoir pris le relais. Dans ce monde-là, il n'y a pas de modèle simple d'explication. Souvent la vérité se révèle être à l'inverse de ce que l'on croit.

Ils marchaient lentement le long du trottoir. Talboth alluma une autre cigarette.

– L'intermédiaire, dit Wallander. Celui que tu as appelé le *fournisseur*. Rien non plus à son sujet ?

– Il n'a jamais été démasqué.

– Ce qui signifie que ce pourrait être une femme, là encore ?

Talboth secoua la tête.

– Les femmes ont rarement une telle influence au sein de la Défense ou de l'industrie militaire. Je suis prêt à parier ma maigre retraite qu'il s'agit d'un homme.

La soirée était presque aussi suffocante que l'avait été toute cette journée-là. Wallander sentait poindre la migraine.

– Y a-t-il quelque chose dans ce que je t'ai raconté qui te surprend particulièrement ? demanda Talboth sur un ton distrait, comme pour entretenir la conversation.

– Non.

– Y a-t-il une conclusion que tu aurais tirée et qui ne collerait pas avec ce que je t'ai dit ?

– Non. Pas à première vue.

– Que pensent les enquêteurs qui travaillent sur la mort de Louise ?

– Ils manquent de pistes. Le seul élément tangible, c'est ce qu'on a trouvé sur elle, et les traces de poison dans son corps.

– Cela devrait suffire à prouver que c'était elle, non ? Peut-être y a-t-il eu un imprévu au moment où elle allait remettre le matériel à son contact ?

– Peut-être. Mais que s'est-il passé ? Qu'est-ce qui a mal tourné ? Qui est venu à sa rencontre ? Et pourquoi à ce moment précis ?

Talboth écrasa son mégot sous son talon.

– C'est quand même un grand progrès. On tient une preuve. On peut concentrer l'enquête sur Louise. Tôt ou tard on trouvera vraisemblablement aussi l'intermédiaire.

Ils poursuivirent jusqu'à l'immeuble de Talboth. Celui-ci composa le code de la porte.

– J'ai besoin d'air, dit soudain Wallander. Je ne te l'ai pas dit, mais je suis un promeneur nocturne invétéré. Je continue un moment encore.

Talboth acquiesça, lui indiqua le code et disparut dans le hall. Wallander regarda la porte se refermer sans bruit dans son dos. Puis il se remit en marche dans la rue déserte. Il était repris par le sentiment que ça n'allait pas du tout. Le même sentiment qu'il avait eu après la nuit passée en compagnie de Håkan von Enke sur son île. Il pensait aux paroles de Talboth : « La vérité est souvent à l'opposé de ce que l'on croit. » Parfois, la réalité devait être renversée pour apparaître à l'endroit.

Wallander se retourna. La rue était réellement très déserte. De la musique s'échappait par une fenêtre ouverte – de la variété allemande. Il perçut les mots *leben*, *eben* et *neben*. Il parvint à une petite place. Des jeunes s'embrassaient sur un banc. Je pourrais me planter là et crier dans la nuit : « Je ne comprends rien à ce qui se passe ! » La seule certitude que j'ai, c'est que quelque chose m'échappe. Est-ce que je m'en rapproche ou est-ce que je m'en éloigne ? Pas la moindre idée.

Il fit le tour de la place, de plus en plus fatigué. À son retour à l'appartement, il eut l'impression que Talboth était parti se coucher. La porte du balcon était fermée. Wallander se déshabilla et s'endormit très vite.

Dans ses rêves, les chevaux couraient de nouveau. Mais à son réveil, le lendemain matin, il ne s'en souvenait plus.

37

En ouvrant les yeux, Wallander ne comprit pas tout d'abord où il était. Six heures à sa montre ; il s'attarda dans le lit. Il croyait entendre à travers la paroi le sifflement des machines qui réglaient l'oxygénation de l'eau du grand aquarium. Impossible de savoir en revanche si les trains roulaient ou non. Ils menaient une vie silencieuse dans leur tunnel étanche. Comme des taupes, pensa-t-il. Mais aussi comme ceux qui ont réussi à se faufiler dans les couloirs où se prennent les décisions secrètes, pour les voler et les transmettre à d'autres qui n'auraient pas dû en avoir connaissance.

Il se leva, pressé de partir. Sans prendre la peine de se doucher, il s'habilla et passa dans le grand séjour lumineux. La porte du balcon était ouverte ; une brise tranquille animait les fins rideaux. Talboth était là, dans son fauteuil, une cigarette à la main. Une tasse de café était posée devant lui. Il se tourna lentement vers Wallander. Comme s'il l'avait entendu venir bien avant que celui-ci n'approche de la porte du balcon. Il souriait. Wallander pensa soudain que ce sourire ne lui inspirait que méfiance.

– J'espère que tu as bien dormi ?

– Le lit était parfait, et la chambre bien sombre et silencieuse. Il est temps pour moi de prendre congé à présent.

– Tu n'accorderas donc pas une seule journée à Berlin ? J'aurais beaucoup de choses à te montrer.

– Ç'aurait été avec plaisir. Mais je dois rentrer.

– Je suppose que ton chien ne peut pas rester seul trop longtemps ?

Comment sait-il que j'ai un chien ? pensa vivement Wallander. Je ne lui en ai pas parlé.

Il eut la sensation confuse que Talboth venait de s'apercevoir de son erreur.

– Oui, dit Wallander. Tu as raison. Il est chez les voisins, mais je ne peux pas abuser indéfiniment de leur gentillesse. Cet été a été rempli de voyages. Et puis j'ai ma petite-fille. Je n'aime pas m'éloigner d'elle.

– Je suis content que Louise ait eu le temps de la connaître un peu, dit Talboth. Les enfants, c'est une chose ; les petits-enfants, c'en est une autre. Les enfants donnent le début d'un sens à nos vies, mais les petits-enfants le confirment. Avec eux vient un sentiment d'accomplissement. Tu aurais une photo ?

Wallander lui montra les deux photographies qu'il avait emportées.

– Qu'elle est belle, dit Talboth en se levant. Tu prendras quand même un petit déjeuner avant de partir ?

– Un café, c'est tout. Je ne mange pas le matin.

Talboth secoua la tête d'un air réprobateur. Mais il revint sur le balcon avec un café. Noir, sans lait, tel que Wallander le prenait toujours.

– Tu as prononcé une phrase, hier, à laquelle j'ai repensé ensuite, dit-il en acceptant la tasse.

– Beaucoup de choses ont dû te paraître étranges dans ce que je t'ai raconté.

– Tu as dit que la vérité se révélait parfois être à l'inverse de ce qu'on croyait. Était-ce un principe général, ou pensais-tu à une vérité particulière ?

Talboth réfléchit.

– Je ne me souviens pas d'avoir dit cela. Mais si je l'ai fait, c'était dans un sens général.

Wallander acquiesça en silence. Il n'en croyait pas un

mot. Ses paroles avaient eu un sens précis. Seulement lui, Wallander, n'avait pas réussi à s'en emparer.

Talboth paraissait agité, contrairement à la veille où il avait semblé calme et détendu.

– J'aimerais prendre une photo de nous deux ensemble, dit-il. Je vais chercher mon appareil. C'est une habitude ; je n'ai pas de livre d'or, mais je garde une photo pour commémorer les visites que je reçois.

Il revint avec un appareil photo, programma le dispositif à retardement, posa l'appareil sur la table et s'assit à côté de Wallander. Quand la photo fut prise, il récupéra l'appareil et photographia Wallander seul. Ils se quittèrent peu après. Wallander avait sa veste sur le bras, ses clés de voiture à la main.

– Tu réussiras à quitter la ville tout seul ?

– Je n'ai pas un sens de l'orientation très développé ; mais tôt ou tard j'y arriverai bien. Il faut dire que le réseau routier des villes allemandes est exceptionnellement logique.

Ils se serrèrent la main. Une fois dans la rue, Wallander aperçut Talboth, accoudé au garde-corps de son balcon. Avant de sortir de l'immeuble, il avait noté que son nom ne figurait pas sur la liste des occupants ; à la place, il y avait une plaque au nom de *USG Enterprises*. Wallander le mémorisa.

Comme prévu, il mit des heures à sortir de Berlin. Quand il fut sur l'autoroute il s'aperçut, trop tard, qu'il avait loupé la bonne sortie et se dirigeait tout droit vers la frontière polonaise. Non sans mal, il réussit à faire demi-tour et à retrouver enfin la route du nord. En dépassant Oranienburg, il frémit à l'idée de ce qui s'y était produit.

Le voyage du retour se déroula sans encombre. Ce soir-là, Linda lui rendit visite. Klara était enrhumée, Hans la gardait ; il devait se rendre à New York le lendemain.

Ils s'étaient installés sur la balancelle, dans le jardin. La soirée était tiède, Linda buvait du thé.

– Comment vont ses affaires ? demanda Wallander alors qu'ils se balançaient côte à côte.

– Je ne sais pas, mais je me demande vraiment ce qui se passe. Avant, quand il rentrait le soir, il me parlait de toutes les brillantes affaires qu'il avait conclues dans la journée. Maintenant il ne dit plus rien.

Une formation d'oies passa au-dessus de leurs têtes. Ils contemplèrent en silence le grand V qui disparut à tire-d'aile dans le soir d'été, plein sud.

– Ce n'est pas un peu tôt ? demanda Linda.

– Peut-être qu'elles s'entraînent.

Linda éclata de rire.

– Ça, c'est un commentaire qu'aurait pu faire grand-père. Tu sais que tu lui ressembles de plus en plus ?

– Non. Il avait de l'humour, d'accord. Mais il pouvait être beaucoup plus méchant que ce que je m'autorise.

– Je ne crois pas qu'il ait été méchant. Je crois qu'il avait peur.

– De quoi ?

– Peut-être de devenir trop vieux. De mourir. Je crois que c'est ça qu'il cachait derrière cette espèce de colère, plutôt artificielle à mon avis.

Wallander ne répondit pas. Était-ce à cela qu'elle pensait en disant qu'ils se ressemblaient ? Commençait-il, lui aussi, à avoir tellement peur de mourir que ça se voyait sur sa figure ?

Elle changea brusquement de sujet :

– Demain nous allons rendre visite à Mona, toi et moi.

– Ah bon ? Pourquoi ?

– Parce qu'elle est ma mère et que nous sommes, toi et moi, sa famille.

– Et son psychopathe de mari ? Il ne peut pas s'occuper d'elle ?

– Tu n'as pas compris que c'était fini entre eux ?

– Non. Et je refuse d'y aller.

– Pourquoi ?

– Je ne veux plus avoir affaire à Mona. Je ne lui pardonne pas ce qu'elle a dit sur Baiba. Surtout maintenant que Baiba est morte.

– Quand on est jaloux, on dit des bêtises de jaloux. Mona m'a raconté ce que tu étais capable de dire, toi, dans la même situation.

– Elle ment.

– Pas toujours.

– Je n'irai pas. Je ne veux pas.

– Mais moi, je le veux. Et je crois surtout que Mona le veut. Tu ne peux pas juste la rayer comme ça.

Wallander n'en dit pas davantage. Il ne servait à rien d'argumenter. S'il ne lui obéissait pas, elle en garderait une rancune qui leur rendrait la vie impossible pendant longtemps. Et ça, il ne le voulait pas.

– Je ne sais même pas où se trouve ce centre de cure, dit-il à la fin.

– Tu verras demain. Ce sera une surprise.

Une dépression entra sur la Scanie au cours de la nuit. Quand ils prirent la route, peu après huit heures du matin, il pleuvait et le vent soufflait. Wallander se sentait frissonner de l'intérieur. Il avait mal dormi. Quand Linda était passée le prendre, elle l'avait trouvé fatigué et de mauvaise humeur et l'avait tout de suite envoyé changer de pantalon.

– Tu n'es pas obligé de mettre un costume pour aller la voir, mais ce n'est pas non plus la peine d'avoir l'air misérable.

Il était revenu avec un autre pantalon.

Elle se dirigea vers l'est. En approchant de la sortie vers le château médiéval de Glimmingehus, elle lui jeta un regard.

– Tu te souviens ?

– Bien sûr que je me souviens.

– On est en avance. On a le temps de s'arrêter.

Linda s'engagea sur le parking qui s'étendait devant l'imposant mur pignon. Empruntant le pont-levis, ils pénétrèrent dans la cour du château.

– Ça fait partie de mes premiers souvenirs, dit Linda. Quand on venait ici, toi et moi, et que tu me terrorisais avec tes histoires de fantômes. Quel âge j'avais ?

– La première fois, je crois que tu avais quatre ans. Mais ce jour-là je ne t'ai pas raconté d'histoires de fantômes. Ça, je crois que c'était quand tu en avais sept. Peut-être l'été avant que tu ne commences l'école ?

– Je m'en souviens. J'étais tellement fière de toi. Mon papa grand et fort qui en imposait à tout le monde. Je suis capable de repenser à ces moments et de retrouver cette époque où je me sentais complètement en sécurité et heureuse de vivre.

– J'éprouvais la même chose quand tu étais petite, répondit Wallander avec sincérité. C'étaient sans doute les meilleures années.

– Où passe-t-elle, la vie ? Ça t'arrive de penser ça ? Maintenant que tu as soixante ans ?

– Oui. Il y a quelques années, je me suis aperçu que j'avais pris l'habitude de lire les annonces de décès dans *Ystads Allehanda*. Si je tombais sur un autre journal, je faisais pareil. Et je me demandais de plus en plus souvent ce qu'étaient devenus mes camarades de classe de Limhamn. Comment leur vie avait tourné, comparée à la mienne, tu vois ? J'ai commencé à me renseigner vaguement. Pour savoir.

Ils s'étaient assis sur l'escalier de pierre qui donnait accès au fort.

– Nous qui sommes entrés à l'école à l'automne 1955, nous avons eu des vies très différentes, c'est le moins qu'on puisse dire. Je crois savoir aujourd'hui ce qui est arrivé à la plupart d'entre eux. Pour beaucoup, ça ne s'est pas bien passé. Certains sont morts. Il y en a un qui s'est tiré une balle dans la tête après avoir émigré au Canada. Quelques-uns, rares, ont réussi à faire ce qu'ils voulaient. Comme Sölve Hagberg, qui a gagné le jeu télévisé *Quitte ou double.* La plupart ont juste mené une existence, comment dire, laborieuse et discrète. Leur vie, la mienne ne se sont pas déroulées de la même manière. Mais quand on a soixante ans, presque tout est derrière soi. Il n'y a qu'à l'accepter, même si c'est difficile. Il reste très peu de décisions importantes en perspective.

– Tu as l'impression que ta vie se termine ?

– Parfois, oui.

– À quoi penses-tu alors ?

Il hésita. Puis il lui dit la vérité.

– Je regrette que Baiba soit morte. Et que ça n'ait rien donné entre nous.

– Il existe d'autres femmes. Tu n'es pas obligé de rester seul.

Wallander se leva.

– Non. Il n'y a pas « d'autres femmes ». Baiba n'était pas remplaçable.

Ils retournèrent à la voiture et reprirent la route du centre de cure situé quelques kilomètres plus loin. C'était une ancienne ferme à colombages, un grand quadrilatère dont la cour intérieure avait été conservée intacte, avec ses pavés ronds. À leur arrivée, ils aperçurent Mona qui fumait, assise sur un banc.

– Elle s'est mise à la cigarette ? murmura Wallander à Linda. Elle n'a jamais fumé que je sache.

– Elle dit que ça la console. Qu'elle arrêtera quand elle sortira d'ici.

– Et quand sortira-t-elle d'ici ?

– Dans un mois.

– C'est Hans qui paie ?

Linda ne répondit pas. Ce n'était pas la peine. Mona venait de les apercevoir et se leva. Wallander nota avec malaise son teint grisâtre et les lourdes poches sous ses yeux. Il la trouvait laide. Il n'avait jamais pensé cela d'elle auparavant. Ils la rejoignirent.

– C'est gentil à toi d'être venu, dit-elle en lui serrant la main.

Il marmonna une réponse.

– Pardon ?

– Je voulais voir comment tu étais installée.

Ils s'assirent sur le banc tous les trois, Mona au milieu. Wallander n'avait qu'une envie, s'en aller, se tirer de là. Mona se débattait avec son angoisse et avec les douleurs du sevrage. Soit. Ce n'était pas une raison pour le faire venir. Pourquoi Linda avait-elle tenu à ce qu'il voie Mona dans cet état ? Était-ce pour lui faire admette sa culpabilité ? Et d'ailleurs, *quelle* culpabilité ? Il remarqua qu'il s'énervait tout seul, pendant que Linda et Mona discutaient à voix basse. Puis elle leur demanda s'ils voulaient voir sa chambre. Wallander déclina la proposition. Linda la suivit seule à l'intérieur du bâtiment.

Il fit le tour de la cour en attendant que Linda revienne. Le téléphone sonna dans la poche de sa veste. C'était Ytterberg, jovial, très en forme.

– Tu as repris le service ? Ou tu es toujours en vacances ?

– Toujours en vacances. Du moins, je fais semblant.

– Moi, je suis au bureau. Et devant moi j'ai un rapport de nos collègues secrets de la branche militaire. Veux-tu savoir ce qu'ils ont à nous dire ?

– Je te préviens que nous risquons d'être interrompus.

– Laisse-moi cinq minutes. C'est un rapport extraordinairement mince. Ce qui signifie que l'essentiel doit être protégé de nos regards de flics qui risqueraient de mal comprendre. Je cite : *Certaines parties du dossier sont classées secret-défense.* Je pense que ça concerne l'essentiel des infos. On nous distribue quelques grains de sable. Les perles, s'il y en a, ils se les gardent.

Ytterberg eut soudain une crise d'éternuements.

– Je fais de l'allergie, s'excusa-t-il. C'est une marque de désinfectant qu'ils utilisent au commissariat et que je ne supporte pas. Je crois que je vais commencer à nettoyer mon bureau moi-même.

– Ça me paraît une bonne idée, répondit Wallander sans masquer son impatience.

– Voilà ce que dit le rapport, je cite : *Le matériau découvert dans le sac à main de Louise von Enke correspond à des informations militaires de type confidentiel.* Fin de citation. Aucun doute possible, autrement dit.

– Le « matériau » a donc été authentifié ?

– Oui. Et le rapport continue en affirmant qu'un matériau de même nature avait déjà été transmis aux Russes, vu qu'il a été prouvé par élimination, côté suédois, que ceux-ci détenaient des informations auxquelles ils n'auraient pas dû avoir accès. Tu comprends ? Le rapport est écrit en jargon militaire, ce n'est pas évident.

– Nos collègues secrets s'expriment toujours comme ça. Pourquoi en irait-il autrement dans la « branche militaire », comme tu dis ?

– C'est à peu près tout ce qu'ils veulent bien nous communiquer. Mais la conclusion s'impose : Louise von Enke avait bien les doigts dans le pot à confiture. Elle a vendu des informations ; Dieu seul sait comment elle se les est procurées.

– Il reste de nombreuses questions en suspens. Que s'est-il passé là-bas sur Värmdö ? Qui devait-elle rencontrer ? Pourquoi l'a-t-on tuée ? Et surtout : pourquoi a-t-on choisi de laisser les documents compromettants dans son sac ?

– Ces gens-là ne savaient peut-être pas qu'il fallait les prendre ?

– Ou alors, elle ne les avait pas sur elle en arrivant.

– Oui, on a pu les y avoir mis après coup. Nous n'écartons évidemment pas cette possibilité.

– Dans ce cas, il s'agissait de la faire accuser à tort.
– Oui.
– C'est un labyrinthe. Mais dis-moi : quelle priorité a ce meurtre chez vous en ce moment ?
– Très haute. D'après la rumeur, l'affaire va être citée dans une émission télé qui s'intéresse aux enquêtes criminelles en cours. Tu sais bien, les chefs commencent à transpirer dès que les médias approchent avec leurs caméras et leurs micros.
– Envoie-les-moi, dit Wallander. Je n'ai pas peur d'eux.
– Qui parle d'avoir peur ? Je crains juste de m'énerver si on me pose trop de questions idiotes.
Après avoir raccroché, Wallander s'assit sur le banc et réfléchit à ce que venait de lui apprendre Ytterberg. Sans succès.

Mona avait les yeux brillants quand elle revint avec Linda. Wallander comprit qu'elle avait pleuré. Il ne tenait pas du tout à savoir de quoi elles avaient parlé ensemble mais, à sa propre surprise, il éprouvait soudain de la compassion pour elle. Il aurait pu lui poser la question, à elle aussi. *Comment ta vie a-t-elle tourné, Mona ?* Il la voyait, debout devant lui, abattue et grise, tremblante, aux prises avec des forces qui la dépassaient.
– C'est l'heure de mon traitement, dit-elle. Je vous remercie d'être venus. C'est difficile, ce que je traverse ici.
– En quoi consiste le traitement ? demanda Wallander dans un effort héroïque pour se montrer intéressé.
– Là, tout de suite, je dois avoir une conversation avec un médecin qui s'appelle Torsten Rosén. Il a connu l'alcool, lui aussi. Il faut que j'y aille.
Ils se séparèrent dans la cour. Linda et Wallander abordèrent la route du retour en silence. Il pensa qu'elle était sûrement plus affectée que lui. Elle avait une relation de plus en plus forte avec sa mère, lui semblait-il. Après les années de galère de l'adolescence.
– Je suis contente que tu sois venu, dit Linda en le déposant devant chez lui.

– Tu ne m'as pas laissé le choix. Mais c'était important que je voie ce qu'elle vit, enfin ce qu'elle endure. Est-ce qu'elle va s'en sortir ? Voilà la question.

– Je ne sais pas. On peut l'espérer.

– Oui. À la fin, c'est tout ce qui reste. L'espoir.

Il passa la main par la vitre baissée et lui caressa rapidement les cheveux. Elle mit le contact et démarra. Wallander la suivit du regard.

Il se sentait oppressé. Il libéra Jussi et passa un moment à le gratter derrière les oreilles avant d'entrer dans la maison.

Il constata aussitôt que quelqu'un était venu. Sa minutie payait : dans l'embrasure de la fenêtre voisine de la porte, quelqu'un avait déplacé vers la gauche le petit bougeoir qu'il avait posé pile devant l'espagnolette. Il s'immobilisa, retenant son souffle. Pouvait-il s'être trompé ? Non, il n'y avait aucun doute possible. En examinant la fenêtre, il comprit qu'elle avait été ouverte de l'extérieur à l'aide d'un outil mince et pointu, du même type sans doute que celui que les voleurs de voiture utilisent pour forcer les portières.

Il souleva le bougeoir avec précaution et l'examina. Il était en bois cerclé de cuivre. Il le redéposa et parcourut ensuite méthodiquement la maison. Il ne trouva pas d'autre trace de celui, ou celle, ou ceux, qui s'étaient introduits chez lui. Ils sont prudents, pensa-t-il, prudents et habiles. La fenêtre a été leur seule négligence.

Il s'assit dans la cuisine et considéra le bougeoir. Il n'y avait qu'une seule explication plausible.

Quelqu'un était convaincu qu'il détenait quelque chose, alors que lui-même ignorait quoi. Ses notes ? Un objet qu'il avait en sa possession ?

Il était parfaitement immobile sur sa chaise. Je me rapproche, pensa-t-il. Ou bien on se rapproche de moi.

38

Le lendemain il fut chassé du sommeil par des rêves dont il ne gardait aucun souvenir. Peut-être les chevaux galopant, à nouveau ? La vue du bougeoir sur l'appui de la fenêtre lui rappela que quelqu'un était là, près de lui, très proche. Il sortit, nu, dans la cour pour uriner et lâcher Jussi. Un premier brouillard annonciateur de l'automne flottait sur les champs. Il frissonna et se dépêcha de rentrer. Après s'être habillé, il fit du café et s'attabla dans la cuisine, bien décidé à tenter de pénétrer une fois de plus le mystère de la mort de Louise von Enke. Il savait naturellement qu'il n'arriverait à rien, sinon peut-être à une hypothèse toute provisoire. Mais il avait besoin de le faire, ne serait-ce qu'en raison de cette sensation taraudante de passer sans cesse à côté d'un détail essentiel. Sensation renforcée par la visite reçue en son absence. En un mot : il ne voulait pas s'avouer vaincu.

Mais il eut du mal à se concentrer. Après deux heures d'efforts il renonça et, rassemblant ses papiers, partit pour le commissariat. Il choisit à nouveau d'entrer par le sous-sol et gagna son bureau sans avoir été repéré. Une demi-heure plus tard, il abandonna ses papiers et, après un rapide regard au couloir désert, se rendit vivement jusqu'à la machine à café. Il allait saisir son gobelet plein quand Lennart Mattson surgit dans son dos. Wallander n'avait pas vu son chef depuis longtemps et n'était guère pressé de le revoir. En plus, il le trouva bronzé et aminci, ce qui éveilla aussitôt sa jalousie.

– Déjà de retour ? fit Lennart Mattson en haussant le sourcil. Tu ne peux pas te retenir, c'est ça ? Le travail t'attire comme un aimant ? C'est bien. Sans passion on ne peut jamais être un bon policier. Cela dit, je croyais que tu ne reprenais pas avant lundi.

– Je passais juste prendre quelques papiers.

– Tu as deux minutes ? J'ai une bonne nouvelle que j'aimerais partager avec quelqu'un.

– J'ai tout mon temps, répondit Wallander avec une ironie dont il était certain qu'elle échapperait entièrement à Mattson.

Une fois dans le bureau, Wallander prit place dans l'un des fauteuils réservés aux visiteurs. Lennart Mattson s'assit à son tour et ouvrit un dossier sur son bureau admirablement rangé.

– Une bonne nouvelle, comme je le disais. Nous avons, ici en Scanie, l'un des meilleurs taux d'élucidation de Suède. Nous résolvons plus d'affaires criminelles que n'importe quelle autre province du royaume. Et ce n'est pas fini : nous avons aussi la meilleure évolution par rapport à l'année dernière. Voilà exactement ce dont nous avions besoin pour nous galvaniser et redoubler d'efforts.

Wallander écoutait son chef. Il n'y avait aucune raison de croire que ce qu'il lui disait là ne correspondait pas au contenu du rapport. Mais il savait que l'interprétation des statistiques relevait de la haute voltige. Un chiffre pouvait toujours être véridique et mensonger à la fois. Le taux d'élucidation de la police suédoise était l'un des plus bas du monde occidental ; ce chiffre-là, pour le coup, Wallander et ses collègues en avaient une conscience aiguë et douloureuse. Et ils ne croyaient pas avoir encore atteint le fond ; l'évolution négative se poursuivrait, à cause de l'incessant remue-ménage bureaucratique qu'on leur imposait. On déstructurait ou supprimait des unités de police alors qu'elles étaient parfaitement valables. Dans ce nouvel univers administratif, il était plus important de satisfaire des objectifs statistiques que d'enquêter sur les crimes commis et de traduire leurs auteurs en justice. D'autre part, Wallander pensait comme ses collègues que l'ordre des priorités était rarement le bon. Et puis surtout : le jour où la direction centrale avait décidé qu'il fallait désormais tolérer les « petits délits », elle avait définitivement coupé l'herbe sous le pied d'une possible relation de confiance entre la police et le public. Pour un citoyen, quel qu'il soit, il n'était pas normal d'admettre qu'un cambriolage commis dans son garage, sa voiture ou sa résidence d'été soit considéré comme « tolérable » et donc, dans les faits, entériné. Les citoyens voulaient que ces délits soient élucidés, eux aussi. Ou au moins qu'ils donnent lieu à une enquête.

Mais ce n'était pas là un sujet qu'il avait envie d'aborder avec Lennart Mattson. Les occasions d'en reparler ne manqueraient pas, de toute façon, l'automne venu.

Lennart Mattson rangea le rapport et considéra son visiteur avec une mine soudain soucieuse. Wallander vit que la sueur perlait à la racine des cheveux.

– Comment vas-tu, Kurt ? Tu me parais pâle. Pourquoi n'es-tu pas dehors, au soleil ?

– Quel soleil ?

– L'été n'a tout de même pas été si pluvieux que ça. Pour ma part, c'est vrai, je suis allé en Crête pour être sûr d'avoir du beau temps. As-tu déjà visité le palais de Cnossos ? Il y a des dauphins extraordinaires sur les murs...

Wallander se leva.

– Vu qu'il y a un peu de soleil aujourd'hui, je vais suivre ton conseil et aller m'aérer un peu.

– Pas de nouvelle arme abandonnée sur une banquette quelque part ?

Wallander le dévisagea en silence. Il dut se retenir pour ne pas le frapper.

Il retourna à son bureau, s'assit dans son fauteuil, posa les pieds sur la table et ferma les yeux. Il pensait à Baiba. Et à Mona, qui tremblait de tout son corps dans son centre de désintoxication. Pendant que son chef se réjouissait de statistiques qui ne racontaient qu'une partie de la vérité.

Il reposa les pieds au sol. Je fais encore une tentative, pensa-t-il. Une dernière tentative pour comprendre ce qui me fait douter sans cesse de mes propres conclusions. J'aimerais bien avoir une meilleure connaissance de l'histoire et de la politique. Je serais moins perdu.

Soudain il se rappela un incident auquel il n'avait jamais repensé depuis qu'il était adulte. Ce devait être en 1962 ou en 1963, en tout cas c'était l'automne. Wallander travaillait le samedi en tant que livreur pour le compte d'un fleuriste de Malmö. Il venait de recevoir l'ordre de prendre son vélo et de filer à la vitesse de l'éclair jusqu'au parc dit du Peuple, avec un gros bouquet. Le Premier ministre, Tage Erlander, y prononçait au même moment un discours et, à la fin de ce discours, une petite fille devait lui remettre des fleurs – sauf que quelqu'un avait mal fait son travail et oublié de commander le bouquet. Il s'agissait donc de faire vite, vu ? Wallander pédala donc de toutes ses forces. Le fleuriste avait prévenu le service de sécurité de l'arrivée du livreur : on le fit entrer sans poser de questions, l'emballage fut arraché en vitesse et la petite fille chargée de l'offrir au grand homme s'empara du bouquet. Wallander, lui, se vit remettre un pourboire extraordinaire de cinq couronnes. Et une boisson gazeuse en prime. Il se tenait là, une paille dans la bouche, à écouter le grand type mince à la tribune qui parlait d'une voix étrangement nasale, avec des mots compliqués – des mots du moins que Wallander n'avait pas l'habitude d'entendre. Il parlait de détente, du droit des petites nations, de la neutralité principielle de la Suède, hors de tout pacte et de toute alliance.

Wallander avait le sentiment d'avoir tout de même à peu près compris de quoi il retournait.

En rentrant à Limhamn, il était allé dans la pièce qui servait d'atelier à son père. Curieusement, il se rappelait que celui-ci était en train ce soir-là de badigeonner l'arrière-plan de son sempiternel motif de forêt. Wallander et son père s'entendaient bien à cette époque, celle de sa prime adolescence. Peut-être même avait-elle été la meilleure de leur longue relation ? Trois ou quatre ans les séparaient encore du jour où Wallander rentrerait un soir en disant qu'il avait fait son choix et qu'il voulait entrer à l'école de police. Son père l'avait alors presque flanqué dehors. En tout cas, il avait cessé de lui adresser la parole et son silence, ensuite, avait duré longtemps.

Le soir du discours d'Erlander, Wallander était donc entré dans l'atelier. Il s'était assis sur le tabouret qu'il utilisait d'habitude quand il venait voir son père, et il lui avait parlé de ce qu'il avait vu et entendu. Son père aimait bien, en général, grommeler qu'il ne s'intéressait pas à la politique. Or Wallander avait peu à peu compris que ce n'était pas du tout la vérité. Son père votait social-démocrate, entretenait une méfiance rageuse envers les communistes et accusait toujours les partis de droite de favoriser systématiquement ceux qui avaient déjà la belle vie.

Wallander se rappelait soudain presque mot pour mot leur échange. Son père avait toujours exprimé une admiration prudente envers Erlander, voyant en lui un homme sincère à qui on pouvait se fier, contrairement à d'autres politiciens.

– Il a dit que l'Union soviétique était notre ennemie.

– Ce n'est pas tout à fait vrai, avait répondu son père. Ça ne ferait peut-être pas de mal à nos dirigeants de réfléchir un peu au rôle joué aujourd'hui par les États-Unis.

Wallander avait été très surpris. Les États-Unis, c'était quand même le symbole du Bien. Les Américains avaient vaincu Hitler et les nazis. On leur devait les films, la musique, les vêtements, tout. Pour Wallander, personne au monde ne pouvait rivaliser avec Elvis Presley, et aucun air de musique ne valait *Blue Suede Shoes*. D'accord, il avait cessé de collectionner les images de vedettes, mais tant qu'il l'avait fait, son acteur préféré avait été Alan Ladd, ne serait-ce que pour l'élégance de son nom de famille. Et voilà que son père formulait comme une mise en garde discrète contre l'Amérique. Un détail lui aurait-il échappé ?

Wallander lui avait répété les propos du Premier ministre : *La Suède est libre de tout pacte et de toute alliance, la neutralité de la Suède est une évidence.* « Ah bon, avait rétorqué son père. Il a dit ça ? Sans préciser que les jets américains traversent chaque jour notre espace aérien ? La vérité, c'est que, sous couvert de neutralité, nous jouons main dans la main avec l'OTAN, et avec les États-Unis en particulier. »

Wallander avait essayé d'interroger son père pour en savoir davantage, mais il n'avait obtenu qu'un marmonnement, après quoi son père lui avait demandé de le laisser tranquille.

– Tu poses trop de questions.

– C'est toi qui as dit que je ne devais pas avoir peur de t'interroger si quelque chose me turlupinait.

– Il y a des limites.

– Lesquelles ?

– Celles qui passent là, ici, tout de suite. Je suis en train de peindre et je viens de me tromper de couleur.

– Comment est-ce possible ? Tu peins toujours la même chose.

– Va-t'en ! Fiche-moi la paix !

Wallander s'était retourné sur le seuil.

– On m'a donné cinq couronnes de pourboire pour être arrivé à l'heure avec les fleurs pour Elander.

– *Er*lander. Tu pourrais retenir le nom des gens, tout de même.

Et à cet instant, comme si ce souvenir avait brusquement ouvert une vanne en lui, Wallander eut pour la première fois le pressentiment qu'il s'était trompé du tout au tout. Il s'était laissé mener en bateau. Pourquoi ? Parce qu'il était tout disposé à suivre la pente de ses idées toutes faites. Immobile derrière son bureau, les mains jointes, il laissa ses réflexions s'assembler en une explication des faits neuve et inattendue. C'était si vertigineux qu'il refusa tout d'abord de croire que ce pût être vrai. Conscient que son instinct l'avait averti, malgré tout. Il avait réellement omis de voir quelque chose. Il avait mélangé vérité et mensonge, il avait pris les causes pour les effets et réciproquement.

Il se rendit aux toilettes et ôta sa chemise. Il était en nage. Quand il se fut rincé le haut du corps, il descendit au sous-sol récupérer une chemise propre dans son casier. Il se rappela distraitement qu'il l'avait reçue de Linda quelques années plus tôt, pour son anniversaire.

De retour dans son bureau, il fouilla ses papiers jusqu'à retrouver la copie de la photo que lui avait donnée Asta Hagberg. Celle du colonel Stig Wennerström, à Washington, en grande conversation avec le jeune Håkan von Enke. Il la posa sur la table et contempla le visage des deux hommes. Wennerström avec son sourire calme, un verre à la main. Face à lui, von Enke, la mine grave, écoutant ce que Wennerström avait à lui dire.

En pensée, il aligna une fois de plus ses briques de Lego. Ils étaient tous là : Louise et Håkan, Hans, Signe dans son lit, Sten Nordlander, Hermann Eber, l'ami Steven aux États-Unis, George Talboth à Berlin. Il ajouta Fanny Klarström et, pour finir, une pièce supplémentaire dont il ignorait qui elle représentait. Mentalement, il retira ensuite de son montage brique après brique jusqu'à ce qu'il n'en reste plus que deux : Håkan et Louise. Il lâcha le stylo-bille qu'il tenait à la main. C'était Louise qui tombait. Voilà comment elle avait fini sa vie, au bord d'un sentier sur l'île de Värmdö. Mais Håkan, son mari, était toujours là.

Wallander nota ses réflexions par écrit. Puis il rangea dans sa poche la copie de la photo prise à Washington et quitta le commissariat. Cette fois, il passa par l'entrée principale, salua la fille de l'accueil, échangea quelques mots avec deux agents de circulation qui rentraient au commissariat et se dirigea ensuite à pied vers le centre-ville. Ceux qui avaient éventuellement reconnu le commissaire s'étonnèrent peut-être de sa démarche tantôt lente, tantôt rapide. À certains moments, il écartait les mains comme s'il discutait avec quelqu'un et éprouvait le besoin de souligner son propos par un geste.

Il s'arrêta devant le kiosque en face de l'hôpital et resta longtemps indécis. Pour finir, il s'éloigna sans avoir rien commandé.

Les mêmes pensées tournaient sans relâche dans son esprit. Ce qu'il voyait à présent pouvait-il être la vérité ? Avait-il réellement pu se méprendre à ce point ?

Il erra longtemps dans la ville avant de se rendre dans le port de plaisance où il sortit sur la jetée et s'assit sur son banc fétiche. Il tira de sa poche la copie de la photo de Washington, la regarda, puis la rangea de nouveau.

Il savait à présent comment les choses s'étaient enchaînées. Baiba avait eu raison. Sa Baiba adorée qui lui manquait plus que jamais.

Derrière chaque individu, il y a quelqu'un d'autre. L'erreur qu'il avait commise était de confondre la personne à l'arrière-plan et celle qui se cachait encore derrière celle-là.

Tout devenait cohérent. Il apercevait enfin le motif qui lui avait jusque-là échappé. Il le voyait même très clairement.

Un bateau de pêche quittait le port. L'homme qui tenait la barre agita la main en direction de Wallander, qui lui rendit son salut. Il vit par la même occasion qu'un orage approchait par le sud. Au même instant, il eut soudain la nostalgie de son père. Ça n'arrivait pas souvent. Après sa mort, au tout début, Wallander avait ressenti un vide mêlé de soulagement. Il ne restait rien de tout cela – ni vide, ni soulagement. Maintenant, le vieil homme lui manquait, simplement, il avait une nostalgie intense des bons moments qu'ils avaient partagés malgré tout.

Il pensa à la visite qu'il avait rendue à l'unité de soins palliatifs et à la vieille femme qui lui avait parlé de son père si gentiment. Je ne l'ai peut-être jamais vraiment vu, pensa-t-il. Jamais vu qui était mon père, jamais vu ce qu'il représentait réellement pour moi, et pour d'autres. Rien compris. Comme pour la mort de Louise et le retrait de Håkan von Enke. Mais c'est fini. Je sens que j'approche enfin d'une solution au lieu de m'en éloigner.

Il comprit qu'il allait devoir faire encore un voyage. Ces vacances n'auraient décidément été qu'une suite d'allées et venues. Mais il n'avait pas le choix, il savait désormais ce qu'il lui restait à faire.

Il tira la photocopie de sa poche, la tint devant lui, la regarda. Puis, doucement, il la déchira. Il existait autrefois un monde qui unissait Stig Wennerström et Håkan von Enke. À présent, lui, Wallander, les avait séparés.

En était-il ainsi déjà à l'époque ? demanda-t-il à voix haute. Ou bien la chose a-t-elle commencé longtemps après ?

Il l'ignorait. Mais il avait bien l'intention de le découvrir.

Personne n'entendit le commissaire qui se parlait à lui-même là-bas, tout au bout de la jetée.

39

Par la suite, il ne devait conserver que de vagues souvenirs de la suite de cette journée. Il avait fini par quitter la jetée. De retour en ville, il s'arrêta devant un nouveau restaurant qui avait ouvert dans Hamngatan, entra et ressortit aussitôt. Il fit encore un petit tour avant de choisir le restaurant chinois de la place principale, où il avait ses habitudes. Il s'assit, les clients étaient peu nombreux à cette heure de l'après-midi, et il commanda distraitement.

Si quelqu'un lui avait demandé à sa sortie du restaurant ce qu'il venait de manger, il n'aurait sans doute pas su répondre. Ses pensées étaient totalement ailleurs, occupées à échafauder un plan. Il devait trouver le moyen de savoir avec certitude s'il s'était trompé ou non. Une nouvelle carte dans son jeu – et, en un instant, tout avait basculé. Tout ce qu'il avait cru jusqu'à ce jour gisait à présent abandonné dans une poubelle quelque part dans son cerveau.

Il resta longtemps à chipoter avec ses baguettes avant d'avaler le contenu du bol à toute vitesse, de payer et de sortir. Il retourna au commissariat. Sur le chemin de son bureau il fut arrêté par Kristina Magnusson qui lui proposa un dîner en famille chez elle au cours du week-end, à lui de choisir le jour, samedi ou dimanche. N'ayant pas réussi à improviser une excuse, il accepta pour dimanche. Puis il accrocha à sa porte la pancarte de sa propre fabrication : « Ne pas déranger », débrancha le téléphone, s'enfonça dans son fauteuil et ferma les yeux. Après un moment il se redressa, griffonna quelques mots sur un bloc-notes et comprit que sa décision était prise. *Ça passe ou ça casse.* Il fallait en avoir le cœur net. Si ce qu'il pensait était vrai, il ne s'était pas seulement trompé ; il s'était laissé duper de fond en comble. Dans un brusque accès de rage, il jeta son stylo-bille contre le mur et poussa un juron. Un seul. Puis il appela Sten Nordlander. La communication était mauvaise, comme à chaque fois, décidément, mais Wallander insista et Nordlander s'engagea à le rappeler au plus vite. Wallander se demanda pourquoi donc il était si difficile d'appeler certaines zones de l'archipel. À moins que Sten Nordlander ne fût complètement ailleurs ?

Il attendit. Ses pensées tournaient en continu. Son cerveau était un réservoir rempli à ras bord ; il craignait le débordement.

Sten Nordlander le rappela quarante minutes plus tard. Wallander, qui avait posé sa montre sur la table, nota que les aiguilles indiquaient dix-huit heures dix. La transmission était cette fois excellente.

– Désolé de t'avoir fait attendre. Je suis au mouillage à Utö.

– Pas loin de Muskö, autrement dit ?

– C'est ça. On peut dire que je me trouve en eaux classiques. Pour un sous-marinier, s'entend.

– Il faut qu'on se voie.

– Il s'est passé quelque chose ?

– J'ai pensé à un truc.

– Rien de grave, alors ?

– Non. Mais je ne peux pas en parler au téléphone. J'aimerais te voir. Quel est ton programme pour les jours à venir ?

– Si tu es prêt à venir jusqu'ici, ce doit être important…

– J'ai un truc à faire à Stockholm, je ferai d'une pierre deux coups, mentit Wallander le plus calmement qu'il put.

– Quand pensais-tu venir ?

– Demain. Je sais que je te préviens tard.

Sten Nordlander réfléchit. Wallander l'entendait respirer dans le téléphone.

– Je suis sur la route du retour, dit-il enfin. On peut se voir en ville, si tu veux.

– Si tu m'indiques le chemin, j'y serai.

– Alors je te propose l'hôtel de la Navigation. À quelle heure ?

– Seize heures, dit Wallander. Dans le grand hall. Je te remercie.

– Pourquoi ? demanda Nordlander en riant. Tu ne m'as pas franchement laissé le choix.

– Je suis vraiment autoritaire à ce point ?

– Comme un vieil instit. Tu es sûr qu'il ne s'est rien passé ?

– Pas à ma connaissance, éluda Wallander. À demain.

Il alluma son ordinateur, réussit non sans mal à commander un billet de train et même à réserver une chambre à l'hôtel de la Navigation. Le train partait tôt le lendemain ; il rentra donc à Löderup et emmena Jussi chez les voisins. Olofsson, qui bricolait son tracteur dans la cour, plissa les yeux en les voyant arriver.

– Tu es sûr que tu ne veux pas le vendre, ton chien ?

– Certain. Mais je dois repartir pour Stockholm.

– Ce n'est pas toi qui me disais tout récemment, dans ma cuisine, que tu détestais les grandes villes ?

– C'est vrai. Mais je n'ai pas le choix. C'est pour le travail.

– Pourquoi, tu n'as pas assez de voyous à surveiller par ici ?

– Si, sûrement. Mais là, il faut que j'aille à Stockholm.

Wallander caressa Jussi et remit la laisse à Olofsson. Jussi était tellement habitué qu'il ne réagit même pas quand son maître repartit seul en sens inverse à travers champs.

Avant de s'en aller il avait posé une question – rituelle à cette époque de l'année. Impossible de l'esquiver.

– Comment sera la récolte ?
– Passable.
Excellente, autrement dit, pensa Wallander sur le chemin du retour. D'habitude, le pronostic est beaucoup plus sombre.
De retour chez lui, il appela Linda. Il ne voulait pas lui dire la véritable raison de son voyage et parla vaguement d'une réunion à laquelle on lui demandait de participer. Elle n'insista pas, voulut juste savoir combien de temps il comptait s'absenter.
– Deux jours, peut-être trois.
– Où logeras-tu ?
– À l'hôtel. Du moins la première nuit. Après, je serai peut-être chez Sten Nordlander.

Il était sept heures trente du matin quand il prit la valise où il avait fourré des vêtements de rechange, ferma la maison à clé et partit en voiture vers Malmö. Après une longue hésitation, il avait rangé son vieux fusil à plomb – ou plutôt le fusil à plomb de son père – dans la valise, en compagnie de quelques cartouches et de son arme de service. Il prenait le train ; il n'y aurait pas de contrôle. La présence des armes dans ses bagages le mettait mal à l'aise, mais il n'osait pas partir sans.
Il prit une chambre dans un hôtel bon marché de la banlieue de Malmö, dîna dans un restaurant de Jägersro et fit ensuite une longue promenade pour se fatiguer. Le lendemain, il était debout et habillé avant cinq heures. En payant sa chambre, il demanda s'il pouvait laisser sa voiture sur le parking ; pas de problème, lui dit-on. Il commanda un taxi. La journée s'annonçait chaude. L'été était peut-être enfin arrivé ?
Ses facultés mentales étaient à leur meilleur niveau le matin. Il en avait toujours été ainsi, du plus loin qu'il s'en souvienne. Debout sur le trottoir où il attendait son taxi, il

sentit qu'il n'y avait pas de place en lui pour le doute. Il avait raison de faire ce qu'il faisait. La sensation de s'approcher d'une explication à tous les événements des derniers mois…

Dans l'express qui filait vers Stockholm, il dormit, feuilleta des journaux, résolut partiellement quelques grilles de mots croisés et laissa le reste du temps ses pensées vagabonder à leur guise. Il en revenait sans cesse à la soirée d'anniversaire à Djursholm. Il repensait à toutes les photographies qui étaient restées chez lui. À l'inquiétude de Håkan von Enke. Et à la seule image où Louise ne souriait pas. Une seule où elle avait le visage grave.

Il acheta des sandwiches et du café dans la voiture-bar, fut sidéré par le prix qu'on lui annonça et resta ensuite, le menton dans la main, à regarder distraitement par la fenêtre le paysage qui se précipitait à sa rencontre.

Après Nässjö, la chose qu'il redoutait désormais en permanence se reproduisit. Soudain, il ne savait plus où il allait. Pour s'en souvenir, il dut déchiffrer ce qui était écrit sur son billet de train. Ce passage à vide le laissa en nage. Une fois de plus, il avait la sensation d'avoir été secoué de fond en comble.

À l'hôtel, où il arriva vers midi, on lui donna tout de suite sa chambre, après quoi il redescendit déjeuner au rez-de-chaussée. Un groupe d'anglophones occupait le restaurant, il entendit quelqu'un dire qu'ils étaient de Birmingham. Il mangea un steak haché, but une bière, puis alla au bar et s'affala dans un fauteuil bleu avec son café. Il était treize heures quarante-cinq. Encore deux grandes heures à attendre.

Sten Nordlander entra dans le hall de l'hôtel quelques minutes après seize heures. Il était bronzé, s'était fait couper les cheveux, et apparemment, il avait maigri, lui aussi. Son visage s'éclaira en apercevant Wallander.

– Tu me parais fatigué, Kurt. Comment as-tu passé tes vacances, si je peux me permettre ?

– Assez mal, je pense.

– Il fait beau dehors. Tu veux qu'on sorte ou tu préfères rester là ?

– On sort. Que dirais-tu des hauteurs de Mosebacke ? Il fait assez chaud pour s'asseoir en terrasse.

Au cours de la promenade, Wallander ne dit rien de la raison de sa présence à Stockholm et Sten Nordlander ne posa aucune question. La pente était raide et Wallander fut rapidement hors d'haleine ; Nordlander, lui, paraissait en pleine forme. Ils s'assirent à une terrasse où presque toutes les tables étaient occupées. L'automne serait bientôt là, avec ses soirées de plus en plus fraîches. Les habitants de la ville saisissaient la moindre occasion de profiter des terrasses tant qu'il en était encore temps.

Sten Nordlander commanda une bière et un sandwich. Wallander choisit un thé ; tout ce café lui avait donné mal à l'estomac. Il paya les consommations. Puis il prit son élan.

– Quand j'ai dit qu'il ne s'était rien passé, ce n'est pas tout à fait vrai. Mais je ne voulais pas en parler au téléphone.

Tout en parlant, il observait Nordlander avec attention. La surprise et l'intérêt de celui-ci paraissaient parfaitement sincères.

– Håkan ?

– C'est ça. C'est de lui qu'il s'agit. Je sais où il est.

Sten Nordlander ne le quittait pas du regard. Il ne sait rien, pensa Wallander avec soulagement. C'est ce qu'il me faut, là tout de suite. Quelqu'un en qui je peux avoir confiance.

Sten Nordlander attendait en silence. Un agréable brouhaha montait des tables voisines.

– Raconte. Où est-il ?

– Je vais te le dire. Mais d'abord je dois te poser quelques questions. Pour savoir si ma version des événements tient la route.

– Comment va-t-il ?

– Il va bien, j'y viendrai tout à l'heure. Mais parlons un peu politique tout d'abord, si tu le veux bien. Quelles étaient réellement les opinions de Håkan du temps où il était encore dans l'armée ? Un exemple : Olof Palme. Beaucoup de militaires le haïssaient et n'hésitaient pas à répandre des rumeurs délirantes sur son compte comme quoi il était fou, sous traitement dans un hôpital, ou alors un agent à la solde de l'Union soviétique. Comment se situait Håkan par rapport à cela ?

– Il ne se situait pas. Je te l'ai déjà dit. Håkan n'a jamais fait partie de ceux qui s'en prenaient avec virulence à Olof Palme et aux sociaux-démocrates. Si tu t'en souviens, je t'ai même dit qu'il avait rencontré Palme à une occasion. D'après lui, les critiques dirigées contre lui étaient déraisonnables, de même qu'il trouvait excessive l'obsession de certains concernant les capacités militaires de l'Union Soviétique et sa volonté d'attaquer la Suède.

– As-tu jamais eu la moindre raison de douter de sa sincérité ?

– Et pourquoi en aurais-je douté ? Håkan est un patriote. Mais il a un esprit aigu, très... analytique. Je crois que l'ambiance dans laquelle il baignait, cette hostilité extrême, aveugle, à l'égard de la Russie, le désolait.

– Quelle était sa vision des États-Unis ?

– Critique, à bien des égards. Je me rappelle l'avoir entendu dire un jour que les États-Unis étaient tout de même le seul pays au monde à avoir eu recours à l'arme nucléaire contre un autre pays. On peut invoquer les circonstances exceptionnelles qui régnaient à la fin de la Seconde Guerre mondiale. Mais le fait est que les Américains se sont servis de l'arme atomique contre des civils. Et ils sont les seuls à l'avoir fait. Jusqu'à présent.

Wallander n'avait pas d'autres questions. Rien, dans ce que lui avait dit Sten Nordlander, ne venait comme une surprise ;

il avait obtenu les réponses qu'il attendait. Il se resservit de thé en pensant que le moment était venu.

– Nous avons évoqué un jour l'existence d'une taupe au sein de la défense suédoise. Un espion qui n'aurait jamais été démasqué.

– Ce genre de rumeur court toujours. Quand on n'a pas de meilleur sujet à se mettre sous la dent, on peut toujours se livrer à des spéculations sur les taupes et leurs tunnels.

– Si j'ai bien compris, ces rumeurs concernaient quelqu'un qui aurait été plus dangereux encore que Wennerström ?

– Ça, je n'en sais rien. Mais espion pour espion, celui qu'on n'arrête pas est évidemment le plus menaçant, n'est-ce pas ?

Wallander acquiesça.

– Il existe aussi une autre rumeur. Cet espion inconnu aurait été une femme.

– Personne n'y a vraiment cru, je pense. Du moins pas dans les cercles que je fréquentais. Peu probable, compte tenu du faible nombre de femmes au sein de la Défense et plus généralement à tous les postes clés où l'on a accès aux documents classifiés.

– En as-tu jamais parlé avec Håkan ?

– D'un espion qui aurait été une femme ? Non, jamais.

– C'était Louise, dit Wallander doucement. Elle travaillait pour les Russes.

Sten Nordlander ne parut d'abord pas comprendre ce que venait de dire Wallander. Puis toutes les implications et conséquences de cette affirmation parurent le frapper d'un coup.

– Ce n'est pas possible.

– Si.

– Je n'y crois pas. Quelles preuves as-tu de ce que tu avances ?

– La police a trouvé sur elle des documents et un certain

nombre de négatifs. Tout est parti de là. J'ai acquis la conviction, progressivement, que ce n'était pas un montage, et qu'elle se livrait réellement à des activités d'espionnage au profit de la Russie et, avant cela, de l'Union soviétique. Autrement dit, elle a été active longtemps.

Sten Nordlander le dévisageait, complètement interdit.

– Dois-je vraiment croire à ce que tu me racontes ?

– Oui.

– Ça me fait venir des dizaines de questions et d'arguments contraires.

– Mais peux-tu affirmer, en toute certitude, que je me trompe ?

Nordlander se figea, son verre de bière à la main.

– Håkan est-il impliqué ? Formaient-ils un couple ?

– Ce n'est pas l'hypothèse retenue pour l'instant.

Sten Nordlander reposa son verre avec brusquerie.

– Tu sais ou tu ne sais pas ? Pourquoi ne me dis-tu pas la vérité ?

– Rien n'indique que Håkan ait collaboré avec Louise.

– Alors pourquoi se cache-t-il ?

– Parce qu'il la soupçonnait. Il était sur sa trace, depuis des années. À la fin, il craignait pour sa propre vie. Il croyait que Louise avait deviné ses soupçons. Autrement dit, il risquait d'être tué.

– Mais c'est Louise qui est morte.

– N'oublie pas que, lorsqu'on l'a trouvée, Håkan avait déjà disparu de la circulation.

Comme dans un bain révélateur, Wallander voyait apparaître sous ses yeux un nouveau Sten Nordlander. En temps normal, c'était quelqu'un d'ouvert et d'énergique ; là, il se ratatinait à vue d'œil. La confusion le rendait méconnaissable.

Il y eut soudain du grabuge à une table voisine, où un homme ivre venait de tomber, entraînant verres et bouteilles.

Un vigile intervint aussitôt et rétablit le calme. Wallander buvait son thé. Sten Nordlander s'était levé et approché du bord de la terrasse. Il resta un long moment à contempler la ville à ses pieds. Puis il revint s'asseoir et Wallander reprit la parole :

– J'ai besoin de ton aide pour faire revenir Håkan.

– Comment cela ?

– C'est ton meilleur ami. Je veux que tu m'accompagnes pour une excursion. Où, tu le sauras demain. C'est possible pour toi de laisser ton bateau un jour ou deux ?

– Pas de problème.

– On peut prendre ta voiture ?

– Bien sûr.

Wallander se leva.

– Alors passe me chercher demain à l'hôtel, à quinze heures, d'accord ? Prévois des vêtements de pluie.

Sans laisser l'occasion à Sten Nordlander de l'interroger davantage, il se leva et partit sans se retourner. Il n'était pas encore certain de pouvoir se fier à lui. Mais il avait fait un choix, il ne pouvait plus reculer.

Cette nuit-là, il resta longtemps à se tortiller entre les draps humides sans trouver le sommeil. Puis il fit un rêve où il voyait Baiba planer à une certaine distance du sol ; son visage était transparent.

Le lendemain il quitta l'hôtel et prit un taxi jusqu'à Djurgården, où il fit la sieste au pied d'un arbre avec, en guise d'oreiller, la valise contenant le pistolet et le fusil à plomb. Puis il retourna en ville sans se presser. Quand Sten Nordlander freina devant l'entrée de l'hôtel, il était prêt. Il rangea sa valise sur la banquette arrière.

– Où allons-nous ?

– Vers le sud.

– Loin ?

– Deux cents kilomètres de route à peu près. Mais nous ne sommes pas pressés.

Nordlander quitta la ville et s'engagea sur l'autoroute E4.

– Qu'est-ce qui nous attend là-bas ?

– Tu vas écouter une conversation, c'est tout.

Sten Nordlander n'insista pas. Savait-il où ils allaient ? Feignait-il la surprise ? Wallander n'était sûr de rien. Et il existait une raison pour laquelle il avait emmené les armes. Il aurait peut-être à se défendre. Il ne pouvait qu'espérer que ce ne serait pas le cas.

Ils arrivèrent au port sur le coup de vingt-deux heures. Wallander leur avait entre-temps imposé un long arrêt dîner à Söderköping. En silence, ils avaient contemplé la rivière qui traversait la ville et qui s'envasait de plus en plus. Puis ils étaient repartis jusqu'au port où les attendait le bateau réservé par les soins de Wallander.

Quand ils touchèrent enfin au but, il était vingt-trois heures passées. Wallander coupa les gaz, releva le moteur et laissa le bateau dériver jusqu'au rivage. Il prêta l'oreille. Tout était silencieux ; il distinguait à peine le visage de Sten Nordlander dans l'obscurité.

Puis ils débarquèrent sur l'île.

40

Ils avançaient avec précaution dans la nuit d'été. Wallander avait chuchoté à Sten Nordlander de rester tout près de lui, mais sans lui fournir la moindre explication. Dès leur arrivée sur l'île, Wallander avait acquis la certitude que Nordlander ignorait tout de la cachette de Håkan von Enke.

Il s'immobilisa en voyant de la lumière filtrer sous l'un des stores du cabanon. Malgré la rumeur de la mer, il perçut soudain de la musique, et mit quelques secondes à comprendre qu'une fenêtre était entrouverte. Il se retourna vers Sten Nordlander et murmura :

– Håkan est ici.

– Pas possible !

– Écoute-moi. Ce que je t'ai dit hier…

– Oui ?

– Eh bien… C'est ce qu'on veut nous faire croire.

Sten Nordlander le dévisageait dans la pénombre.

– Je ne te suis plus.

– J'ai rencontré Håkan il y a peu, ici même. Il m'a raconté en détail les soupçons, étalés sur des années, qui l'avaient peu à peu conduit à établir la culpabilité de Louise. C'était très convaincant. C'est par la suite seulement que j'ai commencé à comprendre. J'ai pris un miroir, pourrait-on dire. Alors, d'un coup, j'ai tout vu dans une perspective inversée.

– Qu'as-tu vu ?

– La vérité. Elle est parfois à l'inverse de ce qu'on croyait. C'est ce qui m'est arrivé.

– Qu'essaies-tu de me dire au juste ? Louise était innocente ?

Wallander ne répondit pas.

– Je veux que tu t'avances jusqu'au mur de la maison. Reste là et écoute !

– Qu'est-ce que je dois écouter ?

– La conversation que je vais avoir avec Håkan von Enke.

– Pourquoi toutes ces manigances ?

– S'il sait que tu es là, il ne me dira rien.

Sten Nordlander n'était pas content, mais il cessa de protester et s'éloigna en direction de la maison. Wallander, lui, ne bougea pas. Grâce à son système d'alerte, il le savait, von Enke était déjà averti d'une présence sur l'île. Il fallait juste espérer qu'il n'ait pas compris qu'ils étaient deux.

Nordlander était parvenu au cabanon. S'il n'avait pas su qu'il était là, Wallander aurait été incapable de le distinguer dans le noir. Il attendit, immobile. Il ressentait un étrange mélange de calme et d'inquiétude. La fin de l'histoire, pensa-t-il. Ai-je raison ou ai-je commis la plus grande bourde de ma vie ?

Il regretta de ne pas avoir averti Sten Nordlander que ça risquait de durer un certain temps.

Un oiseau de nuit passa près de lui dans un frôlement d'ailes et disparut. Wallander guettait dans le noir un son qui lui signalerait l'approche de Håkan von Enke. Sten Nordlander se confondait avec le mur du cabanon. La musique continuait de filtrer par la fenêtre ouverte.

Il tressaillit en sentant la main familière se poser sur son épaule. Il se retourna et fit face à Håkan von Enke.

– Encore toi, fit von Enke à voix basse. Nous n'avions rien convenu de tel. J'aurais pu te prendre pour un intrus. Que veux-tu ?

– Te parler.

– Il s'est passé quelque chose ?

– Beaucoup de choses. Comme tu l'as sûrement appris, je suis allé à Berlin. J'ai rencontré ton vieil ami George Talboth. Je dois dire qu'il s'est comporté exactement comme je l'aurais imaginé de la part d'un officier de la CIA.

Wallander s'était préparé de son mieux. Il savait qu'il devait faire attention : parler suffisamment fort pour que Sten Nordlander puisse suivre leur échange, mais sans éveiller les soupçons de von Enke.

– Tu l'as impressionné favorablement. C'est ce qu'il m'a dit.

– Je n'avais jamais vu un aquarium comme celui qu'il m'a montré.

– Oui, il est étonnant. Les trains surtout.

Il y eut un coup de vent. Puis le calme revint.

– Comment es-tu venu ? demanda von Enke.

– Avec le même bateau que la dernière fois.

– Seul ?

– Et pourquoi non ?

– Je me méfie des questions en réponse à une question.

Sans prévenir, Håkan von Enke alluma une torche électrique qu'il avait tenue cachée jusque-là et en dirigea le faisceau vers le visage de Wallander. Une lumière d'interrogatoire, pensa celui-ci. Pourvu qu'il ne la tourne pas vers la maison. Ce serait la fin de tout.

La lampe s'éteignit.

– On n'est pas obligés de rester dehors. Viens.

Wallander le suivit dans le cabanon. Sitôt entré, von Enke éteignit le poste radio. Rien n'avait changé dans la pièce depuis l'autre nuit.

Håkan von Enke était sur ses gardes. Impossible de savoir s'il flairait le danger d'instinct, ou si c'était juste la méfiance naturelle suscitée par ce retour inattendu de Wallander.

– Tu dois avoir une bonne raison d'être revenu, dit-il lentement.

– Je veux seulement te parler.

– De quoi ? De ton voyage à Berlin ?

– Non.

– Alors il va falloir que tu t'expliques.

Wallander ne pouvait qu'espérer que Sten Nordlander parvenait à suivre leur échange depuis son poste. Que se passerait-il si Håkan von Enke décidait brusquement de fermer la fenêtre ? Je n'ai pas beaucoup de temps, pensa-t-il. Il faut foncer, je ne peux pas attendre.

– Explique-toi, insista Håkan von Enke.

– Il s'agit de Louise. La vérité concernant Louise.

– Ne la connaissons-nous pas ? N'avons-nous pas parlé d'elle longuement, ici même ?

– Si. Mais tu ne m'as pas dit la vérité.

Håkan von Enke le considérait sans ciller, l'air inexpressif.

– Après ma visite ici, j'ai eu l'impression qu'un détail clochait, dit Wallander. Comme si je regardais en l'air alors que j'aurais dû examiner le sol à mes pieds. Puis, à Berlin, j'ai soudain remarqué que George Talboth ne se contentait pas de répondre à mes questions. Il me sondait, discrètement, adroitement, pour découvrir ce que je savais. Une fois que j'ai vu cela, j'ai vu aussi autre chose. Une trahison si totale, si effrayante, que j'ai d'abord refusé d'y ajouter le moindre crédit. Ce que j'avais cru jusque-là, ce qu'avait imaginé Ytterberg, ce que tu m'avais expliqué et que me confirmait George Talboth – ce n'était pas la vérité. J'avais été utilisé, manipulé. Tel l'idiot du village, je marchais droit dans les pièges qu'on plaçait sur mon chemin, l'un après l'autre, sans me méfier. Mais ça m'a aussi fait voir le visage de quelqu'un.

– Qui ?

– Celle que nous pourrions appeler la vraie Louise. Elle n'a jamais mené la moindre activité d'espionnage. Elle était aussi sincère qu'on peut l'être. Le premier soir où je l'ai rencontrée, j'ai été frappé par la beauté de son sourire. J'y ai repensé quand nous nous sommes revus à Djursholm. Par la suite, j'ai longtemps cru qu'il était destiné à cacher un secret. Puis j'ai compris qu'il ne cachait rien du tout. Il était ce qu'il était. Un vrai beau sourire.

– Tu es venu jusqu'ici pour me parler du sourire de ma femme ?

Wallander écarta les mains avec résignation. La situation entière lui répugnait tant, soudain, qu'il ne savait plus par quel bout la prendre. Il aurait dû être hors de lui. Mais il n'en avait pas la force.

– Je suis venu parce que j'ai enfin trouvé ce que je cherchais. J'aurais dû comprendre bien plus tôt. Mais je me suis fait avoir.

– Par qui ?

– Par moi. Par mes propres préjugés, que je partage avec tout un chacun ou presque. Mais celui qui m'a vraiment manipulé, c'est toi. Toi, la véritable taupe.

Toujours le même visage inexpressif. Pour combien de temps ? pensa Wallander.

– Moi ? Moi, je serais un espion ?

– Oui.

– Moi, un agent russe ? Tu dois être fou !

– Je n'ai rien dit de tel. Je ne connais pas tes mobiles, Håkan. En réalité, tu n'as jamais soupçonné Louise de quoi que ce soit. C'était elle qui avait compris. Que tu travaillais pour les Américains. C'est ce qui l'a conduite à sa mort.

– Je n'ai pas tué Louise !

La première faille, pensa Wallander. Sa voix monte dans les aigus. Il commence à se défendre.

– Je ne crois pas que tu aies tué Louise, en effet. D'autres s'en sont chargés. Peut-être avec la complicité de George Talboth ? Mais l'essentiel demeure. Elle est morte pour éviter que ta trahison à toi ne soit révélée.

– C'est absurde. Tu ne peux rien prouver.

– C'est vrai, dit Wallander. Je ne le peux pas. Mais d'autres le pourront. J'en sais assez pour permettre aux enquêteurs de la police et du renseignement d'envisager l'affaire sous une lumière nouvelle. L'espion au sein de l'armée dont on soupçonnait depuis si longtemps l'existence n'était pas une femme. C'était un homme. Qui n'a pas hésité à utiliser sa propre épouse comme bouclier. Elle était la couverture idéale. Tout le monde cherchait une espionne russe. Alors qu'il fallait chercher un agent américain. Personne n'a jamais même envisagé cette hypothèse. Car la menace, n'est-ce pas, vient toujours de l'Est. Tous, nous avons entendu répéter cela en boucle depuis notre naissance. Tous, nous en sommes persuadés, sans y avoir jamais sérieusement réfléchi. Que quelqu'un puisse avoir l'idée de trahir la Suède pour les États-Unis – personne ne serait prêt à admettre une absurdité pareille. Les rares individus qui cherchaient à nous mettre en garde prêchaient dans le désert. Bien sûr, on pouvait penser que les États-Unis avaient accès quand même à toutes les informations dont ils pouvaient avoir besoin concernant notre défense nationale. Mais tel n'était pas le cas. L'OTAN, et les États-Unis en premier lieu, avaient besoin d'informations qualifiées, en particulier pour découvrir ce que nous savions au sujet des dispositifs mis en place par la marine russe.

Wallander se tut. Håkan von Enke avait retrouvé son air froid et maître de lui.

– Tu as joué ton rôle à la perfection en te faisant mal voir par tes collègues de la marine, poursuivit Wallander. Tu ne comprenais pas, soi-disant, pourquoi on avait autorisé à l'époque les sous-marins russes à repartir. Tu posais tant de questions que tu as fini par être importun. On avait le sentiment, à t'écouter, que rien n'aurait été plus important que d'épingler les Russes à cette occasion. En même temps, tu étais capable de formuler des critiques vis-à-vis des États-Unis. Mais tu savais pertinemment qu'à l'automne 1982, c'étaient en réalité des sous-marins de l'OTAN qui circulaient dans le saint des saints de nos eaux territoriales. Tu as joué et tu as gagné. Tu as manipulé tout le monde. Sauf ta femme, qui commençait à se douter de quelque chose. Je ne sais pas pourquoi tu es venu ici. Peut-être parce que tu en avais reçu l'ordre ? Était-ce un homme payé par tes employeurs qui fumait sa cigarette de l'autre côté de la clôture le soir de ton anniversaire ? Pour t'avertir, selon un code convenu ? Ce cabanon de chasse avait été choisi depuis longtemps comme un possible lieu de repli. Ce cabanon que tu connaissais par le père d'Eskil Lundberg, qui t'aidait plus que volontiers depuis que tu avais fait en sorte que son ponton arraché et ses filets troués lui soient remboursés avec une marge généreuse. L'homme qui n'a jamais dévoilé à quiconque que les Américains avaient échoué à fixer le système d'écoute sur le câble sous-marin russe dans la Baltique. Je suppose qu'un bateau serait passé te prendre s'il devenait nécessaire de te faire évacuer. On ne t'a sans doute jamais dit que Louise devait mourir. Mais ce sont tes amis qui l'ont fait. Et tu connaissais le prix à payer. Tu ne pouvais rien faire pour empêcher cela. N'est-ce pas ? La seule question que je me pose, c'est ce qui a bien pu te pousser à aller jusque-là. Jusqu'à accepter de sacrifier ta propre femme.

Håkan von Enke examinait ses ongles. Il paraissait curieusement indifférent aux paroles de Wallander. Peut-être à cause du chagrin, malgré tout ? Que la mort de Louise eût été le prix qu'il avait dû payer, en dernier recours, alors qu'il était bien trop tard pour faire machine arrière ?

– Il n'a jamais été question qu'elle meure, dit von Enke sans quitter ses mains du regard.

– Qu'as-tu pensé en apprenant sa mort ?

La réponse fut brève et sèche.

– J'ai failli en finir. La pensée de ma petite-fille m'a retenu. Maintenant, je ne sais plus.

Le silence retomba. Wallander pensa qu'il serait bien que Sten Nordlander ne tarde pas trop à entrer. Mais il restait une question.

– Comment cela a-t-il commencé ?

– Quoi donc ?

– Je ne veux pas connaître le détail de tes activités. Juste savoir comment tu en es arrivé là.

– C'est une longue histoire.

– Nous avons le temps. Et tu n'as pas besoin d'être exhaustif. Juste pour que je comprenne.

Håkan von Enke se carra dans le fauteuil et ferma les yeux. Wallander vit soudain que le personnage assis en face de lui était un très vieil homme.

– C'était il y a très longtemps, dit von Enke sans ouvrir les yeux. J'ai été contacté par les Américains dès le début des années 1960. J'ai vite été convaincu de l'importance de leur donner accès à toutes les informations qu'ils jugeraient nécessaires. Ma conviction était que nous ne pourrions jamais nous défendre seuls. Sans l'OTAN, c'est-à-dire en définitive sans les États-Unis, nous étions perdus d'avance.

– Qui t'a contacté ?

– Tu dois te souvenir de ce qu'était le monde à cette époque. Des groupes de gens, jeunes en particulier, consacraient toute leur énergie à combattre la guerre du Vietnam. Mais nous, nous pensions que l'aide des États-Unis nous serait indispensable si nous voulions pouvoir résister le jour où ça barderait en Europe. Alors je supportais assez mal tous ces gauchistes naïfs et romantiques. Je voulais faire quelque chose. Et je l'ai fait. Je suis entré là-dedans en connaissance de cause. C'était de l'idéologie, on peut le dire. Ça l'est encore. Car le principe reste valable. Sans les États-Unis, le monde sera livré à des forces qui n'ont qu'une idée en tête, ravir à l'Europe tout son pouvoir. Quelles sont les ambitions de la Chine, à ton avis ? Que feront les Russes, le jour où ils auront tant soit peu réglé leurs problèmes internes ?

– Mais il devait aussi y avoir de l'argent en jeu. N'est-ce pas ?

Von Enke ne répondit pas. Il se détourna et parut s'absorber dans ses pensées. Wallander posa une autre question, puis une autre, mais n'obtint aucune réponse. Håkan von Enke avait tout simplement mis un terme à la discussion.

Soudain il se leva et se dirigea vers la partie cuisine. Il sortit une bière du réfrigérateur, puis il ouvrit un tiroir. Wallander suivait des yeux chacun de ses mouvements.

Quand il se retourna, il avait un pistolet à la main. Wallander se leva précipitamment. Le canon était pointé vers lui. Håkan von Enke posa lentement la bouteille de bière sur le plan de travail.

Puis il leva son arme et visa la tête de Wallander. Celui-ci hurla. Mais l'arme, vit-il ensuite, continuait de se déplacer en arc de cercle.

– Je ne peux plus, dit Håkan von Enke. Il n'y a pas d'avenir.

Le bout du canon était à présent sous son menton. Il appuya sur la détente. Le coup partit. Pendant que von Enke tombait dans une gerbe de sang, Sten Nordlander fit irruption dans la pièce.

– Tu es blessé ? Il t'a tiré dessus ?

– Non. Il s'est visé lui-même.

Ils s'approchèrent, yeux écarquillés. L'homme gisait au sol dans un angle peu naturel. Il y avait tellement de sang qu'on ne pouvait voir s'il avait les yeux ouverts ou fermés.

Puis Wallander s'aperçut, épouvanté, qu'il vivait encore. Il attrapa un gilet qui traînait sur un fauteuil et le pressa contre le menton ouvert, tout en criant à Sten Nordlander de rapporter des torchons. La balle était ressortie par la joue. Håkan von Enke n'avait pas réussi à expédier le coup mortel au cerveau.

– Il a tiré de travers, dit-il quand Sten Nordlander lui eut apporté un drap arraché au lit.

Les yeux de Håkan von Enke étaient ouverts, non révulsés.

– Appuie, dit Wallander en montrant le geste à Sten Nordlander.

Il attrapa son téléphone et appela le numéro d'urgence. Pas de réseau. Il sortit en courant et escalada le rocher derrière la maison. Toujours rien. Il retourna à l'intérieur.

– Il perd son sang, dit Nordlander.

– Tu dois appuyer fort. Ça ne passe pas, sur l'île, il faut que je parte chercher des secours.

– Je ne crois pas qu'il va s'en tirer.

– S'il meurt, nous ne connaîtrons jamais les détails.

Sten Nordlander, toujours agenouillé, leva vers Wallander un regard plein d'effroi.

– C'est vrai, ce qu'il a dit ?

– Tu nous as entendus. N'est-ce pas ?

– Chaque mot.

– Alors maintenant tu sais. Il a été un espion pendant près de quarante ans.

– C'est incompréhensible.

– Raison de plus pour le garder en vie. Il n'y a que lui qui puisse nous expliquer. Je vais chercher de l'aide. Si tu réussis à l'empêcher de se vider de son sang, on peut y arriver.

Wallander se dirigeait vers la porte quand la voix de Sten Nordlander s'éleva à nouveau derrière lui.

– Il n'y a absolument aucun doute ?

– Non.

– Ça veut dire qu'il m'a toujours menti.

– Il a menti à tout le monde.

Wallander trébucha en courant vers le bateau dans le noir, mais se releva et poursuivit sa course sans ralentir. Parvenu au rivage, il vit que le vent s'était sérieusement levé. Il défit l'amarre, imprima à l'embarcation une poussée vigoureuse et sauta à bord. Le moteur démarra à la première tentative. Il faisait si noir qu'il doutait d'être capable de retrouver le chemin du port.

Il venait de manœuvrer et s'apprêtait à accélérer quand il entendit, venant de l'île, le bruit sec d'une détonation. Aucun doute possible. C'était une arme à feu. Il coupa les gaz et écouta. Se serait-il trompé malgré tout ? Il mit à nouveau le cap vers le rivage ; en voulant sauter à terre, il sentit ses chaussures se remplir d'eau. Il était aux aguets, à l'affût du moindre bruit. Le vent continuait de forcir. Il prit son fusil et le chargea. Y avait-il eu, contre toute attente, d'autres personnes présentes sur l'île ? Il reprit le chemin du cabanon, le fusil dans les mains, en essayant de faire le moins de bruit possible. II s'arrêta à la vue du rai de lumière dans la fente laissée par le store. Pas un son, à part le vent passant au sommet des arbres, et le bruit du ressac.

Il se dirigeait vers la porte quand il entendit un nouveau coup de feu. Le même bruit sec que tout à l'heure. En provenance du cabanon. Il se jeta à terre et pressa son visage contre la terre humide en se protégeant la tête avec les mains. Il avait lâché son fusil, prêt à ce que tout soit fini d'un instant à l'autre.

Mais personne ne vint. Pour finir, il osa se redresser en position assise. Il ramassa le fusil, vérifia que le double canon n'était pas obstrué de terre. Il s'accroupit et ce fut dans cette position qu'il s'approcha de la porte. Il frappa deux fois, fort, contre le montant. Aucune réaction. Il cria. Aucune réaction. Deux coups de feu, pensa Wallander fébrilement. Qu'est-ce que ça signifie ?

Il ne pouvait pas savoir. Mais il s'en doutait. Il revoyait le visage de Sten Nordlander au moment où celui-ci l'avait interpellé, sur le seuil, avec sa question : *Il n'y a absolument aucun doute ?*

Wallander poussa la porte et entra.

Håkan von Enke était mort. Sten Nordlander lui avait tiré une balle dans le front avant de retourner l'arme contre lui. Il gisait au sol à côté de son ancien collègue et ami. Wallander, bouleversé, pensa qu'il aurait dû prévoir ce qui allait se produire. Dehors, dans le noir, Sten Nordlander avait entendu Håkan von Enke admettre calmement qu'il les avait tous trahis – en particulier ceux qui lui avaient fait confiance depuis toujours ; en particulier celui qui avait vu en lui son meilleur ami.

Wallander, évitant de poser les pieds dans le sang répandu, alla s'affaisser dans le fauteuil où il avait peu auparavant entendu la confession de Håkan von Enke. Il était épuisé. La vérité, pensa-t-il, lui devenait plus lourde à porter d'année en année. Pourtant il la recherchait toujours. Encore et encore.

Où en étaient les choses quand je suis allé à Djursholm ? Si sa conversation avec moi participait d'une stratégie destinée à me faire croire que sa femme avait trahi et ainsi éloigner mon attention de sa propre personne – alors les décisions les plus importantes étaient déjà prises. Peut-être est-ce Håkan von Enke lui-même qui a eu l'idée de se servir de moi ? D'exploiter la coïncidence qui faisait du père de la compagne de son propre fils un policier de province un peu ballot ?

Il y avait en lui à la fois du chagrin et de la colère tandis qu'il restait là, comme assommé, dans le fauteuil face aux deux corps baignant dans leur sang. Mais sa principale pensée sur le moment fut que, maintenant, Klara ne connaîtrait pas non plus son grand-père paternel. Il lui faudrait se contenter d'une seule grand-mère, qui luttait contre l'alcool, et d'un seul grand-père, qui était de plus en plus fragile.

Il resta ainsi peut-être une demi-heure ou davantage, avant de s'obliger à redevenir policier. Il échafauda un plan très simple : celui de tout laisser en l'état. Avant de partir, il prit juste la clé de voiture dans la poche de Sten Nordlander. Puis il quitta le cabanon de chasse et regagna le rivage dans l'obscurité.

Juste avant de pousser le bateau à l'eau pour la deuxième fois, il s'immobilisa et ferma les yeux. Le passé se précipitait à sa rencontre. Se précipitait aussi vers lui le monde qui l'entourait, ce monde dont il avait toujours presque tout ignoré – même quand il devenait, comme c'était le cas à présent, un personnage secondaire sur la grande scène. Que savait-il aujourd'hui qu'il n'avait pas su avant ? Pas grand-chose, au fond. Je suis toujours ce personnage en pleine confusion à la périphérie des événements. Maintenant comme alors. Pareil. Ce personnage inquiet et mal assuré dans la marge : c'est moi.

Malgré l'obscurité compacte, il réussit à retrouver le chemin du port. Il laissa le bateau à l'emplacement où il l'avait pris. Le port était désert, il était deux heures du matin. Il déverrouilla les portières et démarra. Avant d'abandonner la voiture de Sten Nordlander près de la gare de chemin de fer, il essuya soigneusement le volant, le levier de vitesses et la poignée de la portière. Puis il jeta les clés dans une bouche d'égout et n'eut plus qu'à attendre le premier train vers le sud. Il passa de la sorte plusieurs heures sur un banc, dans un parc. C'était une expérience étrange que de se trouver dans cette ville inconnue avec une valise contenant le vieux fusil à plomb de son père.

Il tombait une pluie fine quand, l'aube venue, il dénicha un café ouvert où il put boire du café en feuilletant de vieux journaux avant de retourner à la gare et monter dans le train. Il ne reviendrait jamais plus dans cette ville.

Par la vitre, il pouvait voir la voiture de Sten Nordlander sur le parking. Tôt ou tard, on s'y intéresserait, et une chose en amènerait une autre. Une énigme demeurerait : comment Nordlander s'était-il rendu jusque sur le port et ensuite jusque sur l'île ? Mais le loueur de bateaux ne ferait pas nécessairement le lien entre Wallander et la tragédie du cabanon de chasse isolé. De plus, tous les détails de cette histoire, sitôt connus, seraient aussitôt classés secret-défense.

Wallander arriva à Malmö peu après midi, récupéra sa propre voiture sur le parking de l'hôtel de Jägersro et prit la route d'Ystad. Juste avant la dernière sortie, il tomba sur un contrôle de police. Il montra sa carte et souffla dans l'alcootest.

– Comment ça se passe ? demanda-t-il, soucieux de témoigner à son collègue un intérêt encourageant. Les gens sont sobres ?

– Jusqu'à présent, oui. Mais on vient juste de commencer. On finira bien par attraper quelqu'un. Et à Ystad ?

– C'est calme. Mais ça a tendance à se corser en août.

Wallander le salua d'un signe de tête, remonta sa vitre et redémarra. Il y a quelques heures j'avais deux cadavres devant moi, pensa-t-il. Mais les personnes que je croise ne peuvent pas le voir. Ce qu'imprime notre rétine ne se voit pas.

Il s'arrêta en route pour faire le plein de provisions et alla ensuite chercher Jussi. Enfin, il freina devant sa maison.

Quand il eut rangé les courses dans le réfrigérateur et le garde-manger, il s'assit sur une chaise dans la cuisine. Tout était silencieux.

Il essayait de parvenir à une décision sur ce qu'il dirait à Linda.

Mais il ne l'appela pas de la journée. Ni même le soir.

Il ne savait tout simplement pas quoi lui dire.

Épilogue

Une nuit de mai 2009, Wallander fut réveillé en plein rêve. Cela lui arrivait de plus en plus souvent et les souvenirs de la nuit persistaient, alors que dans le temps ça n'avait presque jamais été le cas. Jussi, qui avait été malade, dormait par terre à côté du lit. Le réveil sur la table de chevet indiquait quatre heures quinze. La fenêtre de la chambre était ouverte ; le cri d'une chouette s'était peut-être insinué dans sa conscience – ce ne serait pas la première fois.

Mais si chouette il y avait, elle n'était plus là. Il avait rêvé de Linda et de la conversation téléphonique qu'ils auraient dû avoir le jour où il était revenu de Blåskär. Dans son rêve, il l'appelait au téléphone et lui disait la vérité. Elle l'écoutait sans un mot. Et voilà tout. Le rêve s'arrêtait là ; cassé, comme une branche morte.

Mais son malaise était bien réel. Car en vrai, il n'avait jamais trouvé le courage de l'appeler. Sur le moment, il s'était inventé un pauvre prétexte : il n'était pour rien dans la tragédie. S'il devait raconter à Linda ce qui s'était passé sur l'île, cela n'aurait pour seul résultat que de lui rendre la vie impossible. Bientôt, le drame serait officiel, Hans et elle en seraient informés et lui, dans le meilleur des cas, resterait l'homme invisible.

En vérité, c'était une des pires scènes auxquelles il eût jamais été mêlé. Il ne pouvait la comparer qu'à l'épisode, bien des années plus tôt, où il avait tué un homme pour la première fois de sa vie ; il s'était alors sérieusement demandé s'il pouvait continuer à exercer ce métier. À l'époque, il avait été à deux doigts de la décision que Martinsson venait de prendre. Arrêter. Faire autre chose.

Wallander se pencha prudemment par-dessus le bord du lit et regarda son chien. Jussi dormait. Et rêvait, lui aussi : ses coussinets remuaient l'air.

Il se retourna sur le dos. L'air matinal entrant à flots par la fenêtre ouverte le rafraîchissait. Avec les pieds, il se débarrassa de sa couverture et ses pensées filèrent vers le tas de feuillets sur la table de sa cuisine. Dès le mois de septembre de l'année précédente, il avait commencé à rédiger une synthèse de tous les événements intervenus depuis la soirée de Djursholm jusqu'à sa conclusion dramatique dans le cabanon de chasse de l'archipel.

Ce fut Eskil Lundberg qui découvrit les corps. Ytterberg fut tout de suite appelé à la rescousse par la brigade criminelle de Norrköping et, dans la mesure où l'affaire concernait aussi la Sûreté et les services de renseignements de l'armée, le couvercle fut apposé aussitôt, comme prévu. Wallander en avait été réduit aux rares informations communiquées par Ytterberg en toute confidentialité. Il s'attendait à ce que sa propre présence au moment des faits soit révélée d'un instant à l'autre. Ce qui l'inquiétait le plus, c'était l'idée que Sten Nordlander ait pu évoquer devant sa femme le fait qu'il devait se rendre quelque part avec Wallander. Mais apparemment, Nordlander n'avait rien dit. Le cœur serré, Wallander lut dans les journaux les déclarations désespérées de sa femme refusant de croire qu'il ait pu tuer son vieil ami et se suicider juste après.

Il arrivait à Ytterberg de se plaindre auprès de Wallander. Pas même lui, qui dirigeait pourtant l'enquête policière, ne savait ce qui se jouait en coulisse. Mais que Sten Nordlander eût abattu Håkan von Enke d'une balle dans le front avant de retourner l'arme contre lui-même – ce point crucial ne faisait aucun doute. L'énigme, c'était comment diable Sten Nordlander avait pu se rendre sur l'île. Cela signifiait, et Ytterberg revint là-dessus à plusieurs occasions, qu'un tiers était impliqué. Mais qui ? Et quel rôle avait-il joué ? Mystère. Tout comme le pourquoi de cette tragédie, qui demeurait impénétrable.

Les journaux s'étaient livrés à des spéculations insensées. Le drame sanglant du cabanon de chasse avait donné lieu à une véritable orgie médiatique, et Linda et Hans avaient presque dû quitter leur domicile avec Klara pour échapper aux journalistes. Les théoriciens du complot s'en donnaient à cœur joie, et les plus échevelés affirmaient même que Håkan von Enke et Sten Nordlander emportaient dans la tombe un secret lié au meurtre d'Olof Palme.

De temps à autre, au cours de ces échanges avec Ytterberg, Wallander avait demandé prudemment, sur un ton presque de politesse, où en étaient les soupçons concernant Louise. Ytterberg n'avait eu que de pauvres réponses à lui fournir.

– J'ai l'impression que c'est au point mort. Mais je ne pense pas que les services nous feront la bonté de nous dire quelle est la vérité qu'ils cherchent, ou qu'ils veulent à tout prix dissimuler au contraire. Il faudra sans doute attendre qu'un journaliste d'investigation s'empare de l'affaire.

Au cours de toute cette période, Wallander n'entendit jamais la moindre personne avancer l'hypothèse que Håkan von Enke ait été une taupe au service des États-Unis. Aucun soupçon, aucune rumeur, aucune idée même que cela ait pu être le cas. Un jour, il posa carrément la question à Ytterberg. Cette possibilité avait-elle été envisagée ? Ytterberg réagit par une perplexité totale.

– Pourquoi au nom du Ciel aurait-il fait ça ?

– J'essaie d'envisager toutes les hypothèses.

– Je crois que si les services ou les militaires avaient soupçonné un truc pareil, même moi j'aurais été au courant.

– Je réfléchissais juste à haute voix.

– Saurais-tu quelque chose que j'ignore ? demanda Ytterberg avec une sévérité inattendue.

– Non. Je ne sais rien que tu ignores.

Ce fut alors, après cette conversation avec Ytterberg, qu'il se mit à écrire. Il rassembla toutes ses notes, ses réflexions éparses, et imagina un système de Post-it dont il couvrit un mur entier du séjour. Chaque fois que Linda venait le voir, avec ou sans Klara, avec ou sans Hans, il les enlevait. Il voulait écrire son histoire sans y mêler qui que ce fût, et sans que qui que ce fût puisse même se douter de ce qu'il fabriquait.

Il commença par suivre jusqu'au bout les fils épars qu'il lui semblait encore avoir dans son panier. Certains pouvaient être mis de côté sans problème. *USG Enterprises*, le nom qu'il avait lu dans le hall de l'immeuble de George Talboth, était une société de consultants ; voilà par exemple un point facile à vérifier. Et une entreprise respectable, a priori. Mais qui donc s'était livré à de discrètes incursions chez lui ? À quelle fin ? Il n'obtint jamais de réponse à cette question, pas plus qu'à celle de savoir qui avait rendu visite à Signe à Niklasgården en se faisant passer pour son oncle. Il lui paraissait évident que c'étaient des individus agissant dans l'entourage de Håkan von Enke. Mais pourquoi ? Il n'en eut jamais le cœur net. Le plus probable était sans doute qu'on cherchait l'objet que Wallander lui-même avait appelé *le Livre de Signe*. Celui-ci était posé sur sa table pendant qu'il écrivait. Mais le reste du temps il retournait dans sa cachette, dans la niche de Jussi.

Il ne mit pas longtemps à comprendre ce qu'il fabriquait en réalité, avec ses notes. Il parlait de lui, de sa vie, au moins autant que de Håkan von Enke. En revenant sur tout ce qu'il avait lu et entendu au sujet de la guerre froide et des divisions des militaires suédois sur la politique de neutralité, par opposition à la nécessité de rejoindre l'OTAN, il voyait bien, une fois de plus, qu'il ne savait rien, au fond, du monde dans lequel il avait vécu. Impossible, naturellement, de rattraper la masse de connaissances qu'il n'avait jamais pris la peine d'acquérir. Tout ce qu'il pouvait encore apprendre, au sujet de ce monde, était coloré par la suite des événements. C'était un regard rétrospectif par définition. Il se demanda sombrement si on pouvait voir là une caractéristique de toute sa génération. Une réticence profonde à se préoccuper du monde dans lequel on vivait et de ses conditions politiques, qui se modifiaient sans cesse. À moins que sa génération n'ait été, elle aussi, divisée ? Entre ceux qui s'en souciaient, et les indifférents ?

Son père avait été mieux informé que lui ; Wallander en prenait conscience seulement maintenant. Il y avait eu l'épisode avec Tage Erlander et son discours dans le parc municipal de Malmö, mais il se rappelait aussi une autre fois, alors qu'il était adulte depuis un certain temps déjà, au début des années 1970, quand son père l'avait copieusement engueulé parce qu'il avait omis de voter aux élections qui s'étaient tenues quelques jours plus tôt. Wallander se rappelait encore la colère noire de son père, la façon dont celui-ci l'avait traité de « feignant politique » avant de lui jeter un pinceau à la figure et de lui ordonner de disparaître. Ce qu'il s'était naturellement empressé de faire. En trouvant que son père était franchement bizarre. Pourquoi diable aurait-il dû se préoccuper des chamailleries des politiciens suédois ? Ce qui l'intéressait, lui, c'était tout au plus la question des impôts (trop élevés) et de son salaire (trop bas), point à la ligne.

Souvent, au cours de ses ruminations à la table de la cuisine, il se demanda si ses amis les plus proches avaient été, comme lui, indifférents à la vie collective, uniquement préoccupés par leurs histoires personnelles. Les rares fois où ils parlaient politique, cela ne dépassait jamais une sorte de litanie monocorde où l'on cassait du sucre sur le dos des politiciens, de leurs combines et de leurs initiatives imbéciles, sans prendre la peine de s'interroger sur ce qui pourrait être fait à la place.

Il n'y avait eu au fond qu'une courte période où il avait sérieusement réfléchi à la situation politique en Suède, en Europe et peut-être aussi dans le monde. Ça remontait à près de vingt ans et au meurtre sauvage d'un couple de vieux agriculteurs de Lenarp. Il était vite apparu qu'un faisceau d'indices désignait certains migrants clandestins. Wallander avait été obligé de s'interroger sur sa propre opinion quant à l'immigration – phénomène massif en Suède en ces années-là. Il avait découvert alors qu'il dissimulait sous une façade pacifique et tolérante des points de vue obscurs, peut-être même racistes. Cela l'avait surpris et effrayé. Par la suite, il avait fait le ménage dans sa tête. Cette confusion n'existait plus. Mais après cette enquête et son épilogue étrange sur le marché de Kivik, où les deux meurtriers avaient finalement été arrêtés, il s'était enfoncé une fois de plus dans son cocon de paresse politique.

Il se rendit plusieurs fois à la bibliothèque d'Ystad au cours de l'automne et emprunta des livres consacrés à l'histoire de l'après-guerre en Suède. Il se plongea dans les débats houleux qui avaient eu lieu sur des thèmes tels que la nécessité, ou non, pour la Suède de se procurer l'arme atomique ou d'intégrer l'OTAN. Lui, Wallander, était déjà un jeune adulte à l'époque de certains de ces débats, mais il n'avait aucun souvenir d'y avoir jamais réagi, ni même d'avoir eu la moindre opinion sur ces sujets. C'était comme s'il avait vécu dans une bulle de verre.

Un jour, il fit part à Linda de ces ruminations ; lui raconta de quelle manière il avait commencé à envisager sa vie. Il découvrit qu'elle avait un intérêt beaucoup plus développé que lui pour ces questions. Il en fut surpris, et le lui dit. Elle répondit simplement que la conscience politique de quelqu'un ne se voit pas sur sa figure.

– Et d'ailleurs, pourquoi en aurais-je parlé avec toi alors que je savais que ça ne t'intéressait pas ?

– Et Hans ?

– Hans possède de vastes connaissances sur ce qui se passe dans le monde. Mais nous ne sommes pas toujours d'accord.

Au cours de ce travail d'écriture, Wallander s'arrêta souvent sur la personne, précisément, de Hans. En 2008, à la mi-octobre, il avait reçu un appel de Linda qui lui avait annoncé, très secouée, que la police danoise venait d'effectuer une descente dans les bureaux de l'entreprise de Hans à Copenhague. Certains courtiers, dont deux Islandais, étaient à l'origine d'estimations gonflées de façon artificielle afin de sécuriser leurs propres primes et bonus. La bulle avait éclaté à la faveur de la crise financière. Pendant une période, tous les employés, Hans y compris, furent soupçonnés d'avoir été mêlés à l'escroquerie. Au mois de mars seulement, Hans avait été informé qu'il n'était plus en cause. Cette histoire avait été un lourd fardeau pour lui au moment où il devait faire face au chagrin du décès de son père, si peu de temps après celui de sa mère. Il avait plusieurs fois cherché à rencontrer Wallander, dans l'espoir d'obtenir des explications. Celui-ci avait dit ce qu'il croyait pouvoir lui communiquer, mais pas un mot sur ce qui était, en dernier ressort, la vérité des faits.

Wallander se demandait plus que tout ce qu'il allait bien pouvoir faire de ce rapport qu'il était en train d'écrire, et qui ressemblait de plus en plus à une véritable somme de données objectives et de réflexions. Peut-être devrait-il le confier aux autorités ? Sous couvert d'anonymat ? Mais le prendrait-on au sérieux ? Qui avait envie de troubler les bonnes relations entre la Suède et les États-Unis ? Le silence sur les activités de Håkan von Enke ne répondait-il pas au fond à un fort désir collectif ?

Il avait commencé à écrire début septembre ; cela faisait à présent plus de huit mois qu'il travaillait à ce texte. Il ne voulait pas que ces événements soient réduits au silence. C'était là, pour lui, une perspective inacceptable.

Tout en écrivant, il s'acquittait aussi comme d'habitude de son travail au commissariat. Deux enquêtes désespérantes remplirent ses journées au cours de cet automne et de cet hiver-là. Et au mois d'avril 2009, il commença à s'intéresser à une série d'incendies criminels signalés dans la région d'Ystad.

Ce qui inquiéta le plus Wallander, tout au long de cette période, ce fut la persistance de ses trous de mémoire à répétition. Le pire avait été un jour peu avant Noël. Il avait neigé pendant la nuit et au matin, Wallander s'était habillé et était sorti déblayer l'accès à la maison. Après avoir fini, il ne savait soudain plus où il était. Même la tête de Jussi ne lui disait plus rien. Il mit un long moment à reconnaître sa propre cour. Et il ne fit pas ce qu'il aurait dû faire. Il n'alla pas voir le médecin, Margareta Bengtsson, car il avait tout simplement trop peur d'entendre ce qu'elle serait susceptible de lui dire.

Il continua donc de se persuader qu'il travaillait trop, qu'il était surmené. Parfois il y réussissait. Mais la peur était toujours là. Que les oublis n'empirent. Il redoutait d'être atteint d'un Alzheimer précoce. Il ne voulait pas finir dément.

Wallander s'attardait dans son lit. Il était de congé. On était dimanche matin, Linda devait venir le voir en fin d'après-midi avec Klara. Hans les accompagnerait peut-être, s'il n'était pas trop fatigué.

À six heures il se leva, fit sortir Jussi et prépara un petit déjeuner. Le reste de la matinée fut consacré à écrire. Pour la première fois, ce matin précis, il devina qu'il rédigeait en réalité une sorte de testament. Voilà comment avait tourné sa vie. Même s'il avait encore dix ou quinze ans à vivre, rien n'allait plus réellement changer. En revanche, il se demandait, avec une sensation semblable à un écho vide, ce qu'il ferait une fois qu'on l'aurait mis à la retraite. Il se rappelait ses conversations avec Nyberg. Celui-ci n'allait pas tarder à déménager dans le Nord, au fond des forêts profondes.

Il n'avait qu'une réponse à cette question, et c'était Klara. Sa présence le rendait toujours joyeux. Klara serait encore là quand tout le reste serait fini.

Ce matin de mai, il mit le point final à son texte. Il lui semblait n'avoir plus rien à ajouter. Il avait tout relu et corrigé et une copie papier était à présent posée sur la table devant lui. Péniblement, phrase après phrase, il avait reconstitué l'itinéraire de l'homme qui avait tenté de lui faire accroire que sa femme était un espion. Et lui, Wallander, était un personnage de l'histoire ; pas seulement son chroniqueur.

Certains fils n'avaient pu être incorporés à la trame et pendouillaient toujours. Ce qu'il ruminait le plus, peut-être, c'était la question des chaussures de Louise. Pourquoi les avait-on rangées proprement à côté du corps ? Wallander pensait à la fin qu'elle avait été tuée ailleurs et qu'elle n'avait pas eu ses chaussures aux pieds à ce moment-là. Celui qui les avait posées près d'elle n'avait pas spécialement réfléchi à ce qu'il faisait. Où Louise avait-elle été détenue pendant le temps de sa disparition ? Il ne le savait pas davantage.

Une autre énigme était pour lui l'histoire des galets. Celui qu'il avait vu chez Håkan von Enke, celui qu'il avait reçu d'Atkins et celui qu'il avait découvert sur la table du balcon de George Talboth. Il avait cru comprendre qu'il s'agissait d'une sorte de souvenir ramassé dans l'archipel suédois, au milieu des îles et des rochers, par des gens qui n'auraient pas dû se trouver là. Mais pour quelle raison celui de von Enke avait disparu de son bureau, il n'en avait pas la moindre idée. Il pouvait juste envisager diverses hypothèses.

Il avait parlé quelques fois à Atkins au téléphone. Celui-ci avait pleuré en évoquant son ami perdu. *Ses* amis perdus, se corrigeait-il toujours ensuite. Il n'oubliait pas Louise. Il avait dit qu'il viendrait aux funérailles de Håkan. Mais quand celles-ci eurent lieu, à la mi-août, il ne vint pas. Et il ne reprit jamais contact avec Wallander par la suite. Celui-ci se demandait parfois de quoi avaient pu parler Atkins et von Enke quand ils se voyaient. Il ne le saurait jamais.

Il y avait aussi d'autres questions qu'il aurait aimé pouvoir poser à Håkan. Pourquoi ce dossier sur le Cambodge caché en haut de l'armoire à documents ? Avait-il envisagé de partir là-bas au cas où il serait contraint de fuir ? Et pourquoi Louise von Enke avait-elle retiré deux cent mille couronnes à l'insu de son mari ? Cet argent avait disparu sans explication. Et l'appartement de Grevgatan avait été vidé sans rien révéler de nouveau.

Les morts avaient emporté leurs secrets avec eux. Cela valait également pour Sten Nordlander. Sa décision de mettre fin à sa vie après avoir tué Håkan von Enke demeurerait toujours une énigme.

Parfois il croyait comprendre. Parfois non. Parfois c'était juste incompréhensible.

Fin novembre, alors que Wallander était à Stockholm pour quelques jours de formation, il loua une voiture et se rendit à Niklasgården. Hans, qui n'avait pas encore eu le courage de faire le voyage et de rendre visite à sa sœur inconnue, était avec lui. Ce fut pour Wallander un moment émouvant que de voir le frère et la sœur ensemble pour la première fois. Il pensait aussi souvent au fait que Håkan von Enke n'avait jamais cessé de rendre visite à sa fille. C'était à elle qu'il avait confié son journal. Elle était sans doute sa confidente. À elle seule il avait dévoilé ses préoccupations secrètes.

Longtemps il rumina la question de savoir s'il devait signer son œuvre. Pour finir il ne le fit pas. Le texte comptait en tout deux cent douze pages. Il les feuilleta une dernière fois, avec des sondages ici et là pour vérifier qu'il n'y avait pas de fautes. Il pensait s'être approché autant que possible, malgré tout, de la vérité.

Il décida d'adresser le document à Ytterberg, sans nom d'expéditeur. Il glisserait le paquet dans une enveloppe qu'il enverrait à sa sœur Kristina, en lui demandant de le réexpédier. Ytterberg devinerait bien sa provenance, mais ne serait jamais en mesure de la prouver.

Ytterberg est un homme sage, pensa Wallander. Il utilisera ce texte de la meilleure manière possible. Il comprendra aussi pourquoi j'ai préféré garder l'anonymat.

Mais Ytterberg lui-même risquait fort de se heurter à un mur. Les États-Unis étaient encore, pour beaucoup de Suédois, l'équivalent du Messie à peu de chose près. L'Europe sans les États-Unis était une Europe sans défense. Peut-être n'y aurait-il personne pour admettre la vérité qu'il prétendait dévoiler.

Wallander pensait aux soldats suédois envoyés en Afghanistan. Cela ne se serait jamais produit si les États-Unis ne l'avaient pas exigé. De façon tacite, bien sûr, jamais ouvertement – de la même manière que leurs sous-marins avaient circulé incognito dans les eaux nationales avec l'aval de l'état-major et de la classe politique suédoise au début des années 1980. De la même manière aussi que les hommes de la CIA avaient été autorisés à venir chercher sur le territoire suédois, le 19 décembre 2001, deux Égyptiens soupçonnés de terrorisme et à les reconduire dans des conditions dégradantes vers la prison et la torture dans leur pays d'origine. À supposer que ses activités soient révélées un jour, Wallander pouvait même imaginer que Håkan von Enke serait vu non pas comme un traître, mais comme un héros.

Il n'y a, pensa-t-il, aucune certitude absolue. Ni quant à la façon dont ces événements seront interprétés, ni quant à la suite de mon existence.

Il avait mis son point final. Provisoire ou non, peu importe.

Cette journée de mai était ensoleillée, mais très fraîche. À l'heure du déjeuner il fit une longue promenade avec Jussi, qui paraissait plus ou moins rétabli. Quand Linda arriva, sans Hans mais avec Klara, Wallander avait même eu le temps de faire le ménage et de vérifier qu'aucun papier compromettant ne traînait plus dans le séjour. Klara s'était endormie dans la voiture. Wallander la porta avec précaution jusqu'au canapé. La tenir dans ses bras lui donnait toujours la sensation que c'était Linda qui lui était revenue, sous une nouvelle forme.

Ils prirent le café dans la cuisine.

– Tu as fait le ménage ? demanda Linda en regardant autour d'elle.

– Toute la journée.

Elle éclata de rire, mais retrouva aussitôt son sérieux. Wallander savait que les épreuves traversées par Hans l'affectaient, elle aussi.

– Je veux retourner au boulot, dit-elle soudain. Je n'en peux plus d'être juste mère de famille.

– Tu reprends dans quatre mois, il me semble ?

– Quatre mois, c'est beaucoup. Je remarque que je deviens impatiente. Irritable. Énervée.

– Contre Klara ?

– Contre moi.

– Je crois malheureusement que tu tiens ça de moi.

– Quoi ?

– L'impatience.

– N'est-ce pas toi qui dis toujours que l'impatience est la première vertu d'un policier ?

– Oui. Ça ne veut pas dire qu'elle doive lui être naturelle.

Elle goûta pensivement son café.

– Je me sens vieux, dit Wallander. Je me réveille chaque jour avec l'impression que ça passe si vite, si terriblement vite. Et je ne sais même pas après quoi je cours, et si c'est pour le rattraper ou pour lui échapper au contraire. Je cours, c'est tout. Et si je dois être tout à fait sincère... La vieillesse me fait très peur.

– Pense à grand-père ! Il a vécu jusqu'au bout comme il l'avait toujours fait, sans une pensée pour son âge.

– Ce n'est pas vrai. Il avait peur aussi.

– Parfois peut-être. Mais pas toujours.

– C'était quelqu'un de singulier. Je crois que personne ne peut se comparer à lui.

– Moi, oui.

– Tu avais un contact avec lui que j'ai perdu quand j'étais encore très jeune. D'ailleurs il s'est toujours mieux entendu avec ma sœur Kristina. Peut-être avait-il plus d'affinités avec les femmes ? Je suis né avec le mauvais sexe. Il ne voulait pas de fils.

– Ça, ce sont des bêtises, et tu le sais.

– Bêtises ou pas, ce sont quand même des pensées qui me traversent. J'ai peur de devenir vieux.

Linda tendit la main par-dessus la table et lui effleura le bras.

– J'ai remarqué que tu t'inquiétais. Mais au fond de toi, tu sais bien que ça n'a pas de sens, n'est-ce pas ? L'âge, on ne peut rien y faire.

– Je sais. Mais parfois j'ai l'impression que tout ce qui me reste, c'est de me plaindre.

Linda resta longtemps chez lui. Ils bavardèrent jusqu'à ce que Klara se réveille et, s'extirpant du canapé, se mette à courir vers lui avec un grand sourire heureux.

À cet instant, Wallander fut littéralement submergé d'épouvante. Sa mémoire se dérobait à nouveau. Il ne savait pas qui était cette fillette qui courait vers lui. Oui, il l'avait déjà vue. Mais qui était-elle ? Comment s'appelait-elle ? Que faisait-elle là ?

C'était comme si un grand silence venait de descendre sur lui. Comme si les couleurs s'étaient effacées en laissant derrière elles quelque chose, en noir et blanc, à son intention.

L'ombre s'était approfondie. Et, peu à peu, Kurt Wallander disparut alors dans une obscurité qui l'expédierait quelques années plus tard définitivement dans l'univers vide qui a pour nom Alzheimer.

Après il n'y a plus rien. Le récit sur Kurt Wallander s'arrête. Les années qu'il lui reste à vivre, peut-être une dizaine, peut-être davantage, n'appartiennent qu'à lui. À lui et à Linda, à lui et à Klara, et à personne d'autre.

Postface

Dans l'univers de la fiction, on peut s'autoriser de nombreuses libertés. Il m'arrive ainsi souvent de modifier un paysage pour que nul ne puisse dire : c'est là que ça s'est passé !

Je tiens à souligner la différence entre fiction et documentaire. Ce que j'écris *aurait pu* se passer tel que je le décris. Mais ce n'est pas nécessairement le cas.

Ce livre contient de nombreux glissements de ce type, entre faits réels et faits imaginables.

Comme beaucoup d'écrivains, j'écris pour rendre le monde plus compréhensible, d'une certaine manière. De ce point de vue, la fiction est parfois supérieure au réalisme documentaire.

Peu importe donc s'il existe ou non une institution du nom de Niklasgården dans le centre de la Suède, ou un établissement à Östermalm fréquentée par les officiers de marine, ou un café, près de Stockholm, ayant la même fonction et où un commandant de sous-marin du nom de Hans-Olov Fredhäll serait susceptible de surgir à l'improviste. Et Madonna n'a jamais donné de concert à Copenhague en 2008.

Mais l'essentiel de ce livre repose sur un socle de réalité tangible.

Nombre de personnes m'ont été d'une aide précieuse dans les recherches nécessaires à ce roman. Je les en remercie.

Le contenu définitif relève toutefois de ma seule et unique responsabilité.

Henning Mankell, Göteborg, juin 2009

DU MÊME AUTEUR

AUX ÉDITIONS DU SEUIL

Comédia infantil
roman, 2003
et coll. « Points », nº P1324

Le Fils du vent
roman, 2004
et coll. « Points », nº P1327

Tea-Bag
roman, 2007
et coll. « Points », nº P1887

Profondeurs
roman, 2008
et coll. « Points », nº P2068

Le Cerveau de Kennedy
roman, 2009
et coll. « Points », nº P2301

Les Chaussures italiennes
roman, 2009

à paraître

L'Œil du léopard

SEUIL POLICIERS

« Série Kurt Wallander »

1. Meurtriers sans visage
coll. « Points Policiers », nº P1122
(et Bourgois, 1994)

2. Les Chiens de Riga
2003
prix Trophée 813
et coll. « Points Policiers », n° P1187

3. La Lionne blanche
2004
et coll. « Points Policiers », n° P1306

4. L'Homme qui souriait
2005
et coll. « Points Policiers », n° P1451

5. Le Guerrier solitaire
1999
prix Mystère de la critique 2000
et coll. « Points Policiers », n° P792

6. La Cinquième Femme
2000
et coll. « Points Policiers », n° P877

7. Les Morts de la Saint-Jean
2001
et coll. « Points Policiers », n° P971

8. La Muraille invisible
2002
prix Calibre 38
et coll. « Points Policiers », n° P1081

OPUS, vol. 1
Meurtriers sans visage,
Les Chiens de Riga, La Lionne blanche
2010

« Série Linda Wallander »

Avant le gel
2005
et coll. « Points Policiers », nº P1539

HORS SÉRIE

Le Retour du professeur de danse
2006
et coll. « Points Policiers », nº P1678

à paraître

Le Chinois

OPUS, vol. 2
L'Homme qui souriait,
Le Guerrier solitaire, La Cinquième Femme

OPUS, vol. 3
Les Morts de la Saint-Jean,
La Muraille invisible, L'Homme inquiet

RÉALISATION : IGS-CP À L'ISLE-D'ESPAGNAC
IMPRESSION : CPI FIRMIN-DIDOT AU MESNIL-SUR-L'ESTRÉE (EURE)
DÉPÔT LÉGAL : NOVEMBRE 2010. N° 101878-7 (103576)
IMPRIMÉ EN FRANCE